満洲移民とブラジル移民

信濃海外協会『海の外』を対象として

附・『復刻版　海の外』内容一覧・総目次・執筆者索引

森　武麿
Takemaro MORI

不二出版

凡　例

※本書は森武麿「満洲移民とブラジル移民―信濃海外協会『海の外』を対象として」（索引附）に、『復刻版　海の外』全七巻（不二出版、二〇二四―二〇二五年）の「内容一覧」、「総目次」、「執筆者索引」を附録として収録したものである。
※附録「総目次」と「執筆者索引」は不二出版編集部の作成による。
※本論のなかの『海の外』『信濃開拓時報』記事・人名については、附録「総目次」と「執筆者索引」を参照し、『復刻版　海の外』全七巻をご確認いただきたい。
※漢字は原則として現行の字体に改めた。仮名遣いは原則としてそのままとしたが、踊り字は改めた。また、引用文中の接続詞や連体詞などについては、文意を損なわない範囲で漢字をひらがなに開いた箇所がある。
※本文の引用文中、［　］で示したものは筆者による注である。
※現中国東北部を指す地域名、一九三二年に同地域に「建国」された国家を指す表記については「満洲」、「満洲国」に統一した。ただし原表記が異なるものはその限りではない。

目次

序章　課題 …… 3
第一節　日本近代移民史　3
第二節　長野県近代移民史研究　7
第三節　移民史研究の視点　13

第一章　ブラジル移民と移民国策化 …… 17
第一節　内務省社会局の設置　17
第二節　全国海外協会の設立　19

第二章　信濃海外協会の設立 …… 23
第一節　レジストロ植民地　23
第二節　信濃海外協会設立　27
（一）設立趣旨と設立者　27　（二）協会幹事の役割　34　（三）信濃教育会の役割　39
第三節　『海の外』の刊行　43

第三章　南米信濃村 …… 51
第一節　信濃海外協会の移住地　51
（一）南米信濃村建設構想　51　（二）アリアンサの建設と名称　57　（三）アリアンサ移住地　59
（四）アリアンサの理想　68

第二節　鳥取県海外協会と富山県海外協会　74
第三節　企業移民　80

第四章　海外移住組合法と拓務省……85
第一節　海外移住組合法の成立　85
第二節　拓務省設置　93
第三節　海外移住組合連合会改組　99

第五章　ブラジル移民政策の転換と終焉……105
第一節　ブラジル移民政策の転換　105
第二節　アリアンサ自治権喪失　106
第三節　ブラジル移民政策の終焉　114

第六章　満洲愛国信濃村……127
第一節　満洲移民史研究　127
第二節　満洲移民前史　129
第三節　満洲事変の衝撃　132
第四節　満洲愛国信濃村の建設　137
第五節　満洲愛国信濃村の挫折　146
第六節　永田稠の満洲移民構想　150

第七章　満洲武装移民と農村経済更生運動……165
第一節　武装移民　165
第二節　長野県の武装移民　168
第三節　関東軍の永田稠批判　174
第四節　農村経済更生運動　177
第五節　農村更生と満洲移民の結合　190

第八章　満洲一〇〇万戸移民……203
第一節　満洲一〇〇万戸移民構想　203
第二節　長野県の満洲一〇〇万戸移民　210
第三節　満洲信濃村の建設　215
第四節　分村移民と分郷移民　221
（一）『海の外』に見る分村移民・分郷移民　221　（二）分村移民・分郷移民の論理　231
第五節　満洲自由移民　236
第六節　満洲三大分村移民　244
（一）宮城県南郷村分村計画　244　（二）山形県大和村分村計画　248　（三）長野県大日向村分村計画　253　（四）三大分村移民の比較　268

第九章　戦時期満洲移民の解体……279
第一節　満蒙開拓青少年義勇軍と「大陸の花嫁」　279
第二節　アジア・太平洋戦争と信濃海外協会改組　285

第三節　信濃海外協会の終焉　293
第四節　長野県開拓協会　300

終　章　信濃海外協会の移民運動の総括……315
第一節　近代移民史の時期区分　315
第二節　満洲移民の地域的特質　320
第三節　満洲移民の経済的条件　329
第四節　満洲移民の社会的条件　337
第五節　満洲移民の政治的条件　341
第六節　信濃海外協会活動家のその後　347

あとがき　355
本論索引（事項）　iv
本論索引（人名）　i
『復刻版　海の外』内容一覧　(3)
『復刻版　海の外』総目次　(7)
『復刻版　海の外』執筆者索引　(i)

満洲移民とブラジル移民

——信濃海外協会『海の外』を対象として——

序章　課題

第一節　日本近代移民史

戦前ブラジルに渡った日系人は、戦後ブラジル社会との融合をめざし社会的に評価され、多くの成功者を生んだ。それに対して満洲移民の評価はどうであろうか。現在でも、とりわけ韓国、北朝鮮、中国での日本人の評価には厳しいものがある。その背景には朝鮮植民地化による日本人と朝鮮人、「満洲国」建国による日本人と中国人の歴史的関係が背景にある。それはブラジルにおける日本人の入植・植民の在り方と朝鮮・満洲における入植・植民の在り方の違いでもある。私たちはブラジル移民とアジアへの移民との差異、とくに満洲移民を移民史の反面教師としてより深く学ぶことが必要ではないだろうか。

最初に一八八〇年代後半（明治一〇年代）から一九四〇年代前半（昭和一〇年代）までの海外在留邦人の推移を【図1】から見ておく。

一八八一年のハワイ官約移民を始まりとして、一八九八年アメリカのハワイ併合後アメリカ本土への移民が本格化し、ハワイからアメリカ本土、カナダへの移住も含め、一九二〇年までに約二一万人が北米へ渡った。またアジアへの日本人移民も一八九五年の日清戦争、一九〇五年の日露戦争勝利により朝鮮への移民が激増し、一九三〇年には六〇万人に達する。台湾も日清戦争で植民地化されて、朝鮮と同様に日本人移民が増加し、一九三〇年には約三〇万人に達する。さらに日露戦争で植民地となった樺太も一九二〇年代前半には台湾を凌駕し、一九三〇年には三五万人を越える。

このように一九二〇年代は朝鮮、樺太、台湾、北米への順で移民が急増した時代であった。信濃海外協会はこのような移民熱のなかで生まれたのである。しかしこの時代のアメリカへの移民の激増は排日運動を呼び起こし、一九〇八年の日米紳士協定による移民制限、一九二四年には排日移民法によって事実上アメリカへの日本人移民は禁止される。そのため日本からの移民は南米、とくにブラジルに向かうことになる。ブラジル移民は一九〇八年笠戸丸移民を始まりとして一九三〇年代にピークを迎え戦前約二〇万人がブラジルに渡った。とりわけ激増したのは一九二九年の世界恐慌以後である。ブラジルへの日本人移民の激増ぶりは北米に迫る。しかしここでも日本人移民の激増に対して排日運動が高まり、一九二三年黄色人種の移民を制限するレイス法案が下院に提出され、一九二九年の世界恐慌後に日本人のブラジル移民は急増するが、ブラジルの排日運動は一層高まり一九三四年外国移民二分制限法（各国のブラジル移民数を過去入国者数の二分＝二%とする）で事実上日本人移民は禁止される。アメリカの排日運動と同じパターンである。ここでブラジルに代わって移民が急増したのが満洲である。一九三〇年に二〇万人だった満洲日本人（官吏、商工業者に開拓民も含む）は一九三五年には台湾、北米、樺太を追い抜き、一九四〇年には朝鮮さえ追い越す。一九四五年敗戦までに満洲の在留日本人は一気に一五〇万人になる。そのうち満洲開拓民は約二七万人である。さらに満蒙開拓青少年義勇軍約八万六〇〇〇人を含めると開拓民は三五万人を越える。日本人移民が満洲に殺到し満洲が海外移民地のトップになった。

　本書の課題の一つはブラジル移民から満洲移民にどのようにして転換したのかということにある。とくに一九二

【図1】戦前海外在留邦人の推移

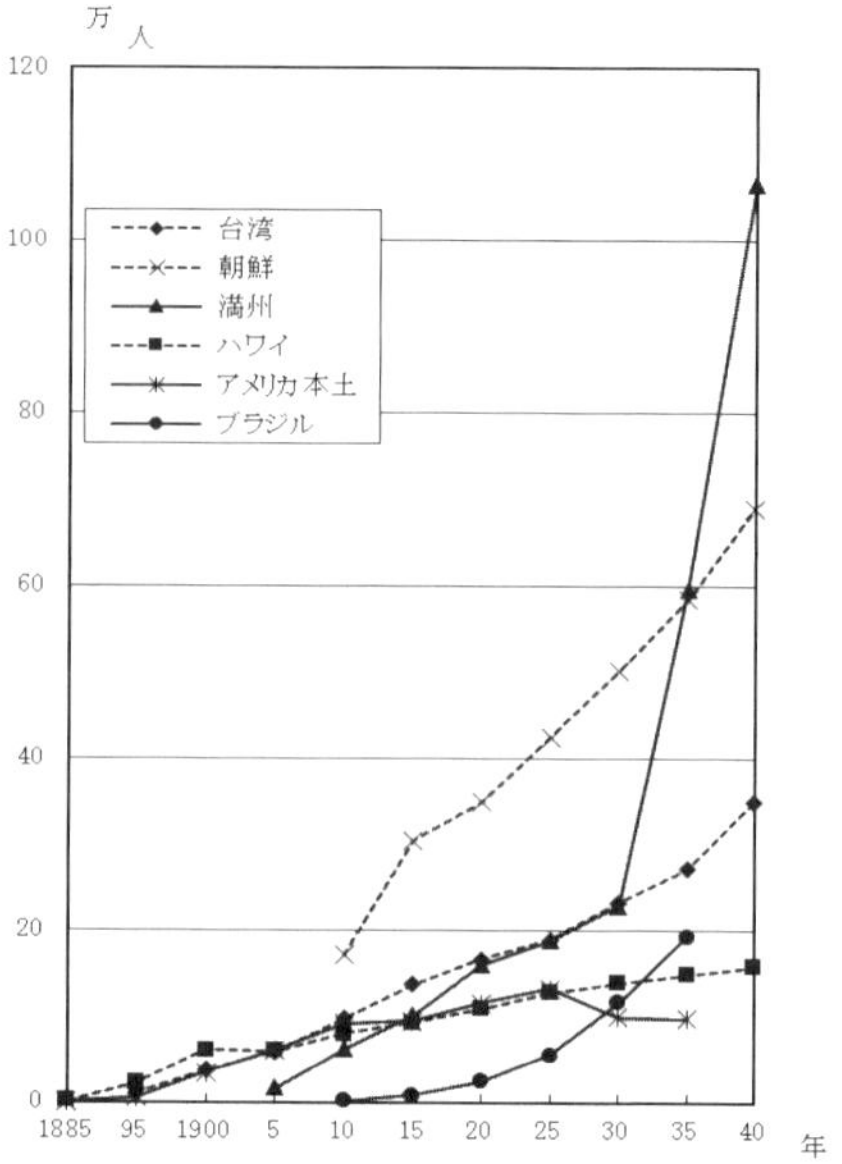

（出典）台湾・朝鮮の在留日本人は『日本帝国統計年鑑』、「満洲」は外務省『日本人の海外活動に関する歴史的調査』第一冊総論（ゆまに書房、2000年）、ハワイは足立律宏『ハワイ日系人史』（葦の葉出版会、1977年）、アメリカ本土は児玉正昭『日本移民史研究序説』（淡水社、1991年）と飯野正子『もう一つの日米関係史』（有斐閣、2000年）、ブラジルは在住日本人でなく渡航人数で外務省領事部移住部『わが国民の海外発展－移住百年の歩み』資料編（1971年）による。

〇年代各府県の海外移住協会設立後、一九二四年より信濃海外協会を中心に建設されるアリアンサ移住地建設による定住植民を経て、一九三二年満洲国建国後の満洲移民に至る過程を明らかにしたい。これまで移民研究ではブラジル移民と満洲移民は別個の研究対象として行われてきた。ここではブラジル移民と満洲移民を連続と断絶の両面から統一的にとらえることを目標とする。(1) その際の焦点をこの時代に長野県移民を担った信濃海外協会と、協会幹事として活躍した民間の代表的移民活動家で日本力行会会長永田稠(一八八一―一九七一年)の思想と行動に当てる。永田はブラジル移民から満洲移民まで深く関係したので、ブラジル移民と満洲移民の関係を明らかにする最適の人物と思われるからである。本書ではブラジル移民から満洲移民への転換を信濃海外協会の活動を中心として明らかにすることを課題とする。

もう一つの課題は長野県満洲移民を信濃海外協会の活動との関係から見ることによってその満洲移民の特徴とその崩壊の過程を明らかにしたい。とりわけ長野県がなぜ日本一の満洲移民送出県となったのかという問題である。その原因を長野県を取り巻く経済的社会的政治的条件の複合的結合から明らかにしたい。

これまでの長野県の満洲移民研究は特定村の移民団の研究を中心にしたものと満蒙開拓青少年義勇軍に着目したものなど優れた研究は多いが、長野県海外移民の全体の推移のなかに満洲移民を位置づける研究は少なかったと思われる。すなわち、ここではこれまでバラバラに取り上げられてきた長野県のブラジル移民と満洲移民を統一的に把握するために、信濃海外協会に注目してその機関誌『海の外』を追うことで、長野県戦前海外移民の全体像に接近したい。

その際の分析対象として信濃海外協会の機関誌『海の外』を取り上げる。『海の外』は一九二二年に発刊され、戦時下の一九四三年まで刊行されて、一九四四年七月から敗戦の一九四五年五月まで『信濃開拓時報』に継承される。そのため『海の外』、『信濃開拓時報』を見ることにより長野県のブラジル移民の開始から満洲移民への転換と崩壊の全過程を見通すことができるものと考える。

海外協会とは一九一〇年代から内務省を中心に各県で知事・県庁が音頭を取って海外移民の支援と海外発展思想

の普及を進める民間団体として発足している。民間といっても県庁が深く関係しているので中間団体というべきであろう。

そのなかで信濃海外協会は一九二二年一月に長野県知事を中心として県内有力者によって長野県民の海外移住を促進するための機関として設立された。信濃海外協会設立の時期はアメリカでの排日運動が盛んになり排日移民法が成立する一九二四年の直前であった。これまで述べてきた日本人の海外移住の歴史のなかで信濃海外協会が設立された一九二二年が歴史的にどのような位置にあるかを知ることができる。日本近代の移民はハワイ、北米アメリカ、カナダ、ブラジル、満洲と移民対象地域を変化させてきた。そのなかで一九二〇年代は日本人移民の流れがアメリカからブラジルに転換する時代であった(2)。

また信濃海外協会など各府県海外協会が設立された一九一〇年代から一九二〇年代は、日本が日清・日露戦争で勝利して台湾と韓国を併合し、第一次世界大戦でも英米とともに参戦して戦勝国となり、一九一九年のベルサイユ講和会議では敗戦国ドイツから青島・南洋委任統治領の支配を奪い世界の列強と肩を並べる強国に飛躍した時代であった。当時の言葉で「一等国」に上昇したのである。日本は第一次世界大戦後に次の第二次世界大戦に向かう世界の再分割を目指す新帝国主義国家として世界に登場し、その国威発揚は日本人の海外移住を促進したのである。日本では「内にデモクラシー」を標榜するとともに「外に帝国主義」の圧力も高まっていたのである。その過程で海外協会は軍部と資本の海外膨張の国粋的要求を満たすとともに、戦争と恐慌が連続するなかでの国内矛盾の対外転嫁の手段として国策としての移民政策が生まれる時代でもあったのである。帝国主義的強国化と国内貧困化が重層化するなかで移民の国策化が進む。一九二〇年代はまさに時代の転換期であった。

その様な国際環境のなかで設立された信濃海外協会は長野県の海外移住送出促進機関となった。とくに長野県は満洲移民を最も多く出した県として全国的に有名であり長野県佐久の大日向村は満洲移民のモデル農村として全国に宣伝された。しかし長野県の海外移民は一九三〇年代の満洲移民が始まりではない。長野県が本格的に移民政策を展開したのは一九二〇年代からである。とりわけ一九二二年に設立された信濃海外協会は最初にブラジル移民に取り組み、ブラジル信濃村の建設を目指している。ブラジル・アリアンサ移民といわれた。そこでの長野県のブラジル移民の経験が前提となり長野県が満洲移民の全国一となる移民熱を生んだものと思われる。長野県の海外移民を知るために信濃海外協会の役割は重要である。これまでの研究では満洲移民の分析を満洲事変から始めることによってブラジル移民の体験が軽視されてきたのではないか。一九三〇年代の満洲移民を一九二〇年代のブラジル移民との連続と断絶の両面をきちんととらえることで新たな視野が開けるのではないかと思う。

そのため本書では信濃海外協会の活動をその機関誌『海の外』から見ていく。そのことによって、長野県のブラジル移民から満洲移民への転換の意味がよく見えてくるものと思う。

『海の外』は一九二二年四月から一九四三年五月まで全二五三号が継続的に発刊された。その後も戦時中に『海の外』の継続誌として長野県開拓協会『信濃開拓時報』が一九四四年七月から一九四五年五月まで刊行されている。敗戦間際の短い期間であるが全一一号が刊行されている。この『海の外』と『信濃開拓時報』を分析対象とすることで長野県のブラジル移民の開始と満洲移民への転換、そして満洲一〇〇万戸移民計画から満洲移民の崩壊の状況を知ることができる。

第二節　長野県近代移民史研究

ここでは一九二〇年代から一九四五年敗戦に至る長野県開拓史のこれまでの主要文献について簡単に触れておく。これまでの研究史ではブラジル移民研究、満洲移民研究と細分化されて長野県の近代移民を通して見る文献はほとんど存在しない。しかしここで取り上げる文献は研究書ではなく一般書ではあるが近代の信濃海外移民を包括的に取り上げたもので、本書の対象とする信濃海外協会を通した長野県近代移民史研究として無視することはできない。

一つは戦時下に信濃毎日新聞編集部がまとめた古代から満洲移民までを描いた信濃開拓小史であり、信濃毎日新聞社編『拓民の血を訪ねて―信濃拓民小史』（信濃毎日新聞社出版部、一九四二年）である。古代から信濃移住史を書いた貴重な試みである。

もう一つは移民運動の当事者が書いた永田稠編『信濃海外移住史』（信濃海外協会、一九五二年）である。とくに著者の永田稠は信濃海外協会の幹事として、ブラジル移民から満洲移民まで長野県移民運動の黒子役として、つねに長野県近現代移民運動を下から牽引してきた人物で、当事者による証言記録でもある。これも一九二〇年代、三〇年代に長野県で移民運動が盛んになった背景を知ることができる。

最後は長野県開拓自興会満州開拓史刊行会編・発行『長野県満州開拓史』総編（一九八四年）である。これは満洲移民体験者・引揚げ者を中心に移民当事者が総力を挙げてまとめた最も信頼すべき基本文献である。敗戦後の満洲移民団の壊滅を背景に人々の苦難と鎮魂の思いを込めて書かれた見事な戦前長野県開拓団の総括書である。本書はこれらを参考にしながら私の見解を展開したものと言える。これらを抜きにして長野県近移民史を語ることはできない。この三つの著書の特徴をそれぞれ見ていこう。

まず第一に信濃毎日新聞社編『拓民の血を訪ねて―信濃拓民小史』（信濃毎日新聞社出版部、一九四二年）について述べておきたい[3]。これは信濃海外協会『海の外』の刊行出版社である信濃毎日新聞社が刊行した信濃海外開拓史でもあるからである。アジア・太平洋戦争期にこのような本が生まれたのはそれなりの背景があった。

同書は古代から当時の満洲移民までを対象とした信濃移民史で信濃毎日新聞社の田中武夫が編者となり、信濃毎日新聞記者たちが現地取材した記事を集成したものである。同書は信濃毎日新聞社のみならず長野県庁、信濃海外協会、長野県人が満洲移民を同時代としてどう捉えていたかを知ることができる重要な文献である。

序では「上代の昔からいつの世いつの時代にも、わが郷土の祖先が日本民族発展の移動先駆をなして居た」という。孝徳天皇の六四八年（大化四年）に最初の「武装移民」、すなわち「蝦夷征伐」として征夷のため東北地方へ信濃から兵士を兼ねて開拓定住が行われた。これらの人は弥生時代に出雲から越の姫川（糸魚川）に移住してきた諏訪神社の祭神となる健御名方命（タケミナカタミコト）を日本第一の軍神として仰ぐ出雲族の人たちであり、越の国（新潟）のヌナカワ姫を娶り信濃の国に進出移住してきたという[4]。さらに大和朝廷ができると白村江の戦いで有名な北九州の安曇族が大和に進出しその後安曇野を開拓し信濃の国を作り上げたという。祭神は穂高神社の穂高見命（ホダカミノミコト）である。日本海側の出雲族と瀬戸内海・紀州まわりで大和から信濃に進出した安曇族が信濃を作り上げたことになる。これは古事記・日本書記の神話の再解釈である。古代の移住者が武力で開拓征服しながら信濃の国を作ったという。

さらに中世から戦国時代に倭寇と呼ばれる「八幡船の時代に南京城に迫ったのも信濃の国の人物が活躍した」という。すなわち南北朝内乱で後醍醐派に与した北信の村上氏と更級郡塩崎村の四宮氏は足利尊氏により後醍醐天皇が敗北したあと瀬戸内海の阿波・讃岐に逃れ、村上一族の一部は伊予の村上水軍（海賊）となったという。さらに村上一族らは八幡船で倭寇として武力とともに交易をもって東シナ海に乗り出していく。戦国時代武田信玄と上杉謙信で有名な川中島の戦い（一五六一年）の一〇年前に村上図書は倭寇の将軍として日本人と中国人を組織して明国南京を攻撃した。「大明国の崩壊の端緒を作ったのも信濃の血を継ぐ一群であった」という。このあたりの叙述は一九三七年日中戦争での日本軍の南京占領を彷彿とさせる。

さらに同書で「南方圏の祖業二つ」として豊臣秀吉の朱印船貿易の時代の信濃人の活躍が述べられる。信濃人の南方圏進出として小笠原島とベトナムが注目される。太平洋の小笠原島を発見したのは松本出身の小笠原貞時であり戦国末期秀吉の朝鮮侵略の時代である。小笠原家は鎌倉時代以来の信濃の守護職であった。松本深志城主小笠原家は武田信玄に滅ぼされるが信長、秀吉、家康の家臣として存続する。家康の家臣となった小笠原貞頼は江戸に移住し家康の命を受けて一五九四年（文禄三年）に無人島小笠原諸島を探検し、ここに「日本国小笠原貞頼」という標柱を建てた。秀吉・家康はその島を小笠原島と名付け小笠原家の所領とした。それ以来小笠原島は小笠原家の子孫が開拓するが失敗し移住は途絶え、ペリー来航の時には主に英米の外国船漂流民やポリネシア人が住んでいた。明治に入ると維新政府は一八七五年に小笠原諸島の日本国の領有を宣言した。これも信濃人の標柱から日本の開拓地であるという日本帝国の主張が国際的に認められた結果であったという。

もう一人ベトナムの日本人進出の先駆者に信濃人の松本七郎兵衛栄吉がいる。安南王朝フエの町に松本寺を建てた人物である。この松本栄吉の祖先は信州松本の八幡神社の神職である。領主小笠原長時が武田信玄に滅ぼされたときに伊勢松阪に逃れ、秀吉の朱印船貿易振興の慶長年間に成功を収めて安南国（ベトナム）に住みついた信濃人であったという。「熱帯風物のなかに異色彩るこの寺の存在はその国を渡る日本の旅人の驚きの目を見張らせ、今やその地に日章旗をひるがえさせて、新しく大東亜建設の先頭に立つ皇軍将士にこの史跡は無量の感慨を焚かせる」という。これは『信濃拓民小史』が一九四二年に刊行されただけに大東亜共栄圏建設が叫ばれた時代背景が反映されている。中国、東南アジアへの日本人の武力侵攻の歴史を信濃人とかかわらせて述べている。

そして日本近代は幕末ロシアに備え蝦夷地に兵士を配備し、さらに明治維新以後は屯田兵として北海道拓殖の大計画を立てた。さらに「大正の初頭には関東州愛川村を建設し、満洲農業集団移民の先駆となり、ブラジルに日本村建設の先駆をなしたのもみんなわが郷土の祖先であった」という。信濃の郷土の祖先がロシア・ソ連に対抗する武力侵攻として満洲移民が評価される。そして満洲事変以後の武装移民、一〇〇万戸移民計画についても新聞記者の現地取材を基礎として詳細なインタビュー記事が信濃毎日新聞記者によって書かれている。

同書では一貫して満洲移民全国一の先進県としての誇りを以て書かれている。長野県がいかに古代から天皇を中心とする日本国家に忠誠を尽くしたのか、国内移住と海外移住を通して皇国の地方鎮撫と海外発展に貢献した信濃人を描いており、当時の満洲移民推進のための国策プロパガンダの役割を目的とする本であることが分かる。神話と史実の混同もあるが、古代から現代に及ぶ長野県海外移民史としては最初の通史であろう。

とくに古代から現代まで信濃から移住した人々の子孫を訪ねて秋田、山形、岩手、瀬戸内海、新潟、北海道、中国関東州、満洲開拓地を調査してインタビューしているのは興味深い。

以上のように同書の歴史観は神話の世界から古代の信濃人が出雲族と諏訪族により作られた信濃の国が大和王権に服属したあと、信濃人が信濃の国の外から海の外へ、近代では県外さらに海外への拡大を経て、世界へ連続的に膨張発展する武装移民の歴史として考えることである。

当時の長野県知事永安百治も同書の序で「県民の五体に連綿と流れる拓殖思想の歴史的検討を試み、祖業を忍び、以て明日の拓民送出に資せんと企てたことは県も大いに推奨してやまない」（一九四二年一一月）と述べている。満洲移民が本格化して曲がり角にさしかかりアジア・太平洋戦争開始後の一九四二年「大東亜共栄圏」が叫ばれた当時、このような武装移民史としての信濃移民史が生まれたのは当然であろう。

第二は永田稠編『信濃海外移住史』（信濃海外協会、一九五二年）である。これは本書のテーマである信濃海外協会史の基本文献である。同書を読み込み批判的に乗り越えることが本書の課題でもある。

著者の永田稠は一八八一年長野県諏訪郡豊平村（現・茅野市）に生まれた。同書の序文で「私は信濃人である。青年の頃北海道・満洲・蒙古・朝鮮・北アメリカ等に放浪していたが、大正の初年米国から帰国して日本力行会会長となった。それから信州の海外移住に関係するようになり大方の支援を受けて、信濃海外協会、海外協会中央会の設立に参与し、海外移住組合法の決定、信濃海外移住組合の設立に参画した。そして南北両米を三巡し、ブラジル国にてアリアンサ移住地建設の局に当たり、後、満洲国の移民問題にも触接した」という[5]。

同書は永田稠が七二歳の時の人生の総括として自分の海外移住体験をまとめた意味もある。戦前信濃海外協会が一九四五年の敗戦占領で解体されたが、一九五二年サンフランシスコ講和条約で日本が独立したあと長野県では海外移民を再開し同時に信濃海外協会が復活した。同書は戦前の経験を活かすために戦後信濃海外協会の顧問格の理事として永田が書いた戦前七〇年間に及ぶ信濃海外移民史の回顧録であり戦後長野県移民政策の参考資料でもあった。

永田稠はまさに長野県のブラジル移民から満洲移民まで戦前の長野県の民間の移民運動から国策移民運動まですべてを経験している信濃海外移民運動の最大の証言者である。彼の思想と行動、そして果たした役割をどう考えるかによって長野県の海外移民史の真の姿を知ることができる稀有の存在である。だからと言って彼が長野県の信濃海外協会と県移民運動をリードする中心人物であったということではない。彼の力行会長というキリスト教的信念と独自の移民構想は長野県の信濃海外協会主流派と対立し、さらには関東軍の移民政策とも対立する。彼の長野県移民運動における位置づけとその変貌を見ることで信濃海外協会の本質を知ることができるという意味で稀有の存在であった。そのことは本書全体のテーマでもある。

第三は長野県開拓自興会満州開拓史刊行会編・発行『長野県満州開拓史』総編（一九八四年）である。開拓自興会とは戦争直後の一九四六年に満洲開拓引揚者で作られた親睦団体で全国組織と各県支部組織がある。残留日本人の帰還運動など満洲開拓者の要求を政府に陳情した社会運動体でもあった。長野県では戦後三〇年経過した一九七九年から長野県開拓自興会が満洲開拓史の編纂を県庁に要求し、県が中心となって満洲開拓史の編纂計画がスタートする。編纂委員長には信州大学教授上條宏之が就任し他に編纂委員三人、編纂執筆者五人で一九八四年に刊行されている。長野県開拓自興会の所有する資料を広範に利用した本格的な長野県満洲開拓史であり通常の長野県史編纂事業に相当する大規模な事業であった。

序文は長野県知事吉村午良である。

「満州開拓は、昭和七年から大陸政策の要としてまた農村更生策のひとつとして遂行され、わが長野県から大量の開拓団と満蒙開拓青少年義勇軍を送出しましたが、戦争により悲惨な結末をむかえました。その事にあたった犠牲者の皆様に対する援護や慰霊につづいて、いまなお大陸残留孤児の肉親捜しがおこなわれ、日中友好の促進、永遠の平和が切実に願われるところであります……満州開拓史の刊行の目的は時とともに失われてゆく資料を確実に収集編纂し、歴史のうえから決して消え去ることができない関係者の体験をも、文献として後世にとどめ、犠牲者への鎮魂とともに恒久平和の尊さを訴えることであり、また、これが真の日中友好の糧になることを期待するものであります」とある。(6)

同書の刊行目的は満洲移民の関係者の文献と体験を後世に留め、満洲開拓の引き揚げの犠牲者の鎮魂から恒久平和と日中友好の願いを以て出版されたとある。まさに戦後民主主義と平和の願いを以て作られている。現在では長野県満洲開拓でこれを超えるものはない。同書には「総編」のみならず「各団編」と「名簿編」があり満洲移民の通史、各移民団史、開拓者名簿がある。これが県の総力を挙げて作られた長野県海外移民史の決定版であろう。私はこれを信濃海外協会史執筆の最も信頼できる基本資料として利用させてもらった。また同書は県の刊行物であるから特定の歴史観で移民史を切ることはない。史実を丹念に記録して長野県の近代移民史を総花的に解明している。

以上の信濃海外移民史の課題と信濃海外民の三つの主要著作をふまえて信濃海外協会史を明らかにしていきたい。分析対象の焦点は信濃海外協会の機関誌『海の外』である。

第三節　移民史研究の視点

海外移民政策の研究ではまず若槻泰雄・鈴木譲二『海外移住政策史論』（福村出版、一九七五年）が基本的文献であり重要な業績である。著者の若槻泰雄氏は一九二四年中国青島に生まれ戦後海外協会連合会（海外移住団、現国際協力機構ＪＩＣＡ）に勤務した経歴を持ち、その後は移民研究に取り組みアメリカ、ブラジルでの「排日の歴史」を著述する研究者となっている。もう一人の鈴木譲二氏も一九三五年ブラジルマナウスに生まれ、若槻と同じく戦後海外協会連合会に勤務した移民経験者で、その後はアメリカ、ブラジルへの日本人「出稼ぎ移民」に関する研究者でもある。その意味で本書『海外移住政策史論』は体験に裏付けられたすぐれた海外移住史の研究書である。

本書では戦前移民政策はすべて国策として政府やその指揮下にある海外移住協会連合会はひたすら海外に日本国民を送り出すことに熱心であって、送出後の十分な手当てと帰国の保障もない国家による「棄民政策」であったとしている。この政府の戦前棄民政策は戦後の海外移住でも繰り返され一九五〇年代のドミニカ移民を典型として戦後に連続していると本書は批判する。手厳しい政府の移民政策批判である。

私も若槻泰雄・鈴木譲二に学んで日本の移民政策は、戦前海外移住政策は政府が国内矛盾の対外転嫁の手段として展開したものであると思う。政府の移住の目的は過剰人口対策、ひいては国内の治安対策としての移民政策が主であり、海外移住協会連合会などの移民指導機関を通じて二次的に移住者の生活救済を目的としたものの第一義的には国内重視政策であった。国策会社の東洋拓殖株式会社、海外興業株式会社も国策に沿った企業としての営利活動が主目的であって真に移住者の利益を考慮したものではなかった。そのため日本政府の海外に移住した現地の日本人移民への指導は不十分で、経済的に失敗した場合の帰国の保障もなく、ひとたび戦争が起きれば真っ先に切り捨てられた。ブラジル移民も日米開戦で国交が断絶すると移民たちは本国から完全に無視された。またブラジル移民後の満洲移民はまさに棄民政策の典型であった。昭和恐慌による国内矛盾を満洲に転嫁して満洲事変を引き起こし経済危機に喘ぐ日本人の満洲移住を強行して、ひとたび戦争に敗北するとこれら移民を切り捨てたのである。

もちろん政府の政策を批判するだけで、移民した当事者を「棄民」として差別するつもりはない。私たちは時代の荒波に翻弄されて苦難の人生を歩んだ国境を移動する移民の人々（移住者）の一人一人の生き方に敬意を持たなければならない。またその苦難を乗り切って成功し「錦衣帰郷」（故郷に錦を飾る人）がいることは尊敬すべきことである。にもかかわず移民の過程で海外雄飛、新天地の美名のもとに名もなき多数の庶民が国策に翻弄されて移民するが、夢破れて帰国を望みながらも帰国できずに人知れず消えていったことも事実である。アメリカ、ブラジルに出稼ぎに行って帰国できず貧苦の生活を送った人たち、満洲に渡って敗戦で帰国できず現地で亡くなった人も多数いる。移民とは国家の直接保護が及ばない越境者であり一部の例外を除き基本的に諸国家の狭間で社会的弱者の立場に置かれる人たちであったことを忘れてはならない。このように過去も現在も移民という出来事は苦難と栄光が紙一重である。それが移民である。

移民の主体的客観的条件と実態そしてその結果を総体として理解し、移民というその時々の事実を日本と世界の歴史の構造のなかに位置づけることが移民史の課題であろう。これは現在のグローバル社会においても国家間の紛争にゆれる現代世界を理解する重要なテーマとなっている。

第一章では各府県海外協会の設立とその活動を保障した国家の海外移民の制度的背景を本論に入る前に簡単にまとめておく。すなわち信濃海外協会を取り巻く歴史的背景を知ることである。それでは長野県民のブラジル移民から始めよう。

注

（1）海外協会の研究は坂口満宏「誰が移民を送り出したのか―環太平洋における日本人の国際移動・概観」（『立命館言語文化研究』第二一巻四号、二〇一〇年三月）が先駆的な研究である。①日本政府、②府県知事・市町村長、③移民会社、④移民会社の代理人、⑤日本人移民の五つのアクターに注目し、そのなかで海外興業株式会社、府県海外協会、海外移住組合の概要を明らかにしている。まだ個別の海外協会の研究までは至っていないが日本移民の送出メカニズムを知るために重要な仕事である。最近の仕事として山口県防長海外協会については木村健二『近代日本の移民と国家・地域社会』（御茶の水書房、二〇二一年）の第八章「防長海外協会の組織と活動」を参照されたい。

（2）ブラジル移民から満州移民については飯窪秀樹「ブラジル移民から満州移民への結節点」（アジア経営研究会編『アジアと経営―市場・技術・組織』下巻、東京大学社会科学研究所、二〇〇二年）を参照されたい。

（3）信濃毎日新聞社編『拓民の血を訪ねて―信濃拓民小史』（信濃毎日新聞社出版部、一九四二年）。

（4）諏訪明神を古くから信濃人は「日本第一大軍神」と祭り上げてもいたが永田稠は諏訪神社が存在する西九州から東奥羽では軍神でなく開拓大明神であるとしている（永田稠「巻頭言　開拓大明神」『海の外』第三八号、一九二五年七月）。

（5）永田稠編『信濃海外移住史』（信濃海外協会、一九五二年）序。

（6）吉村午良「序」『長野県満州開拓史』総編（長野県開拓自興会満州開拓史刊行会、一九八四年）。

第一章　ブラジル移民と移民国策化

第一節　内務省社会局の設置

日本近代の移民史、ブラジル移民史は多くの研究がある[1]。

ブラジル移民の研究を見てわかるのは一九二〇年内務省社会局設置による国内矛盾の解決策としての海外移民政策の開始、一九二四年移民海外渡航の国家助成の開始、そしてアメリカでの一九二四年排日移民法の制定の三つがブラジル移民本格化の条件となったことである。そこで最初に内務省社会局の設置から述べていきたい。

移民行政は明治以来外務省管轄である。移民課ができたのは一八九一年の榎本武揚が外務大臣になった時であるが榎本が去ると二年後に廃止となる。外務省は旅券発行業務と移民保護法（一八九六年成立）に基づく在留民保護を任務とする。移民募集や斡旋事業はしない。

一九〇八年の日米紳士協定以来、日米摩擦を受けてそれまで移民を担当してきた外務省は移民に積極的ではなくなった。一九一七年までブラジルでは東洋移民会社、南米殖民会社、日本殖民会社、日東植民会社など民間の移民会社主導の海外移民である。管轄は外務省である。一九一七年に朝鮮移民のための国策会社といわれた半官半民の東洋拓殖株式会社（以下、東拓と略す）の子会社として、民間移民会社四社を統合した海外興業株式会社（以下、海興と略す）が設置された[2]。出資者は東拓、日本郵船、大阪商船で七割を占めていた。海興の初代社長は内務官僚の神山潤次である。内務官僚が社長となり国策会社といわれた海興がブラジル移民を担うことになる。一九一九年に海興は伯剌西爾拓殖会社を合併してイグアペ植民事業を引き継いだ。一九二〇年にペルー移民を送り出していた森岡移民会社を合併し、海興は日本で唯一の移民会社となる。日本人移民行政ではその上に日本人の海外渡航を担当する外務省が君臨している。一九二〇年代になり外務省に続き内務省社会局が本格的に移民行政にかかわるようになった。

政府の海外移植民奨励が本格化するのは一九二〇年代からである。一九二〇年内務省社会局設置がそのメルクマールである。一九二〇年代に内務省社会局が設置されることによって国家の移民政策はブラジルでも本格化する。その背景には、一九一八年の米騒動、一九二〇年の第一次大戦後の反動恐慌を経て、過剰人口問題、失業対策、米価問題、小作対策などの社会問題が顕在化したことがある。外務省に続いて内務省が移民政策に関与してきたのである[3]。

内務省社会局が新設されると一九二一年に社会局が初めて移植民奨励事務を所管することになる。第一次世界大戦後の不況と失業対策である。移民奨励策は外務省でなく内務省で担当することになった。内務省が国内矛盾の対外転嫁の手段として移民政策を考えたのである。失業対策の対外的解決である。一九二三年九月一日の関東大震災後に難民対策として一九二四年内務省はブラジル移民に対して渡航費の全額を補助した。個人の移民経費の八割は渡航費であった。一九二三年はブラジル移民一一〇人に一人二〇〇円補助し一九二四年からは全額補助となった[4]。送出移民数に応じて渡航費が海興を経て船会社に交付されることになった[5]。同時に移民会社（海興）の手数料も政府が負担した。これがブラジル移民国策化の嚆矢でありブラジル移民の制度的保障であった。そのため渡航費を出せば帰りは出稼ぎ労賃で帰国費を自分で稼ぐことができるとした。国内矛盾の解決のために政府の役割は送り出しが主であった。あとブラジルでは本人次第ということである。すなわち一九二〇年代の社会問題の登場と関東大震災により移植民事業に対する内務省の権限が拡大して旧来の外務省との所管争いを引き起こしていた。

移民の国策化の端緒である。渡航費の支給として総額で約一〇万円が海興へ渡された。内務省では植民地ならびに海外への移住は下層労働者の失業者保護の対策であった。海興では宣伝費として新聞雑誌に掲載し、職業紹介所や県社会課で移民斡旋、海興の巡回映画（小学校、農学校、商業学校）、矢内原忠雄や外交官など移植民講演会を開くための補助金を支給した[6]。

海興では「所謂出稼移民という時代は既に過ぎ去ったので、一攫千金を夢みるものでなく、今後は永住的の基礎を造って各自が、「ブラジル」国富源の開発によって利益を得ると共に、「ブラジル」の為にも、利益となるべき仕事を興さねばなりません」として自営農業経営者の道を奨励した。[7] すなわち出稼ぎのための労働移民でなく定住を目的とした自営農民の送出・植民が国策とされたのである。

第二節　全国海外協会の設立

内務省の移民政策の本格化と同時に、いやそれに先んじて府県庁の内務官僚が末端の移民運動家の圧力のもとに各府県ごとに海外協会が設立されている。ここで海外協会の設立の概要について説明しておきたい。

そもそも海外協会は一九一〇年代から活発な民間移民運動を背景に府県庁の指導の下にある海外移民を奨励する社会運動体である。総裁は府県知事が就任する。その意味で府県庁の外郭団体の一つである。目的は移民促進と移民援助の活動を展開した。現代でいえば公益法人に当たる。まずその歴史について述べておきたい。

『海外移住政策史論』では海外協会の歴史を次のように述べている。

「地方海外協会は戦前からの長い歴史を持ち古いものは明治末期に発足し、その大部分は大正時代、とくにその後半に設立されており、戦前の移住の最盛期には、三十数府県に設置されていた。このなかには信濃（長野）、熊本、富山、島根、海外協会のようなブラジルで自ら移住地数千ヘクタールを購入するなど積極的に活動したものもある一方、多くは海外在住の県人との連絡は後援雑誌、印刷物の発行による移住思想の普及を行っていたに過ぎない。その大半は戦争中から戦後にかけて移住途絶の期間に消滅してしまっていた」とある。[8]

海外協会の研究はあまり進んでいないが坂口満宏が先駆的に海外協会の設置状況を明らかにしてその役割を位置づけていることが注目される。[9] 彼の研究から各府県海外協会の設立状況を明らかにしておこう（【表1】）。

一九一五年に海外協会を最初に作ったのが熊本県である。熊本県は明治の早くから海外移住者の多い先進県であった。地理的にも海に面して中国、東南アジアへの近さで渡航の優位性を誇っていた。とくに熊本県を有名にしたのは天草諸島出身の「からゆきさん」と呼ばれる海外娼婦の存在である。もちろん「からゆきさん」は熊本県だけでなく長崎県、福岡県にも広がっていた。島の経済など貧困さが関係するものであるが、海に面して新天地への渡航の条件が関係していたと思われる。

熊本県の近代化は越前藩に登用された幕末の横井小楠を始めとして、キリスト教の早期導入により熊本バンドを結成するなどヨーロッパ近代思想の導入でも先駆的であった。熊本県のキリスト教の前提に浄土真宗の普及があるという。日本仏教で阿弥陀一神教ともいわれる浄土真宗と仏教の神をキリストに置き換えることができたという。浄土真宗と海外移民の関係も注目すべきであろう。経済だけで移民を捉えることはできない。そのような風土から熊本県は大正期の府県海外協会のトップを切っただけでなく、満洲移民においても長野県と同様に先進県となる。そしてアジア・太平洋戦争期には熊本県は大東亜共栄圏の最大のイデオローグとなる徳富蘇峰がアジアモンロー主義を唱えて戦時言論界をリードした。また明治憲法の制定に伊藤博文とともに大きな影響を与えた明治官僚井上毅は熊本県出身である。教育勅語の元田永孚も熊本県であり、熊本県における明治憲法と教育勅語の国体イデオロギーの浸透の影響も考えられる。このように熊本の明治から昭和戦前期に至る海外進出は社会経済的条件のみならず県の政治的条件も関係すると思われるが、具体的な分析は今後の課題である。

【表１】　各府県海外協会の設立状況

1	1915.7.15	熊本海外協会
2	1915.9.1	広島県海外協会
3	1918.11.11	和歌山県海外協会
4	1918.11.30	防長海外協会
5	1919.11.17	香川県柘殖協会
6	1919.12	岡山県海外協会
7	1922.1.29	信濃海外協会
8	1923	三重県海外協会
9	1924.11.7	沖縄県海外協会
10	1925.2	長崎県海外協会
11	1925.2	鹿児島県海外協会
12	1925.3	石川県移植民協会
13	1925.11.25	福岡県海外協会
14	1926.5.27	鳥取県海外協会
15	1927.1	富山県海外移民協会
16	1927.7.23	山梨県海外協会
17	1927.7.25	静岡県海外協会
18	1927.12	佐賀県海外協会
19	1928	北海道海外協会
20	1928	新潟県海外協会
21	1928.5.19	福島県海外協会
22	1930.3	宮城県海外協会

（出典）坂口満宏「誰が移民を送り出したのか―環太平洋における日本人の国際移動・概観」（『立命館言語文化研究研究』21-4、2010年）61頁、表１より作成。

第二は広島県である。広島県は明治初年以来ハワイ民からアメリカ移民と近代移民の先進県であった。この県が早期に政府の呼びかけに答えて海外協会を設置したのは分かる。広島県は山口県と並んで明治から移民先進県であった。海に面して海外渡航の条件に恵まれていると同時に、長州藩が明治新政府の中心を担ったことにより長州出身の外務官僚井上馨らがハワイの官約移民を政治的にもバックアップしたといわれている。また近代において山口県や広島県では「人生至る所青山あり」という浄土真宗の移住思想の影響もあるといわれている。近代において浄土真宗とハワイ・アメリカ、朝鮮・満洲への海外移住の関係は大きな課題である。

第三は和歌山県である。この県もアメリカ移民では移民を多数送り錦衣帰郷しアメリカ村を作っている移民先進県である。次いで防長海外協会が入る。山口県である。ここも広島県と並んで初期移民先進県であった。その後香川県、岡山県と瀬戸内海諸県が続く。次いで七番目が本書の対象とする一九二二年設立の信濃海外協会である。

こうしてみると海外協会が早期に設立されたのはハワイ、アメリカ移民が盛んであった西日本の諸県であることが分かる。信濃海外協会の長野県は東日本、東北日本のなかでは最初の県である。新参者だった。長野県に続いて九位に沖縄県が入る。その後薩長政権の鹿児島県が第一一位に入り、第一〇位の長崎県、第一二位の石川県から、福岡県、鳥取県、富山県と日本海沿岸県が続く。その後第一六、一七位に山梨県、静岡県が入り、満洲移民では先進県なる東北諸県の新潟県、福島県、宮城県が第二〇、二一、二二位になる。総じて海外協会の設立順位は西日本から始まり、長野県、日本海沿岸、山梨県、静岡県の中部日本から東北地方へと展開する。一九二〇年代のアメリカ移民からブラジル移民へ、そして再度ブラジル移民から満洲移民への転換を担ったのはこれら海外協会を設立した諸県であったといえよう。

なお『海の外』第一五五号（一九三五年三月）の信濃海外協会総裁大村清一知事によると一九三五年で府県海外協会数は三〇、海外移住組合は四〇に達している。(10)

注

(1) 近代移民史の概略は岡部牧夫『海を渡った日本人』(山川出版、二〇〇二年)を参照した。ブラジル移民の概略は丸山浩明・名村優子「ブラジルに渡った日本人移民」(丸山浩明編『世界地誌シリーズ6 ブラジル』朝倉書店、二〇一三年)を参照した。近年ブラジル移民研究は活発である。吉田忠雄『南米日系移民の軌跡』(人間の科学新社、二〇〇六年)、三田千代子『「出稼ぎ」から「デカセギ」へ』(不二出版、二〇〇九年)、渡辺伸勝「ブラジル・アリアンサ移住地の歴史―原生林の開拓と移住地の形成」(丸山浩明編著『ブラジル日本移民百年の軌跡』明石書店、二〇一〇年)などが刊行されている。これらは歴史学というより社会学、文化人類学からの接近で、現代の国境を越える人の移動に関心を持っている。近年、歴史学として注目すべき著作は遠藤十亜希『南米「棄民」政策の実像』(岩波書店、二〇一六年)である。日本の移民政策の変遷から南米移民は日本近代化のなかでどのような意味を持つのかを「棄民」をテーマに、日本近代移民史をとらえる方法は歴史学的接近として貴重な成果である。「棄民」もカッコつきであり移民を棄民と切り捨てるのでなく、日本移民像の重要な論点を明らかにした優れた分析である。

(2) 東拓と海興との関係については黒瀬郁二『東洋拓殖会社―日本帝国主義とアジア太平洋戦争』(日本経済評論社、二〇〇三年)を参照されたい。

(3) 信濃海外協会の設立経緯については永田稠編『信濃海外移住史』(信濃海外協会、一九五二年)五七―五八頁による。

(4) 若槻泰雄・鈴木譲二『海外移住政策史論』(福村出版、一九七五年)六二九頁。

(5) 海興については前掲黒瀬郁二『東洋拓殖会社』を参照されたい。

(6) 飯窪秀樹「一九二〇年代における内務省社会局の海外移民奨励策」(『歴史と経済』第一八一号、二〇〇三年一〇月)。

(7) フィリピン移民ではアメリカとの関係で、渡航費は支給されない。

(8) 前掲若槻泰雄・鈴木譲二『海外移住政策史論』七二七―七二八頁。

(9) 坂口満宏「誰が移民を送り出したのか―環太平洋における日本人の国際移動・概観」『立命館言語文化研究』第二一巻第四号、二〇一〇年三月。

(10) 大村清一「所感」『海の外』第一五五号、一九三五年三月。

第二章　信濃海外協会の設立

第一節　レジストロ植民地

信濃海外協会が設立される前から長野県人の移民村が存在した。それがブラジル・レジストロ植民地である。これがブラジルにおける、出稼ぎでなく定住化を目指した日本人農業集団移民の最初である。

本論では一九二〇年代の政府のブラジル移民の国策化を、これまで注目されてきた出稼ぎ農民でなく、ブラジル現地への日本人の定住移民の動向に注目したい。アメリカでの移民定住化が排日運動で困難になるなかで、定住の目標を実現できる地域が南米に限られてきたからである。そのためここではブラジルで最初の日本人定住地であるサンパウロ州イグアペ郡移民の一つであったレジストロ移住地から、アリアンサ移住地への展開を追うことによって明らかにしていこう。その転換の過程で生まれたのが信濃海外協会であったからである。

信濃海外協会の設立は長野県官庁の知事を中心とする有力官僚が主導したが、同時に県内有力者と民間海外移民運動を背景にしていた。とくに組織としては信濃教育会の役割が重要であり、それにかかわる民間移民運動家として日本力行会長永田稠の果たした役割が大きかった。永田がレジストロ植民地の長野県人移民を見てアリアンサへの移住地の構想を得ることになるからである。

一九二〇年永田稠は南米移住地視察でイグアペ植民地のレジストロの北原地価造、セッテバラスの輪湖俊午郎と意気投合する(1)。ブラジルで日本人移民の理想の村を建設しようというレジストロでの「焚火の誓い」である(2)。

ここで永田稠が最初のブラジル移民視察として体験したレジストロ植民地について説明しておく。サンパウロ州にあるレジストロ植民地は一九一四年に草創期のブラジル日本人移民運動で建設された。レジストロ植民地の一年前の一九一三年にはイグアペ郡での日本人植民地が建設されている。その連続でレジストロ植民地が作られたのである。[3] 従来の日本人移民が出稼ぎを目的とするのに対して定住を目指すものとした新たな日本人植民地が建設されたのである。その資金源は渋沢栄一が発起人となった東京シンジケートである。渋沢を代表とする東京の財界人を中心とする大規模な資金集めなくしてブラジルにおける最初の日本人移住地の買収は不可能であった。

この日本人最初の集団移住地はサンパウロ州イグアペ郡であり当時の首相桂太郎の名前を冠して桂植民地と名付けられた。桂植民地は、一九一二年第三次桂内閣の内務大臣大浦兼武と、その配下の内務省地方局長の床次竹次郎の下で民間の移民運動家青柳郁太郎が奔走して建設されたため桂の名前を冠したのである。

イグアペ植民地が作られた時代背景として一九〇八年に日本は日露戦争でロシアを破り一九一〇年に韓国併合で韓国の植民地化を完成し日本帝国が欧米列強と肩を並べる「一等国」という自信を持ったころである。それゆえ欧米列強がアフリカ、南北アメリカを植民地化するときに本国から移民者が作る個々の集団移住地をコロニー、コロニアと呼んでいたものを植民地と翻訳して、桂植民地、レジストロ植民地と名付けたのである。出稼ぎでなく日本人が集団的に土地を買収して移住地を建設して農業移民を送るのはブラジルではこの桂植民地とレジストロ植民地を含むイグアペ郡植民地が最初である。これがブラジルでは日本が土地を買収して定住日本人を送り込んだ最初の「植民地」であった。植民地という用語は従来の人口を殖やすという「殖民」という字を使用していたが、それは主に出稼ぎを目的としていた。集団移住政策となると人を木のように他国に移植する意味で「植民」と字を替えたのである。この時に作られたブラジル住民組合は「殖民」ではなく「植民」である。青柳郁太郎が考案したという。「植民地」はここに始まる。

青柳郁太郎の指導の下に桂植民地に続き、レジストロ植民地が建設された。レジストロ植民地はその後一九一九年にいくつかの南米移民会社を合併して設立された海外興業株式会社（海興）の支配に入っていた。[4] 海興は国策会社東洋拓殖株式会社の南米における子会社である。

レジストロには多数の長野県民がアメリカから移り住んでいく。信濃海外協会の幹事である宮下琢磨はレジストロについて「信州には故中村国穂君が居て、盛に海外発展論を唱え、大にブラジルの宣伝をしたのもこの当時で、信州人がブラジルを知り、ブラジルに雄飛を試みたのも「レヂストロ」を根基としている」と述べている。[5] レジストロ植民地建設には信濃教育会の中村国穂の信濃村建設運動の説得に応じて参加した長野県民も多かった。

まさにレジストロこそ長野県移民の最初の実践地である。そのレジストロ植民地で輪湖俊午郎と北原地価造は、海興の営利主義と従来の移民の在り方を批判して移民自身が主体となって自立的な集団移住地を建設することを求めていた。[6] そこに一九二〇年永田稠がレジストロに現れるのである。永田、輪湖、北原は海外移住の長野県人の移民について海興批判も含めて意気投合し、新しい移住地建設に向かう。それがのちの南米信濃村といわれるアリアンサ移民に繋がるのである。その後、永田と輪湖がレジストロ植民地の経験を持って一九二二年から草創期の信濃海外協会の幹事として活動したことは信濃海外協会がブラジル移民に舵を切る大きな要因になった。

永田稠は力行会会長でキリスト教徒である。輪湖俊午郎もキリスト教徒（イギリス聖公会）、長野県安曇野松本市近郊出身でジャーナリストである。北原地価造も長野県上伊那郡長藤村出身で同郷である。上伊那農学校を出た農学を身に付けた専門知識を持っていた。永田、輪湖、北原の三者とも宗教と郷土（諏訪・伊那・松本）も近くブラジルで新たに理想の開拓村を作ろうという点で意気投合したのである。

永田稠たちは移民を奴隷視し棄民扱いすることを批判し、海興の営利主義への批判で一致する。永田は「植民地の生命は経済でなくして、経営者の人格にある」、「信濃村を作る」という。「植民地の生命は経済でなくして、経営者の人格にある」というのは「コーヒーより人を作れ」という永田のよく使う言葉である。また「信濃村を作れ」と言うのはのちの信濃海外協会の一県一村運動の原点となる。長野県人が集まってブラジルに理想の村を作ろうという話である。ここにアリアンサ建設が始まる。[7]

永田稠・輪湖俊午郎の呼びかけに答えたのは、北原地価造の居住するレジストロの第四部である。第四部は長野県人が多い部落（部長は中島貞雄―難波藤一郎）で海興への批判が鬱積していた。すなわち海興に対する移民の多額の累積負債が問題となり、レジストロ開拓民のなかから海興に対して負債整理運動が第四部を中心に盛んになっていたからである。海興への負債の重圧から逃れたいという移民の要求にマッチしたのであろう。

「植民地の生命は経済ではなく経営者の人格である」と主張したのは海興の営利主義を批判する武器であり、海興の植民地経営への批判は「金」でなく「人を作ることである」という主張である。営利と人間形成の対立としてレジストロ移住民に呼びかけたのである。

『レジストロ植民地の六十年』では「この問題が最初に第四部に起きたのというのは、この方面に日本からの負債者が最も多かった事と、地形に起伏が多く、米作地に恵まれない地帯であった等の条件が重なり、その上理屈の多い長野県人が多かったと云う事もその原因であった」という[8]。

これに対してレジストロ植民地代表の青柳郁太郎は、この問題を東京の海興本部と話しに帰国するが、海興本部で拒否され植民者は大いに落胆する。この結果、青柳は責任をとって海興理事を辞任してレジストロを去ることになる。その後青柳はレジストロ計画からパラナ移民計画へと移民の夢を追い求める。

青柳郁太郎と海興との協議が不調に終わると、第四部の長野県人を中心に永田稠、北原地価造、輪湖俊午郎のアリアンサ計画に賛同してレジストロを去る人が続く。レジストロ第四部、長野村からは数人が移住する。一九二三年最初にレジストロを去るのはアリアンサ移住地建設先遣隊となる輪湖、北原、座光寺与一（大工）である。その後の移住者は一九二四年レジストロの北山研三（医者）、伊藤長喜、北沢真治の三人である。一九二五年には長野から七人が移転する。このため「輪湖と北原はレジストロの裏切り者」といわれた[9]。

一九二四年アリアンサ移住後も海興とアリアンサの対立は続くようだ。一九二七年海外移住組合法、海外移住組合連合会設置と一九二九年現地法人ブラジル拓殖組合（以下、ブラ拓と略す）設置でも、海興の井上雅二（一九二四年社長に就任）が介入、アリアンサに海興からの渡航資金を入れないなどの対立が残ったという[10]。詳しくは後述する。

一九二九年以降、第一アリアンサで実験した信濃村建設という府県別移民村は、鳥取村、富山村、熊本村など続く。

第二節　信濃海外協会設立

（一）設立趣旨と設立者

ここからは、信濃海外協会について見ていく。最初に、『海の外』創刊号（一九二二年四月）で信濃海外協会の創立の経緯が分かるので紹介しておきたい。

信濃海外協会の設立のきっかけは一九二一年一二月二八日に東京日比谷の陶々亭で開かれた主唱者会である。参加者は国勢院総裁小川平吉を筆頭に、長野県知事岡田忠彦、貴族院議員今井五介、信濃教育会佐藤寅太郎、県会議長笠原忠造という県内有力者五人が揃い、移民専門家として宮下琢磨、永田稠、輪湖俊午郎三人が参加していた。ここで信濃海外発展の組織を設立するためにこの五人が発起人となり輪湖が事務を担当することが決められた。このおぜん立ては永田であったと自らが述べている。[11]

この参加者の顔ぶれから最初の長野県移民運動の中心人物が分かる。そこから県内有力者に呼びかけて一九二二年一月二九日に長野市城山館で創立総会が開催された。[12]そこでの参加者は先の主唱者会で決まった発起人岡田知事以下小川平吉、今井五介、佐藤寅太郎、笠原忠造の県内有力者五人を筆頭に長野全県から九〇人が参加したという。

信濃海外協会の沿革は、各府県海外協会が一九府県に達した一九二八年に刊行され、各府県の設立状況を掲載した『海外協会中央会・各府県海外協会便覧』から分かる。そこで信濃海外協会の設立趣旨が書かれている。

第一章で見たように信濃海外協会は全国府県別移民奨励組織としては七番目に設立された。信濃海外協会以前は一九一五年の広島県殖民協会（のち広島県海外協会）を嚆矢にして同年に防長海外協会（山口県）と熊本海外協会、一九一八年に和歌山県海外協会、一九一九年に香川県海外協会、一九二〇年岡山県海外協会に次いで、一九二二年信濃海外協会が設立されている。[13]明治以来の移民先進県であった広島、山口、熊本を先頭に和歌山、香川、岡山など西日本が中心であり、中部から東北諸県では長野県が最初であった。その後一九二八年までに、三重、長崎、鹿児島、石川、福岡、沖縄、鳥取、富山、静岡、佐賀、福島、山梨、愛媛、新潟、北海道が設立されている。

信濃海外協会の設立趣意書は「信濃海外協会概要」に記載されている。次の通りである。「国民の海外発展が非常に重要かつ必須な問題となってきた……海外発展は元より国民の自覚と自由意志に俟つべきではありますが、又同時に指導誘掖し後援し、さらに在外先輩をして後進者のため道を開かしむるの方策」が必要であると述べ「欧州先進諸国が西に東に雄飛を試み、その国民的膨張を壇にするに至れるも、……私共は一種異様な寂寥を感ずる」。「わが長野県におきましては幸い近時県民の自覚と先輩諸賢の貴き犠牲的運動によって漸次この方面に加ふるに至り、誠に欣喜にたえざる処であります。……一段の光彩を県民海外発展の上に求むるには、どうしてもここに権威ある機関の設立を緊要と考えます。現代の世界に無主の国はありません。従っていわゆる海外発展もことごとく他領土への国民的膨張である以上、国際的誤解をなるべく避ける点においても、また郷党的親睦を善用するの意味よりするも、地方的協力がもっとも効果の大であることは信じて疑わぬ次第であります」[14]。

ここには欧州先進諸国に対抗して国民的膨張を図るために、「無主の国」は存在しないのだから「他領土への膨張」には「権威ある機関の設立」が必要である。そのためには従来の「郷党的親睦の善用」だけでなく「地方的協力」が最も効果があるとしている。この「地方的協力」の権威ある機関が「府県海外協会」であった。すなわち日本が欧米帝国主義国と並び立つには府県庁の権威を利用して日本人の海外移民をおし進める必要があり、その役割を果たすのが海外協会であるという論理である[15]。

創立総会では信濃海外協会設立趣意書とともに信濃海外協会規約が発表されている[16]。

第一条は「本会は信濃海外協会と称し本部を長野市に支部を必要に応じて内外各地に置く」とある。信濃海外協会本部は長野市の長野県庁内に置かれた。第二条に本会の目的を「県民の県外発展に関する諸般の事項を調査研究しその発展に資するを以て目的とす」とする。第三条に本会の事業として①県民県外発展の方法、②発展地の調査報告、③在外県民の連絡・指導・後援、④海外投資の研究報告、⑤海外発展に必要な人材養成、⑥雑誌・出版物の刊行、⑦講演会の開催、⑧目的を共通する他の機関との連絡、⑨代表者と調査委員の内外派遣、⑩海外移住組合の経営の一〇項目が記されている。とくに⑩の海外移住組合の設置は信濃海外協会が最初であり他の先行する海外協会にはない事業であった。すなわち集団的移住者が協同組合を作り相互扶助のもとで移民を進めることが明記されたのである。これはのちに述べるブラジルのアリアンサ移民のための協同組合設置運動に繋がってゆく。

第五条には役員規定があり総裁一名、副総裁二名、相談役若干名、会計監督一名、そして代議員、幹事、嘱託にはそれぞれ若干名が置かれる。規約には総裁は代議員会で推薦するとだけ書かれていて、長野県知事であるとは明記されていない。しかし創立経過における小川平吉、今井五介の動きを見ると長野県知事を中心に県庁と信濃教育会などの民間団体が連携を取ってゆくことが分かる。すなわち県知事を移民運動の中心に据えた「機関の設置」であること趣意書の意義があり、従来の移民が個人と移民会社の関係であったのを、県庁を巻き込んで県ぐるみの移民運動にすることが前提となっていた。知事が総裁になることは当初から予定通りだった。

実際に創立総会では岡田忠彦知事が冒頭の発言をしている。岡田知事は多年移民問題を研究してきたという。長野県知事が信濃海外協会の主唱者を代表している。

岡田忠彦知事は信濃海外協会機関誌『海の外』第一号巻頭に「長野県人の海外発展」として、信濃海外協会の目的について書いている(17)。

「我日本の形勢と本県の状況から鑑みまして、この場合県外に発展するの思想を喚起し着々その実現を期するは今日最も必須な政策の一つである」、「我国殊に信州の地は険しい山の峰まで田とし畑となし、且つ夕べ耕して尚倦まざるが、悲しいかな自然の天恵と資源に乏しい」、「今や我国民は目覚めて海外に雄飛すべきである。海外発展は経済的見地からするも社会上より考ふるも正に緊要問題である」。つまり人口問題と土地の狭隘と資源の制約から長野県民は海外雄飛が必須であるとする。

当時の移民論はほとんどが過剰人口論である。岡田忠彦知事はこの論考で世界の人口は中国が四億、ロシアが一億三〇〇〇万人、アメリカ一億人、日本人がこれに次ぐ六〇〇〇万人で四番目であるが、人口と比べて国土は中国、ロシア、アメリカと比べて狭隘であり、しかもその国土の大半は森林で沃野は少ないという。この時代の政治家の移民論は必ず人口に比して国土耕作面積の狭隘性を論じて日本人の海外発展、海外膨張を合理化した。この過剰人口論はマルサスの人口論として世界に普遍的にみられる論理である。近代社会では人口は幾何級数的に増えるが食糧は算術級数的にしか増えない。それゆえいずれ食糧危機が来るという論理である。日本では一九二〇年代にこのマルサス流の過剰人口論が一世風靡していた。

岡田忠彦知事に続いて県有力者で国勢院総裁小川平吉が本会の意義を述べ、最後に県有力財界人で貴族院議員今井五介が発言している。その後人事が発表された。総裁は岡田知事、副総裁に県会議長笠原忠造、副総裁に信濃教育会長佐藤寅太郎が就任する。あと顧問として県有力者で海外移民に積極的な小川、今井の二人が入った。規約には顧問はない。だが創立主唱会から総会の流れを見ると本会創立の中心人物は顧問の小川、今井をリーダーとして岡田知事と県議会の県庁、県内有力政治家、そして社会団体として信濃教育会、そして社会運動家として実務を担った永田稠、輪湖俊午郎であると言える。

実際に信濃海外協会推進の中心となった今井五介は諏訪製糸業の片倉組・片倉製糸紡績の片倉兼太郎の弟で副社長であり長野県を代表する財界人である。若い時にアメリカに留学しており海外移民に深い関心を持っていた。

今井五介は『海の外』第一号で岡田忠彦知事に続く論考「海外発展の急務」を書いている。

今井五介（1859－1946年）

「戦争［第一次世界大戦―筆者］以前我国は軍国主義を以て世界に対することが出来たが……武力ではいけない。すなわち換言すれば経済的競争で勝負を決せなければならない」、「生糸のみがわずかに我国の輸入超過を緩和しているという有様で、実に心細い」、「列強の対外政策を見るに、世界が経済的に安全を得ざる前にその勢力範囲を拡張せんとしている。…日本のみが指を咥えただ茫然としていれば、世界には日本民族の足の入るべき余地がなくなる」、「これ私どもが海外発展の急務を絶叫する以所である」と述べている。[18]

今井五介は軍縮を基調とするワシントン体制のなかで経済人として、従来の武力でなく海外発展を定住植民の増大によって解決するとしたのである。その定住先は排日が叫ばれるアメリカではなく南米ブラジルを想定した。さらに今井は拓務省設置のあと移民の必要性についてより明確に述べる。

「過剰の人口を内地において消化し得ざる」ため海外に送出すると同時に「大工業国足らしめんとしても原料の不足」が問題であるとして「自国民の足跡全く無き処自国民人口の分布全く無きにおいては、商品販路の開拓といえども容易に達成し得られない」、「通商貿易の発展を望まんとすれば植民の発展が先決条件であ」ると述べ、大工業の原料供給地確保、商品販路拡大のための海外植民の必要性を強く主張する(19)。農業移民というより商業移民・経済移民というべき路線である。

先に述べたように今井五介の兄は長野県経済界を代表する片倉組、片倉製糸紡績株式会社の片倉財閥を作り上げた片倉兼太郎（二代目）である。片倉財閥は一九〇三年以降北海道、朝鮮で農場、山林系に乗り出しており内国植民地北海道、植民地朝鮮への資本進出を図っていた。農業移民論というより農場経営であり資本の海外進出路線である。片倉の視野は国内から朝鮮、中国、ブラジルまで視野を拡大していた。その延長で信濃海外協会のブラジル移民支援でも積極的であった。片倉は大正初頭の永田稠の力行会にも巨額の寄付金を提供しており、その後信濃海外協会設立とそれ以降においても最も有力な資金源であった。

小川平吉（1870－1942年）

小川平吉は一八七〇年生まれ、諏訪富士見村出身で東京帝国大学卒から弁護士を経て政友会から政界に進出する。創立の時は国勢院総裁であったがその後司法大臣、鉄道大臣を経験した長野県を代表する政治家である。日露戦争主戦論を唱え当初から国粋主義者と目されていた。一九二〇年代から『日本新聞』を発刊して日本主義を唱え、一九三〇年代には原理日本社の蓑田胸喜とも近くなる。小川も『海の外』第一号で以下のように「海外移住者の指導」を書いている。[20]

「数世紀前欧州各国は植民のため世界のあらゆる広き未開の地方を占領したが、今日は最早かかる地積はないから、他の国家の縄張りの内に移民するよりほかはない。移住するには政治上経済上その他種々の障害物があるから、障害物の少ない所へ行く事が必要である」と述べている。この道は「国家の縄張り」の拡張路線であり海外膨張主義である。小川平吉はその障害物の少ない地方としてブラジル移住を想定している。帝国主義列強に対抗する道は大日本帝国の海外発展であった。

人事では総裁、副総裁、顧問以外に相談役、会計監督が決定している。相談役には一三人が選出されている。その筆頭が長野県内務部長の牛島省三である。牛島は鹿児島県生まれの内務官僚で、弟は沖縄戦最後の軍司令官で自決した牛島満である。藤岡長和、萬富次郎も内務官僚出身で中央から長野県に派遣された人物である。相談役とされた県庁内務官僚は内務部長、学務部長、警察部長のポストであった。

また相談役には官僚でない者も一〇人選ばれている。越寿三郎は長野県では片倉兼太郎と並ぶ須坂の有力製糸業経営者である。その他に長野県の松本市長の小里頼永、上伊那郡赤穂村の福澤泰江など地域の名望家八人が選ばれている。これらの名望家は海外協会の寄付資金の供給源でもあった。相談役と会計監督は総裁の推薦である。代議員は各郡別に支部が結成されてそれぞれに地方有力者二、三人が選出され合計五〇人となっている。総裁、副総裁は代議員会の推薦で決定される。

一九一五年から府県別海外協会が順次設立されていったが一九二三年二月九日に海外協会中央会が設立された。信濃海外協会設立の一年後信濃海外協会の提唱によりそれまでの海外協会の中央組織として設置されたのである。

海外協会中央会の総裁は大木遠吉伯爵、会長は今井五介、副会長には津崎尚武と井上雅二が副会長となった。監事は宮下琢磨である。宮下は信濃海外協会の幹事も兼任している。総裁の大木伯爵と海興の井上を除きすべて長野県出身者であり、今井が海外協会中央会の会長となったことに日本の移民運動における一九二〇年代の長野県の位置が分かる。

顧問として後藤新平、渋沢栄一、近衛文麿、田中義一、浜口雄幸、若槻礼次郎ら日本の海外発展に熱心な国家レベルの人材三一人を並べ長野県からは小川平吉が加わっている。専務理事一三人のなかには本間利雄、梅谷光貞、岡田忠彦など長野県知事経験者に、アリアンサ建設にかかわった白上佑吉鳥取・富山県知事、そして小平権一が就任している。

海外協会中央会設立の二か月後の四月に中央会理事会が開催され、中央会会長の今井五介に中央会幹事として宮下琢磨が出席し、参加した府県海外協会は香川県拓植協会、岡山県海外協会、広島県海外協会、熊本海外協会、信濃海外協会である。信濃海外協会を代表して永田稠幹事が出席している。一九二〇年代移民運動の盛んな県が分かる。

今井五介は昭和天皇即位の一九二八年御大典の時に「海外協会要覧」の巻頭言で次のように述べている。「我国の情勢は既に樹立した海外発展民族進出の大計を刊行するを以て真に最重要事となる。今や列強はその国策の実施に力むるに孔々たり。我国はここに本年を以て明治維新に続く昭和維新を招来せり」、「吾が人の執るべき道は内にありては人口および物資食糧の分布調節を講じ進んで帝国植民地の充実を期し、外に対しては海外発展海外移住を実行するにあるのみ」と述べている(21)。

今井五介は海外協会で「昭和維新」を唱え、帝国植民地充実と海外移住を実行するのが協会の目的であると宣言している。この翌年の拓務省が設置される。海外協会の政治に占める位置も昭和になるとさらに大きくなっていく。もちろんこの段階では単純な海外への武力による制覇ということではない。人口問題解決、農村問題の解決とともに諏訪製糸業の片倉一族の今井であるゆえ資本の海外進出と市場販路の拡大をめざして、平和的に日本人を海外移住させる必要性を認識していたと言えよう。

また副会長の津崎尚武は鹿児島出身であるが内務官僚として更級郡長に派遣されて以降、県視学中村国穂と信濃教育会とともに海外移民を推進した人物である。津崎は長野県学務部長の要職から一九二〇年には代議士に当選しそれ以降全国でも移民活動に熱心な政治家となる。その後の中央会の幹事は宮下琢磨、永田稠、依田源七郎などすべて長野県人である。海外協会中央会は当初から長野県人が支えていたと言える。こうして長野県海外協会が設立された一九二二年以降、各県で移民熱が高まり一九三一年満洲事変発生のころには海外協会の設置していない県は二三県となったという[22]。全国の半数の県が海外協会の名のもとに海外移民事業を展開したのである。各府県海外協会は満洲移民が国策となる一九三〇年代を通して四〇府県に達したという。

信濃海外協会の一九二八年の便覧では海外移住ではブラジルのアリアンサ移住地建設を中心としながらも、海外各地に支部を設置して「郷党的親睦」による長野県人会設立が奨励されている。信濃海外協会海外支部では一九二八年大会でアメリカのシアトルとロスアンゼルス、カナダ、ハワイ、メキシコ、ブラジルではアリアンサのほかにレジストロにも支部が設置されていた。さらに海外支部はカナダのバンクーバー、ポートランド、アメリカのニューヨーク、ペルー、アルゼンチン、フィリピンの支部が計画され、朝鮮、満洲の長野県人会と信濃海外協会との連絡を密にする活動を展開している。さらに信濃海外協会では各郡、各町村に一つの海外視察組合を設置する計画を立て世界各地に若者など移民希望者のための視察団に派遣した。この方式は満洲移民でも大いに活用された。

以上のように一九二二年に信濃海外協会が設立されたのは一九〇五年日露戦争でロシアに勝利し一九一〇年韓国を併合し、一九一四年第一次世界大戦に英米とともに参戦してドイツの中国、南洋の植民地を獲得して、大日本帝国の強大化という時代背景があった。そのためワシントン軍縮時代の日本人の海外発展は武力でなく日本人の定住移民によって欧米列強との競争に勝利することを目指した。これが第一次大戦後急激な社会の膨張と労働農民問題、とりわけ過剰人口の問題と通商販路の限界に危機感を持った地方有力者が、その解決の方法として海外移住政策を唱えた理由であった。これは同時に一九二〇年代のワシントン体制下の列強の国際競争の表現でもあった。その中心に長野県が位置していたことが分かる。

（二）協会幹事の役割

信濃海外協会の運営は幹事、嘱託が担う。幹事、嘱託は総裁の指名である。嘱託は県地方課長白石喜太郎など県官僚五人が動員されている。官の役人が事務を担当したのである。信濃海外協会の運営では幹事の役割が大きい。
信濃海外協会編『信濃海外協会概況・南米ブラジルありあんさ移住地域概況』によると草創期の幹事には輪湖俊午郎、西沢太一郎、藤森克、永田稠、石口亀一、宮下琢磨、北原地価造らが就任していた。これらの人たちが実質的に信濃海外協会の移民運動の実務を担って推進したのであり、彼ら幹事の役割が重要である。

永田稠は一八八一年諏訪郡豊平村出身である。長野県移民史を調べると諏訪地方の出身者の果たした役割が大きいことに気づく。永田もその一人である。永田は諏訪旧制中学を出てから上伊那で小学校の代用教員をしたあと東京専門学校（現早稲田大学）に進学し中退する。その後北海道に渡り開拓に従事するが失敗して、一九〇七年日本力行会に入りクリスチャンとなって今度は渡米する。[23] のち一九一三年帰国して日本力行会会長となる。

日本力行会とは、一八九七年に仙台の牧師島貫兵太夫が設立したものでキリスト教精神による「霊肉救済」を掲げて魂の救済（霊）と社会の救済（肉）を同時に実現するものとして社会改良を求めたのである。当初は布教活動とともに対米移民の苦学生を援助組織として出発した。[24]

永田稠（1881－1973年）

日本力行会の「力行」とは「苦学力行」の精神を尊重することの意味である。日露戦争後の地方の疲弊のなかで貧困者、無職者、とくに苦学生の海外移住を進めた。力行会では当初、四〇〇〇人の日本人学生をアメリカへ、三〇〇人をカナダへ送ったという。一九一三年に日本力行会二代会長に永田稠が就任すると彼は霊肉救済には海外移民が不可欠であるとして本格的に海外移住運動に取り組んだ。永田稠が海外移民一般に関心をもったのは日本力行会を通じて渡米したことと力行会会長として「苦学生」の移民問題を研究した結果である。

永田稠は「日本の農村問題の発生点は耕地が過小で人口が過剰にあることでこれが対策は国民の海外発展にあると考え」また「赤

化思想はロシアから輸入せずとも、日本自体から発生すべき危険があり、之が対策として、海外発展を第一策だと考えた」ともいう。[25] 同時に日本建国史を読み直して日本の神武天皇の建国は「征服建国にあらず移住建国で、大和魂は即ち移住開拓の精神である」とした。海外発展において武力征服を否定して移住建国であるべきという。永田の神武天皇観については『海の外』第九五号（一九三〇年五月）の記事で帝国在郷軍人会上水内郡連合分会での永田稠講演会が掲載されている。

「私は日露戦役に際し身命を献げて邦家のため誠を尽さんとして働きました。……余生を国民海外発展運動に投じ、大和民族の世界的発展に尽くしたい……私の海外発展運動は軍人精神から来たと考えら」れると述べている。その後神武天皇東征について「神武天皇は開拓の精神を以て御精神の中枢とせられたので……武人と申上げ奉らんよりはむしろ理想的の移住指導者であり移植民地建設の大偉人で」あると述べている。[26] 永田稠の神武天皇を理想的移住指導者とする考えはブラジル移住運動から戦中、戦後まで変わっていない。

こうして永田稠は日本力行会をそれまでのアメリカからブラジルへ移住対象地を移して本格的な移民促進組織として改造していった。そのため一九二〇年には永田は南米ブラジル移民の調査視察に訪れている。視察地は一九一三年からサンパウロ州のイグアペ植民地の一つで日本人が最初に本格的に定住集団入植したレジストロ移住地である。ここでは長野県民の輪湖俊午郎や北原地価造らの日本人移民たちと話をしてブラジル移民の可能性を確認して帰国後にその視察報告を『南米一巡』（日本力行会、一九二一年）に書いてブラジル移民の理解者として世に知られるようになっていた。

永田稠が信濃海外協会の幹事に選ばれたのはのちに述べる信濃教育会との関係によるが、このような永田の活動を知っていた諏訪同郷で海外協会顧問となる今井五介の支援と推薦も大きかった。

もう一人創設期の幹事として重要な人物としてブラジルで出会った輪湖俊午郎がいる。『長野県政史』年表では信濃海外協会の設立に関しては一九二二年一月二九日「輪湖俊午郎、県庁内で事務を取り海外移民を目的として海外協会を設立する」とある。[27] あたかも輪湖が信濃海外協会を設立したかのように書かれている。たしかに輪湖は当初信濃海外協会の事務局の中心を担った幹事ではあった。ただし輪湖はブラジル移民者で永田稠が引き込んだ人物であり実務を担っただけで実権はなかった。

輪湖俊午郎は一八九〇年長野県南安曇郡梓村生まれで北米、ブラジルと移民体験を持つ。もともと聖公会（アングリカン・チャーチ、イングランド国教会の系統）の信者でもあり永田稠とは同じキリスト教徒で気が合ったものと思う。北米から南米ブラジルに移住して一九一六年に『日伯新聞』の創立時の記者、その後海興の広報誌『伯剌西爾時報』の編集長として活躍したジャーナリストである。そのなかで輪湖は海興の移住地経営に対して批判を強めていく。その結果一九二〇年『伯剌西爾時報』を辞めて同じ海興の経営するイグアペ植民地のセッテバラスに定住する。海興の経営するレジストロ植民地の隣である。一九二〇年日本力行会の永田がブラジル移民の調査を進めている時に、輪湖はレジストロで永田と出会って意気投合したのである。のちに信濃海外協会幹事となる北原地価造も輪湖とともにレジストロで永田と出会って三人で日本人植民地の現状と将来の理想的移住地建設について話し合っている[28]。これがアリアンサ移住地建設の出発点である。

輪湖俊午郎（1890－1965年）

もう一人西沢太一郎も信濃海外協会の運営において重要な人物である。彼は専任幹事として任命されている。西沢は長野師範を卒業して一九一〇年代には更級郡の小学校の教師をしていた。更級郡は中村国穂が県視学として赴任していた更級農学校（のち殖民科設置）が有名であり、信濃教育会の海外発展主義教育の発祥の地といわれるところである。そこで海外発展主義の思想を学び中心的活動家となる。西沢こそ信濃教育会の海外発展教育の最大の指導者中村を継ぐ移民運動家である。西沢は信濃海外協会設立当時には諏訪岡谷小学校の分校長となっていた。諏訪は信濃教育会で海外発展主義を率先実践した今井新重の居村であり今井の隠居家を借りて住んでいたという。海外発展主義

西沢太一郎（1887－1950年）

運動での西沢の活躍に注目した今井五介が永田に推薦したという。西沢は信濃海外協会の機関誌『海の外』の発行兼印刷人として第三六号から藤森克のあとを継いでいる。

『海の外』では西沢太一郎はたびたび登場する。最初は『海の外』第三六号（一九二五年五月）の「信濃海外協会幹事の御挨拶を兼ねて」である(29)。

「現代の国状、これを救い、これを革め、病魔の根治に投薬し、一大手術を施して、我皇祖皇宗の遺訓と我建国の理想とを、作興恢復して、再び麗はしき大和の国、平和の国たらしむるの道は、実に創造開拓の大精神なり」、「農村問題、労資問題、小作問題等、幾多の現代社会問題思想問題の解決も、また海外発展にまつこと大なるものあらん、否この道に依ってのみ望まるるものならん」。

すなわち西沢太一郎は日本の社会問題（労資問題・小作問題）解決の道は海外発展と海外開拓であると宣言しているのである。ここで西沢が言う「病魔」とは共産主義、社会主義であり、無政府主義である。西沢の強烈な反共産主義の背景には小作争議と社会主義思想の農村浸透への危機意識があった。それは上小地方の小作争議と下伊那郡飯田で起きたLYL（下伊那自由青年連盟）事件の衝撃である。『海の外』第二三号（一九二四年三月）に「下伊那郡青年秘密結社事件」として「赤化青年」二七人、うち一人が女性と報道されている(30)。この事件で、治安維持法で起訴されたのは一九人であった。指導者は山川均の社会主義思想の影響を受けた羽生三七を指導者とする下伊那の青年たちである。その一年後に西沢が信濃海外協会幹事に任命されている。彼の精神的気迫は社会主義、共産主義の「危険思想」から青年を守り「皇祖皇宗の遺訓」（八紘一宇）の思想にもとづき海外開拓に血路を求めるというものであった。これは更級郡視学中村国穂の海外移住論を継承するものであった。

西沢太一郎は信濃教育会の海外発展運動のエースであり信濃海外協会実務の中心人物となる。その後信濃海外協会幹事・信濃海外移住組合理事として内外で活躍し、『海の外』第九四号（一九三〇年四月）から第一二五号（一九三二年一一月）まで三二回連載の「海外視察記―ブラジルの巻」を書いている。この連載には『海の外』のブラジル移住地視察の白眉であり彼の思想がよく出ている。彼は中村国穂と今井新重の国粋思想を引き継ぐ面もあるが宗教的理想主義も混在する。

西沢太一郎は『海の外』第一一三号（一九三一年一一月）で、日本人移住地バストスから四〇キロ離れたリトアニア人が作ったパルパー植民地を報告している。そこはキリスト教に基づく教会中心に協同耕作、共同住宅、共同食堂を持った協同農場である。のちにアリアンサに作られた弓場農場と似ている。それを西沢は「リトワニア人のパルパー植民地の経営法について学ばねばならない」と評価している[31]。共産主義の危険思想を敵視し中村国穂の国粋主義的海外膨張に共感しながらキリスト教的思想も混在する。これは永田稠にも通じる複雑な人物である。

さらに西沢太一郎と永田稠に次いで宮下琢磨の役割も重要である。宮下も一八七八年（明治一一年）安曇野生まれで、長野師範卒で小学校校長となり信濃教育会に所属している。一九二〇年に片倉製糸会社に転任し今井五介の秘書となる。そこから今井の推薦で信濃海外協会の幹事となる。とくに北米移民に詳しく、南洋移民の専門家として活動した。のちに海外協会中央会設立に尽力し、今井が中央会の会長になると宮下も中央会の幹事となる。信濃海外協会の幹事との兼任である。移民運動には農業移民路線と商工業移民路線の二つがあるが、永田が前者の農業定住化という農業移民路線であるのに対して、宮下は今井の傘下で後者の資本の販路、原材料供給地開発という商工業移民路線の途を担った幹事であった。

(三) 信濃教育会の役割

信濃海外協会は信濃教育会の力が大きく影響している。ここで信濃教育会と移民の関係に歴史をさかのぼって述べておきたい[32]。

信濃教育会は長野師範学校の卒業者を中心に小中学校の教員を組織した教育組織である。信濃教育会は明治から存在するが、移民政策に深く関与するのは一九一四年の海外発展主義教育を五大教育方針の一つとして策定したことに始まる。五大教育とは従来の工業教育、発明教育、育英教育、科学教育の四つに並んで海外発展主義教育を新たに掲げたのである。当時の長野師範学校長内堀維文がとくに青少年に対する海外発展主義教育の必要性を唱えていた。

先に述べたように、日露戦争から第一次世界大戦にかけて日本は世界の列強帝国主義に並ぶ一等国意識を背景に、積極的に大日本帝国の拡大のため日本人を海外に送り込むことを目的にしたのである。この長野県の海外移民運動の歴史について永田稠は長野県の移民運動を北信と南信の二つに区別して、その中心人物を北信の信濃教育会の中村国穂、今井新重、西沢太一郎、藤森克と南信の米沢武平（松本商業学校校長）と小川平吉、今井五介、片倉兼太郎の名を挙げている[33]。

とくに海外発展主義教育発祥の地は北信の更級郡である。一九一四年当時更級郡長津崎尚武と更級郡視学の中村国穂のもとで更級郡の学校は海外発展主義教育を模範的に実践した。その際の更級郡役所の校長会で海外発展主義教育を実践するための会議に永田稠が顧問格で参加している。長野県の海外移民運動には最初から教師の役割が大きいのである。

信濃海外協会の代表は長野県知事であり当初から実質的推進母体は信濃教育会である。同会は長野師範学校の卒業者を中心に小中学校の教員を組織した教育組織である。信濃教育会は政府・府県と末端教員をつなぐ中間団体であるが、信濃海外協会も事務所を県庁に置きながらも外郭団体としての位置づけであり、国家と社会を結ぶ中間団体である。移民問題を考える時に国家権力と民衆の関係だけでなくこれら中間団体の果たした役割の大きさに注目すべきであろう。信濃教育会の総裁は県知事であるため、県庁の外郭機関として機能する。県庁内に信濃海外協会の部屋がおかれる。さらに県庁に開拓課を設置、市町村に移植民係を設置した。長野県は県機構として一九二〇年代から海外移民に積極的に取り組む態勢を整えた。これが一九三〇年代満洲移民に長野県がのめり込む歴史的前提であり条件となるのである。

また信濃海外協会はブラジル移民を提唱していた長野県人の永田稠、輪湖俊午郎を引き込むことにより南信の諏訪・伊那地方から、信濃教育会本拠で長野県立師範学校のある北信の長野市とその周辺、信濃教育会の発祥の地である東信の上田・小県地方を含めて全県的な講演会、映写会など、積極的な移民活動を展開する。

以上のように当初信濃海外協会は信濃教育会の線と永田稠の力行会の線が合流したものである。主導権は信濃教育会（主幹事西沢太一郎）にある。その上に長野県知事を担ぎ県内有力者の支持のもとに活動を展開したのである。

信濃海外協会の目標は①定住、②開発、③模範植民地建設である。定住化による模範的植民地建設が目標である。この最初の実験場がアリアンサであった。信濃海外協会の活動で主なものはアリアンサ移住地建設、拓務省設置、神戸移民収容所の設立、海外協会中央会の創立、海外移住組合法の制定である。[34]

一九二三年信濃海外協会総裁の本間利雄知事は南米信濃村建設の大宣言を発し、アリアンサ移住地実現へ向けて走り出す。そのために信濃海外協会は当時『南米一巡』を刊行してブラジル移民を提唱していた長野県出身の永田稠を利用しようとしたのである。永田もかつて小学校代用教員であったこともあり、教育会としても活用したかったのである。その後永田は一九一四年の信濃教育会の海外発展主義教育運動の講師として県内をくまなく講演して回った。日本力行会会長でありみずから力行会での北米移民の経験を持ち、また力行会を通じて海外に移民を送り出した経験を持っていた。この時の信濃教育会移民運動の講演の経験をのちに永田は『海外発展主義の小学教育』（宝文館、一九二八年）として刊行している。信濃教育会が永田を移民指導者に育て上げたともいえよう。また信濃教育会はのちの満洲移民の際に青少年義勇軍送出のために大きな役割を果たす。その意味でも長野県における移民運動に占める信濃教育会の役割は重要である。

そもそも永田稠が海外発展主義を実施する組織として信濃海外協会の設立に邁進するのは、海外発展主義教育の実現の先陣を走っていた信濃教育会の中村国穂（更級郡出身）と、今井新重（諏訪市出身）が一九二〇年に相次いで死亡（スペイン風邪といわれる）した衝撃であった。

永田稠は「津崎去り中村逝き今井斃れ、信州海外発展の勇将は尽く亡せて、当年の気運は影も形もない。信州一八〇万人の民は益々窮迫して生活の道を郷外に求めざれば餓死のほかなき有様であるのに、一人起ってこの大事業の遂行に進まんと欲するものはないか」と述べている。[35]ここで永田自らが津崎尚武、中村国穂、今井新重を継いで信濃海外移民運動のその先頭に立つと決意していることが分かる。

『海の外』第三号（一九二二年五月、実際は六月の誤植）では信濃海外協会設立の経緯について社説「長野県人海外発展史」で述べている。[36]署名は社説とあり個人名ではないがこの文章を書いたのは永田稠であると思われる。信濃教育会の果たした役割について長野県学務課から代議士になった津崎尚武が「狂熱的に海外発展論を唱え」、信濃教育会会長の佐藤寅太郎が県視学の首位に立ち、中村国穂が更級郡視学として海外発展主義教育として実働部隊の中心を担ったという。信濃会海外協会設立に際しては政治的には小川平吉が国政・長野県政のトップとして君臨し、社会運動的には信濃教育会が担い、資金的には片倉製糸の片倉兼太郎と上諏訪の素封家土橋源蔵、第十九銀行黒沢竹重などが控えていた。

県内の信濃海外協会支部の設立経過を見ると『海の外』第五号（一九二二年八月）に「信濃海外協会支部設立運動経過」がある。[37]それによると最初に県支部として動いたのは松本市と東筑摩郡である。一九二二年五月に松筑支部として松本市長小里頼永が呼びかけ東筑摩の郡長と市と郡の有力者を集めて設立されている。その後小県支部、四月南佐久支部、五月下水内支部が設立に動いている。しかし小県郡、南佐久郡では設立が延期されている。スムーズに設立されたわけではない。その後七月九日信濃海外協会東京支部が結成されている。

九月には下伊那支部の設立協議会が開かれている。[38]支部長は臼田郡長、副支部長は郡教育会長深井次郎、幹事は郡視学小尾喜作である。臼田郡長の司会の下に佐藤寅太郎の説明と永田稠の講演である。各地支部結成で郡長が支部長となり、信濃教育会から副支部長、幹事で県視学が就任している。支部会に上から恒常的に参加しているのは政治家小川平吉、信濃教育会佐藤、郡教育会関係者であり、そして現場の幹事の永田と宮下琢磨らである。それら結成式では永田が映画、幻灯機を持ち込み移民運動の現状を宣伝している。このように信濃海外協会の組織化は長野県で国政県政の有力政治家が動き、県政を担う知事と郡長、地域有力者が動き、末端の民衆動員のために信濃教育会の視学、教員などが動いていた。

なお満洲在住の長野県人から信濃海外協会の関心はブラジルや南洋などに限られ満蒙を無視しているとの批判がなされ、満洲の長野県人が自ら満洲信濃協会を結成するという事態が起きている。[39] 一九二〇年代初頭では信濃海外協会において満洲の位置は低かったのである。

以上から創立総会にみると、信濃海外協会は、総裁として長野県知事をトップとする県庁、副総裁として県会議長に代表される県政治家、顧問として県出身で国政において活躍する政治家、信濃教育会に代表される県立長野師範学校出身の小中学校教員が創立の推進者である。すなわち長野県海外協会の主要アクターは、知事（県庁機構）と、国政・県政の有力政治家と、信濃教育会の三者である。それに加えて海外協会の実務運営を担い移民運動の実働部隊となったのが、幹事となった信濃教育会に結集する教員と、ブラジル移民経験者を中心とした民間活動家であった。この四者の動きを見ることで信濃海外協会の活動が理解できる。信濃教育会は民間団体であり政府・府県と末端教員集団を繋ぐ中間団体である。信濃海外協会も県知事主導ではあるが形式的には民間運動体であり国家と末端移民者を繋ぐ中間団体である。さらに信濃教育会と連動して民間の移民促進機関であった日本力行会がブラジル移民では大きな役割を果たしている。移民問題を考える時に国家と民衆の関係だけでなくこれら国家と民衆の間に位置する中間団体、また民衆レベルの社会運動の果たした役割の大きさに注目すべきであろう。

第三節　『海の外』の刊行

一九二二年一月には県庁内に信濃海外協会の部屋が置かれた。さらに県庁に海外のみならず県内外の移民を担当する開拓課を設置、市町村に移植民係を設置して県庁機構全体が移民運動を開始する。

一九二二年四月一日には信濃海外協会の機関誌として『海の外』第一号が創刊される。これは信濃海外協会規約第三条の事業のうち六「雑誌その他の出版物を利用し若しくは自ら発刊しまたは随時講演会を開く事」に沿ったものである。

『海の外』第一号の編集人は永田稠である。発行兼印刷人は藤森克、印刷所は力行会印刷部、発行所は長野県庁内の「海の外社」である。この機関誌の編集者は協会幹事の日本力行会永田稠であることは大きな意味を持つ。永田は戦時下に至る終刊まで『海の外』の編集人であった。さらに印刷所も力行会出版部である。雑誌編集を通して永田が自己の意見を発信することが容易になったと言える。

『海の外』は当初永田稠が会長である力行会で印刷していたが一九二三年一月から信濃毎日新聞社に移している。長野県の移民運動であるから東京の印刷所では都合が悪いのは当然である。発足一年後から信濃毎日新聞が関わるようになる。信濃毎日新聞と信濃海外協会の関係は戦時下の終刊まで続く。

移民問題と信濃毎日新聞との関係を社長小坂順造の経歴から考える必要がある。

小坂順造は一八八一年生まれで野県上水内郡柳原村出身で一九〇四年東京高等商業（現在の一橋大学）を卒業後日本銀行で経験を積んで信濃銀行に勤務したあと、父小坂善之助の跡を継いで信濃毎日新聞取締役となり一九一一年信濃毎日新聞社長に就任し一九一八年まで社主を務める。若き時から県内のトップエリートに成長する。一九二九年初代拓務政務次官（一九二九年七月五日―一九三一年四月一五日）となる。拓務省新設後の初代政務次官となるのは移民問題にそれなりの見識を持つ人物である。

小坂順造の政治経歴を見ると一九一二年には政友会から衆議院議員に当選、一九一八年は原敬首相の政友会内閣農商務大臣山本達雄の秘書課長となり一九二二年には農商務省参事官になっていることが注目される。一九二二年は信濃海外協会が設立される同年である。このとき小坂は片倉兼太郎、福澤泰江など地方名望家として信濃海外協会相談役となっている。信濃海外協会成立の一九二二年には中央官庁から信濃毎日新聞社長に復帰しており一九二九年拓務省政務次官になるまで長野県に戻り社主を務める。また長野電灯社長として地方財界でも重きをなす。この間に議員として政治的には政友会から政友本党、民政党と変遷する。最初の一九二八年普通選挙では民政党から立候補して当選する。

一九二九年の拓務省政務次官は民政党から選出されている。『海の外』第八六号（一九二九年八月）に「拓務政務次官に小坂順造氏任命される」として紹介されている[40]。

小坂順造が活躍したこの時代は一九二〇年賀川豊彦の社会の貧困問題を扱った『死線を越えて』がベストセラーになった。また長野県出身の農林官僚小平権一が一九二〇年岐阜県小作争議の調査復命書を提出し農村の小作問題が深刻化していた時代である。小平は一九二一年に小作制度調査委員会幹事として小作人に耕作権を付与する「小作法案」を調査委員会に提出し、それが新聞紙上でスクープされ議会の地主勢力に衝撃を与えて、小作問題がジャーナリズムでも大きな社会問題となった。ジャーナリストでもある小坂が農商務大臣の秘書官・参事官として同郷で省内の少壮農務官僚小平と農村社会問題の解決を模索していたことが当然考えられる。つまりこの時代信濃毎日新聞が小坂を通して信濃海外協会機関誌『海の外』の出版元になるのはそれなりの必然性があった。

なお小坂順造には伝記『小坂順造』（小坂順造先生伝記編纂委員会、一九六一年）はあるが思想と行動に関する本格的な評伝はないようである。小坂は原内閣の時代に国士舘大学創立者柴田徳次郎と交流が始まり戦時戦後まで長く国士館評議員、理事として関係が続いたという[41]。それによると小坂は少年時代から国粋主義の杉浦重剛の影響を受けて杉浦の創設した日本学園中学への編入を希望した。小坂と柴田の国学院との関係は杉浦の影響もある。国士館は建学の精神は校名の通り国士を養成する大学で、国粋主義をモットーとしていた。また民間の高等教育機関としては植民教育に熱心である。一九二〇年代からブラジル移民に熱心であり植民教育機関をブラジルに設置し、一九三三年には満洲吉林省鏡泊湖畔に中学校卒を対象に鏡泊学園を開設している。

また小坂順造の結婚の媒酌はジャーナリストで民権運動から国粋主義者に転身した徳富蘇峰であった。蘇峰が「大東亜共栄圏」の代表的言論人として言論報国会の会長となったことは有名である。戦後は公職追放となっている。小坂は信濃毎日新聞主でありジャーナリストの関係も深く蘇峰を初めてとして緒方竹虎、中野正剛との関係も深い。これまでの小坂の評伝では国粋主義やブラジル移民、満洲移民との関係はそれほど明らかではない。

ここで『海の外』のバックナンバーを見ておこう。一九二二年の創刊号から各号で長野県人の海外発展を推奨し、海外移住者指導の記事、「海外通信」として北米、メキシコ、ブラジル、朝鮮、南洋その他の移民状況の報告、「海外問答」として読者の移民希望にこたえる欄、「雑報」として、信濃海外協会年次総会、規約、移民講習会、信濃海外協会支部の設置状況が掲載されている。また「信州だより」として長野県海外移住者への故郷信州の現状紹介などの記事もある。これらの情報は日本移民史として大正期から昭和期の府県レベル、地域レベルでの移民運動と移民状況を知る恰好の資料となっている。

また信濃教育会の藤森克は、一九二二年の創立のときから『海の外』の発行・印刷の責任者であり専任幹事を務めていたが一九二四年に突然職務を放棄して辞任したという。「ブラジルに信濃村を作るなど無理である」と考えたようだ。

一九二五年五月刊行の第三六号から専任幹事は西沢太一郎に変わっている。西沢はこの年には信濃海外協会の幹事から理事に昇進しており専任幹事として以後藤森克に代わって信濃海外協会の運営実務の中心を掌握していった。その後彼が信濃海外協会運営の中心人物となる。

機関誌『海の外』の発行所「海の外社」も県庁内に設置されており、信濃海外協会の事務所とともに県庁内に部屋を持っている。信濃海外協会と機関誌発行の海の外社が県庁丸抱えの組織であることがわかる。

以後、本書では一九二三年四月の『海の外』創刊から一九四三年五月の終刊までを対象として、信濃海外協会の主要な活動を二つの時期に区分して述べていく。第一は一九二〇年代の南米ブラジル移民を中心とした時期であり（第三章〜第五章）、第二は一九三〇年代の満洲移民を中心とする時期（第六章〜第九章）とに分けて解説していく。

注

（1）輪湖俊午郎については、木村快『ある理想主義者の生涯―ブラジル移住史と輪湖俊午郎』（NPO現代座、二〇〇八年）を参照されたい。

（2）「焚火の誓い」は深沢正雪『一粒の米もし死なずば―ブラジル日本移民レジストロ地方入植百周年』（無明舎出版、二〇一四年）、一〇九頁。

（3）共同研究報告『ブラジル日本人入植地の常民文化（歴史民俗編）』（神奈川大学日本常民文化研究所、二〇二一年）は、ブラジルのレジストロ移民について書かれている。このレジストロ移民団の長野県人が信濃海外協会の設立に大きな役割を果たしていた。同上の共同研究報告の拙稿「ブラジル移民から満洲移民へ」では永田稠の日本力行会とブラジル移民と信濃海外協会との関係を論じている。本書はこれを基礎としているので参照してほしい。

（4）東洋拓殖会社と海外興業株式会社については、黒瀬郁二『東洋拓殖会社』（日本経済評論社、二〇〇三年）を参照した。黒瀬によると東拓とその子会社である海興は国策と営利の二元的構造をもつ組織である。東拓は日本人の朝鮮における土地拡大の国策機関として設置されたが、早々に植民機関から金融機関に重点を移動する。営利主義が優先された結果である。海興が営利主義と国策移住との矛盾を抱えていたことが想定される。

（5）宮下琢磨「レジストロの信州人」『海の外』第六二号、一九二七年七月、二頁。

（6）レジストロ植民地については、『レジストロ植民地の六十年』（レジストロ六十年史刊行委員会、一九七八年）、レジストロと渋沢栄一の関係については、黒瀬郁二「渋沢栄一とブラジルの日本人植民地」（渋沢栄一記念財団研究部編『実業家とブラジル移住』不二出版、二〇一二年）。

（7）永田稠『国見する者』（日本力行会出版部、一九四二年）。

（8）「海興関係についての問題」前掲『レジストロ植民地の六十年』一五一頁。

（9）前掲深沢正雪『一粒の米もし死なずば』一一三頁。

（10）木村快『共生の大地アリアンサ―ブラジルに協同の夢を求めた日本人』（同時代社、二〇一三年）、前掲深沢正雪『一粒の米もし死なずば』でも、一九二四年から一九二九年までの永田稠のアリアンサ建設が、その後のブラ拓対アリアンサの対立を背景としてブラジル移民史から抹殺されているという批判がある。海興とアリアンサ、ブラ拓とアリアンサの対立は事実だが「移民史から抹殺」と評価すべきかは、ブラジル移民史におけるアリアンサの位置づけに関係する問題である。

（11）『南米ブラジル国行家族移植案内』（海外興業、一九二六年）。

（12）「雑報」『海の外』第一号、一九二二年四月、二九頁。

（13）海外協会の最初となる広島県海外協会（広島殖民協会）の設立にはのちに長野県海外協会設立の中心人物となる永田稠が関係している。永田は一九一三年北米移住から日本力行会会長として帰国したあと信濃教育会の海外発展主義教育に賛同して海外移民運動の講演で県内を歩き回っていた。その際力行会で広島出身の赤木穣が北米から帰国したので彼に頼んで北米在留日本人の世話をするために「広島県海外協会を作ってもらうことにした。大正四年のことで海外協会の始まりであった」と述べている（永田稠『信州人の海外発展史』日本力行会、一九七三年、四二頁）。これは誇大表現かもしれないが永田が広島県海外協会設立に何らかの関与したことは事実であろう。

(14) 海外協会中央会編・発行『海外中央会各府県海外協会要覧』（一九二八年）九五―九六頁。

(15) 同前書一頁、設立趣意書は創立経緯から見ると一九二二年一二月二八日の日比谷公園で開催された設立主唱者会で準備されたものであろう。それ以後この趣意書が県内県外の有力者に配布されて翌年一月二九日の創立総会に至ったものである。

　ここで述べられている長野県移民を「郷党的親睦の善用による地方的協力」の必要性という点から注目したのが小平千文「郷党的親睦思想の移植民政策と戦争」（『信濃』第四六巻第一二号、一九九四年）である。この論文では長野県移民運動が郷党的親睦を基礎とした地方協力運動として出発しのちの満洲移民に繋がるものとした。ブラジル移民と満洲移民の連続性を初めて指摘した重要な論文である。

(16) 『信濃海外協会概況・南米ブラジルありあんさ移住地概況』（信濃海外協会、発行年不明）二―三頁。

(17) 岡田忠彦「長野県人の海外発展」『海の外』第一号、一九二二年四月、一―四頁。

(18) 今井五介「海外発展の急務」『海の外』第一号、一九二二年四月、五―八頁。

(19) 今井五介「拓務省を存置せよ」『海の外』一一一号、一九三一年九月、二―三頁。

(20) 小川平吉「海外移住者の指導」『海の外』第一号、一九二二年四月、九―一一頁。

(21) 今井五介「巻頭言」海外協会中央会編輯『海外協会中央会・各府県海外協会要覧』（海外協会中央会、一九二八年）。

(22) 永田稠編『信濃海外移住史』（信濃海外協会、一九五二年）六六頁。

(23) 永田稠の自伝は前掲『国見する者』に詳しい。

(24) 力行会については日本力行会創立百周年記念事業実行委員会記念誌編纂専門委員会編『日本力行会百年の航跡―霊肉救済・海外発展運動の展開、国際貢献』（日本力行会、一九九七年）による。

(25) 前掲『信濃海外移住史』四九頁。

(26) 永田稠「在郷軍人会の海外移住について」『海の外』第九五号、一九三〇年五月、一―六頁。

(27) 『長野県政史』別巻、一九七二年、一二六頁。

(28) 永田稠と輪湖俊午郎と北原地価造の「焚火の誓い」といわれている。レジストロ移民については、前掲深沢正雪『一粒の米もし死なずば』を参照されたい。

(29) 西沢太一郎「幹事就任の御挨拶を兼ねて」『海の外』第三六号、一九二五年五月、三―四頁。

(30)「下伊那郡青年秘密結社事件」『海の外』第二三号、一九二四年三月、二八頁。
(31)西沢太一郎「海外視察記ブラジルの巻21　モジアナ線一帯」『海の外』第一一四号、一九三一年一二月、九頁。
(32)大正期の信濃教育会と海外発展の関係については「信濃教育会と県政」（『長野県政史』第二巻、一九七二年）二九八―三〇二頁、「信濃教育会と海外発展運動」（長野県開拓自興会満州開拓史刊行会編・発行『長野県満州開拓史』総編、一九八四年）五〇―五五頁を参照されたい。大正期信濃教育会の海外移民運動＝移民運動における主導性が述べられている。
(33)前掲『信濃海外移住史』五七頁。
(34)西沢太一郎幹事「信濃海外協会の創立と教育会」前掲永田稠『信濃海外移住史』二三三頁。
(35)前掲『信濃海外協会史』五七頁。
(36)社説「長野県人海外発展史」『海の外』第四号、一九二二年六月、三一頁。筆者は永田稠と思われる。
(37)「信濃海外協会設立運動経過」『海の外』第五号、一九二二年八月、二五―二八頁。
(38)「下伊那支部設立」『海の外』第八号、一九二二年一一月、三一頁。
(39)「内外通信　満洲信濃協会趣旨」『海の外』第四号、一九二二年六月、二三頁。
(40)「拓務政務次官に小坂順造氏任命さる」『海の外』第八六号、一九二九年八月、三一頁。
(41)菊池義輝「小坂順造と国士館―両者を結び付けたもの」『国士館史研究年報　楓原』第一〇号、二〇一八年。

第三章　南米信濃村

第一節　信濃海外協会の移住地

（一）南米信濃村建設構想

信濃海外協会が創立されたその一年半後の一九二三年に関東大震災が襲う。一九二四年には政府の諮問機関帝国経済会議の答申を経て震災で罹災したものを移民として海外へ送り出すことが決議されブラジル行の移民船賃補助を行い、一九二四年一〇月に渡航費用全額が政府負担と決定され、一九二五年から本格的に移民政策が実施された。すなわち一九二五年を画期としてブラジル移民が国策として始まったのである。(1) それ以降は移民国策化の流れのなかで信濃海外協会の活動が展開することとなった。

信濃海外協会専任幹事西沢太一郎によると信濃教育会が果たした長野県の海外発展の重要な事業として

一九二二年　海外中央会創立
一九二五年　南米信濃村建設
一九二七年　海外移住組合法制定
一九二八年　神戸移民収容所設立
一九二九年　拓務省設置
一九三二年　満洲愛国信濃村建設
一九三三年　満蒙視察団派遣
一九三六年　更級農業拓殖学校
一九三七年　満蒙開拓青少年義勇軍送出

一九四一年　八ヶ岳修練所学校職員講習会・東筑桔梗ケ原女子訓練所女子講習会、興亜教育大会としている。[2] これは信濃教育会の視点から見た信濃海外協会の活動でもあった。信濃教育会は信濃海外協会と一体化して青少年の「海外発展」運動をおし進めたのである。これらの実施については永田稠編『信濃海外移住史』（信濃海外協会、一九五二年）の内容とほぼ重なる。永田稠は協会幹事として満洲愛国信濃村建設までは中心的役割を果たしている。しかしそれ以降は西沢など信濃海外協会主流から次第に脇役となり、さらには排除されていく。[3]

以下この順序で信濃海外協会の活動を大きく大正期の南米信濃村建設（第三章から第五章）と昭和期の満洲信濃村建設（第六章から第九章）の二つに区分して解説していく。

永田稠にとって信濃海外協会の移民運動の最終目標は①定住、②開発、③模範移住地建設である。従来のブラジル移民のような出稼ぎ移民ではなく定住植民を目標としていた。定住化により未開の大地を日本人が開発し海外に模範的な植民地を建設することである。その意味で日本人や長野県人の広範な海外発展を網羅的に推進するのではなく、目標は狭義の模範移民村建設に絞られていた。それが南米信濃村といわれたサンパウロ州のアリアンサ移住地建設であった。そして日本力行会では信濃海外協会でおし進める移民定住化をバックアップするための移民教育機関を作ることになる。

『海の外』では、一九二二年の創立総会でも明らかなように最初からブラジル移民に期待をかけていた。ブラジル「信濃村」建設の記事は早くも『海の外』第三号（一九二二年六月）の輪湖俊午郎「二万円で出来る信濃村」として掲載されている。これはブラジルのレジストロ植民地の経験を移住者である協会幹事の輪湖俊午郎が報告したものである。これが「ブラジル信濃村」の最初の記事である。

一九二二年一〇月に信濃海外協会総裁は岡田忠彦知事から本間利雄知事に代わる。岡田は協会が設立されてからわずかの九か月の在任である。戦前の知事は官選であり内務官僚が知事として内閣総理大臣の任命で各府県に赴任した。在任は原則二年である。一九二二年一月の信濃海外協会創立の際、岡田知事や小川平吉、今井五介も事務局の永田稠、輪湖俊午郎からブラジル情報を得て、ブラジル移民を有望であると述べていた。しかしこのときは用地の確保もできていないし予算の獲得もできていない。そのため岡田知事は具体的な移住地建設に積極的ではなかった。

岡田忠彦知事の時代の『海の外』での移民事業の紹介は、レジストロ信濃村が中心であり、本間利雄知事に代わってアリアンサ信濃村建設に移っており、その後の『海の外』はほぼアリアンサ移住地建設を中心としていることが分かる。そこでアリアンサ移住地について解説しておこう。

『海の外』第一五号（一九二三年六月）は「ブラジル移住地建設号」と名付けて刊行されている。一九二三年五月に信濃海外協会では新知事本間利雄を迎えてブラジル移住地建設協議会を開催して本間知事自らが先頭に立ってブラジル移住地を建設することを宣言した。

本間利雄長野県知事は、第二代信濃海外協会総裁として今井五介の秘書である宮下琢磨や日本力行会の永田稠の意見を入れて信濃海外協会の新方針を決定する。

「我が信濃海外協会は、創立以来茲に一年有半、此の間は専ら海外思想の普及宣伝に努力し、その間若干渡航者に対して、便宜を計り来たる程度の事業に過ぎなかったのである、……今まで如きのやり方をしていたのでは甚だ覚束ないものの様に認められる。……欧州戦争後諸外国は、内政の整理に忙殺せられ、従前の如く、国人を海外に送ることは困難である。……然るに我が日本は大戦乱中幸いに人命を失うこともなく、金銭上には莫大なる利益を占め得たので、これらの利用を考えれば、海外に膨張発展せしむるのが、最機宜に適したるものである、この好機会になるべく多くの人を海外に送り、国運発展の基礎を、確立しておくのが急務である」という[4]。

すなわち本間利雄は従来の海外移住を欧米の植民地支配を真似て「国運発展の基礎を確立」するために欧州の移民政策に倣って海外定住地を獲得して外貨を稼ぐための一時的な出稼ぎでなく「国家百年の長計を樹立」することが必要であるとする。そのための入植する土地はすでに欧州ではアフリカを縄張りとしており、北米では日本人は「迫害を加えられてリンチ同様の取り扱い」の状態になる。また支那、満洲は生活程度が低く労賃の安いので日本人が現地に入植して彼らと競争しても太刀打ちできない。そのため残された大地は南米ブラジルしかないという。

そして本間総裁は「以上は自分の意見であり、十数年来の持論であったのである。信濃海外協会も従前の如く微温的なる仕事に甘んずれば止む。いやしくも何らかかを為すあらんとするならばよろしく奮励一番、帝国の政策まで影響を余及ぼす程度にやらねばならぬ」と結論している(5)。

これが本間知事による南米信濃村建設の宣言と言われるものである。

信濃海外協会のブラジル移住地開設計画は、本間総裁の宣言により開始された。はじめに、信濃土地組合を設置して県内でブラジル土地投資資金二〇万円を集めて、土地一万町歩をサンパウロ州で取得。五〇〇〇町歩を出資者に提供し、一〇〇〇町歩は信濃海外協会の直営地、一〇〇〇町歩は長野県民渡航者に売却、一〇〇〇町歩は在ブラジルの長野県先住移民者に売却、二〇〇〇町歩はブラジル信濃土地組合に売却するという案であった。この一年後の一九二四年六月の時点で信濃土地組合員になってブラジルの土地購入資金を提供している人物として今井五介、小平権一、永田稠、小川平吉、宮下琢磨、本間利雄、笠原忠造がいる(6)。

これを受けて一九二三年本間利雄知事は土地選定をブラジルのサンパウロ州バウルー総領事に依頼として土地斡旋を進めることになった。この背後には永田稠と輪湖俊午郎がいた。現地ではすでに輪湖がバウルー管内を調査して日本人移住地適地を調査し、サンパウロ州奥地の広大な土地を探し当てたのである。

信濃海外協会二代総裁となった本間利雄知事も最初は積極的でなかったが永田稠と輪湖俊午郎らの説得で翌年一九二三年五月に「移住地建設宣言」を発する。初めて海外協会で南米信濃村建設が正式に打ち出されたのである。さっそく信濃海外協会では一〇月に信濃土地組合を結成してブラジル土地購入資金を集める。現地ではブラジル・バウルー多羅間鉄輔領事と輪湖、北原地価造が中心にサンパウロ州に適地を探す。アリアンサ移住地三〇〇〇町

本間利雄（1877－1970年）

歩が決定すると一九二六年五月に永田が信濃海外協会の代表として調査地購入に出かけることになる。

『海の外』第二六号（一九二四年六月）では海外協会中央会の宮下琢磨幹事による「永田稠君を送る」という記事が掲載されている。[7] 永田稠を「信濃村建設の基礎を定め、下準備をする為」にブラジルに送り「万里の異域に植民地を新設する」、「今後のこの種の事業の消長興廃に関するのでその大半の責任は君の双肩にかかっている」という。送別会には山形県自治講習所所長加藤完治（博士）が開会の辞を述べ永田が返礼の挨拶して、小川平吉、今井五介、片倉兼太郎、小平権一ら数十名が参加している。永田が加藤と出会った最初である。

しかし南米移住地宣言を発布した本間利雄知事も在任一年で山梨県知事に転任して後任の梅谷光貞知事に変わる。この三代目の信濃海外協会総裁となる梅谷知事がその後の信濃移民運動の中心人物となるのである。

梅谷光貞は一八八〇年（明治一三）兵庫県養父郡生まれである。学生時代に徳富蘇峰に共鳴し、東京帝国大学を卒業後内務省に入り警察行政を担当する。一九一七年から一年間東南アジア、中国南部の植民地事情を視察し、一九二〇年には朝鮮、満洲、中国に出張し、その後もアフリカのアルジェリア、チュニジア、モロッコ、エジプト、中央アジアの植民地事情を視察して回る。その経験から一九二二年から台湾新竹州知事に赴任する。いわば欧米・アジアの植民地事情を視察して日本植民地行政担当のエリート官僚に成長したのである。梅谷は翌年には山梨県知事、一九二四年には長野県知事と本国内務官僚としてエリートの道を歩んでいた。[8] しかし梅谷知事は一九二六年の行政改革で警察署廃止を進めるが民衆暴動（長野事件）を招きその責任を取って知事辞任する。そのあとに海外移住組合連合会専務理事に就任する。[9] 梅谷は就任するや否やさっそく現地の輪湖俊午郎と一緒に土地買収を進め、バストス、チエテ、トレスパラスなど、ノロエステ線沿線に約二〇万ヘクタールの土地を買収し、この結果、ブラジル移民はイグ

梅谷光貞（1880－1936年）

アペ移民からサンパウロ州奥地へ植民地を一気に拡大した。そのため梅谷は長野県人からはブラジル移民の父と呼ばれた。

梅谷光貞の海外移民構想は一九三二年五月から七月の『海の外』第一一九―一二一号の「南米移植民根本策一―三」にあらわされている。梅谷は信濃海外協会の活動から「南米大陸中央の主要部〔ブラジル、パラグアイ、アルゼンチン〕」を南北に縦断したるわが民族の新勢力を扶植し得る」としてそのためには営利主義に走る海外興業株式会社（海興）を廃止し移民事業の国営化を目指すものである。将来的には国家的事業としてあらゆる移民事業を一元化した、新たな海外拓植会社を設立するというものである。[10] すなわち梅谷の計画は海外移民事業を官製移民として国営化することであった。

梅谷光貞は就任すると永田稠と相談し、現地の輪湖俊午郎と北原地価造は一緒に土地買収を進める。すでに輪湖はバストス、チエテ、トレス・パラスなど、ノロエステ線沿線の調査に入っており約二〇万町歩の土地をブラジル開拓の日本人定住地の適地と認定した。さらに輪湖はノロエステ沿線を調査、サンパウロから六〇〇キロのミランドポリス近郊ルッサンビーラ駅から三〇キロに、総面積は三万二一六〇町歩の広大な農地を買収した。買収予定面積は東京都面積の半分に達する広大な入植地となった。そのなかの五三二四町歩を購入し第一アリアンサ移住地を建設する。土地売却者は現地の広大な牧場経営主ロドルフオ・ミランダである。

さっそく梅谷光貞は土地購入を進め信濃海外協会での購入を決めた。支払金額は日本円で当時のレートで二〇万円かかり、三か年年賦で初年度七万円を支払うことになっていた。このとき信濃土地組合では出資口数では一〇万円の予約はあっても実際の献金は片倉兼太郎など県内有力者の寄付金五万円しか集まっていなかった。もちろん永田稠の力行会や輪湖俊午郎・北原地価造には二〇万円もの巨額の資金はない。そこで初年度納付金の不足分の二万円を、梅谷知事の判断で信濃土地組合に応募していた小県郡、更級郡、北佐久郡、南佐久郡の有力者の寄付を集め、さらに県資金からの借入金により一九二四年一〇月にアリアンサの移住用地を確保したという。この決断の背後には今井五介の秘書宮下琢磨がいたという。この梅谷の決断が南米信濃村の将来を決定したのである。のちに梅谷の県資金支出の独断性が問題となり永田らが二万円を長野県に返金したというが、その資金も当初は片倉兼太郎から借りたもので、のちアリアンサの土地を売却して返済したという[11]。信濃海外協会の信濃土地組合の資金では到底たりず片倉の巨額の寄付金と県の資金がなければ南米土地購入はできなかった。これがのちの南米信濃村と呼ばれたブラジルの第一アリアンサ移住地である。

ここで信濃海外協会主体で始まった南米信濃村構想にもかかわらず、なぜ横文字でアリアンサと呼ばれるかを説明しておきたい。

(二) アリアンサの建設と名称

アリアンサの名称について『ブラジル日本移民百年史』第二巻では、ポルトガル語で和親、協力、盟約という意味であるがとくに「盟約」という意味が重要であるという[12]。アリアンサとは「旧約聖書の約束の地であるカナンを与えてくれた神との盟約」であり「移住者同志の協力による移住地建設の決意」を込めて付けたとされている。神との盟約を移住者の和親協力によって実現するという意味である。とくに旧約聖書の約束の地カナンの「盟約」の意を込めたところにキリスト教の影響を見ることができる。永田稠によるとアリアンサという移住地の名称は輪湖俊午郎が付けたという[13]。二人のキリスト教徒が移住地の名前を付けたのである。永田の移民活動はキリスト教との関係なくしては理解できない。永田にとってアリアンサは神との盟約の地であり、ここにキリスト教徒として理想郷建設を心のなかで誓ったのだろう。実際にアリアンサには教会が建てられている。

永田稠は「アリアンサ移住地の精神」を次のように述べている。

「神武天皇の把持し給える開拓的移住建設の精神とこれを基調として蓄積したる日本民族固有の文化を経としブラジル合衆国憲法の精神を緯とし日本民族無極の発展とブラジル共和国無限の繁栄及び世界人類の最高理想実現の為め協力一致奮闘努力することを以てアリアンサ移住地建設の精神となす[14]」。

ここに永田稠の移住思想が簡潔に述べられている。神武天皇の開拓精神が日本国を作り上げたのであり、この精神を持った日本民族が海外に無限の発展を遂げ、ブラジル国の繁栄と世界人類の理想実現のために協力一致して努力する、と謳ったのである。皇国思想と海外発展を結び付けてブラジル移民の意義を位置づけ、究極的な「人類の理想世界」を実現するというのである。クリスチャンではない普通の長野県人にも分かるように神武天皇を持ち出しているが、永田にとっての究極的な「理想世界」とはキリスト教の教えの実現である。イエスキリストが約束する移住地カナンの「乳と蜜の流れる」桃源郷であった。

永田稠がキリスト教徒であるにもかかわらず神武天皇を賛美し、一九二〇年代のアリアンサ開拓を神武天皇に結び付けるという論理は、その後の力行会の満洲移民でも繰り返される。明治生まれで教育勅語を暗唱するなかで育ち国体イデオロギーのもとで生活した明治人にとって神武天皇の神話は当然の意識でもある。しかし永田の思想は右翼から左翼まで幅広い人士と付き合うなかで形成されており、そのなかで長野県で中村国穂、今井新重の国家主義者の後継者を自負したのである。永田にとっては単なる神話ではない。本音なのであろう[15]。

こうして神武天皇を持ち出しブラジル移民の正当化を図ったとしても永田稠と信濃海外協会の「アリアンサ」移住地という名称は長野県庁周辺では不評であった。

当初長野県庁では「南米移住地宣言」を発令した本間利雄知事の名を冠して当初は本間タウンとも呼んだ。アリアンサの中心地はトシオポリスとも呼んでいる。長野県庁が管轄する信濃海外協会では本来「南米信濃村」建設であった。そのため県庁周辺ではキリスト教精神が反映している「アリアンサ」という移住地名は忌避されたのであろう。しかし永田稠のブラジル移住地運動に関する指導性は抜群であり、同じクリスチャンの輪湖俊午郎とともに用地買収など移住地建設の主導的な役割を果たしたことは明らかであった。この段階の信濃海外協会に対して移住地名称で政府・内務省はそれ以上干渉することはなく、永田、輪湖の唱えるアリアンサを移住地の正式名称としたのである。

そのためキリスト教の色彩の強いアリアンサ移住地建設に当初政府はびた一文も出さなかったので、永田稠は今井五介に頼んで彼のポケットマネーで一か月三万円、一年で三六万円という巨額資金が提供されたという[16]。背後に片倉財閥が存在した。アリアンサは永田と梅谷光貞知事の個人的奔走と民間寄付資金の投入に支えられていたのである。そこに名称を含めて日本国家と距離を置くアリアンサ移住地に独自の自治権が発生する根拠があった。

ここに日本力行会永田稠主導で輪湖俊午郎、北原地価造ら住民自治を旨とし建設したアリアンサ移住地建設と内務省・外務省や長野県庁が管轄する海外移住組合連合会とのズレが生まれた。この移住地がアリアンサであり信濃村を名乗らなかったのは永田のキリスト教精神と海興支配下の国策植民地レジストロの批判者が作ったという経緯が大きい。

(三) アリアンサ移住地

『海の外』第三三号(一九二五年二月)で「南米ブラジル「ありあんさ」移住地建設号」が出されている。この特集号は永田稠が書いたものである。ここではこれまで述べてきた移住地建設の理想から始まり、移住地の特質、移住地購入の経過、契約書、入植者心得、移住者心得などが書かれている。

最初の「移住地建設の理想」では第一に「アブラハムという人は「我等が移住するのは世界の人々の幸福の基になるためである」」とし第二に「我日本民族の移住が、世界人類の幸福の基になるためである」と宣言する。このアブラハムは旧約聖書に出ているイスラエルの民の始祖でユダヤ教の預言者である。アリアンサの建設がキリスト教精神を基本にしていることが分かる。また次に日本民族の海外移住が人類の幸福のためであるとする。これは信濃海外協会の設立思想であり信濃教育会の海外発展主義である。[17] 永田稠のキリスト教と信濃海外協会の海外発展主義の思想が結合したところにアリアンサが生まれたことが分かる。

次に「移住地の特質」として信濃海外協会の資金は理想的移住地を創るためであり学校、病院、教会の資金、さらに製材、精米、精糖、コーヒー精選所、輸送機関、倉庫の資金とする。さらに文化事業にも充てる。従来の資本家の資本のように入植者から利益を奪い去るものではないと説明している。ここには海興のような移民会社の営利活動ではないことを強調している。

とくに「南米「ありあんさ」建設号」で注目すべきは「海外協会の希望」である。[18] そこでは将来的に第一アリアンサでは二〇〇家族（人口一〇〇〇人）を目標として初年度二〇家族を予定している。一戸当たりの土地二五町歩であり、二〇家族は三人家族で自作農として二五〇〇円を準備すること、一〇家族は小作農として一〇〇〇円を用意して渡航せよという。自作農だけでなく小作農も受け入れている。一九二五年の耕地価格は一反歩五円であるから一町歩五〇円である。一九二五年の普通価格で水田は五六〇円、畑は三四〇円だから二五〇〇円なら水田四反、畑七反が購入できる水準である。当時農林省の内地の農家経済調査（サンプル調査の対象は上層農民）では一九二五年の年間農業所得は自作で一三七一円、小作人で八八六円である。[19] ほとんど預金がない普通の農民に年収をはるかに超える土地資金を用意することは無理であった。信濃土地組合で資金が集まらないのは当然であった。目的は日本人を定住することであるから原則的には本国居住の不在地主は好ましくない。しかし実際は例外的であるが渡辺農場など不在地主も存在した。

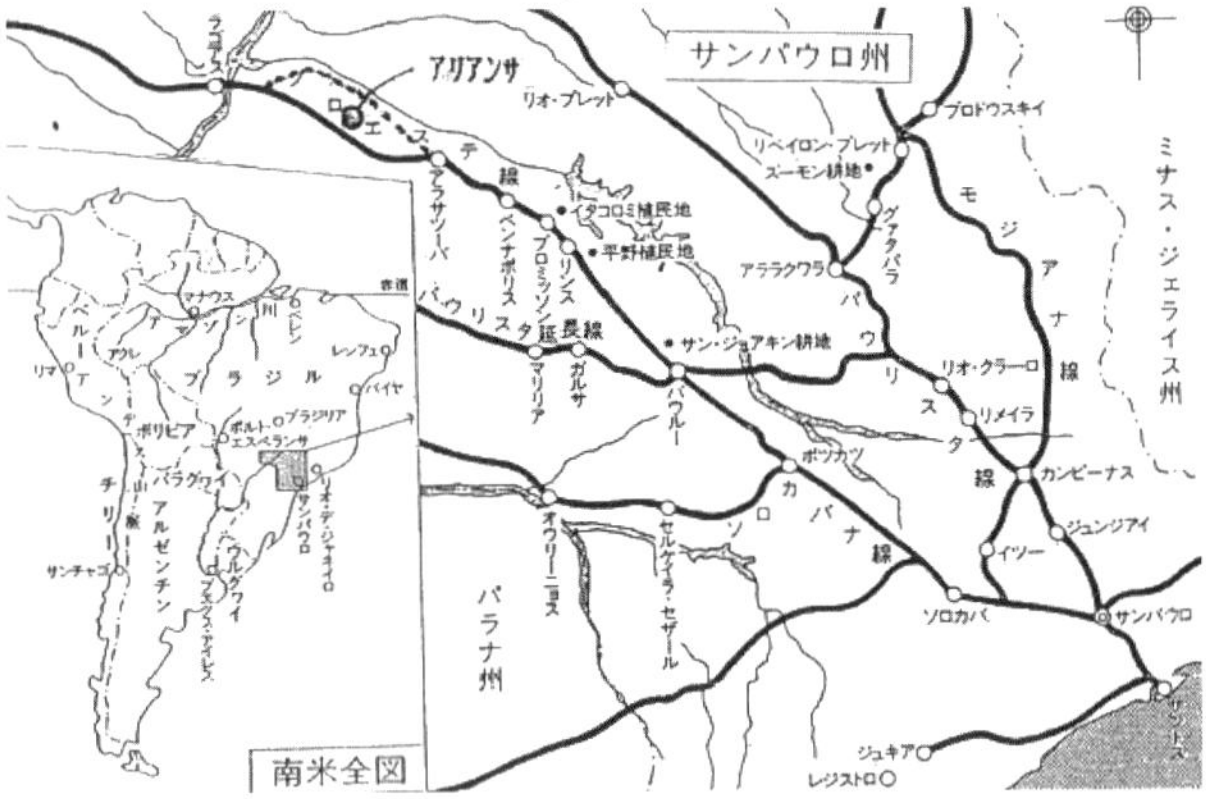

アリアンサの位置（日本力行会創立百周年記念事業実行委員会記念誌編纂専門委員会編『日本力行会百年の軌跡』日本力行会、1997年）

『海の外』第三四号（一九二五年三月）で永田稠が巻頭言「新しき信濃村」を書き、『海の外』第三五号（一九二五年四月）で巻頭に永田が「理想の農村　信濃村計画完成扉を開く」と輪湖俊午郎が「アリアンサ通信　南米信濃村」を書いている。

それらを読むとアリアンサの最初の入植者はレジストロから移転してきたアリアンサ開拓創業者北原地価造と、大工座光寺与一の二家族にブラジル在住の長野県人三青年である。またその後日本から最初にアリアンサに先遣隊として信濃土地組合員として入植したのは諏訪郡富士見村小川林、諏訪郡四賀村岩波菊治、下伊那郡龍岡村今村悦雄、東筑摩郡新村上條深太、上水内郡信濃尻村藤本憲正の五人であることが分かる。とくに富士見村の小川はアリアンサ移民第一号として有名である。小川は力行会員でありクリスチャンである。第一次入植家族者として記録される。輪湖俊午郎はバウルーに留まりアリアンサには入植していない。

『海の外』第三九号（一九二五年八月）では永田稠「南米視察者と信濃村」で信濃海外協会と長野実業家の関係を述べている[20]。信濃海外協会が設立された一九二二年はブラジル共和国独立一〇〇年祭である。その二年後の一九二四年九月に独立一〇〇年を記念して日本の実業視察団がブラジルを訪問しており長野県からは実業家として片倉兼太郎、黒沢利重、土橋源蔵の三人が参加している。片倉は片倉製糸紡績業、黒沢は第十九銀行、土橋は大日本紡績連合会を代表する。それぞれ諏訪、上田、松本を代表する長野県の有力財界人である。この三人の実業家は南米貿易、通商交易を盛んにするためにも日本人のブラジル移住に熱心であり信濃海外協会に資金を供給するという。移民政策には農民だけでなく資本の要求も大きい。とくに実業視察団長の東京商業会議所代表の山科礼蔵は片倉とともに一九二六年南米土地会社を設立してブラジル北パラナで二万五〇〇〇町歩の土地を購入している。

『海の外』第四〇号（一九二五年九月）では「移住組合法案議会通過について」が掲載されている。すなわち一九二五年第五一回議会に信濃海外協会代表梅谷光貞により提出された「移住組合法制定建議書」である。これは現行産業組合法では信濃土地組合がその集めた資金に他府県に土地を購入することは禁じられており、またブラジルで土地（アリアンサ）を購入したあと、国内産業組合がそのまま海外で土地経営をすることは禁じられていた。そのため予定されていた資金の募集も始めていた信濃土地組合は、信用事業だけで移民事業はできないことになり解散せざるを得なくなった。その後は海外協会中央会を中心に海外移住組合連合会を設置して、購入したブラジル（アリアンサ）農地経営の指導にあたることになった。そのために現地政府の認可を受けた連合会の現地代行機関として新たな開拓組合「ブラジル拓植組合（ブラ拓）」を作り現地指導することになった。知事を総裁とする府県海外協会が直接ブラジルの土地売買・経営を行うことは不可能であったからである。このような問題があって海外移住組合法が議会を通過するのは一年半後となった。

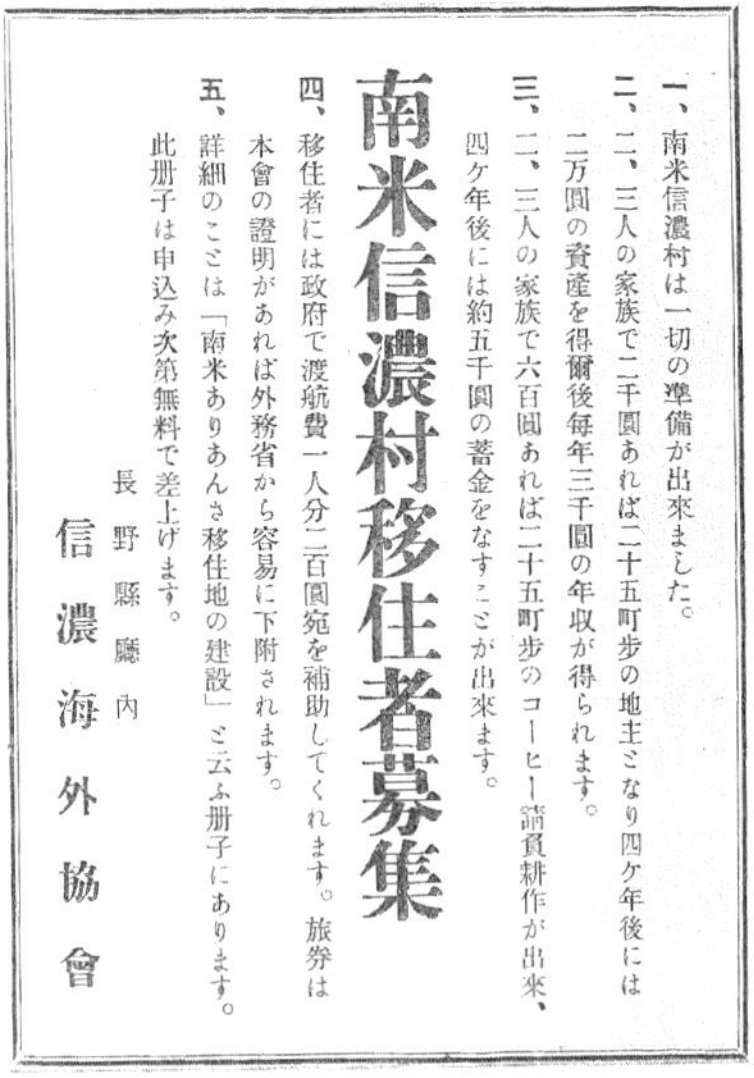
南米信濃村移住者募集

一、南米信濃村は一切の準備が出來ました。
二、二、三人の家族で二千圓あれば二十五町歩の地主となり四ケ年後には二万圓の資産を得爾後毎年三千圓の年収が得られます。
三、二、三人の家族で六百圓あれば二十五町歩のコーヒー請負耕作が出來、四ケ年後には約五千圓の蓄金をなすことが出來ます。
四、移住者には政府で渡航費一人分二百圓宛を補助してくれます。旅券は本會の證明があれば外務省から容易に下附されます。
五、詳細のことは「南米ありあんさ移住地の建設」と云ふ册子にあります。此册子は申込み次第無料で差上げます。

長野縣廳内
信濃海外協會

「南米信濃村移住者募集」
『海の外』第40号（1925年9月）

『海の外』第四〇号（一九二五年九月）から毎回巻末に「南米信濃村移住者募集」が掲載されるようになった。そこでは「家族二、三人で二〇〇〇円あれば二五町歩の地主となり四年後には二万円の資産を得る」、「六〇〇〇円あれば二五町歩のコーヒー請負耕作ができ四年後には五〇〇〇円の貯金をなすこと」ができるという。二五町歩の地主になれる夢のような話である。自作、請負小作も渡航費一人二〇〇円は政府補助である。

しかしこの渡航費は先に述べたように一九二一年内務省により国策移民政策が開始された時の渡航費全額国費負担とは異なっていた。この時の渡航費補助はすべて海興を通して支払われるので、海興とは無関係で信濃海外協会が募集し信濃土地組合資金で送られるアリアンサ移民には国費での渡航補助費が支払われなかったのである。このため海外中央会も政府に抗議して内務省から別にアリアンサ渡航については一人二〇〇人宛が支払われるように便宜を図るという経緯があった。この後も内務省のアリアンサの渡航費補助は限度があり、アリアンサのような大量移民では年度によっては渡航費の全額支給が難しくなったという。ここでもアリアンサはこれまでの海興を通じた移民とは異質の扱いを受けたのである。

アリアンサ移住地募集に関して『海の外』第五二号（一九二六年九月）では従来の「信濃村移住者募集」でなく「信濃村小作移住者募集」が宣伝されている。五〇〇〇円の資金で二五町歩の小作で四年後五〇〇〇円、九〇〇〇円あれば六年後一万円の貯金ができるという。当年度小作移住者五〇家族を単独で募集している。自作農二五〇〇円の募集が困難であったためであろう。自作農主義だけではアリアンサ募集が難しかったのである。また国内の資産家では不在地主として海外に土地拡大を望むものも多い。ただし政府や長野県にとっては海外に中堅自作農を設置することが政治的必要でもあった。土地を所有しない借地農は不安定であり、アリアンサでは小作人は数年後には自作農になることが予定されていた。

『海の外』第四一号（一九二五年一〇月）では巻頭言が永田稠に代わり西沢太一郎となり、巻頭論文も西沢となり信濃海外協会西沢時代が始まる。すでに『海の外』では五か月前の第三六号（一九二五年五月）から藤森克から西沢に『海の外』発行人が変わっている。編集人は永田で創刊から変わらない。海外移住組合法案とアリアンサの土地購入をめぐる外務・農林省間の軋轢と議会での海外移住への批判からか、信濃海外協会創立以来幹事を務めてきた藤森は病気を理由に『海の外』発行幹事を辞任する。その代わりにその後信濃海外協会の『海の外』の発行を担うのがこの西沢である。

先の巻頭言では西沢太一郎は「膨張的国民の生きる途」として「我が民族は、此處に一大危機に遭遇している」。「社会問題、思想問題が起きているが、帰するところ人口多く土地狭隘である」。「膨張国民の最もふさわしい移住である……移住は我が民族の唯一の生きる途である」と宣言している[21]。

『海の外』第四三号（一九二六年一二月）では「信濃村建設出資者」が掲載された。「アリアンサ」と「南米信濃村」が混在して使用されている。

なお一九二五年の信濃海外協会の海外支部と村別会員は、アリアンサ支部以外にはレジストロ支部、シアトル（米国西北部）支部、ロスアンゼルス支部、サンフランシスコ（米国北加）支部だけである。台湾、満洲、南洋も支部はない。しかしそれらの地域も含めて本部直属で信濃海外協会会員となっており世界に広がっている。

また長野県内の応募のみならずアメリカ、ハワイ、カナダ、ブラジル、ペルー、チリ、アルゼンチン、キューバ、ボルネオ、ジャワ、フィリピン、南洋などの日本人移民のブラジル転住希望者を見ることができる。

『海の外』第四四号（一九二六年一月）では「南米ありあんさ移住地一覧」を発行してその序文として信濃海外協会総裁で長野県知事の梅谷光貞が序文を書いている[22]。

梅谷光貞の趣旨は永田稠のアリアンサ建設の説明からキリスト教を除いたものである。とくに目を引くのは「国民海外発展の事業を政府が直接に経営することは最善の方法ではあるが、今日の世界では直ちに物議を起す恐れがある」として県レベルの移民運動として信濃海外協会を立ち上げたと述べていることである。同時に信濃海外協会は「日本民族の強固なる地歩を世界に築いて行く……最良なる方法であり、農村問題の積極的解決と兼ねて社会政策の根本的解決の最良法である」としている。

『海の外』第五三号（一九二六年一〇月）では巻頭言「躍進」で永田稠が更級郡力石村の中曽根春雄という一六歳の少年が単独でアリアンサに移住することが躍進として報じられている。永田の主催する日本力行会会員の子供という。一見満蒙開拓青少年義勇軍を思わせるが単独行であるが力行会員がブラジルで待ち受けているため可能だったものである。のちの青少年義勇軍とは異なる。永田は少年でもブラジル移民が可能であることを強調している。

第一アリアンサの建設資金のブラジル投資は一応一九二六年をもって終了する。当初、一九二四年から一九二七年まではアリアンサの移民者は原則として、長野、鳥取、島根各海外協会の会員（特定県人）とした。長野では信濃土地購買利用組合員に限定した。

最初の第一アリアンサ移住地の中心部はトシオポリスと名付けられた。トシオは長野県知事本間利雄の名前を冠したことは先に述べた。第一アリアンサはまさに長野県民の開拓地としてブラジル長野村として出発したのである。しかし第一アリアンサ移住地の建設では、永田稠は先にレジストロの「焚火の誓い」で長野県人信濃村の建設を主張したが、輪湖俊午郎は混植を主張し対立したという[23]。実際は輪湖の言う通り長野県人だけで村を作ることはできなかった。ブラジル在住の各府県出身の日本人、そして日本からの渡航者も長野県だけでなく様々な府県からアリアンサに移住してきた。

ここで信濃海外協会を通して第一アリアンサ移住地への長野県郡別資金寄付状況を見てみる。【表2】からアリアンサの長野県の寄付は一九二三年から一九二六年まで四年間の統計が分かる。この寄付金がアリアンサ移住の資金となったのである。この表から信濃海外協会の寄付資金からアリアンサ移民とは何であったのかをまとめておきたい。

【表2】によると諏訪が突出して第一である。二位の北佐久と三位の小県の五倍の資金を集めている。寄付人数を見ると諏訪で九人であり、多いところでも小県一四人、北佐久一三人である。それ以外は一桁の人数で、お付き合いで資産家が国策に協力したという程度である。一九二〇年代前半の移民の資金的基盤は諏訪にあったことが分かる。四位に東筑摩が入っており松本周辺も移民運動が盛んであったことが分かる。諏訪と松本周辺の農村部が移民運動に熱心であるといえよう。

信濃海外協会の幹事であった永田稠は諏訪出身である。早期に関東州愛川村で満洲移民を進めた関東都督福島安正将軍は松本出身である。長野県では諏訪と松本は早くから移民運動が活発な地方であった。五位以下は更級、長野市、松本市、南佐久が続く。更級郡は今井新重が愛川村移民を送出した地域で植民思想の普及では県の先進地であった。しかしのちの満洲移民では全県のトップとなる下伊那、上伊那はまだこの時代は中位以下である。また満洲移民では急増する西筑摩（木曽）、下水内（上越国境）は下から二―三番目の低さである。一九二〇年代と一九三〇年代の移民の地域基盤は異なることが分かる。

【表2】アリアンサ移住資金郡別寄付状況（1923－26年合計）

	郡別	寄付金額（円）	寄付人員（人）
1	諏訪	69,500	9
2	北佐久	12,500	13
3	小県	11,500	14
4	東筑摩	7,000	6
5	更級	7,000	7
6	長野	7,000	8
7	松本	6,000	7
8	南佐久	6,000	4
9	上高井	5,000	5
10	上田	5,000	5
11	上伊那	4,000	4
12	下伊那	4,000	3
13	下高井	4,000	4
14	南安曇	3,000	8
15	上水内	3,000	4
16	北安曇	2,000	3
17	西筑摩	2,000	2
18	下水内	1,000	2
19	埴科	1,000	1
合計		160,500	109

（出典）「信濃海外協会」『海外協会中央会各府県海外協会要覧』（海外協会中央会、1928年）106頁。

諏訪で寄付額が多いのは今井五介、片倉兼太郎など製糸業の資本家が信濃海外協会の中心人物となっていることが関係している。また上位の北佐久（軽井沢）から小県（上田周辺）の上小地方は一九二〇年代左派農民運動の在地基盤が強固であり、それに対抗する信濃教育会の信濃海外協会の移民運動も盛んであったことと関係するのだろう。それに対して一九三〇年代後半から満洲移民の本格化の時代に伊那地方、西筑摩、下水内など山間地での寄付人数は極めて少ない。移民熱はまだ上伊那・下伊那、山間部までは及んでいなかった。養蚕危機は一九二〇年代後半から昭和恐慌として深刻化するが一九二〇年代のアリアンサの時代はまだそれほどではなかった。製糸業も海外進出を目指しており余裕があったのである。この転換は一九三〇年代の昭和恐慌である。このことは後述する。

寄付金は合計一六万円に及ぶ。この出資を受けて信濃土地購買組合利用組合を設立して三万二一六〇ヘクタールに及ぶアリアンサの土地を購入したのである。しかし政府は当初このような大規模なブラジルの土地買収に懸念を示していた。アメリカでは排日運動が盛んとなり、一九二四年には排日移民法が通った時代である。ブラジルでも一九二四年は軍部のクーデターが起こり、一時革命派がサンパウロ州を占拠した時代である。これは一九三〇年代に再燃する。

信濃毎日新聞編『拓民の血を訪ねて―信濃拓民小史』ではアリアンサ入植を「政府の容るるところとならず、結局信濃海外協会一本鎗で、この大事業を敢然決行し、全日本に先駆する事となった」という(24)。つまり政府はこのような政情不安の時に日本の地方政府長野県がブラジル・アリアンサの土地購入することに消極的だったのである。いわばブラジル土地購入は政府の危惧を超えて、信濃海外協会が独断専行して進めたのである。これはのちの満洲移民でも繰り返される。このアリアンサ購入に際して永田稠は「ルッサンビラの奥地に選みし移住地の川辺に行いて自ら死なん」と詠んでいる(25)。ルッサンビラ駅奥地がアリアンサである。永田はアララギ派の歌人でもある。永田のブラジル移民にかける決死の覚悟が伝わる。

こうして「ブラジル信濃村は出来た。大正十四年［一九二四年］四月、諏訪郡富士見村の小林氏が先づ最初の入植手続きを取り、その年のうちに勇躍一一家族が赤道を越え、太平洋を渡った」という(26)。アリアンサ入植第一号が諏訪郡富士見村出身者で日本力行会員であることに一九二〇年代長野県ブラジル移民の特徴が表れている。

しかしアリアンサの実際の入植者は信濃人だけでは足りなかった。そのため入植者には他府県出身のブラジルやアメリカから移住したものが加わる。そして一九二八年海外移住組合連合会総会の決議でアリアンサは長野県人だけでなく、分散移住地主義・内外混植主義により、のちにブラ拓組合員であることが追加された。結局第一アリアンサ建設では三七府県の混植となり長野県民だけの移住地となることはできなかった。一県一村方式は実現しなかった。つまり一県ですべての入植地を埋めるだけの移民数を確保できなかったのである。満洲移民のような大規模な国家的助成なくして、一府県の力では南米信濃村を建設することは無理な計画であった。

『海の外』第四四号(一九二六年一月)では信濃海外協会総裁梅谷光貞により「アリアンサ移住地一覧」が掲載され、『海の外』第四六号(一九二六年三月)には「アリアンサ土地分譲終了」と幹事永田稠名でアリアンサ移住地の応募がいったん終わる。『海の外』第五八号(一九二七年三月)には「アリアンサ移住地入植者調」が掲載されて一九二五年から一九二七年四月までの入植者の一覧が分かる。『海の外』第六二号(一九二七年八月)は「南米ブラジルありあんさ移住地建設記念号」が刊行される。ここにアリアンサ移住の結果とその総括が報告されている。アリアンサ建設が一応完成したのである。

「南米ブラジルありあんさ移住地建設号」からは信濃海外協会の役員は総裁として長野県知事千葉了、副総裁は県会議長と前信濃教育会会長、顧問として鉄道大臣小川平吉、貴族院議員今井五介、司法大臣原嘉道、前台湾総督伊沢多喜男、相談役として片倉兼太郎ほか地域有力者と県部課長一六人、幹事長に県学務課長、幹事に県社会課長、常任幹事に西沢太一郎、幹事に永田稠、宮下琢磨、輪湖俊午郎、北原地価造が任命されていることが分かる。信濃海外協会幹事に永田、輪湖、北原がすべてアリアンサ建設関係者であることが注目される。信濃海外協会の第一期の活動はアリアンサ建設にあったことが分かる。

信濃海外協会の進めたブラジル移民運動の一つの総括として第一アリアンサの各府県別戸数(一九三四年)を見てみる。(27)

入植戸数では長野県が一番多く九二戸だが、全入植戸数三三二戸のうち四分一強に過ぎない。長野県に次いで移住数が多い府県は、山梨二二戸、岡山一六戸、山口一三戸、福島一三戸、東京一二戸、静岡一〇戸となる。あとの府県はわずか一桁の入植者を出しているだけだが、移住府県は四七道府県全域に及ぶ。沖縄はレジストロなど他のブラジル入植地と異なり少なくわずかに一戸である。アリアンサの人口動態では一九二四年の三人から一九二六年三五四人へ急増し、一九三〇年には一一〇七人と千人を突破している。ブラジル移民が制限される一九三四年には一三二五人に達している。戸数にして三〇〇戸程である。(28)

日本力行会での海外渡航先を見ると一九二二年からブラジル移住が増加し一五人、一九二四年二〇人、一九二五年一六人、一九二六年三〇人と増加している。(29) 一九二四年からの増加は力行会主体でアリアンサ移住地に向かったものも多いと思われる。一九二四年から一九二六年までに合計六六人となり、もしすべてがアリアンサに移住したとするなら一九三四年のアリアンサ長野県移住戸数の七割を日本力行会員が占めることになる。しかし日本力行会のブラジル移住斡旋者は一九一六年から二六年の一〇年間で九六人に過ぎないので、とても単独で長野村を作るだけの供給力はなかったのである。ちなみにこの一〇年間で力行会卒業生の全世界への海外渡航者はブラジル、メキシコ、アメリカなどへ一九六人である。渡航斡旋機関として力行会はキリスト教という制約もあり、府県海外協会のような公的移民斡旋機関と違い多数の移民を送る力はなかったのである。それゆえアリアンサを建設したリーダー永田稠のキリスト教精神がアリアンサ全体の思想ではない。あくまで信濃海外協会を支える長野県人の運動であった。

(四) アリアンサの理想

戦後アリアンサに移住してブラジルで研究者となった吉岡黎明によると、アリアンサの移住者は中産階級出身者が多く、医者、実業家、郡会議員、ジャーナリスト、歌人、俳人、小学校校長などを含み、朝鮮総督府鉄道技師、満洲守備隊長、台湾総督府高官、樺太警察医、航空界の先駆者、農大出身植物遺伝学研究者、陸軍主計大尉、宮内省高官、蔵前工科高等学校出身測量技師、高等師範出身郵便局長、陸軍軍医、東大工科出身三菱造船所技師、川崎造船平生釟三郎（東京商大＝現在の一橋大学出身）の門下生など、多彩な人物がいたという。[30]

アリアンサ移住者は中産階級が多く含まれたのである。というのも入植の条件が一時的な出稼ぎでなく移住地を購入して移住することが条件であるため、自前で資金を調達することが求められたからである。当時一区画二四ヘクタール、すなわち一アルケイレの購入代金は四五〇円程度である。一九二四年以前渡航費の国費補助が実施されていなかったので、ブラジル渡航費一人二〇〇円を自前で用意しなければならない。このため家族四人で移住すると軽く一〇〇〇円は超える。当時は小作人の年収が八〇〇円、自作農が一〇〇〇円ぐらいであるから年収近くの資金を用意することが求められたのである。普通の出稼ぎ移民者ではアリアンサ移民は無理であった。そのためにある程度の資産を持つ中産階級出身者も多く、高学歴の知識人も多く輩出したのである。従来のブラジル移民が短期間の出稼ぎで資金を稼いで帰国することを目的としたものであるのに対して、アリアンサでは最初から土地購入資金を準備して定住を目的にしたものでそれなりの資金が必要であった。それゆえに参加者も中間層出身の次三男の人も多かった。

これら海外移住を求める人々にはアリアンサでは新天地に理想の村、すなわち大正期の「新しい村」を作りたいとの希望や、また永田稠のキリスト教の理想に共鳴して力行会から参加する人もいたのである。

永田稠はアリアンサの理想として第一に祖国の文化より「よき文化の建設」、第二に「産業組合的の中産階級の共存共栄」であり第三は「道徳の確保」であるとした。[31]

第一に永田稠は移住地での「文化の建設」をもってきたことに大正時代の「新しき村」の理想が見られる。アリアンサには新天地の建設という理想主義の精神があった。

第二に「産業組合的な中産階級の共存共栄」に関しては、永田稠と同郷で親しい農林官僚小平権一の影響があったと思う。永田は、アリアンサでは「教導による産業組合法の精神」と「四つの経営方式（購買、販売、利用、信用―筆者）に準拠した運営方式」が取られたという。[32] これは農商務省の産業組合法に準拠したものである。永田はアリアンサの移住者の協同組合建設において小平の功績を称え感謝している。

第三の「道徳の確保」とは、アリアンサ移住地では外来資本を防御し共存共栄を旨として酒屋・料理屋・淫《マ》売《マ》屋、賭博を厳禁し「教育と宗教を尊重」することである。教育とは移住者のための教育であり日本語教育である。宗教尊重とは当然ながら永田稠が信ずるキリスト教であり教会の建設である。しかし前面にキリスト教を出しているわけではない。

アリアンサ住民であった吉岡黎明は「知識人の多かったアリアンサ移住地の人びとは、ほかの移民からはあまり理解を示されなかったらしい」と述べている。[33] それゆえアリアンサ移民は他の移民たちから「銀ブラ移民」と揶揄されたという。

また、ブラジル移民研究者の名村優子は、出稼ぎ移民とその後定住植民が全体の九〇％、最初からの定住植民は四％と述べており、移民（出稼ぎ）と植民（定住）との差異に注意を促している。[34] アリアンサは定住移民の場合であり、中産階級を基盤とし、ブラジル移民全体の四％に入る例外的な存在であり、通常の出稼ぎ移民ではなかった。[35]

戦前の移民について若槻泰雄・鈴木譲二は「国内終点主義で主に外貨獲得のために移住する」、「戦前の移住は満洲移民を別にすれば雇用移民が圧倒的である。ブラジルでは雇用移民で全移民数の九四％を占めた」と述べている。[36] ここでの雇用移民とは自営移民と比較したもので出稼ぎ労働者のことを意味している。

アリアンサはある意味で大正デモクラシーの新天地を求める中産階級による理想の村建設運動である「新しき村」の延長であると言えるかもしれない。アリアンサは文化移民としてブラジルでは特異な移住地であり移住地形成としては例外的な存在である。

その代表例が一九三五年に始まるアリアンサ移住地にある弓場農場である。一九二六年に力行会から渡伯した弓場勇が作った共同農場である。自作農中心の独立自営農とは別で、土地の共同所有にもとづく農業共同体であり、現在でも共同生活と芸術活動を行っている。「祈ること、百姓をすること、芸術をつくること」の三つを同時に行うことを理想としている。「祈ること」とあるように力行会のキリスト教精神が今も息づいている。開拓民はバレー、合唱団、芝居、絵画彫刻など芸術活動を行っている。まさに大正期に生まれた「新しき村」のようである。

吉岡黎明は「アリアンサの経営は資金が不足していたため移住地の発展も予想通りに行かなかった」という評価もしている。[37]当初は自給自足主義のため発展が限られていたという。国家と距離を取り移住地自治を旨としていたアリアンサの一九二〇年代後半から一九三〇年代前半の経営状態の全体的な検討は今後の課題である。

もう一つアリアンサ移民で特徴的なことは、永田稠がアメリカ移住経験から北米農会を設立したことを活かして移民の協同組合を作ることに熱心であったことである。一九三三年の「アリアンサ移住概況」ではアリアンサには第一産業組合（組合長輪湖俊午郎）、第二産業組合（組合長森田万三）、第三産業組合（組合長宮尾厚）が作られ、その他にも鳥取信用購買販売組合、第一移住地南部産業組合が作られた。[38]これらは力行会にとってはキリスト教的相互扶助の理想を実現する手段でもあった。

移民がすべて協同組合員となり協同組合主義を実践する。これはイギリスのロバート・オーエンの空想的社会主義といわれた思想に近い。貧民救済のための協同組合運動によって社会主義社会を実現するとして新大陸アメリカで始めたニューハーモニー（新協同体）と呼ばれる理想村建設にも通じる。札幌農学校出身でその後日本の植民政策を指導した日本力行会顧問でキリスト教徒新渡戸稲造の、地球上の土地の共同利用という世界社会主義の思想が影響していると思われる。また同時代にキリスト教徒賀川豊彦が神戸でつくった労働者の消費生活協同組合もまたイギリス体験を経た協同組合運動であった。

さらに一九三二年非常時日本で農林省経済更生部長となった小平権一は昭和恐慌脱出策としての農村経済更生運動を展開し、その中核事業として進められた産業組合拡充計画も協同組合主義による窮乏農村の救済を目指すものであった。国内外の協同組合思想や国内の産業組合運動が移民者を通してブラジルに飛び火したものであると言えよう。

もう一つアリアンサで特徴的なことは日本力行会が日本から単身で南米に渡り、開拓を志す若者たちのために開拓技術を教える開拓訓練所を作ったことである。これが「力行南米農業練習所」である。[39]

南米農業練習所はアリアンサへの入口駅に当たるサンパウロ州アラサツーバ郡内で設置された二五〇町歩の力行農園、第三アリアンサ内の長野県諏訪の子爵渡辺昭が購入した不在地主所有地五〇〇町歩（渡辺農場）、アリアンサ内の力行会管理下の土地五〇〇町歩を合わせて一二〇〇町歩である。これらの土地を力行会が管理し、そこを日本からの開拓を目指す青年たちに開放し南米農練習場としてブラジル開拓の準備訓練農場としたのである。これはブラジル政府の家族移民を対象とした移住政策と異なるが特別の措置として認められた。

南米農業練習所の所長は力行会の渡辺農場主任の宮尾厚であり、また副所長は力行会の力行農園主任の細川末男であった。宮尾が渡辺農場主任となるのは一九二八年であり、彼は第三アリアンサの産業組合長であり戦後サンパウロ人文研究所長となる宮尾進の父である。細川はそれより早く一九二六年ブラジル力行農園主任となった。細川は早くからキリスト教開拓団のアリアンサ入植を希望していた。内村鑑三の聖書研究会にもよく参加したという人物であり、その後力行会牧師から洗礼を受けた敬虔なキリスト教徒である。細川は戦後もブラジルに留まり自由メソジスト教会伝道師として活動している。力行会永田稠会長と内村、新渡戸稲造とは当時同じキリスト教徒として交流があったと言える。

ここ南米農業練習所はその後一九三〇年朝鮮での日本力行会朝鮮柘植練習所、一九三四年満洲での満洲力行農園へと発展する。また力行会のブラジル移民経験が朝鮮、満洲へと伝搬して、国策満洲移民の加藤完治が直接指導した内地の茨城県内原訓練所、そして満洲の現地訓練所へと繋がっていく。国策となった満洲移民は永田稠のラインより加藤のラインの方が国策に大きな影響を与えたが、ブラジルの日本人開拓経験から生まれた力行会移民訓練所が満洲移民でも参考とされた。

またアリアンサが出稼ぎ移民ではないのは華族で外地の土地所有により農場経営を求める人も登場するからである。その典型は諏訪高島藩の勤王派の武士の血を引く伯爵渡辺昭である。渡辺は資金二〇万円という巨額投資で五〇〇ヘクタールの一農場（渡辺農場）を開設することにした。その管理は日本力行会（永田稠会長）に委任した。力行会では渡辺農場に南米開拓青年のために南米農業練習所を併設した。この主任となったのが長野師範学校卒の宮尾厚である。信濃教育会の海外発展主義教育をブラジルで実践しようとしたのである。当時ブラジル政府は日本人移民を家族に限定で独身は認めていなかったがこの訓練所は特例で独身単身者でも認められた。一九二七年から五年間で二〇〇人の独身青年が渡辺農場に渡ったという。(40) ここで農業青年は訓練を受けてブラジル各地の開拓に向かったのである。また小作人も渡辺農場の土地を借りて経営することができた。ブラジルの他の農場（ファゼンタ）の分益小作と比べて有利な条件であったという。こうして渡辺伯爵は長野諏訪に居ながら小作料を収取する不在地主となったのである。これがのちの不在地主問題としてアリアンサとブラ拓との対立要因となる。海外移民で渡辺農場のような海外農場経営の事例はけっして例外ではなく、朝鮮における企業家志向移民、ブラジル移民においても渡辺農場とともにブラジル農場経営を実現した三菱岩崎家の東山農場も同じである。

またアリアンサでは日本人入植地として自立的に経営するためにさまざまな移住関連施設を建設している。組合本部、教会、墓地、保健所、レンガ工場、砂糖製造所、葉タバコ製造所、精米所、木挽工場、コーヒー精選所、薄荷製造所、豚肉貯蔵所、養蚕所、産業組合、新聞社、栗原自然科学研究所などがある。これらの施設は移住者の資金だけでは無理である。信濃海外協会に集まる寄付金だけでなく政府や県の支援が不可欠であった。移住地の主導権は開拓運営資金を誰が担えるのかという問題でもあった。

実際、第一アリアンサ移住地の開発に最初に取り組んだのは永田稠、輪湖俊午郎、北原地価造などブラジル移民で先行していた民間の力であった。現在アリアンサ第一には中央公園に永田、北原、輪湖の記念石碑が建てられている。しかし同時に資金的には長野県庁管轄の信濃海外協会の用地買収などの支援がなければ開拓資金を賄うことはできなかったのも事実である。アリアンサ移民に果たした本間利雄知事ととりわけ梅谷光貞知事の役割は明らかである。

私は第二アリアンアンサの調査の時に、壊された海外移住組合連合会の下部機関であるブラ拓本部の屋根瓦が保存されておりそこにU・Mと彫り込まれていたのを見た。U・Mとは梅谷光貞のイニシャルである。第二アリアンサにブラ拓本部が置かれた記念に瓦に梅谷の名前を刻んだのだろう。国家を背負ってブラジルに日本人移民を入植させようとした一人の内務官僚が移住地買収の恩人として瓦にその名が彫り込まれていることに驚いた。アリアンサ第一には永田稠・輪湖俊午郎・北原地価造の顕彰碑、ブラ拓本部のある第二アリアンサに梅谷の顕彰がある。ブラ拓本部は第一アリアンサには設置されていないのである。

すでに見たようにアリアンサは名前がポルトガル語であり南米信濃村ではない。当初信濃海外協会は南米信濃村建設と謳って長野県内から寄付を募った。しかし土地買収は永田稠・輪湖俊午郎・北原地価造らキリスト教徒が主導したため、政府と長野県の官僚サイドの海外協会連合会からは疎んじられていた。時代は一九二四年アメリカで排日移民法が成立してアメリカへの日本人新規渡航が事実上禁止になった時である。その時代に日本の地方政府(長野県)が民間組合を介してブラジルの土地を購入して、日本帝国の領土の延長のように信濃村を建設することに対する危惧を政府・外務省が持つのも当然であった。とくにこの土地買収がクリスチャン主導で名称がアリアンサでは外務省は面白くなかったのである。ここにアリアンサの複雑な立場が現れている。アリアンサはブラジル信濃村建設でありながら政府はそれを当初認めなかった。信濃海外協会はそれを押し切ってアリアンサ移民をおし進めたという。ここからは政府が永田稠主導の日本人コロニー建設に冷淡であったことが分かる。これに対して鳥取県主導の第二アリアンサ、富山県主導の第三アリアンサに対しては、政府外務省主導の海外協会連合会はより融和的であった。ブラ拓本部が第二アリアンサにおかれたのはそのためである。

つまり第一アリアンサにおける三人の役割の大きさと同時に、第二アリアンサ、第三アリアンサの差異にも注目したい。第二、第三アリアンサではブラ拓と鳥取・富山県海外協会の指導権が強いことを示しているからである。次に鳥取と富山のブラジル移民について簡単に述べておきたい。

第二節　鳥取県海外協会と富山県海外協会

信濃海外協会による第一アリアンサ建設に続き、アリアンサ移住地の建設は、第二アリアンサ、第三アリアンサと名付け、移住地を各県ごとに配分しながら進められた。

第二アリアンサ移住地は鳥取県海外協会により一九二六年からは四八〇〇ヘクタールの土地取得を以て建設される。ここは鳥取県知事白上佑吉の鳥取県海外協会と信濃海外協会が協力して資金を出して鳥取県民を中心に移住させた。そのため第二アリアンサは鳥取村と呼ばれた。またアリアンサ第二移住地では長野県人も半分入植しており一九二五年からの募集者で第一アリアンサの定員が満杯となったあと第二アリアンサに振り分けられている。

第三アリアンサは富山県海外協会により一九二六年に七二〇〇ヘクタールの土地取得を以て建設される。これは鳥取県知事から富山県知事に転任した同じ白上佑吉知事により実行されたものである。実際には富山県だけでは移住地を満たすことはできないので富山県海外協会と信濃海外協会の協力により建設された。

さらに一九二七年ヴィラ・ノーバを熊本海外協会が建設する。これは事実上第四アリアンサに相当する。この熊本移住地は第一アリアンサを建設した長野県知事の本間利雄が熊本県知事に赴任したために実現したものである。本間知事は長野と熊本両県に海外協会を作ったのである。また鳥取県知事から富山県知事に赴任した白上佑吉も鳥取と富山の両県に県海外協会を設立した。つまりアリアンサは本間利雄（長野・熊本）と白上佑吉（鳥取・富山）の二人の知事による海外協会を通じて四つのアリアンサ移住地が建設されたのである。アリアンサは本間・白上両知事による、未完に終わるが、当初は県人だけでブラジル新移住地を創るという一県一村構想であったとも言えよう。

第一から第三アリアンサは北原地価造を代表としてアリアンサ自治会を設置して住民自治を実施している。アリアンサは第一の長野県、第二の鳥取県、第三の富山県の加入によって開拓民は急増していった。アリアンサ第一の北原は第二、第三を含めた「アリアンサ村長」であった。

こうして長野県、鳥取県、富山、熊本四県の海外協会移住地全体でアリアンサ自治会を結成し、永田稠の代理として、北原地価造と輪湖俊午郎が代表に就任することになった。

またアリアンサ移住地の近隣には、力行会永田稠、輪湖俊午郎、北原地価造らの民間指導性の強いアリアンサとは違って、政府直属の海外移住組合連合会の直接指導するブラ拓が一九三二年ノーバ・アリアンサ、一九三四年フォルモーザ、一九三六年オリエンテの各移住地建設が進められた。これをアリアンサと区別して国策移住地と呼ぶ。こうしてアリアンサとその近隣の未墾地には三万ヘクタールに及ぶ広大な日本人入植地帯が形成された。

先にも触れたが、第一アリアンサ募集の成功を見て鳥取県海外協会が信濃海外協会と協力して第二アリアンサを建設し、富山県海外協会が信濃海外協会と協力して第三アリアンサを作りそれぞれの県民をブラジルに送出している。鳥取と富山両県の知事は白上佑吉が連続的に転任しており白上知事の移民に果たした役割は大きい。

白上佑吉知事はアリアンサ移住の成功を見てすぐ信濃海外協会に連絡を取り永田稠と相談している。その結果、長野の梅谷光貞知事の役割を鳥取と富山の白上知事が果たしたのである。内務官僚の白上が鳥取県知事に赴任したのは一九二四年で鳥取県海外協会を設置したのは一九二六年（大正一五）五月であり、第二アリアンサ移住地建設を着手する。同年九月には富山県知事に転任となりすぐさま富山県海外協会を設置して一九二七年一月（昭和二）には第三アリアンサ移住地建設を進めている。[41] まさに鳥取から富山への海外移住計画は白上知事の連続した海外協会を基盤にした海外移民運動であった。長野のブラジル移民のパターンの継承である。

白上佑吉は一八八四年生まれで富山県礪波郡出身、林家の生まれで山口県警部長の白上家の養子となる。東大法科を卒業した内務官僚であり、警視庁、長野県官吏から一九二四年鳥取県知事、一九二六年富山県知事に就任している。[42] 白上は知事就任と同時に鳥取と富山の県海外協会を作りブラジル移民を送出している。白上は林銑十郎の弟である。兄の銑十郎は陸軍大臣で一九三七年に内閣総理大臣になっている。一九三一年満洲事変の時石原莞爾の謀略による満洲占領に協力して、天皇の命令を得ずに朝鮮司令官として朝鮮軍を満洲に派遣し「越境将軍」と呼ばれたことで有名な人物である。

梅谷光貞、白上佑吉は四歳違いで共に内務官僚で警視庁警視を経験し植民地に関心を持っていた。移民とは国内治安の維持と植民地経営にとって重要な問題であった。このように県海外協会の移民事業の成否は県知事の考えと熱意が大きな要因であろう。梅谷、白上のような移民運動に熱心な知事なくして県ぐるみのブラジル移民は実現しなかったのである。

熊本海外協会のブラジル移住地はアリアンサの南に接しているが名称はアリアンサではなくヴィラ・ノーバ（新しい村）である。三四七五ヘクタールの移住地を開拓した。名称は異なるがアリアンサの信濃海外協会、富山県海外協会、鳥取県海外協会とほぼ同時に移住開拓を進めたのでアリアンサと一体と思われていた。もともと熊本のブラジル移住は一九〇八年ブラジル第一回笠戸丸に乗船したブラジル移民の父といわれる上塚周平に始まる。上塚は旧制五高から東京帝国大学法学科卒のエリートで、ブラジル移民第一回の監督者として移民たちを監督指導した人物でありその後も日本人移住地建設を率先して開拓した。上塚は熊本海外協会のヴィラ・ノーバには直接関係しないが、その後の満洲移民まで熊本が長野県と並んで移民県と全国に名を誇るまでになったのには上塚ら先人の活躍があった。

熊本海外協会ではヴィラ・ノーバに一九二七年度の四月に二一家族、五月に二八家族、一九二九年には五三家族を送り出しており熊本村建設が成功裡に進んでいたとしている[43]。この熊本海外協会の活躍が和歌山村と福岡県海外協会の福岡村の建設を刺激したという。長野のアリアンサで引き起こしたブラジル移民運動の熱気は鳥取、富山、熊本、和歌山、福岡の海外移民を引き起こしたとも言えよう。

当初、一九二四年から一九二七年まではアリアンサの移民者は原則として、長野、鳥取、富山各海外協会の会員（特定県人）とした。またアリアンサ移住地の隣ヴィラ・ノーバは熊本県民が中心に入植した。当初アリアンサ開拓では移住者を信濃土地購買利用組合員に限定した。しかしアリアンサの実際の入植者は長野県の送出者も少なく一県での移住地建設は困難であった。他県民を信濃海外協会から送り出しただけでなく、排日運動を逃れたアメリカから移住した他県民が加わるなどして混植となった。先にも触れたが一九二八年には海外移住組合連合会総会の決議でブラジル移民は分散移住地主義・内外混植主義が決定されて、第一から第三までのアリアンサは三七府県の混植となった。長野県、鳥取県、富山県の一県一村方式はブラジルでは実現しなかったのである。この南米信濃村アリアンサの経験を引き継いで一県一村方式を実現したのはのちの関東軍と日本政府による満洲移民であった。

ブラジル・アリアンサ移住地建設が成功して長野県人が入植を始めると他県の海外協会が興味を示し信濃海外協

会の指導者の講演会の開催を申し込んでくる。それにこたえて信濃海外協会では永田稠が各府県の講演会に招かれることになった。『海の外』第四五号（一九二六年二月）では永田稠「移住地の建設続出せん」として一九二六年一月には鹿児島県海外協会、熊本海外協会、長崎県海外協会、防長海外協会、広島県海外協会で講演旅行をしている。アリアンサ建設のインパクトは大きかった。

ここで視野を全国に広げて各府県海外協会のブラジル移民を見ておこう。【表3】から昭和恐慌直前の一九二九年度各県海外協会の移住組合別送出数を知ることができる。各県海外協会で送り出した人数に限定している。

一番多いのは信濃海外移住組合の三〇家族（一三三人）、次いで岡山二〇家族（一三一人）、和歌山一九家族（九八人）、三重一一家族（五六人）、富山一〇家族（四八人）、鳥取九家族（五八人）、愛媛八家族（三二人）、鹿児島八家族（三九人）、福岡七家族（五五人）、熊本五家族（二八人）、北海道五家族（三〇人）、広島五家族（三三人）、山口五家族（二六人）となる。合計八八家族で五〇〇人がブラジルに移民している。以上が海外協会の移住組合連合会のブラジル移民数の公表である。これは海外移住組合連合会の集計で全ブラジル移民数ではない。海外協会としての移住数では長野県が第一位である。

【表3】海外協会各県別ブラジル移民数（1929年度）

	家族数	人数（人）
長野	30	133
岡山	20	131
和歌山	19	98
三重	11	56
富山	10	48
鳥取	9	58
鹿児島	8	39
愛媛	8	32
福岡	7	55
熊本	5	28
北海道	5	30
広島	5	33
山口	5	26
合計	88	500

（出典）信濃海外協会『海の外』第95号（1930年５月）による。

移民は長野、北海道を除けばほぼ西日本に集中している。その中で信濃、鳥取、富山、熊本の海外移住組合はアリアンサ移住地としてまとめられているが、その移民数は合計五四家族二六七人で全国の六割を占めていることが分かる。

【表４】　アリアンサ移住地状勢一覧（昭和８年10月調）

移住地別	経営主体	創立年月	総面積	戸数人口	昭和八年主要物産生産高	経済産業施設	社会教育施設
アリアンサ第一移住地	信濃移住組合	大正一三年一一月二〇日	五千五百町部	二七〇戸 一二九七人	珈琲　四五、五〇〇俵 籾　八、六〇〇俵 雑穀　一、七七二俵 豚　二、二九七頭 鶏　六、六二〇羽 繭　五、八七七基	珈琲精選所　一 精米所　一 製材所　一 煉瓦工場　一 豚肉加工場　二	小学校郡立　三 公認私立　二 自然科学研究所　一 教会堂　一 日曜学校　七 図書館　二 新聞社　一
アリアンサ第二移住地	鳥取信濃共営	大正一五年八月七日	五千町歩	一二〇戸 七三一人	珈琲　七、一五六俵 籾　一三、〇七〇俵 雑穀　一、七五八俵 豚　七八〇頭 鶏　四、一三八羽 繭　二、五〇〇基	珈琲精選所　一 精米所　一 製材所　一 煉瓦工場　一 豚肉加工場　一	郡立小学校　一 公認私立小学校　一 青年会館　一 日曜学校　一
アリアンサ第三移住地	熊本移住組合	昭和二年八月二日	七千五百町歩	一〇九戸 五九四人	珈琲　四、〇〇〇俵 籾　一三、〇〇〇俵 雑穀　一、二〇〇俵 豚　一、二〇〇頭 鶏　二、五〇一羽 繭　一、八〇八基	精米所　一 製材所　一 豚肉加工場　一 搾油工場　一	公認私立小学校　一 青年会館　一 図書館　一 日曜学校　三
ヴィラ・ノーバ	熊本移住組合	昭和二年四月	千八百一五町歩	一一三戸 五七七人	珈琲　六、〇〇〇俵 雑穀　一、八〇〇俵 鶏　五、二〇〇羽 籾　一二、〇〇〇俵 豚　一、八〇〇頭	珈琲精選所　二 精米所　一 製材所　一	郡立小学校　一 公認私立小学校　一
ノーバ・アリアンサ	ブラジル拓植組合直営	昭和七年五月	千八百一五町歩	五五戸	籾　二、五〇〇〇俵（ママ）	未整備	小学校建築中

（出典）『海の外』第142号（1933年２月）、22頁。

本章「南米信濃村」のまとめとしてアリアンサの「一九三三年アリアンサ移住地状勢一覧」を掲げておきたい。【表4】は一九二四年の入植から一〇年後の状勢である。移住地名はアリアンサの第一信濃、第二鳥取、第三富山、ヴィラ・ノーバ（第四）熊本、ノーバ・アリアンサ（第五）ブラ拓直営である。経営主体は第一が長野県、第二が鳥取県・長野県、第三が富山県・長野県、第四が熊本県であり、最後の第五に相当するのがノーバ・アリアンサといわれる全国を包含したブラ拓の直営地である。長野県民は第一だけでなく第二、第三にも居住している。長野県が先導した結果である。またそれぞれの移住地の創立年月、戸数人口、主要物産生産高、産業施設、社会教育施設が分かる。アリアンサ建設は一九三五年で完成である。その後の人口はブラジル政府の移民制限で呼び寄せ以外の新規入植は困難であった。

第三節　企業移民

またここでアリアンサのような農民の定住化とは異なる長野県の企業家の移民について述べておく。

ブラジル移民にはブラジルの日本人移住のレジストロ植民、アリアンサ移住の農業定住化路線と異なるもう一つの流れがある。ブラジルには長野県の片倉兼太郎・今井五介、渋沢栄一、平生釟三郎、武藤山治など有力財界人が関心を持っており、日本人のブラジル進出をおし進めている。この背景にはブラジルを製糸業と繭、綿工業と綿花のように海外への興業進出と工業原料の供給基地として海外に発展したいという資本家、財界の期待を背負っていた。海外移民には地方農民の移民熱とは別に資本家も当初からブラジル移民に熱い視線を送っていた。

片倉兼太郎（1863－1934年）

また『海の外』第五三号（一九二六年一〇月）ではブラジルアマゾンに鐘ヶ淵紡績が紡績原料の綿花栽培事業を展開することが

報じられている[44]。これは信濃海外協会の片倉兼太郎、今井五介の製糸業と原料としての養蚕事業とも通じる資本によるブラジル進出の構想である。一九二〇年代から綿花、養蚕など工業資源としてブラジルが注目されていくことが分かる。

さらに片倉兼太郎（二代目）は一九二六年からブラジルのモジ・ダス・クルーゼスに二五〇町歩の片倉農場を所有している。片倉農場については一九三〇年に信濃海外協会の西沢太一郎が訪問視察に訪ねている[45]。生糸王片倉の資金と農場長揮旗深志農学士によって合理的農業経営を実行して成功した数少ない日系農場である。馬鈴薯、小麦、キャベツ、ウド、茶、葡萄、柑橘、梨、桃を経営している。ここはサンパウロから二時間の近郊農村として農場周辺の日本人移民農家にも技術指導をしており、モジ・ダス・クルーゼスにおける日系人の中核農場であるという。これらの日系農家は信濃海外協会設立以前にコーヒー農園のコロノ（雇用労働者）として早くにブラジルに渡航した日本人たちであり自然と日本人が集まり自力で日系社会を形成している。作物は馬鈴薯、野菜、果樹、養蚕を経営している。そのためモジ・ダス・クルーゼスの日本人村は、海興の作ったレジストロ、信濃海外協会の作ったアリアンサのような組織的集団移民ではない。サンパウロ近郊のコチアとならんで下から日本人移民が作った村で二つの邦人自力村と呼ばれる。

また片倉財閥は一九三一年の満洲事変以前に大連に製糸紡績工場の進出を果たしている。そのような中この資本家によるブラジル移民への要求は具体的にアマゾン地方への進出のなかに現れている。

一九二八年の南米拓殖会社の設立、一九三〇年アマゾニア産業研究所の設立がそれである。南米拓殖会社は渋沢栄一を始めとして鐘紡の重役である福原八郎などが中心となり田中義一首相がバックアップして設立された。綿花の開発輸入が目的であった。アマゾニア産業研究所は上塚司が中心となって一〇〇万ヘクタールに及ぶ広大な土地を所有してジュートなど商品作物を作って成功している。上塚司は熊本県出身でブラジル移民の最初の入植者である上塚周平の従弟である。政友会の代議士から高橋是清農商務大臣秘書からブラジルに移住した人物である。南米拓殖会社とアマゾニア産業研究所は工業の原材料獲得や農村工業の創設として海外進出を果たす路線である。これは農民が海外へ新天地を求めた農業移民ではなく、資本家による原材料を求めての企業移民であり企業の販路や原材料を求めての海外発展の道である。この路線がのち海外移住組合連合会の会頭・専務理事となる神戸造船の平生釟三郎、宮坂国人と結びついて次第にブラジル移民の主流となって行く。

ブラジルにおいてもこの二つの流れが対抗しているがその決着がつくのは昭和恐慌後の事である。こうして一九二〇年代から日本人の海外への土地経営として朝鮮、満洲に続きブラジルが日本人の経済進出の対象地域となったのである。

注

(1) フィリピン移民ではアメリカとの関係で、渡航費は支給されない。
(2) 西沢太一郎幹事「信州教育と海外発展」(『信濃教育』第六六二号(興亜教育特集号)、一九四一年一二月)による。この論考の要旨は永田稠編『信濃海外移住史』(信濃海外協会、一九五二年)二三〇―二三三頁に掲載されている。
(3) 永田稠は『信濃海外移住史』で痛烈な信濃教育会批判を行っている。「信州の教育者が根本思想」で間違っている、信州人は筧克彦、井上哲次郎でなく、新島襄、内村鑑三に学べという(同書二三四頁)。信濃教育会に対する永田稠のスタンスは一九二二年信濃海外協会創立時の頃と敗戦後の一九五二年では大きく異なっていることが分かる。
(4) 「本間総裁の挨拶」および「信濃海外協会所属ブラジル移住地開設計画」『海の外』第一五号、一九二三年六月、一―二頁。
(5) 同前、三―五頁。
(6) 「有限責任信濃土地購買利用信用組合員」『海の外』第二六号、一九二四年六月、二四―二五頁。
(7) 「永田稠君を送る」、「永田稠君の送別会」『海の外』第二六号、一九二四年六月、一―三頁。
(8) 『増補梅谷光貞略伝』編者梅谷光信、一九八五年(私家版)。
(9) 同前書。
(10) 海外協会顧問梅谷光貞「南米移植民根本策」『海の外』第一一九号、一九三二年五月、一〇頁。
(11) 『アリアンサ移住地「創設八〇年」』(アリアンサ日伯文化体育協会、二〇〇二年)。第一章の「前史・アリアンサ移住地の建設まで」の執筆は木村快であり、アリアンサ移住地の創設が四七―四八頁に詳しく書かれている。

(12)「第一部第二章　海外移住組合法とブラジル拓植組合　一、アリアンサ移住地と組合法」『ブラジル日本移民百年史　第二巻産業編』(トッパン・プレス、二〇一三年)四八頁。
(13)「輪湖俊午郎」永田稠『頌寿記念』(日本力行会、一九六五年)七四頁。
(14)永田稠『移住地の建設』(日本力行会、一九三四年)二八五頁。このときの永田の肩書は日本力行会会長、海外学校長である。キリスト教思想を前面に出せる時代ではなかった。
(15)永田稠の開拓思想は一九二八年、『日本植民読本』(宝文館)を発表したときに、神武天皇の開拓精神により日本国が作られたという話が出てくる。戦後長野県が海外協会を復活させた際に、永田はその本を書きあらため、一九五三年に『新日本建国読本』(日本力行会)を刊行している。それを見ると神武天皇の八紘一宇のよる世界開拓の事業を今こそ日本青年は引き継がねばならないと、時代錯誤とも言うべき思想を述べている。戦前と戦後の思想の変化はないのである。
(16)永田稠『信州人の海外発展』(日本力行会、一九七三年)四五頁。それによると今井五介が出した三六万円は一九七三年時点で換算すると三億六〇〇〇万円に相当するという。
(17)「ありあんさ移住地の建設」『海の外』第三三号、一九二五年二月、二—五頁。
(18)同前、六四—六六頁。
(19)加用信文監修、農政調査委員会編農林統計協会編・発行『改訂日本農業基礎統計』(一九七七年)「自小作別にみた農家経済」四九九頁、五〇一頁による。
(20)永田稠「南米視察者と信濃村」『海の外』第三九号、一九二五年八月、二—四頁。
(21)西沢太一郎「膨張的国民の生きる途」『海の外』第四一号、一九二五年一〇月巻頭言による。
(22)梅谷光貞「南米ブラジル「ありあんさ」移住地一覧発行に就いて」『海の外』第四四号、一九二六年一月、一—三頁。
(23)木村快『ある理想主義者の生涯—輪湖俊午郎』(NPO現代座、二〇〇八年)一九頁。
(24)信濃毎日新聞社編『拓民の血を訪ねて—信濃拓民小史』(信濃毎日新聞社、一九四二年)四六頁
(25)同前書、四六—四七頁。
(26)同前書、四七頁。
(27)日本力行会創立百周年記念事業実行委員会記念誌編纂委員会編『日本力行会百年の航跡』(日本力行会、一九九七年)、表「アリアンサ第一移住地入植各府県別戸数」(昭和九年現在)一四五頁。
(28)同前書、表「会員の海外渡航先」一九三頁。

(29) 同前書、表「会員の海外渡航先」一五九頁。

(30) 以上は吉岡黎明「第三章　力行会とアリアンサ地区」(『なぜ日本とブラジルを往復するのか―アリアンサ地区の日本移民と出稼ぎ労働者を事例として』一九九五年、ブラジル語、翻訳松阪健児)による。

(31) 前掲『信濃海外移住史』一六〇頁。

(32) 前掲永田稠『信州人の海外発展』八一頁。

(33) 前掲吉岡黎明「第三章　力行会とアリアンサ地区」『なぜ日本とブラジルを往復するのか』一九頁。

(34) 名村優子「アリアンサ移住地から考える―ブラジル移民史の二つの潮流」『ブラジル特報』二〇一八年五月号。

(35) 若槻泰雄・鈴木譲二『海外移住政策史論』(福村出版、一九七五年)一一四頁

(36) 同前書、一一四頁。

(37) 前掲吉岡黎明『なぜ日本とブラジルを往復するのか』一九頁。

(38) 前掲『日本力行会百年の航跡』「アリアンサ移住地情勢一般」一九三頁。

(39) 同前書、一七六頁。

(40) 前掲永田稠『信濃海外移住史』一五八頁。

(41) 鳥取県海外協会の設立は『鳥取県史　近代　第四巻』(一九六九年)、三九二頁、富山県海外移民協会のアリアンサ移住は『富山県史　通史編Ⅳ　近代下』(一九八四年)一〇〇一―一〇〇二頁を参照のこと。

(42) 白上佑吉は一九三四年東京市助役であったが疑獄事件で辞任しており、満洲移民以後の社会活動はない。

(43) ブラジル熊本村の建設は『熊本県史　近代編第3』(一九六三年)五二六頁による。この数値は先の【表3】で取りあげた数値より多くの移住者を数えている。

(44) 「ブラジル近聞　鐘紡の綿花栽培」『海の外』第五三号、一九二六年一〇月、五―六頁。

(45) 西沢太一郎「海外視察記―ブラジルの巻セントラル線一帯」(3)・(4)『海の外』第一〇六号・一〇七号、一九三一年四月・五月に所収。

第四章　海外移住組合法と拓務省

第一節　海外移住組合法の成立

信濃海外協会幹事西沢太一郎は、信濃海外協会の事業として重要なものとして、一九二三年の南米信濃村建設に次いで、一九二七年の海外移住組合法の成立を挙げている。本節では海外移住組合法の成立過程について信濃海外協会が果たした役割を中心にして解説しておきたい。

先に述べたように一九二〇年代に長野県民の移民対象も他府県と同様にアメリカ移民からブラジル移民に転換する。一九二二年設立の信濃海外協会は、一九二〇年代は主にブラジル移民を対象として活発な移民活動を展開していた。

これらの各府県の移民促進を進める海外協会は当然ながら政府の移民政策の一環として推進されるものである。一九二〇年代の移民の国策化は、それまでの民間移民者を民間渡航会社によって支援し海外移民を推進するという自由移民の体制からの転換を意味した。政府の大規模な補助金により、送出段階から政府機関と国内移民推進機関＝海外協会のバックアップによって海外移民を推進するという、移民国策化の段階に転換する。海外協会は国益・公益を図る移民促進機関として府県が設置した公益団体であり、国家・府県行政と民間社会を媒介する中間団体と規定してよいだろう。

そのなかで長野県では、ブラジル移民から満洲移民まで、それまでの西日本の移民先進県を凌駕する活動を見せる。一九二〇年代以降信濃海外協会の役割が他府県より大きく、長野県が海外移住先進県に躍り出る原動力となったのである。

日本が一九一五年以降府県海外協会を設立して海外移住政策を政府と連携して各道府県が展開すると、一九二三年ごろからブラジルではレイス法案など排日運動が盛んになり、一九二七年海外移住組合法を設置して、本格的に各道府県が海外協会を通じて日本内地の延長としてブラジル移民を進めることは、日本の植民地支配の脅威を増すものとして現地の激しい批判を受けるようになった。このために一九二九年三月に海外移住組合連合会の現地代行機関として有限責任ブラジル拓植組合（ブラ拓）が設置される。土地買収のために直接日本政府や府県移住組合でなく、現地ブラジルにブラ拓を設置したのである。ブラジル政府との摩擦を避けるためであった。

『海の外』第一八号（一九二三年一〇月）では「信濃土地組合の創立」が掲載されている[1]。土地組合とは当初は産業組合法にもとづき有限責任信濃土地購買利用信用組合と名乗る。趣意書によると南米ブラジルの未懇地を購入して開拓するために長野県で産業組合（有限責任信濃土地購買利用信用組合）を設立して農民の共同によってブラジルへの土地投資を実現しようとしたものである。組合長は長野県知事本間利雄、専務理事は竹井良太郎と永田稠が務め、理事には今井五介、小川平吉、笠原忠造が入っている。県知事が産業組合長（現在の農業協同組合の前身）と理事に信濃海外協会の有力者が入り実務は永田が担うのである。のちに小川と今井もブラジルの土地を購入している。先の『海の外』では「この種の組合は今日においては日本唯一のものである」としている。

しかし本土の産業組合を通じてブラジル土地投資を国内で募集することが可能であっても、県知事を組合長とする組織がそのままブラジルで土地購入するのは問題があると外務省が懸念した。産業組合の機能を無制限に海外に拡張することは問題となった。当時はすでにブラジルでも排日運動が盛んになっている時である。しかも日本人の投資資金が国境を跨ぐことになり農林省管轄の従来の産業組合法では限界があるとされた。こうして一九二三年の信濃土地組合案は頓挫する。既存の農林省管轄の産業組合法を改正して海外に適用することは難しいと判断した小平権一は、産業組合法改正を断念して外務省管轄の「海外移住組合法」とする単行法としてようやく一九二七年三月一〇日に成立する。外務省の管轄でブラジルと外交調整をするなら可能であるとしたのである。その成立過程の裏面を永田稠の行動から追ってみよう。

一九二五—一九二七年にかけての長野県では信濃海外協会を通じた基本出資金が一六万円、鳥取県、富山県、熊本県の各海外協会の資金はそれぞれ一〇万円程度で、それでも出資金だけでの移住地経営は慢性的な資金不足であった。土地購買代金はもちろんのこと種まきから収穫まで必要な農機具、倉庫など農業施設の設置もままならない。そこで永田稠らを中心にした信濃海外協会では産業組合法の改正によって、農民の協同組合の精神で資金の相互融通を行って、それに産業組合系統金融と政府の補助金で資金不足を賄おうとしたのである。永田は北米での経験から協同組合の意義を理解していた。その時に永田が頼ったのは農林官僚で産業組合論の専門家小平権一である。

小平権一は永田稠のブラジル移民について賛同し産業組合を移民運動に利用できると答える。つまり産業組合法（現在の農業協同組合法）を改正して産業組合の従来の事業である信用、販売、購買、利用の四事業の他に「移住」事業を加えることを考えたという。小平が海外移住組合法の原案を書いたのは一九二四年であり、信濃海外協会の津崎尚武代議士が移住組合法建議を提出したのは一九二五年である。その時の状況を永田は次のように述べている。

「大正一三年の寒い夜、東京小石川丸山町の小平権一の私宅へ永田が行った。午前一時ごろまでかかり小平は移住組合法案を書いた」という。(2) しかし農林省では、この産業組合法改正で移住資金を海外に投資することは国境を超える問題で、農林省としてはできないと疑問が出される。また一九二〇年内務省社会局ができたあと海外移民の権限を強化した社会局部長守屋栄夫も、海外移民に政府資金を投下することを渋る。その結果、外務省移民課長の石射猪太郎が外務省所管として政府予算に移住経営資金一七〇万円、事務費補助金一〇万円を組んで海外移住組合法案として提出することになったという。その法案の提出者は政友会代議士で海外中央会副会長であった津崎尚武である。こうして外務省管轄の「海外移住組合法案」として政友会から議会に提出され、海外協会会長の今井五介も貴族院でもこの海外移住組合法案の成立を推進して、ようやく三年後の一九二七年に議会を通過したのである。(3)

以上のように海外移住組合法は永田稠、小平権一の相談で作成され、農林省、外務省の石射猪太郎の奔走で予算が付けられ、永田の信濃海外協会から海外中央会の今井五介へ上げられ、同副会長で代議士の津崎尚武を通して政友会から議会に提出されて法律として制定されたというプロセスである。農林省案でなく外務省の圧力を受けて単独法として信濃海外協会と議員の力で海外移住組合法が成立したことになる。この間に三年半の月日が経過していた。

ここで海外移住運動に関わる農林官僚小平権一について少し詳しく述べておく。

永田稠と小平権一の関係は諏訪同郷ということでもあるが、『海の外』でみると二人の出会いは早い。『海の外』第六号(一九二二年九月)では「雑報」として「小平権一君帰朝」と、農商務事務官の小平がスイスのジュネーブの国際連盟労働会議(ILO)の政府代表として小作問題の会議に参加して、一九二二年八月一五日に帰国していることが記されている。[4]永田はその翌々日に小平の故郷である諏訪郡米沢村に青年会主催の講演会に出向いている。そこで青年の海外移住奨励の話をして、それから県下中学校の講演会に走り回っている。信濃海外協会の発足の四か月後である。永田の講演会は信濃海外協会の移民運動の一環であるがその出発点が小平の故郷であった。当然小平との関係で米沢村が選択されたものと思われる。アリアンサ移住運動はそのあとのことである。小平の関係は信濃海外協会設立時にまで遡るのである。

小平権一は一八八四年生れで永田稠より二歳ほど年下であり、同じ長野県諏訪郡米沢村出身で東京帝国大学農科大学を出て農林官僚となっていた。のちに新官僚といわれる農林官僚石黒忠篤とは同年生まれであるが、小平が農科大学卒業後法科大学まで進んだので農商務省入省は石黒より遅れた。その後昭和に入って石黒農政随一の俊才といわれ一九三二年『農業金融論』で東京帝国大学農学博士号を取得。とくに小平は農林官僚として大正期から石黒忠篤とともに小作問題の解決の奔走しており、「岐阜県小作争議復命書」を農林省に提出している。[5]その後一九二一年に小作法幹事私案を発表するなど窮乏する農民救済に尽力していた。小平と石黒は農林官僚の盟友であり、昭和恐慌期に窮乏農民の救済のために農林省トップとして農村経済更生運動を指導する。とくに小平は貧窮する農民を産業組合(協同組合)によって解決しようとした協同組合主義者でもあった。また国内で窮乏を解決できないときは海外移民も不可欠と考え一九二七年海外移住組合法案の作成に協力したのである。本人の主観では帝国の海外膨張というより小作争議、農村問題の解決としての海外移民論である。

ここで小平権一が一九二〇年代の小作法案制定から海外移住組合法に力を入れた背景を述べておきたい。当時の農商務省の石黒忠篤・小平が推進した一九二〇年代の農政改革は第一次世界大戦を経て欧米で高まった労資同権化の流れを汲んで農村でも地主と小作人の対立を小作法の制定によって解決しようとしたものであった。このため先に述べたように小平は農商務省から派遣されてＩＬＯ（国際労働機関）に参加した。すなわち当時の農商務省は地主小作関係の基本法（実体法）として小作法を制定し、その実施のための具体的な手続法として小作組合法と小作調停法によって地主作関係の調整を図ろうとしたのである。[6] この小平の小作法が一九二一年議会に出される前に新聞スクープで世間に知られることになり地主勢力の反撃を呼び起こし一〇年経過しても議会で可決することはできなかった。そこで小平は国内で解決できなければ貧農を海外に送ることで過剰人口をなくせば農村問題の解決の一助となると思ったのである。つまり小平が農民の海外移住を促進する海外移住組合法成立に尽力するのは一九二〇年代、一九三〇年代に激化する小作争議の解決のためでもあった。

しかし小作法と小作組合法を制定できないのは日本国家の問題であり、それは単なる手続法の小作調停法で解決できるほど簡単な問題ではなかった。小作権の制定、小作組合結成の自由、そして本質的には農地改革を実施する以外に解決の道はなかったからである。それを一気に海外移住組合法に飛びつくことは国内矛盾を海外に転化する弥縫策でしかなかった。そのため日本はその矛盾の解決を一九三〇年代の軍部主導の海外侵略とファシズムを引き起こすことになったのである。小平は農村解決の道を誤ったのである。これは農村経済更生計画でも繰り返される。

一九二七年海外移住組合法が成立したことによって、農民資金を基盤としてそれに政府資金の補助金で海外の土地購買が可能になったのである。移民国策化の大きな一歩である。信濃海外協会では海外移住組合法の成立を「第五十二議会においては海外移住組合法の制定を見、国家がこの種の事業に低利資金を供給するの途が開け、さらに渡航者に企業資金の融通を計画するまでに進捗してきました」と評価している。[7]

この意味は長野県全域を以て信濃海外移住組合を作ることが可能となり、そこでは海外移住に必要な資金、貯金の便宜を図り、土地、建物の取得を組合員と組合員と同一の家にある者に譲渡、利用させることができることになったということである。「組合員と同一の家にある者」とは、子供でも同居人（書生）でも海外移住を希望する家の者は長野県全域の移住組合資金を利用できることにしたのである。しかもその後の農業経営資金の融通も信濃海外移住組合から受けることができることになった。従来の渡航費補助を超えた移民への公的補助に途が開かれたのである。永田稠もこの法律が「日本民族海外発展の基礎となった」と高く評価している(8)。

信濃海外協会の歴史的役割として最も注目すべきは、ブラジル移民を通して信濃土地組合を創設しそれを基礎に議会で海外移住組合法を成立させたことである。これが県を単位とする集団移民の制度的保障となった。すなわち国策としての集団移民はここに始まる。それが満洲移民へと連続することになる。

一九二七年に政府の人口食糧問題調査会の「内外移住方策」答申を受けて海外移住組合法が成立する。海外移住組合法により各府県ごとに設置された海外移住組合の統括機関として海外移住組合連合会が設立されている。それにより各府県の海外移住組合では自作農創設のための海外農地取得が可能となった。この年は金融恐慌で民政党若槻礼次郎内閣が倒閣し、政友会田中義一内閣が成立した時である。その田中内閣の下で会頭は鈴木喜三郎内務大臣、海外移住組合連合会理事長に外務省の田付七太（元駐伯大使）である。内務大臣鈴木は政友会総裁である。内務省・政友会が海外移住組合連合会の会長になるのである。理事長は外務省である。会頭が内務省と理事長が外務省と分担することで両省協力して海外移住を進める姿勢を示した。理事は海外興業株式会社（海興）の井上雅二や海外協会中央会の今井五介、また台湾植民地の製糖事業で成功した財界人藤山雷太が理事となる。海興を取り込むことで海外移住組合は移民国策化の統合機関となったのである。このことから信濃海外協会と海外移住組合連合会傘下の移住地経営指導を担うブラ拓とのアリアンサをめぐる七年に及ぶ闘いが始まるのである。永田稠のアリアンサ移住地はブラジル移民の主導権を掌握していた海興とブラ拓の谷間に入り込んだ鬼子で、日本政府にとり異物のような存在であった。

海外移住組合連合会理事に海興が入ると同時に、専務理事には梅谷光貞（内務省）が就任した。梅谷は一九二六年の行政改革で長野県知事として強権的に警察署廃止を進め民衆暴動（長野事件）を招きその責任を取って辞任したが、そのあとに一九二七年に海外移住組合連合会専務理事に就任したのである。また同時に嘱託として青柳郁太郎と永田稠が任命された。海外移住組合連合会の専務理事にアリアンサ移住地建設の梅谷、嘱託にレジストロ植民地建設の青柳とアリアンサ移住地建設の永田が選ばれていることが重要である。ブラジル移住の全国指導者として長野県の梅谷、青柳、永田の三人が選ばれており一九二〇年代日本の海外移民における長野県のブラジル移民の位置の大きさが分かる。

ところが信濃海外協会の長野県が中心に推進した海外移住組合法は一九二七年初年度には、長野、鳥取、富山、熊本のアリアンサ四移住組合には適用しないと通達があったという。アリアンサ以後に設置された岡山、広島、山口、和歌山、三重、福岡の九移住組合には一九二七年度の政府の低利資金の融通や移住補助金の恩典が認められたにもかかわらずである。『海の外』第七〇号(一九二八年四月)では信濃、鳥取、富山、熊本の移住組合二万町歩は「海外移住組合法の実施に当りては除外せられる」と書かれた[9]。これはアリアンサへの国家助成の除外である。

アリアンサでは大問題となりそのあと『海の外』第七七号(一九二八年一一月)では信濃海外移住組合創立総会が九月に開かれてアリアンサ移住民の不利益を一応解決したという記事が載る。西沢太一郎「ブラジル移住地の建設宣言より完了まで」によると除外の理由はアリアンサ移住地が政府の進める移住政策と異なる問題を含んでいたからであるという[10]。すなわち移住地の資金会計は信濃海外協会がこれまで一元的に管理していたが、海外移住組合法では土地資金と経営は移住組合が管理することになっていた。それを政府は法律違反として批判したのである。

このため長野、鳥取、富山、熊本四県の海外協会はブラジル土地経営資金の会計を急遽新設した信濃移住組合に肩代わりすることによって全国一律に合わせることになったのである。細かい所では信濃海外協会では他の九県と異なりブラジル移民に小作人を抱える内地の不在地主が存在すること、アリアンサ付属地の直営土地にも不在地主の農場(渡辺農園、力行農園)が存在するなどがネックになった。あまりに県庁がブラジル土地所有と経営に関与し過ぎるとの懸念である。この問題も政府外務省、内務省、有力政治家、海外協会中央会、各県海外協会の度重なる折衝で、四県の各県海外協会の土地会計を各県移住組合の新設で肩代わりすることによって解決したという。こうして四県の海外移住組合は政府補助金として一組合員貸付金三〇〇〇円まで得られるように便宜が図られた[11]。

この対立の背景にはブラジル移民政策をめぐる海興と信濃海外協会(永田稠と梅谷光貞)との対立がある。海外移民を国策に格上げして公的助成の拡大を求める信濃海外協会は、従来のブラジル移民を担っていた海興の私企業としての営利主義を厳しく批判していたからである。その対立が政府の補助金支給までに及んだのである。

一九二九年三月には海外移住組合連合会の現地代行機関としてブラ拓が設置される。土地買収と移住地経営のために直接日本政府や府県海外協会や移住組合が前面に立つのではなく、ブラジルに現地法人としてブラジルの法律の下に設置されるブラ拓を媒介にして土地取得と移住地経営を任せることにしたのである。

このブラ拓の現地指導者として任命されたのがサンパウロ駅から汽車で一三時間かかるモジアナ線奥地のアニウマス農場経営者矢崎節夫である。矢崎は長野県人である。このアニウマス農場は海興が経営するなかで好成績を示した農場であり彼の経営能力を日本人集団移民に活かそうとしたのである。

さらにアリアンサ以後に輪湖俊午郎が買収したサンパウロ州チエテ、バストスの土地一万町歩への入植は府県単独入植ではなく一移住地ごとに混植とすることが決定した。一県一村方式は否定されたのである。そのためチエテ、バストス移民は一九二九年四月から三か月で新潟、山梨、北海道、香川、三重、広島、岡山、和歌山、山口、鹿児島、愛媛、福岡の一二移住組合より各五〇家族二〇〇人、全部で六〇〇家族二四〇〇人が混植で入植することが予定された。さらに一九三〇年と一九三一年に一八〇〇家族、七二〇〇人の追加入植が予定されて一九二九年から三か年で二四〇〇家族、九六〇〇人の各県海外協会主体での集団移民計画が樹立された。信濃海外協会の輪湖のサンパウロ州奥地買収とアリアンサ建設のインパクトは強烈であった。こうしてレジストロ植民地による移民定住化を引き継いで、信濃海外協会のアリアンサ建設によって、ブラジル移民において従来の出稼ぎ移民から府県単位の集団移民形態が注目されたのである。このようなブラ拓がおし進める各府県別海外協会を通じた集団移民が、満洲移民の一県一村移民、分村移民、分郷移民の源流となる。すなわちアリアンサを見るとブラジル移民では複数県の混植であり単独の集団移民は困難であったが、海外協会を通じた府県行政の介入による集団移民という動員方法に着目するとブラジル移民と満洲移民の連続性が浮かび上がってくる。とりわけ長野県ではアリアンサのブラジル移民での経験が満洲移民に活かされていくのである。

さらにアリアンサの一定の成功を見たあと、昭和恐慌の衝撃が加わりブラジル移民は熱狂する。このブラジル移民熱の扇動は一九二九年教育映画協会企画で日本教育映画社が作成した移民奨励映画劇『行けブラジルへ』の全県上映があった。これは『海の外』第八九号（一九二九年一一月）、第九〇号（同年一二月）の二か月にわたってその要旨が掲載されている。[12]それによるとわが国の現状を経済的に疲弊して生産資源が乏しい国土に年々一〇〇万人の人口増加のために生活難となり就職難になりつつある。そのためには国民の自覚により経済国難を打開し、挙国一致して緊縮経済を計り、さらに海外発展の思想を鼓吹して海外未開の新天地に進出する開拓精神が必要であるとする。その新天地はブラジルにあるとこの映画は主張するのである。この映画を長野県では「各地盛況で一か所平均一〇〇〇人で県民三万人が鑑賞し海外移住の気運に向かったことになる」と結んでいる。

一九二九年はブラジル移民の一つの転換点であった。恐慌からの脱出の一つとして民衆は満洲事変後のまだ治安の不安が残る満洲よりブラジル移民に殺到したといってよい。ブラジル移民は民衆の窮乏だけでなく拓務省が設置されたことによる渡航費補助の急増がある。『海の外』第一五六号（一九三五年四月、内地版第七輯）を見ると一九三四年のアリアンサ移住地への渡航費は家族五人で一六二八円、そのうち政府渡航費補助が一二五〇円、長野県補助費が一八〇円の恩典が加算され自己負担は二〇〇円程度となった。[13]アリアンサ建設の時は家族三人で二五〇〇円を用意する必要があったことと比較すると下層民でも渡航の可能性が広がったのである。これが昭和恐慌期にブラジル移民が増加した原因であった。この政府と長野県のブラジル渡航費補助の増額が決まった一九三四年に、ブラジルは海外移民二分法を実施して日本人移民を事実上禁止したのである。

第二節　拓務省設置

信濃海外協会専任幹事である西沢太一郎は信濃教育会の海外発展の主要事業として海外移住組合法の次に拓務省設置を掲げている。

『海の外』第三六号（一九二五年五月）では「拓殖省新設と海外協会で気を吐く」という記事が掲載されている。

そこで梅谷光貞知事は「政府は行政整理を行うが一面には拓殖省を新設そして海外発展によってこの行き詰った日本の新生面を開こうとしている。自分もこの問題に対しては大いに意見を吐いてきた」と述べている[14]。

信濃海外協会総裁である梅谷光貞知事が政府の地方官会議で拓殖省新設を強く主張したことが分かる。この段階では「拓殖省」であり「拓務省」ではない。その進捗が進まない理由として「政党内閣等はややもすれば党勢拡張のために鉄道とか道路港湾政策とかとにかく内的施設にのみ走って遺憾の点が多々ある」と批判している。この時の梅谷が批判した内閣は加藤高明首相で護憲三派内閣と呼ばれ与党憲政会所属で外相は幣原喜重郎であった。海外発展主義は国際紛争を引き起こす可能性もあり、幣原は拓務省設置に積極的でなかった。この雰囲気が変わったのは一九二七年の政友会田中義一内閣からである。田中内閣は海外発展主義に積極的で拓務省設置が行われた。その原因の一つとして海外移住をめぐる外務省と内務省の路線の違いとともに移民行政をめぐる両省の所管争いがあった[15]。

『海の外』第八四号（一九二九年六月）の「拓務省の由来話」によれば、これまで政府内の植民地統治機関としては様々な官制が施行されて拓務省設立に至るという[16]。

最初は一八九六年の台湾領有後に拓植務省が一年間設置されたのが始まりである。その後内務省拓務課が設置され、一九一〇年韓国併合のときの桂太郎内閣で拓殖局に格上げとなるが三年で廃止される。一九一七年寺内毅一内閣の時に拓殖局は復活するが、一九二二年に拓殖事務局に縮小、二年後の一九二四年に拓殖局復活という目まぐるしい変転を遂げている。拓務省設置の直接の動きとしては、一九二〇年原敬首相に拓殖局長が拓殖省への昇格意見書を出し、政友会の小川平吉が一九二七年に拓殖省設置の建議書を衆議院に提出した結果により拓殖省＝拓務省設置となった。こうして拓務省は内務省拓殖局を引き継ぎ外務省の一部局を吸収して開拓業務に専念する国策移民官庁として発足する。すなわち拓務省設置の直接の原因は長野県代議士で鉄道大臣であった小川平吉であり、その背後には顧問を務めていた信濃海外協会の要求でもあった。

先に述べたように一九二一年には内務省社会局が新設され移植民奨励に関する事務を取り扱うことになる。しかし内務省はすでに一九二一年の前の一八九六年台湾領有以後に拓殖行政、海外移民行政を担っており、外務省と並んで移民政策の主要官庁であった。というより、日清戦争後の台湾領有以後は外務省より内務省が積極的に植民地拡大のための移植民政策を担っていたのである。このため一九二九年拓務省の設置はとりわけ従来公使・領事を通じて海外移民関係を所管してきた外務省との軋轢を生じていた。政府としては拓務行政の一元化を図るための拓務省設置でもあった。

一九二九年六月拓務省が内務省拓植局を引き継ぎ設立される。この時の内閣は政友会田中義一であり首相が拓務大臣を兼任する。内務省の圧力で内務省拓殖局と外務省の海外移住業務を一元化して拓務省に統合したのである。その際に陸軍の田中義一首相が拓務省大臣を兼務したのである。ここに見るように拓務省設置は軍部の強い要請でもあった。

このようななかで拓務省ができると拓務省主催で第一回拓務懇談会が開かれる。それに海外協会中央会で信濃海外協会の顧問である今井五介が意見を述べる。「棄民とせず金融の途を講ぜよ」として従来の移民政策を批判する。[17]日本移民は出稼ぎ・送金目的で小欲に捉われて世界の誤解を招き排日運動を引き起こし大和民族の海外進出を阻害したという。従来の移民政策を不徹底、不統制、指導後援なしの棄民政策であったと批判して、今後は指導、統制、後援を従事するために移住地に金融機関を伴う必要があると主張している。今井は生糸王片倉兼太郎と血縁であり資本の利害を代表する。日本の金融進出を念頭に置いているものと考えられる。これは戦時中のブラ拓金融部から戦後の日系南米銀行に繋がる構想である。拓務省設置の時点で従来の農民定住路線とともに資本進出の新たな道が模索されていたことが分かる。

拓務省が設置されると内務省社会局の職業課が担当していた海外移民の業務は拓務省が受け持つことになった。すなわち海外との渉外事項に関するものを除いては移植民に関する事務は拓務省の所管となり、海外業務に関しても拓務大臣は外務大臣を経由して領事館を指揮監督しサンパウロやベレンには勧業部が設けられ拓務省から係官が派遣された。このような二重指揮系統は、中国の関東州を管理する関東庁（局）についての総理大臣、外務、拓務両大臣、それに陸軍も加わった同じ問題として外務省と拓務省の所管争いに発展したという[18]。

またその間の一九二八年には神戸に国立神戸移民収容所が開設された。移民収容所設立運動は「信濃海外協会が率先し之が運動に着手、関係者が度々上京して機会ある毎に内務省社会局、外務省方面へ折衝を重ねた。やがて之が全国的の運動となり又政府の方面でも大いに海外発展の奨励助長をやられる事になったので遂にその計画が実現されるに至った」という[19]。それ以降神戸移民収容所（一九三二年神戸移住教養所と改名）を経てブラジルに渡航した者は四万六〇〇〇人にのぼった。

『海の外』第八二号（一九二九年四月）「政府は移民事業にいかに支出するか」では一九二九年度に可決された拓殖省予算案が掲載されている[20]。外務省七九万六九二八円、内務省三二三万五五一六円、柘植省三三五万九九八六円が計上されている。移民事業ではすでに拓殖省（六月から拓務省）予算が内務省、外務省を上回っていることが分かる。

一九二九年六月一〇日拓務省新設の時の拓務次官は小村欣一である。このとき小村次官は植民地というと朝鮮が憤慨するので今後は外地と言い換えるという。それまで政府はブラジルでも桂植民地、レジストロ植民地と称してきたが植民地という用語を否定したのは小村が初めてである[21]。

新設拓務省は第一に朝鮮、第二に台湾と南洋諸島、第三にその他ブラジルなどの海外拓務事業を扱う三局体制で出発し満鉄、東拓を監督する。ただし第一の朝鮮移民業務に関しては、朝鮮総督府の官制は従来通りとして拓務大臣の権限は朝鮮総督を監督する権限はないとした。拓務省の権限は朝鮮には及ばないのである。

また海外移住組合連合会の会長は内務大臣鈴木喜三郎、理事長は外務官僚の田付七太（元ブラジル大使）、専務理事は梅谷光貞である。実権は田中義一首相の下に内務官僚（梅谷）が大きな影響力を持っていたと言える。

一九二九年五月には長野県はいち早く海外植民教育に乗り出して菅平高原に長野県立青年講習所を設置している。所長には加藤完治の薫陶を受けた石川博見が就任している。石川は加藤から受け継いだ筧克彦の「やまとばたらき」（皇国運動）を講習所に持ち込む。筧は東京帝国大学法学部教授で戦時下に「神ながらの道」を説く国粋主義者と知られるが、出身は長野県諏訪であり加藤にも大きな影響を与えていた。加藤と寛の精神を引き継いだ長野県立青年講習所の成立目的は「労働の体験にもとづき青年の思想信念を確立し以て農村に於ける中堅人物を育成し兼ねて植民精神の涵養により海外発展に志す有為の青年を養成する」と述べている[22]。

長野県立青年講習所は加藤完治が設立した山形県立自治講習所に倣ったもので菅平に三つの農場を建設して長野県中学校卒の青年に開拓訓練をする。第一農場は北海道開拓を想定してカムチャッカからシベリアをめざす、第二農場は満蒙開拓を想定し北進してロシアをめざす、第三農場はブラジル開拓を想定している。カムチャッカ・シベリア移住と満蒙移住が成功すればブラジル農場は廃止するという。すでに長野県では海外植民教育を施して青年を中堅人物に育成し満蒙を視野に植民準備を始めていたのである。

しかし拓務省新設から一か月後の一九二九年七月には田中首相は張作霖爆殺事件の責任を昭和天皇から追及されて辞任し、民政党浜口雄幸内閣が登場する。浜口首相は田中義一の対外強硬路線に対して再び幣原喜重郎を外相として起用し国際協調路線に戻る。このため一九二九年七月には拓務省は民政党の松田源治となる。対外強硬路線から国際協調路線に転換を余儀なくされるのである。

『海の外』第九二号（一九三〇年二月）では「拓植事業の振興対策講究」が「移植民ニュース」として掲載される。「我国の財界及事業界は……国内産業の不振、人口の増加、従って失業就職難等の現象が生じ、……海外の原料産地における邦人の拓植事業も極力これを指導奨励するの必要がある」、「天然資源に乏しい我国の産業は海外における資源を開拓利用することによってその基礎を確立し、輸出貿易を振興せしめて不均衡なる国際貸借も改善せしめる」、このために「政府の適切な指導助長の措置も必要となり適切な施設をなすことになった」という[23]。ここに「海外資源の開拓利用」という拓務省設置のもう一つの狙いがあった。

拓務省が設立されると一九三〇年夏にはそれまでの東洋協会、南洋協会、海外協会を合体して拓務協会とし拓務省の指導下に置いて補助金を支給することになった。

また『海の外』第九九号（一九三〇年九月）の移植民ニュースでは「独身渡航者に大福音船賃全額補助」という

記事が掲載されている。[24]これはブラジル第三アリアンサの付属地である日本力行会（会長永田稠）の南米農業練習場に渡航する日本力行会卒業生には独身者であっても拓務省から渡航船賃全額補助の特典が与えられた。ブラジル政府では海外からの農業移民では原則家族移住であることが条件であるが、農業実習生の場合は例外である。しかも拓務省でも信濃海外協会幹事である永田稠が会長を務める日本力行会はブラジル移民の先駆者として特別に評価されていたことが分かる。しかし本来キリスト教組織でもある日本力行会の優遇はこの時までである。軍部が台頭して移民政策に影響を及ぼす満洲事件以後はキリスト教組織の日本力行会は次第に排除されてゆくからである。

『海の外』第一〇〇号（一九三〇年一〇月）では信濃海外移住組合記事として「移住組合新計画不在地主提供土地拡張」の記事が掲載される。[25]これは拓務省としては自作農の創設が原則で請負小作や不在地主を認めていなかったが、今後は不在地主の存在を認めることに転換したという。このため信濃海外移住組合ではアリアンサ移住地の隣接地八〇〇〇町歩を新規に購入することにしている。これをアリアンサでは六か年間で小作人に耕作させてその償還資金で自作化することを承認したのである。これは拓務省にとって大きな転換であった。

『海の外』第一〇二号（一九三〇年一二月）には「ありあんさ移住地拡張計画」が掲載されている。そこでは今後アリアンサ移住地では毎年三〇〇〇町歩五か年で一万五〇〇〇町歩の移住地拡張計画を樹立し、地主の所有地一万町歩、自作地五〇〇〇町歩を売り渡すことにしている。[26]これまでの第一から第三アリアンサの移住地（一九三〇年現在）は一万一七五〇町歩（四〇〇家族、二〇〇〇人）を大幅に超えるものでいかに巨大な計画であるか分かる。これは折からの大恐慌の影響を受けて失敗するが、国内の地主の危機を海外へふりむけることで内地地主制の生き残りの役割を果たすものでもあった。

『海の外』第九六号（一九三〇年六月）では、議会で政友会の東郷実代議士が拓務省予算の二割が削減されているとして、民政党の浜口雄幸内閣を「現内閣がこの海外発展、拓務事業に冷淡である」と攻撃している。[27]政友会から民政党に内閣が変わり拓務省は冷遇されたのである。

『海の外』第一〇四号（一九三一年二月）の移植民ニュースでは「移民は分散主義―拓殖の根本方針を変更」が掲

載される。拓務省は大恐慌により移民に対する排日運動が高まることを恐れてサンパウロに日本人が集中することを避けて北ブラジル、アマゾン地方にも分散する。海外移民が地域ごとにコーヒー（ブラジル）、麻（ダバオ）、ゴム（ボルネオ）と単一作物に集中することを避け農業経営の多角化、危険の分散化を図るとした[28]。すなわち大恐慌後の対策として移民分散主義が拓務省の方針として決定している。

信濃海外協会は大恐慌の対策のためにアリアンサに再び永田稠を送ることを決定している[29]。そこで協会幹事の宮下琢磨は送別の辞を贈り、コーヒー園の縮小整理と養蚕業を勧めている。宮下は先年のブラジル訪問でサンパウロ州レジストロで一〇万キロ収繭できていること、同州カンピーナスの三菱の経営する東山農事会社でも有望であるとしている。一九三〇年ではカンピーナスにはブラジルで唯一の製糸工場がある。しかし現地では蚕種の質が悪いので養蚕指導員をおいて養蚕業を指導奨励することを提言している。宮下は今井五介の秘書であるから養蚕・製糸業の振興に執着があるのは当然である。昭和恐慌で日本の養蚕農民が破綻に瀕しているなかブラジルでは有望というのだから驚く。養蚕危機の脱出口がブラジルである。

三菱東山農事会社のブラジル東山農場については信濃海外協会幹事西沢太一郎が一九三一年に視察している。カンピーナス駅から一三キロ離れたところにあり三〇〇〇町歩の三菱農場である。ブラジルの日系農場として草分けの地位にあり、現在までブラジルで日本人農場の指導的地位を占めている。コーヒー園、米作、牧場、養鶏、果樹、さらに生産した農産物を加工して販売する工場までである。資本は東京の三菱岩崎家であるがブラジルでは農場主任は山本喜誉司農学士である。

第三節　海外移住組合連合会改組

一九三一年二月になると海外移住組合連合会の任期満了を理由に元内務官僚梅谷光貞専務理事は更迭されて、平生釟三郎が海外移住組合連合会の会頭兼理事長となり専務理事は平生直系の宮坂国人に代わる。

従来連合会会頭は内務大臣が就任したのに対して今回は外務省系の平生釟三郎理事長の兼務とした。外務省が内務省を排して連合会の会頭と理事長を兼任することによって、平生の方針が内務省の介入をさせずにストレートにブラジル移民政策に通るようになった。新理事長になった平生は配下の宮坂国人を専務にすることによって、外務省の管轄下に平生を中心にして海外移住組合連合会とブラ拓が一元的にブラジル移民政策をおし進めることになった。

平生釟三郎は神戸の川崎造船社長で日本財界の利害を代表して自由貿易を信条に国際協調路線をとっており、浜口内閣のバックアップがあったと考えられる[30]。当時の民政党浜口内閣はその前の政友会田中内閣の海外発展主義と異なり国際協調主義をとっており、海外移住地の縮小を図る方向に転換したといわれる[31]。

なぜこれまでブラジル移民で成果を上げていた梅谷光貞は海外移住組合連合会専務を更迭されたのだろうか。

この理由について『海の外』第七九号（一九二九年一月）では、梅谷光貞のアリアンサからチエテ、バストスなどサンパウロ州奥地の買収一四万町歩について「あまりに国家主義的背景が濃厚のため少なからざる支障となった」と述べている[32]。この背景には一九二三年ブラジル議会でレイス法案など排日運動の機運が高まったことがある。また梅谷の盟友であった永田稠は戦後の回顧の中で次のように述べている[33]。

梅谷光貞が連合会専務を更迭された理由は梅谷がブラジルでなくパラグアイ一二〇万ヘクタールの大規模移住地を独断で購入したことに対して本国政府と内務省が反対した結果であるという。梅谷は海外移住組合専務理事としてブラジルに二〇万ヘクタールの移住地候補を購入し、パラグアイでも一二〇万ヘクタールで五〇〇万円、三年払い、ミナス州に五万ヘクタール購入の仮契約をして帰国した。しかし海外移住組合連合会会長・理事長となった平生釟三郎は「本部で命令を送ってのことでないから、その報告を聞かない」と梅谷の仮契約を無視したので梅谷氏は立腹して専務理事をやめてしまったという。

すなわち、梅谷光貞がこれまでブラジルでアリアンサ移住地を含むノロエステ沿線のサンパウロ奥地を購入した面積は二〇万ヘクタールであるの対して、パラグアイ購入計画面積は四三万ヘクタールの買収計画と度外れて規模が大きかった。このため政府、外務省、海外移住組合連合会トップ平生釟三郎らは、梅谷がブラジルに続いてパラグアイに一二〇万ヘクタールの大規模移住地などを独断で購入（仮契約）しようとしたことに対して懸念を示した結果である[34]。外務省と新設の拓務省は北米、ブラジルでも経験した日本人排外運動を引き起こした移民問題の再燃を恐れて、この梅谷のパラグアイの土地買収を認めなかったのである。時代は政友会内閣から民政党内閣に移っていた。そのため従来の移住地開発路線の信濃海外協会─梅谷─永田ラインの「海外発展主義」にブレーキがかけられたのである。その背後には若槻礼次郎首相と幣原喜重郎外相がおり次の後任として平生の存在があった。内務省の過剰人口対策として国内矛盾を他国に転嫁する内地行政の延長のような海外移住政策は、これまで北米でもブラジルでも排日運動に直面してきた外務省にとっては都合が悪かったのである。こうして梅谷光貞とそれを支えていた永田稠はともにその後ブラジル移民の政策主流から外れていく[35]。

このような財界の要請もあるが昭和恐慌の財政危機のなか拓務省は廃止の動きがあった。政府は行財政改革を迫られたがそのなかで新設間もない拓務省は廃止の建議が出たのである。この背景には先に述べた政友会から民政党の外交政策の転換がある。対外膨張から国際協調を重視する幣原外交への転換である。

これに対して『海の外』第一一一号（一九三一年九月）にブラジルの邦人移民決議「拓務省を存置せよ」が、一九三一年八月二八日に「レジストロ、チエテ、バストス、アリアンサ各移住地日本人一同」で出されている[36]。また同号では海外協会中央会会長今井五介の「拓務省を存置せよ」という拓務懇談会に提出した意見書が掲載されている。

今井五介の要旨は「通商貿易の発展を望まんとすれば、植民の発展が先決条件であり、……（海外協会は）海外移住の発展植民の徹底を計るべき一省を設けられん事を久しく要望し……先年拓務省が設置され」た。「しかるに早くも今日拓務省廃止の論を聴く……通商植民のためには拓務省の存置が必要であり……同省の設置は絶対に必要である」という。それと同時に信濃海外協会でも「拓務省廃止反対に対する陳情」が若槻礼次郎首相、原脩次郎拓相、行政財政審議会委員宛に提出されている[37]。そこでも「信濃海外協会は拓務省設置の際全力を傾注した」と述べ拓務省廃止に反対し、「絶対に存続すべき」と陳情している。

このように拓務省は昭和恐慌で廃止寸前に追い込まれるが強硬な信濃海外協会の陳情などでかろうじて存続される。だが拓務省は単純に後退したのではない。このとき勃発した満洲事変のあと関東軍・軍部によって新たな利用価値があるとして復活する。すなわちそれが満洲移民の本格化である。

またブラジルで実践された梅谷―永田の「海外発展主義」は一九三一年以後に消えたわけではない。ブラジル移民は昭和恐慌期に最も盛んになるからである。日本の拓務省は一九三一年九月の満洲事変のあとブラジルからアジアに移民政策を転換させ、関東軍と結んで満洲移民として海外移住政策の重点を移動しながら移民政策を推進していくことになる。

なおこの梅谷が仮契約したパラグアイの用地買収は生きており、日本人の戦後移民ではパラグアイは南米の有力移住地となっている。

一九三一年の海外移住組合連合会改組によって次に述べるようにブラジルで移民政策の転換が進められる。それが一九三四年ブラジル移民の事実上の禁止と一九三五年平生釟三郎使節団ブラジル訪問を転機とする農業定住路線（移民政策）から資本進出路線（貿易振興政策）への根本的な転換であった。この背景にはブラジルでの排日運動があった。

以上のように長野県では県庁を中心に、外務省と内務省、海外移住組合連合会とブラ拓、信濃海外協会、拓務省から大東亜省など、その後のブラジル移民と満洲移民の推進において全国的な制度的整備が前提となって展開していく。

注

（1）「信濃土地組合の創立」『海の外』第一八号、一九二三年一〇月、二頁。
（2）永田稠編『信濃海外移住史』（信濃海外協会、一九五二年）六七頁。
（3）同前書、六七頁。

(4) 「雑報」『海の外』第六号、一九二二年九月、三二頁。

(5) 小平権一の大正期小作問題に関する報告は「岐阜県に於ける小作紛争に関する調査復命書」(森武麿編・解説『岐阜県小作争議資料集成第一巻』不二出版、一九八七年所収)を参照のこと。なお小平が対象とした岐阜県小作争議については森武麿編『近代農民運動と支配体制―一九二〇年代岐阜県西濃地方の農村をめぐって』(柏書房、一九八五年)を参照してほしい。

(6) 小作争議と小作法の関係については、森武麿「解説」(小平権一復命書)(森武麿編・解説『岐阜県小作争議資料集成』全三巻、不二出版、一九八七年)、森武麿「解説」(農村問題)(西成田豊・森武麿編・解説『社会政策審議会資料集』全六巻、柏書房、一九八八年)を参照されたい。

(7) 「総会開会の辞」『海の外』第六三号(アリアンサ移住地建設記念号)、一九二七年八月、九五頁。

(8) 永田稠『信州人の海外発展』(日本力行会、一九七三年)八二頁。この法律は敗戦で廃案となる。戦後はこのような他国の土地を日本政府が補助金で買い上げるような乱暴なことは禁止されたのである。

(9) 「移住地乗り換えの信濃海外移住組合概要」『海の外』第七〇号、一九二八年四月、八―一六頁。

(10) 西沢太一郎「ブラジル移住地の建設宣言より完了まで」『海の外』第七八号、一九二八年一二月、二一―九頁。

(11) 「信濃海外移住組合創立総会開かる」『海の外』第七七号、一九二八年、一一月、九頁。

(12) 「海外発展思想普及に全県下を映画宣伝行脚する」『海の外』第九〇号、一九二九年、三五頁。

(13) 「アリアンサ移住地入植者への特典」『海の外』第一五六号(内地版第七輯)、一九三五年四月、一三頁。

(14) 「拓殖省新設と海外協会で気を吐く」『海の外』第三六号、一九二五年五月、三五頁。

(15) 若槻泰雄・鈴木譲二『海外移住政策史論』(福村出版、一九七五年)七〇五頁。

(16) 「店開きになる拓務省の由来話」『海の外』第八四号、一九二九年六月、二四頁。

(17) 今井五介「棄民とせず金融の途を講ぜよ」『海の外』第九一号、一九三〇年一月、二一―三頁。

(18) 前掲若槻泰雄・鈴木譲二『海外移住政策史論』七〇六―七〇七頁。

(19) 前掲『信濃海外移住史』八九頁。

(20) 「政府は移民事業に幾何を支出するか」『海の外』第八二号、一九二九年四月、六―七頁。

(21) 「植民地は外地と呼ぶ小村次官の新造語」『海の外』第八二号、一九二九年四月、二三頁。

(22) 石川博見「創業苦の青年講習所(1)」『海の外』第八三号、一九二九年七月、二一―六頁。

(23) 「柘植事業の振興対策講究」『海の外』第九二号、一九三〇年二月、一七頁。

(24)「独身渡航者に大福音船賃全額補助」『海の外』第九九号、一九三〇年九月、二六頁。
(25)「移住組合新計画不在地主提供土地拡張」『海の外』第一〇〇号、一九三〇年一〇月、四〇頁。
(26)「協会組合記事」『海の外』第一〇二号、一九三〇年一二月、四六頁。
(27)「東郷実代議士の痛撃現内閣は海外発展に冷淡—拓務省予算の六〇〇万円はなぜ消滅したのか」『海の外』第九六号、一九三〇年六月、一二—一三頁。
(28)「移民は分散主義」『海の外』第一〇四号、一九三一年二月、四〇頁。
(29)宮下琢磨「永田稠ブラジル行き」『海の外』第一〇九号、一九三一年七月、二—四頁。
(30)平生釟三郎と南米移民については小川守正・上村多恵子『大地に夢求めて』（神戸新聞総合出版センター、二〇〇一年）がある。ただし『平生釟三郎日記』全一八巻（甲南学園、二〇一〇—二〇一八年）、『平生釟三郎自伝』（名古屋大学出版会、一九九六年）には平生のブラジル移民関係がほとんど書かれていない。
(31)「第一部第二章　海外移住組合法とブラジル拓植組合　一、アリアンサ移住地と組合法」『ブラジル日本移民百年史』第二巻産業編』トッパン・プレス、二〇一三年、五四頁。
(32)「移住組合の活動」『海の外』第七九号、一九二四年一月、二頁。
(33)前掲永田稠『信州人の海外発展』六九頁。
(34)梅谷光信編『増補梅谷光貞略伝』（私家版、一九八五年）八頁。
(35)一九三一年の海外移住組合連合会とブラ拓改組による梅谷更迭人事の評価は、ブラ拓・平生釟三郎—宮坂国人よる梅谷—永田排除であるという木村快『共生の大地アリアンサ—ブラジルに協同の夢を求めた日本人』（同時代社、二〇一三年）の見方や、海興井上雅二による永田稠・信濃海外協会の排除であるという深沢正雪『一粒の米もし死なずば—ブラジル日本移民レジストロ地方入植百周年』（無明舎出版、二〇一四年）などの見方がある。私はそれとともに政友会田中義一内閣から民政党浜口雄幸内閣への転換とともに片倉、鐘紡も含め日本綿業資本、製糸資本のブラジル進出が関係しているのではないかと考えている。
(36)邦人移民決議「拓務省を存置せよ」『海の外』第一一〇号、一九三一年九月、一二頁。
(37)今井五介「拓務省を存置せよ」『海の外』第一一一号、一九三一年九月、一—二頁。

第五章　ブラジル移民政策の転換と終焉

第一節　ブラジル移民政策の転換

政府の移民政策は、北米・南米では排日運動を避けて日本農民の海外定住政策から貿易振興による資本進出政策に転換していった。ここに一九三〇年代ブラジル海外移住に大きな役割を果たした平生釟三郎の登場となる。従来海外移住組合連合会会長は内務大臣が就任したのに対して外務省系の平生理事長の会長兼務とした。内務省のポストであった連合会会長と外務省のポストであった理事長を兼任することによって平生の方針が専務の宮坂国人を通じて実施される。平生の指令が内務省の介入を抑えてストレートにブラジル移民政策に通るようになる。これ以後海外移住の最高責任者は平生となりブラジル移民も統括することになった。

平生釟三郎（1866－1945年）

平生釟三郎は一八六六年岐阜県渥美郡加納の生まれで高等商業学校（現一橋大学）卒の日本を代表する実業家で教育者である[1]。一九一七年東京海上保険会社専務となり一九二三年甲南高校を創立し一九二六年には甲南学園理事長となる。のちに川崎造船社長、貴族院議員、文部大臣、日本製鉄社長、日本鉄鋼連盟会長、大日本産業報国会会長を歴任し並の官僚・政治家を超えた財界と教育界と政界を跨ぐ実力者である。平生は神戸の川崎造船社長で日本財界の利害を代表して自由貿易を信条に国際協調路線をとっており浜口内閣のバックアップがあったと考えられる[2]。

また海外移住組合連合会の専務理事となった宮坂国人は、一八

宮坂国人（1890－1977年）

九〇年生れで長野県諏訪町の出身である。海外移住運動の中心につねに諏訪出身者が登場することに驚かされる。宮坂は諏訪中学から神戸高商（現神戸大学）に進学し在学中に平生釟三郎の家の家庭教師となる。平生の推薦で東洋移民会社に勤務し海外興業株式会社（海興）に統合されるが本社調査部長となる。移民会社ではペルーに渡り綿作栽培の指導をする。一九三一年平生が海外移住組合連合会会長となるとその現地法人ブラジル拓植組合（ブラ拓）の専務理事に任命される。そこでチエテ、バストス、アリアンサ、トレス・パラス（アサイ）の日系移住地の経営責任者となる。(3)

一九三〇年初頭にはアリアンサを除き日系移住地の経営は平生釟三郎と宮坂国人の指導の下にブラ拓の直接的な管轄支配となったのである。次に述べるように一九三〇年代のブラジル移民はブラジルの排日運動の影響を受けて梅谷光貞・永田稠の信濃海外協会・力行会を先頭とする日本農民の移民圧力を弱めながら、平生らの資本の利害が日伯経済関係の主題になっていくのである。

第二節　アリアンサ自治権喪失

先に述べたように海外移住組合法が成立する前に信濃海外協会、鳥取、富山、熊本の各海外協会がアリアンサ地区で入植開拓を行っていた。すでにアリアンサでは三つの移住地は統合して独自の自治会を組織していた。そのあと海外移住組合法が成立して海外移住組合連合会の現地の代行機関としてブラ拓が成立すると、先の信濃海外協会を含めたアリアンサの三つの移住地経営はブラ拓の指導経営から除外された。その大きな理由は信濃海外協会の進めたアリアンサ移住地の不在地主問題があった。アリアンサでは先に述べた渡辺農場のように不在地主の農場が存在し、農場の土地を貸借する小作状態の農民が存在していた。これに対して海外移住組合連合会とブラ拓はブラジルでの不在地主を認めず自作農主義を貫いたため除外されたという[4]。その他信濃海外協会は渡航斡旋を海興に一任することへの反対や、海興の営利主義に反対するなどいくつかの対立点がありアリアンサの移住地は連合会から排除される事態が続いた。これが第一段階の海外移住組合連合会とアリアンサの対立である。

海外移住組合法適用除外はアリアンサにとってブラ拓を通じた政府の補助金、貸付金の取得ができないなど様々な不便が生じた。自力で巨額の移住地経営資金を調達することは困難であったのである。そのためアリアンサの産業経済施設の建設は信濃海外協会の寄付金に依存する以外になかった。

一九三一年になると先に述べたように海外移住組合連合会とブラ拓の人事が転換する。これによってアリアンサ移住地のブラ拓移管が強力に進められる。時代は世界大恐慌であり経営危機も深刻であった。一九二九年大恐慌の危機はアリアンサにおいても衝撃であった。コーヒー価格の暴落がアリアンサ農民経営を破綻に追い込んだ。『海の外』第一一五号(一九三二年一月)の「海外通信」での「アリアンサ連合会成る」ではアリアンサの危機にブラジル渡航した永田稠の報告が掲載されている[5]。

永田稠によるとアリアンサ第一では各区ごとの産業組合(集落単位の農家小組合)が設置されていたが不況で第五区産業組合が経営破綻した。組合の商店部が不況により倒産状態に陥ったためである。その再建のために海外移住組合連合会のブラ拓を通して負債資金二万円を融通することが決まった。さらにアリアンサはこの時にキリスト教会設立と補習学校、農学校設立に動いていた。移住地建設は第二期に入り各施設建設に膨大な資金が必要であったのである。そのため海外移住組合連合会とブラ拓の資金援助は不可欠であった。

ブラ拓はその条件としてアリアンサ第一(長野)、第二(鳥取)、第三(富山)にそれぞれの区の産業組合を統合することを要求する。つまりアリアンサ第一の各区の産業組合を解散して一つの産業組合に統合することになる。これは国内でも農林省が進めた町村単位の産業組合の統一政策と同じである。さらに第一から第三にそれぞれ組織されていた自治会を連合会として統一することになった。これがアリアンサ連合会の設立である。それまでのアリアンサ自治会の連合会をブラ拓が一元的に統制することにしたのである。

それに対して従来のアリアンサ移住民はブラ拓の統制が強まることを批判して「移住地を移住者の自治に任せろ」と反対した。それを抑えるために信濃海外協会本部は理事・専任幹事西沢太一郎を派遣するが住民の反発は強くブラ拓移管を拒否して西沢専任幹事はなすすべもなく帰国する。それに代わって永田稠幹事がアリアンサ移住民の説得にあたり、アリアンサを当分ブラ拓移管ではなく信濃海外移住組合の経営指導下に置き当該移住組合によって新たにアリアンサ会則を制定し、産業統制のために産業組合を強化し、将来四年後に移住者の自治的訓練によって独立した自治体に移管することとした。

こうして平尾釟三郎の指導する海外移住組合連合会は、信濃海外移住組合に自治権を一元化して既存の移住者間に乱立していた多数のアリアンサ自治団体を認めなかった。つまり信濃海外協会本部指導する移住組合の指導を強めアリアンサの自治権を一元化したのである。その結果、一九三一年に第一から第三まで含めてアリアンサ会連合会（大アリアンサ会）を組織して独自の自治組織を作り上げる。連合産業組合もこのアリアンサ会連合会の指導に従う。その運営は信濃海外協会の長野県本部の西沢太一郎と東京の永田稠、そして移住地のアリアンサ会長輪湖俊午郎、副会長北原地価造の四理事の連携で決定するという体制である。

従来のアリアンサ経営権のブラ拓移管を当分延期として自治権を一部否定して信濃海外協会の本部指導権を強めることによりアリアンサの自治会の乱立と経営危機を乗り切ろうとしたのである。

しかしアリアンサの経営危機は続き、一九三四年には西沢太一郎理事はアリアンサの独自の信濃移住組合の経営は一九三八年までとしてブラ拓との対立点をその間に整理するとした。さらに人事として輪湖俊午郎、北原地価造を引退させた。海外移住組合連合会とブラ拓の新人事の結果である。これがアリアンサ創設一〇年の帰結である。ここに信濃海外協会の実権がどこにあるか明瞭となった。次第にブラ拓に権限が委譲されていくのである。輪湖はこの状態を見て一九三四年アリアンサを離れてチエテ移住地に去る。その後一九三八年に各府県海外協会の建設したアリアンサ移住地三地区はブラ拓傘下に統合され自治権は剥奪されアリアンサの自立性は喪失する。ここにブラジル移民の日本人移住地の経営指導はブラ拓への一元化が完成する。宮坂国人はその中心を担ったのである。平生釟三郎の指導の下に農業移住路線から通商貿易路線への転換を現地で担ったのが宮坂とも言える。

さてここでアリアンサの入植活動の結果を移住者数からまとめておきたい。

信濃海外協会が旗を振った第一アリアンサの入植者数は以下の通りある。(6) ブラジル入植者がピークとなった一九三四年で二八〇家族、一三三五人である。一九三四年の開拓面積は二四六〇ヘクタールである。第一アリアンサの府県別入植者は家族数でみると一九三四年で府県別家族数は三府四一県に及ぶ。多い順に長野県九二家族、北海道・岡山一六、香川一五、山梨・福島一三、東京一二、青森一一、静岡一〇であり後の県は一桁である。岐阜、奈良、沖縄はゼロである。つまり信濃海外協会の南米信濃村といっても実際は他府県の寄せ集めである。どの県でも入植できたのである。県単独で信濃村を建設することは無理であったことがここからも分かる。第二アリアンサの鳥取も同じである。一九三四年の開拓面積は一八一〇ヘクタール、入植者家族では三府二六県に及ぶ。内訳鳥取四二家族、長野二八、新潟一六、北海道一一であと四―五家族の県が散らばる。第三アリアンサの一九三四年の開拓面積は一六〇〇ヘクタール、入植家族は一三三家族で二一県に及ぶ。富山五六、長野二八と二県に集中するがわずかな入植者の県が多数存在する。ブラジルでは県単位の村の形成、即ち一県一村は無理であった。また第一アリアンサと第二アリアンサも移住地経営では信濃と鳥取で単独分離することになる。県人の壁は大きかった。第三アリアンサでは信濃と富山で共営となる。

一九三一年以降海外移住組合連合会の主導権が平生釟三郎に変わったからといってブラジル移民が終わったわけではない。この時代は昭和恐慌で未曽有の民衆窮乏の時代で海外移民を余儀なくされた貧窮民が大量に発生した。石川達三が『蒼氓』(一九三五年第一回芥川賞)で描くように昭和恐慌によって民衆は困窮のどん底に追い込まれブラジル渡航者が激増する。新天地を求めてブラジルに殺到したのである。

一九三一年サンパウロ中島総領事報告書では「各地共打ち続く不景気の為め多数の貧窮者中渡伯を希望するもの漸次増加しつつある」、「支度金を調達し得る状態に在るもの極めて少なく為めに実もの甚だ少なき実情に在る」という[7]。
そのような時代状況から拓務省は一九三〇年から独身渡航者にも船賃全額支給とし、一九三二年からは従来の家族移民船賃全額補助と手数料を無料にするとともに一人当たり五〇円のブラジル行き支度金を支給した。現地移住地支援を手厚く行ったのである。その結果、ブラジル移民は年二万人に達する。ブラジル渡航はますます増大し一九三五年までブラジル移民が海外移植民の中心であった。一九三〇年の昭和恐慌、一九三一年の満洲事変で満洲移民にすぐ転換したわけではない。

【表5】主要国別海外在留長野県人数（1935年現在） 単位：人

満洲	7,932
ブラジル	4,625
アメリカ	2,128
中国	555
ハワイ	435
フィリピン	417
カナダ	355
メキシコ	304
南洋委任統治	144

（出典）信濃海外協会編『海外在留長野県人名簿』昭和10年末現在（信濃海外協会、1936年）。

次にアリアンサに続いて信濃海外協会の活動結果を移住者数からまとめておきたい。信濃海外協会を中心にした長野県の海外への移民送出の状況を信濃海外協会西沢太一郎編・発行『海外在留長野県人名簿』昭和一〇年末現在（一九三六年三月）から見る。

【表5】に見るように一九三五年の海外在留の長野県人は多い順に①満洲（関東州を含む）七九三二人、②ブラジル四六二五人、③アメリカ二一二八人、④中国五五五人、⑤ハワイ四三五人、⑥フィリピン四一七人、⑦カナダ三五五人、⑧メキシコ三〇四人、⑨南洋委任統治領一四四人、その他四四八人であり、総数は一万七三四三人である。すでに満洲がブラジルを追い抜いている。これは本格的な満洲移民が始まる前ではあるが、関東州を含めているためであろう。それでもブラジルが中国、アメリカ本土、ハワイを抜いて第二位となっている。ブラジル移民の大きさが分かる。

また同じ信濃海外協会の『海外在留長野県人名簿』で長野県内の郡市別海外渡航者数を見てみる[8]（【表6】）。

一九三五年の時点で海外移民の累計で多い順に①上伊那郡二一一八人、②小県郡一七四五人、③東筑摩郡一五二五人、④諏訪郡一四一一人、⑤下伊那郡一二八六人、⑥更級郡一一八七人、⑦上水内一〇八八人となる。以上の七位までが明治から昭和初頭にかけてそれぞれ郡内から一〇〇〇人以上海外移民を送り出している。

満洲移民が本格化する一九三五年の時点では長野県の海外移民は上伊那郡がトップである。一九二〇年代農民運動が盛んだった小県郡は上伊那郡に次いで多い。それに松本周辺の東筑摩郡、飯田周辺の下伊那郡が続く。しかし満洲移民で移民運動が活発となる下伊那郡は上伊那郡の下位に位置する。下伊那郡が上伊那郡より下といっても第五位であり合計すれば伊那谷全体では移民数はさらに突出したものとなる。

【表6】長野県内郡市別出身海外在留総人数（人）1935年末現在

順位	地域	人数
1	上伊那	2,218
2	小　県	1,745
3	東筑摩	1,525
4	諏　訪	1,411
5	下伊那	1,286
6	更　級	1,187
9	上水内	1,088
10	南佐久	728
11	南安曇	707
12	北佐久	678
13	北安曇	557
14	長　野	557
15	上高井	519
16	下高井	378
17	西筑摩	364
18	松　本	392
19	上　田	382
20	下水内	317
21	不　詳	413
	合　計	17,343

（出典）『海外在留長野県人名簿』（信濃海外協会、1936年）。

一九二〇年代から諏訪を中心とする伊那谷が第一位の移民地域であり第二位が上田を中心とする小県郡、第三位が松本を中心とする東筑摩郡である。その理由を考えてみたい。

一位の上伊那郡と五位の下伊那郡に隣接する都市部である諏訪郡を一つの地方とすれば一九二〇年代の諏訪上伊那地方は信濃教育会の移民運動で圧倒的に優位を占める。また諏訪は信濃海外協会をリードした永田稠の居住地でもある。これらの社会運動と移民運動の関係が想定される。

次いで二位は小県郡である。小県郡は上田市を中心とするが一九二〇年代の長野県内では小作争議、農民運動が最も激しく闘われた地方であった[9]。また同時に左翼農民運動に対抗して国内過剰人口と農村の貧困を解決する手段として信濃教育会の海外移民運動が盛んな地方であった。この海外移民運動の本質は国内矛盾の対外転嫁であり日本帝国主義の植民地拡大要求を満たすものでもあった。小県郡に隣接する更級郡を合わせれば東信地方は一九二〇年代農民運動と信濃教育会の海外移民運動の拠点でもあった。この二つの社会運動が拮抗しているのが小県郡であると言える。

第三位は東筑摩郡が入る。東筑摩郡は松本市の影響が強い地区で松本市を中心にした信濃教育会と信濃海外協会の活動が盛んなところである。地理的には松本平という平坦な農村部を抱えている。耕地狭小で貧窮ゆえに移民を選択するということではない。この三位の意味を考えるには経済的条件より、やはりここでも政治的社会的条件を考慮する必要があるだろう。

しかしこの段階では満洲移民で有名な大日向村の存在する南佐久郡は七二八人で一〇位である。軽井沢の北佐久郡は六七八人で第一二位である。佐久は県内ではまだ移民が多いとまでは言えない。佐久平は一九二〇年代から一九三〇年代までは移民運動が活発とは言えないのである。また長野市、松本市、上田市などの都市部は概して低調である。移民する人は農民が多いためである。長野市の周辺山間部の下高井郡、下水内郡はこの段階では海外移民運動は低調である。

以上のように、昭和恐慌の打撃でブラジル移民の全国の渡航者数は激増する。しかし長野県移民が他県と比較して同じように増大したわけではない。昭和初頭でのブラジル移民の府県別統計を見てみる。

【表7】は昭和初頭のブラジル移民の府県別統計である。一九二八－一九三二年までのブラジル渡航者数より在ブラジル人口数が少ない県があるが一九三二年の渡航者数が統計上で在ブラジル人口に加算されていないためであると思われる。また一九二八年渡航後に南米のその他の国に移動したり帰国した人もあるためである。

まず一九三二年在ブラジル人口を見ると熊本、福岡、沖縄、広島の四県がブラジル移民先進県であると分かる。また全国のブラジル渡航者数は大正期（一九一七－一九一八年）では沖縄県、鹿児島県、福岡県に続いて長野県は第四位である。(10) 熊本県、山口県、広島県より多い。しかし昭和期に入った一九二八年三月から一九三二年一二月までの四年半では長野県は二二位に後退する。一位はアリアンサ移住地で長野に次いで入植した熊本県に譲り、北海道、広島県、福岡県、福島県、沖縄県、岡山県、山口県となる。昭和恐慌を挟んだブラジル移民は従来の西日本移民県が中心県である。それに北海道（二位）、福島県（五位）、宮城県（一〇位）、岩手県（一九位）が急増して長野県を凌駕している。山形県は長野県に次いで二三位である。長野県は昭和初頭にはブラジル移民の主要渡航先ではなくなっている。とくに北海道、岩手県、福島県、宮城県のブラジル移民の急増は昭和恐慌の影響である。昭和恐慌の一九三一年大凶作は北海道、岩手県、青森県を直撃した結果であろう。しかし青森県の移民は少ない。経済条件だけで移民は動かないことを示している。

【表７】ブラジル移民府県別統計　　単位：人

	府県名	1928－32年 渡航者	1932年 在伯者
1	熊本	7,943	12,361
2	福岡	4,645	10,253
3	沖縄	2,659	8,984
4	広島	4,842	8,154
5	北海道	5,235	2,694
6	福島	2,833	4,404
7	岡山	2,421	3,601
8	山口	1,876	3,015
9	大阪	1,827	1,242
10	宮城	1,739	1,117
11	佐賀	1,427	2,155
12	静岡	1,402	1,552
13	和歌山	1,288	2,180
14	愛媛	1,272	1,620
15	鹿児島	1,207	3,291
16	香川	1,189	1,521
17	東京	1,156	1,224
18	高知	1,105	1,826
19	岩手	933	371
20	長崎	801	1,574
21	愛知	773	950
22	長野	732	1,986
23	山形	694	572

（出典）1928－32年渡航者は「神戸移住教養所収容移民府県別統計」『海の外』第136号、1933年９月、４頁。1932年在伯者は「在ブラジル同胞府県別人口表」『海の外』第138号、1933年11月、23頁。

長野移民の昭和初頭のブラジル移民の停滞の理由は当初信濃海外協会の移民は海興を経由しなかったので渡航費が出なかった、長野県での繭価格の惨落で渡航費用を用意できなくなった、またアリアンサ移住地が自治権をめぐり信濃海外協会と海外移住組合連合会との軋轢でアリアンサ移住問題が混乱したことも影響があったものと思う。

一九三三年八月に就任した岡田周造長野県知事は『海の外』第一四〇号で「長野県は海外移植事業については他府県に率先して事業の計画遂行に従い、常にその指導的立場にあるは喜ぶべき所とところでありますが、実績においては遥かに関西及び九州地方の数県に及ばない」と苦言を呈している。「昭和九年の初頭に際し、多事多難いわゆる非常時日本、非常時長野県の上に想到し……その活動の範囲を海外の新天地に求むることの切なるを思」うと、改めて満洲移民への決意を語っている[11]。この「非常時長野県」とは昭和恐慌下県の負債が二二九八万円に達し償還には二五年間を要する県財政の危機だけでなく、前年の二・四教員赤化事件を念頭に置いたものであろう。

すなわち大正期アリアンサ集団移住で先鞭をつけた長野県は、大正期とは異なり、昭和初頭のブラジル移民では停滞していることが分かる。一九三四年初頭には県財政の破綻、二・四事件という未曽有の不祥事の重圧が長野県庁を覆っていた。それを逆転するのが満洲移民であった。

第三節　ブラジル移民政策の終焉

一九三一年の満洲事変以後、海外移住組合連合会は平生釟三郎らは梅谷光貞らを追放して指導を転換して、平生の配下の宮坂国人を専務にすることによって連合会とブラ拓を中心に一元的にブラジル移民政策をおし進めることになった。

ブラジル政府が世界恐慌後にバルガス政権のクーデターでナショナリズムに傾斜し日系人への排日圧力が強まるなかブラ拓の方針は移民拡大路線を改めて綿花栽培や綿工業・製糸業などの日本との通商貿易拡大と一九四〇年南米銀行設立など金融事業に重点を転換していった。農業移民から商工業移民への転換であり、そのなかで従来の農業移住組合に対するブラ拓の主導権の確立である。

ブラジルでは一九二九年世界恐慌後コーヒー価格の世界的暴落を背景に政情不安が続き、一九三〇年革命でバルガス政権が生まれ、一九三四年にはバルガスが大統領に選出され翌年戒厳令が施行され自由主義者、共産主義者の弾圧が行われた。その結果一九三〇年代に入ると南米とりわけブラジルでは日本渡航者の激増を受けてふたたび排日運動が強まる。

とくに一九三二年に武装移民が満洲で始まると、ブラジルの排日派は日本人が多数ブラジルに入国する背後に日本の侵略的意図を感じるようになった。一九二〇年代のブラジルのレイス法案を引き継いで排日派のミゲル・コートが一九三三年一一月に外国移民二分制限法を議会に提出し一九三四年五月二四日議会を通過した。ミゲル・コートは議員であり医者でもある。優生学を信じて日本人は帰化不能の外国人であり移民を許可すべきではないとした。アメリカの排日法と同じ論理である。人種偏見と民族差別論である。

ただちに『海の外』第一四五号（一九三四年五月）で反応して巻頭言で「伯国排日運動を解消せしめよ」と呼び掛けている。「先般来憲法を改正して日本移民を制限せんとする忌わしき運動の勃発したことは甚だ遺憾至極と言わざるを得ない。排斥の理由として日本人はブラジルの風習に同化せず伯国官憲よりも本国官憲を重要視する」と、人種偏見として批判している[12]。

これが一九三四年六月に公布された外国移民二分制限法である。この法律は日本人入植者を過去五〇年間の合計数の二分＝二％、すなわち入国者を年間二四八九人と限定するもので事実上日本人移民の否定であった。これは一九二四年のアメリカ排日法に匹敵するもので事実上この年で戦前ブラジル移民は終焉する。もちろん一四歳未満は割り当て数に加えない、また父母、妻、一八歳以下未満の子女など家族呼び寄せは可能であった。そのため一九三七年まで五〇〇〇人ほどがブラジルに入国したという。しかしまったく新規の家族、青年たちの入植者は過去五〇年間の二％に制限された。

ブラジル議会での外国移民二分制限法の衝撃は『海の外』第一四七号（一九三四年七月）の巻頭言「移植民箴言」に現れる。

「満洲移民を可能とする論者よ。……どん底生活に喘ぐ水呑み百姓であるという立場になって移民問題を熟視せよ。……徒らに大和民族の発展とか、将又国家永遠の策、等々の修飾語を弄することを戒めよ。……今や死の魔手は我々百姓の背後まで追迫して来ているのである。……ようやくにして渡航者激増の域に達せんとする今日不図、移民制限令を聞く、当局者の周章移住地の狼狽振り甚醜し。日本移民のみに好感を持てる移民収受国、人種的に国境なきブラジル、……我官民の胆を冷やす制限案よ一服の清涼剤たることを希う」という[13]。

これは『海の外』巻頭言のなかで最も印象に残るものである。一九三四年ブラジル外国移民二分制限法成立による日本のブラジル移民政策の破綻を批判して余りあるものがある。痛烈な棄民政策批判である。「死はどん底の水飲み百姓の背後に迫る」という指摘は戦時下のブラジル移民と敗戦後の満洲移民の将来を見事に予言していた。この巻頭言を書いた人物は富田貴である。信濃海外協会ではほとんど無名の人物である。『海の外』編集部にいた若手移民運動家であろう。信濃海外協会の内部で満洲武装移民に反対しブラジルの移民制限法を冷静に見つめて自らの海外移民運動の在り方を反省する姿勢がひしひしと伝わってくる。軍部がよく掲載を認めたものである。まさに関東軍と拓務省への批判である。

このあと『海の外』第一四七号（内地版第四輯、一九三四年七月）の寺沢俊雄「伯国の移民制限に対する一考察」が出される。ブラジルの憲法審議会を通過した移民制限法は議会の通過をするとの事態を受けて「然る時我々日本民族の発展すべき舞台は満洲以外に皆無なることを覚悟せねばならない。拓地植民の事業をして満蒙にその全力を傾注することまた産業国防上より見るも不可欠の手段なり」と断定している[14]。ブラジルの移民制限法の成立の衝撃は移民の流れをブラジルから満洲に転じる役割を果たしたのである。

このような信濃海外協会の危機感に対してブラジルのサンパウロ総領事内山岩太郎（戦後初の公選神奈川県知事）は『海の外』第一四八号（一九三四年八月）で「排日の時局に際して」を寄稿している。ここではアメリカの排日運動と異なりブラジルの排日は「ブラジル第一主義」というナショナリズムが本質であるという。そのようなブラジルの現状を認識して冷静に対応することを呼び掛けている。内山のブラジル第一主義への日本人移住者の対応は協和主義、ブラジルを基調とする国家的産業主義、博愛主義、永住主義の四つを掲げる。ブラジル人との協和と博愛は理解できる。ここでの国家的産業主義とはブラジルの国家的産業としてコーヒー、米、綿、野菜、養蚕を挙げている。これらブラジルの国家的重要産業に対して日本人が貢献することでブラジル政府の理解と承認を得ることができるという。さらに協和博愛と国家的産業主義を貫くためにはブラジルに永住する決意を強調し「一朝事ある場合はブラジル国のために死をもまた辞せざる覚悟を持て」という。リベラルな練達した外交官の見識である。これができていればブラジル日系人の戦時戦後の混乱は避けられたであろう。当時の信濃海外協会でもブラジル日本領事の中にも良心的な人物は存在していた。

外国移民二分制限法公布直後の一九三五年五月、海外移住組合連合会理事長平生釟三郎を団長とする日本からの経済使節団がブラジルを訪問する。使節として同行したのは東洋紡、三井物産、三菱商事、伊藤忠、大阪商船の代表者である。この使節団によってブラジルの綿が日本に大量に輸出されるようになった。ブラジルは移住の新天地ではなく綿花の原料供給地となった。それは同行した紡績業者を中心に、綿花輸入の商社、船会社に象徴される。

『海の外』第二〇六号（一九三九年六月）の「時局とブラジル移住」では「大陸移住と一般移住」を区別する記事が掲載されている。海興の移民課長竹本武雄は述べる。大陸移住は「東亜新秩序建設」のためであるが、一般移民は「貿易の前哨であり」、「外から帝国を守る移住者の任務」であるという。ブラジルでは「邦人達が百万町歩の土地を所有し年額一億三千万円余の生産を挙げているのである。先年平生釟三郎氏（前文部大臣）を団長とする訪伯経済使節団がブラジルへ行かれて以来俄然日伯貿易に生気を加え在伯同胞の活躍も活発となり綿花の改良栽培に努力し昨年は三十五万俵七千万円に達する日本向綿花輸出をすることになった」という[15]。

まさに一九三五年のブラジル移民の指導機関である海外移住組合連合会理事長平生釟三郎の、日本財界を動員してのブラジル経済使節団の役割がよく分かる。すなわちブラジル日系人による綿花栽培であり綿花の供給基地ブラジルの実現であったことが分かる。

このような資本を中心とする経済移民の背後には国家の要請がある。経済を先導役としてその後の政治的影響力を行使するのは、一七世紀から東インド会社により綿業を中心にインド植民地支配を行ったイギリスの場合も同じである。これを自由貿易の帝国主義という。つねに経済的に優位な国が自由貿易、グローバルリズムを掲げる。

日本でも一九三五年平生釟三郎によるブラジル経済使節団と日南産業改組によるブラジル移民政策の転換も同じ

である。満洲事変以後は日印通商条約廃棄によるインド綿の輸入が難しくなる。一九三二年オタワ会議以後のブロック経済によって、日本のインド綿の輸入が難しくなり、新たな綿花供給地としてブラジルが焦点に登場したのである。一九三〇年代の「満洲国建国」も日満ブロック経済圏形成の一環である。日本のイギリス経済圏に対抗するためでもあった。新たな海外市場の開拓は急務であった。日本のブラジル移民政策の転換もこのような世界資本主義の一九三〇年代の帝国主義段階の変化のなかに位置づけることができよう。

一九三七年海外移住組合連合会は日南産業株式会社（専務理事宮城国人）を設立し、ブラ拓銀行、ブラ拓商事、ブラ拓鉱業、ブラ拓製糸、ブラ拓綿糸を新たに設立する。一九四〇年にはブラ拓銀行を南米銀行に改組し、移民事業を中止しブラ拓は閉鎖される。移住組合連合会は完全に拓植業務から手を引いたのである。海外移住組合の目的が移民・農業支援から産業・資金融通組織に再編される。そして農業より日本綿業資本の綿花供給基地および日本鉱業資本の資源供給基地としてブラジル日系移住地を位置づけることになる。しかし一九四一年一二月の日米戦争開始により、ブラジルはアメリカ側に立ち日本とは国交断絶となる。こうしてブラジル農業移民は綿花など日本資本にとって必要な原料資源供給でなければ日本の国家的保護の対象から外されていった。ここに日本農民の定住をめざすブラジル植民事業は終焉を迎える。

ブラジル移民が事実上終焉になった一九三九年の『海の外』第二一一—二一三号（一九三九年一〇—一二月）に崎山比佐衛が「時局に鑑みブラジル在留邦人及び第二世に告ぐ」を書いている。崎山は元海外植民学校校長でブラジルアマゾンのマウエス市在住のブラジル移民指導者として著名人物である。彼は現在ブラジルの日本人が苦境から日本に帰国を望んだり、満洲に行くことを望む人たちが増えていることに、また若い日系二世に対して警告する。[16]「僕等は日本には行かん。満洲か、支那か、海南島に行くつもりである」というブラジル日本人二世移民が多い。しかしブラジルは「自然的植民地」であるが満洲支那は「国防植民地」である。「満洲植民の一番大事なことはお国のために戦地にゆく積りで人柱となりゆくことであります」とまで批判する。日本に帰国しても土地代は高く、子供を大学に入れるには巨額の費用が掛かる。またブラジルからの帰国船便は一年間で一万二〇〇〇人である。現在のブラジル在住日本人二〇万人が帰国できるわけがないという。ブラジルに留まるべきであるという。そしてユダヤ人の「商人道」を見習って日本人ならではの「農民道」を通してブラジル国家に貢献し、または若者はブラジル国軍に志願してブラジルに骨をうずめ真の日系ブラジレイロになれという。まさに正論である。ブラジルから冷静に「日本帝国」の行く末を見つめブラジル日本人の未来を見据えていた人物がいたのである。

ブラジルでは大恐慌のさなか一九三〇年一〇月のクーデターで登場したバルガス政権は従来の共和党政権を駆逐して一九三七年二度目のクーデターで独裁制を確立した。こうしてバルガス政権は一九四五年までブラジル・ナショナリズムを掲げて多民族文化を抑圧して単一のナショナリズムに国民を統合しようとしたのである。[17] 一九三〇年代大恐慌によって登場したバルガス政権は日系移民にとって困難な状況を生み出していった。

また日本本国は一九四〇年九月には日独伊三国同盟で英米と決定的に対立、一九四一年一二月に真珠湾攻撃で日米開戦となりアジア・太平洋戦争が開始となる。ブラジルは英米主要国など連合国について日本と国交を断絶する。こうして日本人移民をブラジルも含めて日本帝国の植民地以外の諸国に平和的に送出する状況が失われた。拓務省も一九四二年一一月に廃止されて大東亜省に吸収される。日本本国においても拓務行政単独官庁が喪失したのである。一九四二年一一月に拓務省は廃止され、その事務の大部分は大東亜省に引き継がれる。その初代大臣は東条内閣の時の青木一男で長野市出身の大蔵官僚である。すでにアジア・太平洋戦争が開始され南米移民は消滅していたが、既送出移民は大東亜省南方事務局の所管となった。

アメリカでは一九四二年二月に西海岸の日本人移民一一万人は敵性外国人として強制収容所に隔離される。アメリカ日系移民に待っていたのは強制収容所であった。鉄条網に囲まれ監視塔で二四時間監視におかれた日本人移民たちは悲惨である。砂嵐や寒風吹きすさむ荒野の収容所に敗戦まで閉じ込められる者も多かった。その収容所からアメリカ兵としてヨーロッパ戦線に送られたのが四四二連隊である。[18] ここからアメリカ陸軍史上最も勇敢であったとされる日系人部隊が生まれた。その理由は日本国家に見捨てられて棄民となった移民たち、とくに二世の若者はこれからアメリで生き抜くためには自分の命をアメリカに捧げてアメリカ人として忠誠を誓うほかなかったからである。差別を乗り越えるためにはみずからのアメリカ兵となって自由を勝ち取るほかに生きる途はなかった。日系移民青年の勇敢さを無条件に賛美することはできない。また日系人部隊召集では、日系二世で①天皇への忠誠を誓いアメリカ国民であることを拒否し、②米軍徴兵を拒否する若者は二つの回答を否定した青年は「ノー・ノー・ボーイ」といわれツールレイク強制収容所で特別厳格に隔離された。日系人部隊志願する青年と強制収容所に隔離された青年の二つの生きる途の対立は激しい内部抗争と憎悪を生み出した。日本精神を持って新天地を求める移民たちの純粋な意図が、結果として悲惨な結末を迎えるのはブラジルでも満洲移民でも繰り返される。

ブラジルでは一九四一年一二月の日米戦争開始によりブラジル政府は連合国側に立ち日本と国交断絶となる。ここにブラジル移民事業は終焉を迎える[19]。一九四二年一月にはサンパウロ州保安局が適性国民に対する取締令を公布し日本人街からの強制立ち退きを求め、日本語文書の配布と日本語の使用を禁止し、国内旅行でも通行許可証が必要となった。国交断絶はさらに日本大使館、領事館の閉鎖となり外交官は国外追放となる。この時戦時交換船で日本本国に追放されたブラジル大使は石射猪太郎である。石射は外務官僚として一九二〇年代初頭にはワシントン駐米大使館勤務で排日移民法に対処し、満洲事変では吉林総領事として満洲移民に対処し、日中戦争では東亜局長として戦争拡大に反対し、アジア・太平洋戦争ではブラジル駐在大使として国外追放となる。まさに石射は移民問題に翻弄された外交官である。

悲惨なのは日系人保護をしてきた大使館領事館が閉鎖されて外交官が日本に帰国したあとに取り残された移民日本人である。

日系ブラジル移民史では第一人者といわれる『ブラジル日報』の編集長深沢正雪は戦時下のブラジル日本人の苦境を次のように述べている。一九三〇年代にバルガス大統領の時代になると一九三七年の新国家体制で独裁制が強化されブラジルナショナリズムが煽られ、ブラジル在住日本人への弾圧が強まる。一九二八年から三五年までに集中的に増加した日本人移民は合計二〇万人に達していた。このブラジル移民には沖縄・奄美出身の人や被差別部落民、隠れキリシタンなど、いわば日本国の周縁の人々も含まれていたという[20]。

日本人移民は日本語しか理解できないため、日本語新聞と一九三五年から始まったNHK海外短波放送の情報を聞いて暮らしていた。また一九四一年に日本語新聞が禁止されると日本からの情報は短波放送以外に知ることはできなくなった。それは日本本国と同様に戦勝プロパガンダ情報であった。ポルトガル語が読めない日本人は世界情勢を理解することができなくなったのである。

そして日本とブラジルの国交断絶後に一九四二年七月日米交換船でブラジル在住の日本人外交官は石射猪太郎大使ほか一〇〇名余はブラジルを強制退去となる。日本人は大使館に帰国を希望したが大使館から現地残留として拒否された。ブラジルに残ったブラジル大使・領事経験者は多羅間鉄輔含め三人だけという。権力者、資産家は日本に帰国できたが普通の移民者は見捨てられたのである。深沢正雪は『ブラジル移民史八〇年』において戦前の一九三五年日系人調査で八五%が日本に帰国を望んでいたとする。彼らは永住するのでなく出稼ぎが目的であって資金あれば帰国を願っていたという。しかし本国は遠く帰る資金がなかった。それが突然に国交断絶で永続的に帰国ができなくなったのである[21]。

しかも一九四二年なるとドイツの潜水艦が連合国側についたブラジル商船を沈没させる。このためブラジルの秘密警察DOPSにドイツと同盟する枢軸国である日本人をスパイとして弾圧をする。その中で殺される日本人も出る。とくにサントス港の日本人漁民は指導者収容所へ収容されそれ以外は強制退去させられる。さらにアマゾン・トメアースなどブラジルで集住した地域の日本人は弾圧された。しかもこのような状況で日本政府は日本人の帰国は赤十字を通していくばくかの寄付をしただけでブラジル日本人は無視されたのである。まさにブラジル移民は棄民状態となったのである。このなかでこれまで移民運動のなかで「日本精神を強化」されたブラジル日系移民は激しい弾圧を受けている。それが戦後のブラジル移民の日本の敗戦を認めるか認めないかで日系人内部での対立を引き起こし「勝ち組」（敗戦を認めない）と「負け組」（敗戦を認識する）と抗争は暴力事件から死傷事件を生み出す背景となった。

長野県人では上伊那郡飯島村の力行会からきた日伯新聞編集長・専務の野村忠三郎が一九四六年四月ブラジルの

臣道連盟に殺されている。日本の敗戦状況をいち早く認識していたジャーナリストであるだけに勝ち組の標的になったのである。勝ち組騒動は一九五〇年代半ばまで続く。

以上のようにアジア・太平洋戦争敗戦をめぐるブラジル移民の悲惨な日系人内部の悲惨な対立は移民たちの責任にあるとは言えないところがある。ブラジルのバルガス独裁政権の日系人弾圧とブラジル移民を送り出した日本政府の責任の問題である。とくに大正期から日本人を大量にブラジルに送り出しておきながら国交断絶で大使館閉鎖して日本人移民を放置した日本政府の責任が大きい。

先にも述べたように『海外移住政策史論』(福村出版、一九七五年)を書いた若槻泰雄と鈴木譲二は日本の移住政策は戦前も戦後の国内重点主義であり、国外移住は出稼ぎによる外貨獲得が主目的であり、移民帰国の財政的保護は最初から無視した棄民政策であるとしている。また日本からのブラジル移民はほとんどが出稼ぎ移民でありその場合も政府は移住者の帰国の保障を最初から無視しておりまったくの棄民政策であると断罪している。

『海外移住政策史論』では「戦前ブラジル移民一九万人のうち帰化したものはわずか五〇〇〇人、二・六％に過ぎない。日本独特の天皇を頂点とする一大家族国家的な強い民族意識に国家と国民の関係が結ばれていた」とする[22]。つまり戦前日本の「家族国家観」による「八紘一宇」の思想が戦前日本人移民の精神を貫いていたのである。そこでは外国に同化することは難しく、数パーセントのブラジルに帰化した日系人を除いて将来日本への帰国を夢見ていたのである。その結果、勝ち組騒動が起きるほどブラジル日本人はブラジルへの同化を拒否して日本国籍を守り続けた。本国で教育勅語などの教育を受けた海外移住日本人には国家神道に感化されて天皇制の呪縛が強かったとも言える。一九二四年から一九三五年のブラジル移民の日本人男性は日清戦争、日露戦争の体験者が多かった。本国から離れた移民は本国の人々以上に差別されることによって本国へのナショナリズムが強まる。これを「遠隔地ナショナリズム」という。戦時下のブラジル日本人にもこの遠隔地ナショナリズムが極端化したものであった。

日本人の移民政策は西欧州諸国の移民政策と大きく異なるという。日本政府の海外移住政策は棄民政策であるとしても移住国への同化は求めない。戦後は敗戦の衝撃で逆転し移住国への同化を積極的に求めるように変化した。

これも外国に行った日本人は相手国に一切任せるという一種の棄民政策でもある。しかし戦前の政府は日本移民に一部で海外定住化を求めても相手国に帰化同化はせずに日本人として最後まで日本の国益に奉仕することが求められたのである。このため日本人はポルトガル語を習得せずにブラジルと海外の事情を現地語で知ることはできなかった。ブラジルに日本人移民一世の大多数は世界の情報から隔離された日本人だけの小宇宙で暮らしていたのである。こうして戦時下には日本語の会話も禁止されたブラジルの日本人はパニックに陥った。臣道連盟結成から勝ち組の暗殺テロ事件への途である。これがアジア・太平洋戦争下と敗戦直後のブラジル移民の悲劇を生んだ根本原因であった。このことは次の章から見る満洲移民でその政府の移民政策の本質がさらに明らかになる。

以上のように戦前ブラジル移民の経過を見ると日本帝国を代表する桂太郎首相の名を冠する一九一三年の桂植民地から出発するブラジル日本人定住化方針は、イグアペ植民地のレジストロ移住地建設から信濃海外協会のアリアンサ移住地建設とその混迷、そして政府のブラジル国策移住地建設に至り、一九三四年ブラジル政府の日本人移民禁止令、アジア・太平洋戦争開始と戦時下の日系人弾圧を経て、戦前ブラジル日本人移民は終焉を迎えた。すなわち一九一〇年代の日本人定住化以後の日本人自営農民の努力は農業面で目覚ましく、日本人耕作の農産物がブラジル市場で高く評価されることになる。それは評価されるべきである。

しかしブラジル移民の在り方が国家と地方行政の責任問題であった。これまでの海外協会の移民送出を見て分かるように、ブラジルで府県の延長としての日本人定住化が進行すると排日運動を招き、日本人は狭い殻に閉じこもり、勝ち組の臣道連盟事件の暗殺の横行と暴発に至る。その結果が日本人嫌悪感は戦後ブラジルで頂点に達した。

一九四六年のブラジルの憲法審査会では戦後も日本人移民禁止条項を新憲法に挿入する案が国会に上程するまでの事態となった。採決は賛成と反対ともに九九票で同数となるが、最後に議長の一票が日本人移民禁止条項に対する反対票に投じられて、かろうじて日本人は戦後ブラジルから追放されなかったのである。この時に議長が日本人移民禁止の憲法の条項に賛成していたらブラジルにおける日系社会は壊滅していた。現在二〇〇万人といわれる世界一のブラジル日系社会は存在しなかったであろう。ぎりぎりの選択であった。一九四六年ブラジル議会は戦前日本人のブラジル定住化の分岐点であった。

国境をまたぐ移民というものは今も昔も差別を生み出し過酷なものになりやすいのである。日本人のブラジル移民が再開されるのは戦後日本が一九五二年にアメリカ占領からの独立を達成したあとの一九五三年まで待たねばならなかった。

注

(1) 平生釟三郎については『平生釟三郎自伝』(名古屋大学出版会、一九九六年)、また小川守正・上村多恵子『平生釟三郎・伝』(甲南学園、一九九九年)に簡単な紹介がある。
(2) なお、前掲『平生釟三郎自伝』には、ブラジル移民関係はほとんど書かれていない。
(3) 宮坂国人については角田房子『宮坂國人伝』(南米銀行、一九八五年)による。
(4) 永田稠編『信濃海外移住史』(信濃海外協会、一九五二年)一二一―一二三頁。
(5) 永田稠「アリアンサ連合会成る」『海の外』第一一五号、一九三二年一月、七四頁。
(6) 前掲『信濃海外移住史』九四頁、府県分布状況。
(7) 飯窪秀樹「ブラジル移民から満州移民への結節点」アジア経営研究会編『アジアと経営―市場・技術・組織―』下巻(東京大学社会科学研究所、二〇〇二年)一一三頁。
(8) 信濃海外協会西沢太一郎編・発行『海外在留長野県人名簿』(一九三六年)一、二、六頁による。
(9) 西田美昭編著『昭和恐慌下の農村社会運動―養蚕地における展開と帰結』(御茶の水書房、一九七八年)は、長野県小県郡を対象として地域経済と農民運動を中心として社会運動の展開を一九二〇年代から農地改革までを論じた名著である。
(10) 関庸「伯国移住渡航者数から見た信州」『海の外』第一三六号、一九三三年九月、一一―六頁。
(11) 岡田周造「時局と海外発展」『海の外』第一四〇号、一九三四年一月、一―二頁、県財政の危機については大屋義人「非常時長野県政二、三に就いて」『海の外』第一四〇号、一一―一五頁で二〇〇〇万円に及ぶ県債務を明らかにしている。
(12) 巻頭言「伯国排日運動を解消せしめよ」『海の外』第一四五号、一九三四年五月。
(13) 富田貴「巻頭言」『海の外』第一四七号(内地版第四輯)、一九三四年、七月。

(14) 寺沢俊雄「伯国の移民制限に対する一考察」『海の外』第一四七号(内地版第四輯)、一九三四年七月、一一―一六頁。
(15) 竹本武雄「時局とブラジル移住―外から帝国を守る移住者の任務」『海の外』第二〇六号、一九三九年八月、三―四頁。
(16) 崎山比佐衛「時局に鑑みブラジル在住邦人及び第二世に告ぐ一―三」『海の外』第二一一―二一三号、一九三九年一〇―一二月。
(17) 山田睦男・鈴木茂編『ブラジル史』(山川出版、二〇二二年、原本は二〇〇〇年)の「バルガス体制」一三〇―一四一頁を参照した。
(18) アメリカ日系人部隊の活躍と悲惨を描いた名作としてドウス昌代『ブリエアの解放者』(文春文庫、一九八六年、単行本は一九七三年刊行)、日本主義日系人青年の悲惨を描いたジョン・オカダ『ノー・ノーボーイ』(昭文社、一九七九年)を参考にしてほしい。
(19) アリアンサの現在の移住者の聞き取りは、森武麿「アリアンサ・ブラジル移民と力行会」(『比較民俗研究』第三二号、二〇一八年)を参照してほしい。
(20) 深沢正雪『「勝ち組」異聞』(無名舎出版、二〇一七年)、同『移民と日本人』(無名舎出版、二〇一九年)を参照してほしい。
(21) 日本移民八十年史編纂委員会編・発行『ブラジル日本移民八十年史』(一九九一年)所収の「第一部第四章　移民空白時代と同胞社会の混乱」一四〇―二二九頁を参照されたい。
(22) 若槻泰雄・鈴木譲二『海外移住政策史論』(福村出版、一九七五年)一一五頁。

第六章　満洲愛国信濃村

ここからは主題をブラジル移民から満洲移民に転換する。

第一節　満洲移民史研究

満洲移民研究の古典としては浅田喬二を代表者とする満州移民史研究会編『日本帝国主義下の満州移民』（龍渓書舎、一九七六年）を挙げることができる[1]。本書は満州開拓自興会が保存してきた満洲移民の原資料を利用した初めての満洲移民についての克明な実証研究であった。

浅田喬二たちの研究は満洲移民政策から満洲移民関係機関、農村経済更生計画、分村移民、農業移民の営農実態、満洲への朝鮮人移民、反満抗日運動など満洲移民に関する包括的研究であり、現在においては満洲移民研究の古典に位置するものである。満洲移民は関東軍—軍部の要請によるものであること、満洲への移民送出は失敗し、満洲移民による国内の農村更生も進まず、満洲営農も当初の自作農創設政策は挫折し、満洲では土地を耕作する中国人を追い出して日本農民の下に小作人として隷従させるものであった。満洲移民は日本帝国主義による中国侵略であり国内の貧農を満洲に送り出して満洲統治の基盤とするものであったとする。満洲移民の基本的な全体像はこれで作られた。これについては刊行時に私の書いた書評があるので参照してほしい[2]。

その後の満洲移民研究では安孫子麟の研究が重要である。とくに満洲分村移民研究の先駆者として学ぶことが大きい。安孫子麟「「満州」分村移民と村落の変質」（一九八八年）と「「満州」分村移民の思想と背景」（一九九六年）の二つの論文が重要である[3]。安孫子は南郷町史編纂の責任者として個別村落の徹底的な分析を通して地主制、村落支配の構造を解明してきた経済史、村落史の研究者である。安孫子の農村研究の背景には宮城県遠田郡南郷村の実証分析がある。満洲分村移民に関する先の二つの論文も南郷村の村落内から満洲への送出の論理を明らかにしようとした画期的な論文である。とくに安孫子の分村移民論は日本三大満洲移民村として分村移民のモデルのとなった宮城県南郷村を分析したものであり、日本全体の満洲移民を考えるためにも座標軸となる論文であった。

安孫子の論文は先行する浅田喬二らの満洲移民研究が関東軍・拓務省・農林省の行政に焦点を置きながら満洲移民の実態に上からの動員政策として接近したのに対して、宮城県南郷村を対象として徹底的に村落の下からの満洲移民送出の論理を明らかにしようとしたものである。その結論としては満洲分村移民の全国的な始点を南郷村に求め、在地のインテリ指導者松川五郎らの農業経営適正規模論を理論的背景とした移民運動と、それに対応する下層農民（貧農）の土地所有と拡大を満洲に求める「脱出の論理」を浮き彫りにした。また「南郷村、大和村に始まった分村移民計画は大日向村において経済更生運動と一体化され、これ以降国の政策として経済更生運動としての分村移民が奨励される」とする。[4] この視点は満洲移民の基本視角として重要なものである。

長野県の満洲分村運動では大日向村と下伊那郡の満洲分村運動に注目しており本書でも安孫子の分村移民の議論を踏襲する。同時に大日向村分村と下伊那郡分村が南郷村、大和村といかに異なるかを明らかにすることで長野県が満洲移民全国一となった突出性の根拠を明らかにしたい。

また満洲移民研究では岡部牧夫の研究も重要である。岡部は精力的に満洲移民資料集を編纂し『満州国』（三省堂、一九七八年）と『海を渡った日本人』（山川出版社、二〇〇二年）で軍部の総力戦と関連付けて概説的に満洲移民を俯瞰している。そこでは関東軍一〇〇万戸移民計画を「理念先行の非現実政策への転換」、「同じ国策と言ってもブラジル移民とは政策姿勢がまったく異なる」と述べており、岡部は満洲移民を近代の移民史のなかに位置づけようと視野を広げて論じていた。満洲移民だけでなく近代移民史全体を通した時期区分などにおいても岡部から学ぶことは多かった。[5]

なお満洲移民の研究については研究書だけでなく、その他のドキュメンタリー、ノンフィクション、映画、テレビと膨大なものがある。[6] ここで研究史を整理する余裕はないが必要に応じて以後の文中で重要な研究については言及したい。

以上の信濃満洲移民史の研究をふまえて、本章では満洲移民一般ではなく信濃海外協会を対象として満洲移民を取り扱う。政府・県庁と一体となって長野県人を組織して満洲に送り込んだ信濃海外協会の果たした役割と同時に政府、軍部と海外協会、信濃教育会、力行会などの関係を追ってみたい。

第二節　満洲移民前史

日露戦争後の満洲での集団移民の最初は一九一五年遼東半島大連近くの関東州庁管内の金州大魏家屯の愛川（あいせん）村移民である。関東都督二代目の福島安正中将はロシア勝利の後満洲への移民が満洲政策の最大絶対条件であると主張し、国内の食糧問題解決にも役立つとして最初の満洲集団農業移民を計画した。福島中将は関東都督に一九一二年から一九一四年まで在位している。関東州愛川村移民計画が立てられたのは在任中の一九一三年である。福島は一八五二年松本藩士の子として松本城下に生まれ、明治初期に東京開成学校を出た後陸軍省に勤務し清国、朝鮮で従軍し、アメリカ、インド、ドイツ、バルカンで大使館駐在武官となり帰国して参謀本部勤務となる。一八九二年にはシベリア単騎横断を実行した有名人であり、この視察経験が日本人移民の海外送出の動機となる。福島の生涯の課題は満洲・蒙古への日本人移民であった。福島安正は「信州人は開拓の神様諏訪明神の子孫だから」が癖であった。

この愛川集団移民は福島安正都督が退任した翌年一九一五年に山口県から一八戸が金州湾に近い地域に入植したが一年で失敗し帰郷する。この愛川村最初の募集者は関東都督の福島中将配下の庶務課長が山口県出身であり東洋拓殖会社の移民希望者の調査から山口県人を選定した。ところが山口県の移民者にはハワイ帰りがいて現地に入るなりこのような土地では耕作は難しいと諦め、その他の入植者も一年間の農耕から虫害と水利条件が悪く開拓を早々と諦めて一八戸のうち三戸を残してすべて帰国してしまう。

福島安正は関東都督を退任していたが今度は海の山口県でなく「山国」である長野県から入植させるとしてすぐに再募集する。これに答えたのは長野師範学校を卒業し長野県更科郡稲荷山小学校長であった今井新重である。今井は一八七九年下諏訪町武居出身で片倉の今井五介の分家であった。愛川村移民が開始されたとき彼は信濃教育会の海外発展主義教育推進の中心人物として福島関東都督の提唱した愛川村を一九一四年に視察していた。福島が一九一四年退役となり帝国在郷軍人会副会長に就任し「内地を旅行して移民の鼓吹につとめていた」折り、今井は自分の学校で開催された更級郡連合青年大会に招待し講演に来てもらう。関東州愛川村での山口県移民の失敗を聴いて、今井は福島と相談して再度愛川村視察団を組織する。信濃教育会の関係で更級郡二校（稲荷山小学校、信田小学校）と上水内郡一校（鳥居小学校）の教師三人である。

視察後に今井新重を中心とした更級郡と上水内郡の青少年一三人が一九一六年愛川村へ送り込まれた。更級郡と上水内郡が満洲移民の先陣を切ったのは経済的条件というより信濃教育会の海外発展主義教育の延長線で満洲移民が登場したことにある。更級郡教師今井新重がそれを代表する。今井の支援には更級郡視学中村国穂と更級郡長津崎尚武がいた。上水内郡も鳥居小学校教師の役割が大きい。また信濃毎日新聞社長小坂順造も上水内郡である。小坂が海の外の愛川村に関心を持っても当然である。

しかし長野県移民運動の先駆者である中村国穂と今井新重は一九二〇年にスペイン風邪で早々に亡くなっていることは既に述べた。とくに今井と永田稠は諏訪の同郷であり信濃教育会の海外発展主義教育でともに長野県民の海外移民運動で共鳴していた。永田が今井の遺志を継ぐのは自分であるとして、その後ブラジル移民から満洲移民を民間でリードしていった。スペイン風邪が契機となって永田の長野県移民熱を昂進させたのである。また今井新重の本家の今井五介は信濃海外協会の創立者となり全国の海外協会連合会会長となっている。今井新重から今井五介、永田がつながるのである。これが信濃教育会が主導した信濃海外協会成立の海外移民運動の前史である。

以上愛川村に見るように明治期にはハワイ・アメリカを対象として移民県のあった山口県に代わり大正期に入ると長野県が満洲移民の中心となった。その原点は愛川村である。しかし愛川村移民は長野県人でも開拓は困難を極め、開拓一〇年後にわずかに残ったのは若者七人だけであった。一九二五年関東州庁土木技師清水本之助（京都帝国大学卒、長野県出身者）の努力で、地下水発掘に成功しようやく水田耕作を成功させた。(7)

それから一七年後の一九四二年信濃毎日新聞記者がこの愛川村を訪ねる。記者の質問に答えて更級郡出身の緑川五右衛門は「信毎ですか。それは懐かしい。小坂社長には先年福島将軍のことで御厄介になったことがありますよ」と言う。[8]緑川は更級郡桑原村小坂出身で一九一六年満洲入植以来開拓団長格として愛川村建設に挺身した功労者である。緑川が愛川村を信毎社長の小坂順造を通して関東都督福島安正大将にお世話になったと話している。福島は一九一四年退役でその後帰国して帝国在郷軍人会副会長となっている。緑川は一九一六年渡満の際に小坂の援助で福島将軍の世話になり愛川開拓を進めたと述べているので、福島が帝国在郷軍人会副会長の時代であろう。福島は一九一九年に死亡している。スペイン風邪であろう。以降、長野県海外移民運動は福島安正―今井新重ライン（関東軍）から今井五介―永田稠ライン（信濃海外協会）に継承されていく。

愛川村移民でも分かるように当初の山口県の満洲家族移民が失敗して一年後には長野師範学校を出て信濃教育会所属の今井新重校長の指導の下に青少年中心の移民団を組織し、関東都督の土木部の援助で水利問題を解決し、どうにか愛川村農業移民団は軌道に乗る。これはその後の満洲移民でも繰り返される。家族移民の満洲送出が停滞すると満蒙開拓義勇軍を出す。そして関東軍・満洲国の援助で何とか開拓を定着させようとするという構図である。

このように愛川村移民や満鉄沿線やその他の地域に日本人が入植するが満洲における農業移民は困難な状況にありほとんど失敗していた。満洲事変前まで満洲では日本人移民は不可能であるというのが一般的な評価であった。一九二八年人口食糧問題調査会では朝鮮、台湾、満蒙地域には「其の住人に不安の念を懐かしむるに過ぎず、又事実不可能に属す」としていた。[9]土地取得の困難さと、現地中国人と日本人では農業経営は労賃などで対抗できないという理由であった。

さて『海の外』には創刊以来満洲地方の移民情報が掲載されている。早くも一九二二年七月『海の外』第四号では「満洲信濃協会趣旨」が掲載されている。信濃海外協会が設置されたのにその関心はブラジル、南洋、南北アメリカであり満蒙が対象とされていないことに不満を持って満洲に信濃海外協会支部を設立すると主張している。『海の外』第三〇号（一九二四年一〇月）では「遼東半島愛川村近況」、『海の外』第三五号（一九二五年四月）では

「満洲を中心に移民奨励の計画」、『海の外』第七七号（一九二八年一一月）では「南満洲愛川村の近況」が掲載されている。一九二〇年代はまだ先行した遼東半島の満洲の移民状況報告である。

第三節　満洲事変の衝撃

一九三一年九月一八日の柳条湖事件による満洲事変が信濃海外協会の満洲移民への大きな転換点となった。『海の外』第一〇〇号（一九三〇年一〇月）では「永田、西沢幹事朝鮮視察」、『海の外』第一〇一号（一九三〇年一一月）では「朝鮮移住地四〇家族移民募集」、これらの記事から満洲事変以前の一九三〇年一〇月には永田稠と西沢太一郎が朝鮮移住の視察をしていることが分かる。信濃海外協会では満洲事変が起きる以前から朝鮮への家族移民の募集をしている。

満洲日本人移民は困難という通念をひっくり返したのが一九三一年九月一八日関東軍謀略の柳条湖事件による満洲事変と一九三二年三月日本の傀儡政権である「満洲国」の建国である。軍事的契機によって強引に満洲移民が開始される。これは一九三二年満洲国建設で日本人の入植が無制限に移民可能となるからである。『満洲開拓史』の関東軍の「満洲移民根本方策」では「他の諸外国に対する移民が制限ないし禁止されていた当時に、満洲国の成立を見たことは、文字通り早天に慈雨を得た喜びであった」という[10]。

また同書では最初関東軍の満洲移民立案者東宮鉄男は満洲に慣れている帝国臣民でもある朝鮮人移民を対象としたが、日本農民救済のために日本人移民に切り替えられたとされる。日本の民間移民活動家の農本主義者加藤完治の進言で日本人の次三男を満洲に移民させることに転換したという。昭和恐慌による窮乏移民の救済という深刻な生活危機を軍部が利用したものと言える。満洲国領有という時代にしか起こり得なかった条件での移民運動である。

これは満洲事変前後の『海の外』の論調を見ることで確認していこう。

一九三一年九月の満洲事変後には『海の外』では頻繁に「満蒙問題」を取り上げ、満洲と「海外発展主義」と結びつける記事が出はじめる。一九三一年一一月の石川博見「満蒙問題について」は注目すべき記事である。『海の外』で満洲事変の発端となった柳条湖事件について初めて言及しているからである。先にも触れたが石川博見は長野県立青年講習所所長で加藤完治の弟子である。石川は「支那兵の満鉄線爆破」という虚構の報道を受けて満蒙問題の重要性を論じる。「満蒙が日本の国防第一の生命線であり、その埋蔵する天然資源が我が日本民族の生活維持のために必要欠くべからざるものであり」、「満蒙大陸に立脚地を失っては日本の生存権は脅かされる」、満蒙大陸は「我らの先輩一〇余万の生霊を埋め、二〇余億の国幣の投ぜられたる血涙苦心の歴史的事実と国民的感情の充満する地である」、民族自決という言葉は「広大なる自国領土内より他民族を排除せんとする例によって例の如き白人専横の運動であり」、「国土狭小しかも人口過剰にして生活苦を満喫しつつある、民族をしてその狭隘実に猫額大の地域に群居しつつ遂に自壊自滅の悲運に沈淪せしめ」ようとする「国際的分配不公正の問題である」とする。[11]

ここには信濃海外協会の従来から主張する過剰人口論による日本の海外発展の論理と中国の民族自決運動をアメリカの排日運動と同類のものとして糾弾し、日本の満蒙問題の軍事的行動を弁護するものである。満蒙生命線論の典型的な記事の一つであろう。

『海の外』第一一四号（一九三一年一二月）では宮下琢磨「国民自覚の秋」が掲載される。海外協会中央会幹事の署名入りである。宮下も同じく「満蒙生命線論」で「民族の進出発展」の時であるとする。「世界的封鎖にあっても満蒙があれば自給自足の道が立つ」、「今すぐ日本人が満蒙に移住するということは中々実現が難しいが、朝鮮人に少し便益を与えれば、年五万一〇万を移住させることは困難ではない」、さらに「官権の威力で一時わが勢力下においたところで、又われに好意を表する政府を樹立してみたところで、それは永久のものではない」、「満蒙を民族的にわが安住地としてしまう」ことが必要だと発言している。[12]まだ日本人移民ではなく朝鮮人移民を優先していた。これがこの時の海外協会中央会の姿勢であった。

『海の外』第一一五号（一九三二年一月）では巻頭言を信濃海外協会幹事の西沢太一郎が書いている。「剣と鍬は正義の母である。人道の極である。国防の充実と経済の潤沢とは人の和の鍵である。満蒙の拓殖は剣を以て拓き、然かして直ちに鍬を以てこれに替えよ。南米の拓殖は鍬を以て拓き、然かしてその剣を忘るることなかれ。真の拓殖は剣と鍬の協合にある」という。[13] 西沢の思想が剣と鍬で国防軍事と開拓移民を統一して捉えていたことが分かる。剣か鍬かの問題はのちに永田鉄山と永田稠の会談でも議論となる。

西沢太一郎の巻頭言を受けて巻頭論文「海外進展主義と満蒙問題」が掲載される。筆者は信濃海外協会特別会員で松本高等女学校教諭羽場金重郎である。彼も満蒙生命線論であるが、南米・南洋移民は純然たる経済関係に立脚するものとして満蒙問題とは区別する。同時に現在の日本の過剰人口を解決するには現在日本人の海外移住者七〇万人では少ないので今後「海外進展主義」により満洲、南洋、南米に三〇〇万人を目標とする移殖民を実行すべき好機だとしている。[14] 満洲事変が南洋、南米移民の起爆剤となるとしているのである。

このような満洲移事変と海外移住運動の一体化の道に対して信濃海外協会のなかで苦言を呈する者もいた。『海の外』第一一六号（一九三二年二月）の巻頭言を書いた日本力行会員で長野県支部長坪井忠治である。彼は「海外発展は天下の公道であるが故に其進止についてはあくまでも正義に立脚した王道を以て終始しなければならない。世界に向かって平和的海外発展が天下の公道であることを主張する」という。[15]

それに反論する形で同号で信濃海外協会幹事宮下琢磨は「わが民族が東洋に確固たる国礎を有し、世界列強と伍していくにおいて日鮮満蒙を一つの経済組織の下に、脈絡貫通円融無碍活動していくのでなければ日本の国は維持していかない」と言ったのである。[16]

このような未だ一致を見ない信濃海外協会の方向を決めたのは一九三二年三月一日の満洲国建国である。政府により満洲領有・併合ではないが傀儡国家満洲国建国が宣言されたことである。これに対して『海の外』は敏感に反応している。

『海の外』第一一七号（一九三二年三月）では「新天地満蒙へ―新国家建設の暁には在郷軍人の集団的移民を計画」と初めて拓務省の在郷軍人による武装移民が掲載される。

この背景には『海の外』第一一八号（一九三二年四月）に移植民海外拓植ニュースでも報じられたように「凶作

地から二〇〇〇名ブラジルに移住」として一九三一年東北凶作で北海道と青森地方の未曽有の大飢饉が起こり海外興業株式会社（海興）にブラジル移民二〇〇〇人が殺到したという事態がある。昭和恐慌による農村危機が契機である。

同じ『海の外』第一一八号で桐生悠々「新満洲に於ける信濃村の創造」が出る。一九三二年三月拓務省の武装移民構想が『海の外』で最初に報道される。これは『信濃毎日新聞』の転載である。またその一か月後に「新満洲に於ける信濃村の創造」を書いている。「新満洲信濃村」と『海の外』で論じたのは桐生悠々が最初である。南米信濃村（アリアンサ）に続く新満洲信濃村の『信濃毎日新聞』と『海の外』の報道は早い。これは『海の外』の発行所が信濃毎日新聞であるから当然である。

桐生悠々はいうまでもなく信濃毎日新聞主筆で翌年の「関東防空演習を嗤う」で軍部の怒りを買って信濃毎日新聞を追われ、その後も「他山の石」で反軍姿勢を貫いたオールドリベラリズムの新聞記者で有名である。その彼が満洲信濃村の宣伝の先頭を切ったのは意外とも思うかもしれない。彼の論説を見てみよう。

桐生悠々は満洲進出熱により満洲移民を希望する県民が信濃海外協会に殺到し三〇〇人に達したことを報じて、信濃海外協会が政府の満洲集団移民政策に取り組むことに賛成する。しかし桐生はこの満洲集団移民が単なる国内の過剰人口解決の手段に終わってはならないとも言い、「支那人」「朝鮮人」をして日本の進んだ農業機械化と栽培技術による優良な農産物生産の方法を学ばせ、日本人に同化させることによって彼らの生活水準を向上させる使命があるという。単純な賛成ではないが文明の指導者日本人を前面に出して日本人移民による中国の文化的経済的向上の意義を述べている。『海の外』を刊行する信濃毎日新聞主筆として国策満洲移民構想への最低限の注文であったと言えるが批判ではない。

その中で注目すべきは満洲では日本人移民はこれまで中国人入植者との競争において生活水準と労賃水準において敗退してきたとして、今後の日本人満洲移民に期待する理由は次のように述べる。「これらの住民の生活水準をわが移民のそれに向上せしめなければならない。動物のそれに等しい、生活水準を持つものを、隣人として持つことはわが民族の恥辱である」。「支那人」を「我に同化せしめる」ことが「日本民族の使命」であるという。ここには日本と中国を文明と野蛮の対立として描き中国人への差別と蔑視が透けて見える[17]。

桐生悠々の論説と同じ『海の外』第一一八号では「長野県人東京連合会満蒙調査会生る」、「永田・西沢幹事満蒙視察」の記事が出される。すなわち拓務省計画を知ると同時に信濃海外協会が満洲信濃村建設に動き出したのである。この満蒙調査会の会長は海外協会中央会長今井五介である。副会長に陸軍中将河西准一である。陸軍、拓務省と協力して満洲移民を進めるための調査会であった。これに参加した永田稠、西沢太一郎は満洲信濃村建設に動くのである。

『海の外』第一一八号では満蒙調査会の諮問を受けて海外協会中央会が満洲移住の方策に対する決議を行っている。同号では「行け満洲へ大阪商船の陣容」が掲載されている。大阪商船はブラジル移民航路では海興と結んで大きな利益を上げていた。満洲事変による満洲進出熱は商船会社にとっても好機であった。

『海の外』を見ると満洲事変の衝撃とブラジル移民と満洲移民に繋がる論理が明瞭となる。つまり満洲事変がすぐ満洲移民に転換するわけではない。

また従来言われていることだが日本の欧米列強の圧迫から解放されるための生命線が満洲であるという論理である。満洲なくして日本の未来はないという切迫感とも読みとれる。その上で窮乏の農村と過剰人口論を掲げて満州移民推進の論理としたのである。

しかし満洲移事変の歴史的役割は第一次世界大戦後一九二二年のワシントン軍縮会議での九か国条約で決められた、中国主権の尊重を前提に世界戦争を回避するための国際協調体制を世界主要国で最初に破壊したことである。もう一つは第一次世界大戦の惨禍を経て一九二八年パリ不戦条約で決められた「戦争の放棄と国際紛争の平和的解決」を国際社会が承認し「戦争違法化」が国際体制となりつつあるものを最初に踏み破ったのも日本であった。日本こそ第二次世界大戦の最大の誘発者であった。中国主権を否定し戦争違法化を否定した最初の列強が日本であったのである。

第四節　満洲愛国信濃村の建設

信濃海外協会の動きでブラジル移民と満洲移民との関係で集団移民地として注目されるのは「満洲愛国信濃村」である。

「満洲愛国信濃村建設運動」の始まりは一九三二年三月二八日の信濃海外協会評議員会で提案されている[18]。これが『海の外』で信濃海外協会「満洲愛国信濃村建設運動」が提起された最初である。この満洲信濃村建設のために今井五介が満蒙調査会を設立して陸軍中将河西准一と長野県町村長会長熊谷村司、信濃海外協会幹事永田稠、西沢太一郎が四月二五日から五日間満洲調査に向かっている。その後『海の外』第一一九号（一九三二年五月）に「満洲愛国村建設大要」が発表されるという流れである。

同号の巻頭言では永田稠が登場し「満蒙新国家に待望する」を書いている。「満洲国」に待望することを三つ挙げる。一点目がアジア民族総合文化の完成として支那人、朝鮮人、ロシア人、日本人の四つの民族の文化総合が新国家の最高目標であるとする。二点目が完全なる人種偏見の除去である。アメリカにおける排日運動の経験から人種偏見をなくすことを主張する。三点目が世界歴史の中の未見の理想国家である[19]。

永田稠の満洲国は支那人、朝鮮人、ロシア人、日本人の四つの民族の人種偏見のない国家建設という理想主義である。これはのちに政府が宣伝する五族協和（日本・満洲・中国・朝鮮・蒙古）とは異なる。これは移民運動の経験から排日運動に苦労した永田なりの理想国家であろう。

『海の外』第一二二号（一九三二年八月）で信濃海外協会が発表した「満洲愛国信濃村建設の趣意書」は次の通りである[20]。

「日本民族のアジア大陸進出は神功皇后以来の伝統的国是である」、「満蒙の発展は日鮮日露東アジア東部における各民族の協力に依るにあらざればその理想的発展を期待することは至難である」、「満洲の風土気候は日本内地においては長野県に酷似して居るから他府県に比較してもっとも適当して居る」、長野県は「南米信濃村の建設経営等において日本全国にその範を示し居る」、「本県民の精神的経済的窮境を打開し、一面においてはさらに範を天下に示し、日本の人口問題就職問題等の実際的解決に多大なる貢献をなすことはまさに長野県民天与の大使命に相違ない」と述べる。そして「第一着手として満蒙調査会を設立し適切なる調査をなし臨機実行に移る」とした。

続いて掲載されている「満洲愛国信濃村建設大要」では政府の方針を「仄聞」するところとして始めていることが注目すべきである。信濃海外協会は政府の満洲移民計画の「仄聞」状態で拓務省が計画を確定する前に信濃海外協会独自の移民計画を提出したのである。

「満洲愛国信濃村建設大要」では満洲移住用地は満洲国有地を安く有償で購入する。土地調査は政府が担当するが民間でも協力する。一移住地（一村）三〇〇〇―五〇〇〇町歩、入植者三六〇戸で一区四〇人で九区とする。一年間で畑作を中心に一戸一〇町歩で二七か村、水田中心で一戸五町歩で五か村を新たに建設する。匪賊に対抗するために在郷軍人会を基幹として銃器弾薬を支給する。移住の実行機関は信濃海外協会として資金は二億円を長野県で集めるというものである。移住計画は一期一一年二期一一年で一〇万人を送出する予定という。全く政府拓務省が取り組むものとは異なるもので長野県が独自に計画したものであった。長野県が拓務省立案前に突出して信濃海外協会として立案していることに驚かされる。信濃海外協会がブラジル移民の方式とまったく同じやり方で満洲移民を考えたのである。

しかし信濃海外協会がブラジル信濃村建設の経験から素早く動いたと同時に、拓務省は満洲武装移民計画を独自に計画している。同じ『海の外』第一一九号には「満蒙へ大移民計画一〇か年に五〇万人―拓務省の具体案」が報じられている。これは拓務省満洲移民案で一〇か年

外の海—THE UMINOSOTO
Published Monthly by the Uminosoto Sha. Nagano, Japan.

「海の外」第一…

満洲愛國信濃村建設資金募集

満洲は日本國民の生存上我大和民族の發展上最も重要なる處であります。遠き建國の昔より幾千年彼我の歴史にそれを明らかにして居ります。近くは日清日露の二大戰役に於て幾十億の金と幾萬の生靈とを以て血潮にかけて擁護保持したる處であります。

今回の事變亦既に南北に亙つて數千の死傷を出し本縣出身の將士も爲に身命を捧げて居ります。

満洲は外交に政治に產業に國防に我國の所謂生命線であり心臟であります。

日本國民は東洋永遠の平和と生命擁護の爲に一日も其經綸を忘れてはならないと思ひます。

或は銃劍を執り鋤鍬を持つて其使命を果さねばならないと思ひます。

我縣民は茲に於て擧縣一致官民協力して満洲愛國信濃村を建設する事になりました。

我日本は年々人口に於て百万の増加をなし國土狹小天產乏しく就職難に生活難に思想國難に經濟國難に直面して今や農村も都市も其破綻に頻せんと迄叫ばれて居ります。

此難局打開の爲に愛國村を建設して年々多くの移住開拓者を普く縣下の各町村より送致し十ヶ年少くとも五、〇〇〇戸三萬人を生命線擁護と民族發展の先覺勇士を彼の村に送りたいのであります。

政府も今後満洲開拓の爲には年々何千万圓と云ふ金を投するでありませうがどうしても民間の資金も加へて爲さなければならないのであります。

愛國信濃村は全國の範たるものとしたいのです。

他府縣に於てもどんどん後を續かれるでありませう。

此満洲に於ける生命線の永遠平和的確保維持の關の要であり東洋永劫の平和の鍵は正に此愛國村の建設にありまして此の産みの資金として、どうしても金拾萬圓を要するのであります。

愛國の爲に此大不況此難局に於て特に皆樣の汗と愛の結晶により百七十萬縣民の總意により此満洲愛國信濃村の建設を御願ひしたいのであります。

何卒國家の爲め、流汗の財應分の御寄附あらん事を御願ひ申します。

長野縣廳
信濃海外協會　振替長野二一四〇番

（大正十一年四月廿六日第三種郵便物認可）（昭和七年十一月一日發行）
信濃海外協會　海の外社發行

満洲愛国信濃村建設資金募集の様子
（『海の外』第125号、1932年11月）

で一〇万戸家族五〇万人を満洲に送る計画である。予算三〇五万円を議会に提出する予定という。さらに『海の外』第一二〇号（一九三二年六月）に「満洲大移民実現に大量の拓務当局」、「東亜勧業の満洲集団移民」、『海の外』第一二一号（一九三二年七月）では「満洲拓殖講習所生る」、「満洲の新天地へ集団移民漸く殺到」、「在郷軍人の植民郷―まず屯懇義勇団七〇〇名」を報じている。拓務省では着々と満洲武装移民計画を実行に移し始めていたのである。政府と長野県の競合状態である。

『海の外』の満洲移民の記事を見ると、「満洲国建国宣言」の直後に満蒙視察に向かったのは永田稠と西沢太一郎であり、信濃海外協会独自に愛国信濃村建設計画を樹立している。この調査報告書として永田が作成した『愛国信濃村移住地の建設』である。このような満洲移住計画書をすぐさま作れるのはブラジル・アリアンサ移住地建設を経験している永田ならではある。これは拓務省の武装移民計画と併行しながら、信濃海外協会がブラジル移民経験者の永田・西沢を利用した独自の移民運動であった。この時点では二人とも信濃海外協会構想が拓務省構想と対立するものと考えていなかった。

満洲愛国信濃村建設の具体的な経緯は次の通りである[21]。満洲事変が関東軍により引き起こされた四か月後の一九三二年一月、東京長野県人会総会で貴族院議員今井五介の提案によって満蒙調査会が設立される。この時の満蒙調査会で今井に調査員と指名されたのが永田稠である。ブラジル移民で豊富な経験があるためである。

一九三二年三月一日満洲国建国宣言が出されたすぐ後の一九三二年三月二八日に満洲愛国信濃村建設委員会が設置される。委員長は石垣倉治長野県知事であり、委員には県庁各部長、町村長会会長福沢泰江、信濃教育会長佐藤寅太郎、在京長野県人会会長今井五介などが入り県庁機構が回転する。その後八月に「愛国信濃村移民地の建設趣旨」を作成したのは永田稠である。長野県開拓自興会満州開拓史刊行会編・発行『長野県満州開拓史』総論（一九八四年）には「『愛国信濃村移住地の建設趣旨』は長野県独自の考えであり、昭和一〇年代の長野県満洲開拓民送出の原型となるものであった」と評価されている[22]。

『海の外』第一二三号（一九三二年九月）には信濃海外協会総裁石垣倉治知事「満洲国信濃村建設に就いて」と拓

務大臣永井柳太郎「開拓精神を喚起せよ」が掲載され、長野県知事と拓務大臣も満洲愛国信濃村建設を激励している。石垣長野県知事は信濃海外協会総裁として満洲愛国信濃村の一〇万戸五〇万人移民計画を語り「満洲国愛国信濃村建設」が具体化されている。永井拓務大臣は満洲移民事業においてはいまだ「政府は準備調査の時期」にあるとして軽挙妄動を慎むよう警告している。しかし一九三二年九月までは関東軍・拓務省と信濃海外協会との対立関係は見られない。

さらに具体的に愛国信濃村の建設計画の経緯を永田稠『満洲移民夜前物語』から見てみる。[23]

一九三二年四月には梅谷光貞と永田稠はブラジル植民事業の経験が買われ陸軍省嘱託となりふたたび移民事業に携わる。一九三二年一一月関東軍特務部移民部が設置されると、梅谷は移民部長に就任し、満洲移民事業に携わることになった。[24]この時の関東軍特務部の梅谷光貞・永田稠ラインの任命には陸軍中央の永田鉄山が関係していたという。永田稠の後年の回顧『信州人の海外発展』によると永田稠に永田鉄山を紹介したのは海外協会中央会長今井五介だったという。[25]

こうして永田稠は今井五介の仲介で永田鉄山と出会うが、この出会いが信濃海外協会が満洲移民に引きずり込まれる画期となり、愛国信濃村建設の出発点となったのである。いうまでもなく永田鉄山は大正期のドイツ陸軍駐在から第一次世界大戦から総力戦思想を学び、一九二九年一夕会を結成し陸軍を中心に総力戦思想にもとづく国家改造を目指す統制派を作り上げる人物である。一夕会のメンバーは永田鉄山、小畑敏四郎、岡村寧次、東条英機、河本大作、板垣征四郎、土肥原賢二、山下奉文、鈴木貞一、石原莞爾、武藤章、田中新一など満州事変、日中戦争、アジア・太平洋戦争を推進した人物をほぼ網羅した組織であった。一夕会を中心とする統制派は参謀次長真崎甚三郎、陸軍大臣荒木貞夫らの皇道派と激しい陸軍内部の権力闘争を繰り広げ、その中で永田鉄山は陸軍軍務局長の一九三五年八月皇道派の将校相沢三郎中佐に暗殺される。[26]

永田稠は満洲事変から四か月後一九三二年一月に東京で開かれた満蒙調査会設立を決定した長野県人総会に参加する。その際に今井五介に呼ばれ片倉製糸に行く。そこで今井から「故郷の人を満洲へ移住させるんだよ」と言われ、満洲移民の調査準備を命ぜられる。

今井五介は、第二章で見たように長野財界の重鎮である。また今井は一九二二年の信濃海外協会創立時の理事となり、ブラジル移民に深くかかわる。永田稠の関係でアリアンサ移住地建設に多額の寄付をしたことでも知られる。

一九三二年一月満蒙設立調査会を決定した長野県人総会の後、東京の料亭で開かれた会談に今井五介の呼びかけで永田鉄山、永田稠、小磯国昭の四人が集まったという。この四人の関係は当時海外協会中央会長であった今井が、移民の専門家として永田稠を当時陸軍次官であり関東軍参謀長兼特務部長であった小磯（山形県出身）と長野県諏訪出身で同郷の軍務課長永田鉄山に引き合わせている。今井としては満洲移民を推進する長野県の人材を陸軍に紹介する目的であった。この永田稠回顧では時期は不明であるが、小磯が陸軍次官であったのは荒木貞夫陸軍大臣の時代であり次官在職は一九三二年二月末から八月初めの五か月間であり、一九三二年四月に梅谷・永田稠が陸軍省嘱託になっているので会談は一九三二年三月ごろと思われる。この小磯・永田鉄山と永田稠の初会談の様子が語られている。

永田鉄山が永田稠に「満洲に日本人を入植させることは可能か」と質問すると、永田稠は「満洲に農業移住することは可能である。しかし剣でとったのものは剣で取り返される。鍬で取ったところが本当の領土になる。満洲事変も移民をやらなければ、日清、日露戦争と結果は同じになる」と話したという。そこで永田鉄山は「じゃ、満洲移民をやろう。ところでその中心人物はおるか」ということになり、「梅谷が唯一の人物である」と話し合い、「梅谷氏は関東軍特務移民部長として満洲に行き、私は関東軍の嘱託として梅谷氏の女房役を仰せつかった」という。[27]

すなわち陸軍省軍務局で軍関係の政治・人事を動かしていた永田鉄山が、今井五介の紹介でブラジル移民の豊富な経験を持つ長野県同郷の永田稠と出会い、永田稠の意見で永田鉄山は満洲移民の可能性にかける。その後同席していた陸軍次官兼関東軍参謀長小磯国昭が移民の専門家として梅谷光貞を関東軍特務部移民部長に任命したというのである。[28]

この回顧で興味深いのは永田稠が「剣で取ったものは剣で取り返される」、「満洲事変も移民をやらなければ日清・

日露戦争と同じ結果になる」と話したことである。この「剣で取ったものは剣で取り返される」と言ったのは、聖書の福音書マタイ伝の「剣を取るものは剣で滅びる」とのイエスの言葉の引用である。キリスト教では剣は武力を意味し鍬は平和を表す。聖書では「約束の地」を鋤と鍬で「乳と蜜の流れる地」に開拓することを理想とするからである。また次の永田の言う「日清・日露戦争と同じになる」とは日清戦争後の三国干渉による遼東半島（旅順・大連）の返還と一八九八年旅順・大連は清との交渉によってロシアの租借地となったことを意味する。

永田稠の構想の「剣でなく鍬で行け」とは農業移民の開拓移住によって「満洲国」を日本の本当の領土にするという構想である。永田は満洲を日清戦争後の遼東半島と同じだと考え、戦争で獲得した領土を「本当の領土」にするには日本人の定住移民が必要だと考えたのである。それを小磯国昭次官と永田鉄山軍務課長が聞いて「じゃ満洲移民をやろう」と決まったという。ここで注目すべきは「剣と鍬」の違いは手段の問題であり、最終的に満洲を日本の「領土」にする結論は同じである。露骨な武力策か平和的な土地移住策か、やり方の違いでありともに満洲に日本人を入植させて日本の勢力圏を拡大すること、最終的には満洲を中国人に取り戻せないような満洲支配を実現する構想であった。これで永田鉄山と永田稠は合意したのである。いつの時代でも移民とは不可避的に政治が関係する。軍が関係すると純然たる移民、中立的な移民というのは難しい。

『海の外』第一二〇号（一九三一年六月）の巻頭言に永田稠は「幾人か此信仰に生く？」を書いている。「聖書に「曰く砂漠を花園にせむ」」、「満蒙は新聞に宣伝せらるるが如き楽土でも天国でもない」。「薔薇の花園となすか否かは、日本民族の宗教的信仰によるのみだ」という。[29] しかしキリスト教の移民思想と軍部の満洲支配の論理は異なっていた。

この会談の後実際に梅谷光貞は関東軍参謀長小磯国昭から「満洲移民は君に一任する」といわれている。[30] 梅谷は関東軍顧問を引き受けると同時に永田稠を関東軍特務部移民部の嘱託に推薦する。こうしてブラジルでのアリアンサ移住地建設のコンビが満洲で復活したのである。永田鉄山と永田稠の会談での「剣と鍬」の対立は、この後述べるように関東軍と永田稠の激しい対立を生むことになる。

梅谷光貞は移民部長に任命されるとさっそく永田稠と満洲移民第一次移民の弥栄村、第二次移民の千振村の視察を行っている。永田は永田鉄山軍務局長から直接に武装移民のための調査を依頼されている。このため信濃海外協会の西沢太一郎、陸軍河西惟一中将、県副議長熊谷村司の四人で満洲に向かう。奉天―大連・旅順―愛川村―新京―吉林―哈爾浜《ハルビン》―朝鮮（力行会の星野米蔵に会う）を視察する。

武装移民視察の後に報告書「愛国信濃村建設計画書」（全二五〇頁）を提出する。その後県費で配布したが相当の効果があったという。「よいと見たら空論では満足しない県民性はこの機会に満洲移住地の建設を実行しようということになった」と述べている。[31]

満洲信濃村構想の正式決定は一九三二年六月二四日信濃海外協会主催、県庁で会議を開催し決定した。[32] 永田稠は移住地の選定について次のように述べる。

満洲の農業が日本人にできないのでなくて、満洲には満洲に適した営農の創作をやらなければならない。移住適地は奉天の南の南満洲地方であるが、すでに中国人が開拓して土地の余地が少ない。また北満洲、西満洲はまだ交通が不便であるため第二次、第三次の計画とする。第一次の満洲移民は奉天―長春―ハルビンの東、東満洲が移住適地であるとする。そこで候補地を探した結果、吉林省の吉林市近郊に満洲愛国信濃村を選定した。この地方は一九三二年末には満鉄支線として敦化、会寧を経て清津への鉄道が開通予定だとして、将来清津―敦化航路の実現を見越し、吉林方面を日本人開拓有望地と見なしたのである。[33]

土地は信濃海外協会から満洲国の事実上の商工大臣である長野県上伊那郡出身の松島鑑の尽力で吉林長春沿線飲馬川流域の買収を実現している。その土地は張学良一派の土地であり逆産地（敵所有地）として満洲国が没収予定の土地である。政情不安のために土地代は安いという。移住の政府方針が出る前にブラジル移住地アリアンサと同じように現地を視察していち早く土地買収に動いたのである。一移住地を三〇〇〇ヘクタールとして三六〇戸入植の計画で一戸当たり八ヘクタールである。作物は都市近郊農業として葉煙草など特殊栽培なら一〇ヘクタールで十分とした。渡航費は敦賀―清津航路代と清津―吉林間を含め五人家族で三〇〇円とした。開拓施設の村役場、小学校、病院、精米所、油房、煉瓦工場、木工所、倉庫、共同作業所を設置する。その資金について公的施設は政府全額出資として一部は補助による無償交付、産業施設は年賦償還とする。四〇戸単位の部落を建設し、匪賊に対抗できる部落建設・住宅建設を行い、政府から銃器弾薬を支給するという。ブラジルと違い基本的には武装移民である。潤沢な政府資金援助を前提にしていた。

すわなち移住地は吉林の都市近郊で蔬菜などの近郊農業の建設中心である。これは関東軍、拓務省が対象地とするソ満国境国境など対ソ戦準備や北満の抗日運動が盛んな「匪賊」反乱地帯ではないことが分かる。もちろんブラジルと違って抗日運動に対抗するために銃器弾薬の政府支給を前提にしていたが経営合理性を貫こうとしたのである。農業経営ではブラジルのように経済合理的な植民地経営を目標としていたのである。この永田稠満洲移民案は当然関東軍と衝突する。

満洲愛国信濃村建設運動は信濃海外協会を中心として、県庁から県知事と県三部長、県会正副議長、県農会正副会長、県町村長会正副会長、信濃教育会正副会長、在郷軍人会松本支部長、在京長野県人会正副会長、長野県三市長、産業組合支会正副会長などがそろった。まさに長野県をあげての移民活動であった。活動資金は郡市町村に委員を配置して県資金により移住者募集を行うというものである。一九三二年中に満洲で土地を取得し、翌年に一部先遣隊を送り、一九三四年から一般の入植を開始する予定であった。そして次のように永田稠は「愛国信濃村の話」で訴える。

①「満洲は宣伝されているような楽土でも天国でもありません。移住者は百折不撓の覚悟を以て進む必要があります。満蒙の発展は日鮮支露等、亜細亜東部における各民族の協力に依らなければ到底理想的発達を期待することは至難であります」。

②「殊に日本民族の軍事的警備以外においても経済的地歩を獲得致さなければ永遠に東洋の平和を確保することは不可能であります。農業移民を植え付け堅実なる地歩を確保することは実に満蒙問題の根幹であり枢軸であります」。

③「日清・日露の戦役において抜群の武勲を輝したる本県関係の将兵は重ねて今回の事変にも出動して大いに邦家民族のために努力しております。信濃健児の流した血の上に我等は愛国信濃村の建設をなすことがまさに信州人当然の責務であると痛感するのであります」。

④「本県は南米アリアンサ移住地の建設において尊い体験を得ております。この体験を基礎として、千載一遇の時機において愛国村の建設を実行し、一面においては行き詰まれる本県民の精神的経済的窮境を打開し、一面においてはさらに範を天下に示し日本の人口問題、就職問題等の実際的解決の貢献することは長野県民天与の一大使命を遂行することに相違ないと確信致すのであります[34]」。

以上のように満洲愛国信濃村建設の意義を永田稠は述べている。①日本、朝鮮、中国、ロシアの民族協力が必要であること、②軍事以外に農業植民が満蒙問題解決の根幹であること、③日清・日露で流した血の上に信濃愛国村建設があること、④アリアンサの体験を基礎として人口問題・失業問題を解決することである。

しかし永田稠を中心に信濃海外協会が満洲を調査して移住選定地とした最適地は奉天東部の吉林省吉林市近郊農村であった。拓務省が関東軍と協議の上で決定した武装移民対象地は対ソ戦と「満洲匪賊」の抵抗の激しい地域を対象としており信濃海外協会の愛国信濃村建設構想とは目的が異なっていた。ここに齟齬が生まれる。

『海の外』第一二二号（一九三二年八月）では永田稠新著『満洲愛国信濃村移住地の建設』（信濃海外協会、一九三二年）の広告が出されている。満洲視察報告が長野県民のなかに広がっていったのである。同号巻頭言で、信濃海外協会を代表して「高津生」は満洲愛国信濃村は「日本民族大陸発展の試金石である」と述べる。「愛国信濃号飛行機建設に捧げた一七〇万県民の赤誠は必ずや拍車を加えてこの一大事業に反映し」、「わが国策の指針として君臨するであろうことを確信する」と宣言している。愛国信濃号による軍用飛行機献納運動に続く下からの県民運動として、満洲信濃村建設運動が県庁機構を総動員して推進されたのである[35]。満洲愛国信濃村建設の資金募集体制は郡別の市長、町村長会、郡市農会長、郡別教育会長、郡別在郷軍人会を委員として動員している。ブラジルでは在郷軍人会長は入っていない。これが満洲移民との違いである。

その後、信濃海外協会（総裁長野県知事）が中心となり満洲移民運動が開始され、『満洲愛国信濃村移住地の建設』二五万部を県下全戸配布すると「満洲移住熱が県民の間にむくむくとわき上がってきた」という。[36]

この永田稠著をもとに永田、西沢太一郎信濃海外協会幹事、熊谷村司県議が県内各地で講演する。県内指導機関で満洲視察を行うように勧告がいたるところに飛んだ。教育者、政治家、実業家、役人、青年が指導者となって続々と満洲視察団を送り込んだという。

さらに永田稠は言う。「南米ブラジルに信濃村を建設した時は、一口千円の寄付をもらったが、今度は小口の義金を集めようではないか」として各部落まで集金し、「市町村役場から海外協会へ送ってくる」ようになったと述べている。[37] 信濃海外協会のアリアンサでの寄付活動の経験が満洲移民でも活用されたのである。

このように信濃海外協会による愛国信濃村建設はブラジル移民での経験を満洲移民に移植しようとしたものであった。それゆえこれまでの研究では「満洲信濃村建設は郷党的親睦思想を基礎にして建設されたブラジル信濃村建設方法をより積極的に活用し拡大していこうとするものであった」と評価された。[38]

まさに信濃海外協会の愛国信濃村建設から拓務省の満洲武装移民へと連続していく。しかし連続する面と関東軍、拓務省と信濃海外協会の愛国信濃村は対立する面を持っていた。それについて次に述べていく。

第五節　満洲愛国信濃村の挫折

当時はまだ拓務省の満洲移民は具体化はなされておらず、第一次武装移民は一九三二年六月に予算が通過したばかりで、関東軍満洲移民要綱案が決定したのは九月である。

『海の外』第一二三号（一九三二年九月）で初めて「在郷軍人五〇〇名を北満沃地へ移民—本県から四一名」という記事が掲載される。これが加藤完治が指導する弥栄村建設の第一次武装移民である。それによると移民募集地域は東北六県と長野、新潟、群馬、栃木、茨城の関東信越地方五県である。三つの条件として北満に出征兵士を出している県、気候風土が似ていること、地方が深刻な不況に悩んでいることであった。とくに第一の出征県の意味が大きかったのであろう。移民の条件は在郷軍人を条件とした武装移民（屯田兵）であったからである。さらに注目すべきは満洲愛国信濃村構想では一年で四五〇〇人を想定していたから四一人とはまったく期待を裏切られたのである。拓務省は信濃海外協会の独自の運動を考慮していなかった。そもそも送出対象地が異なっていたからである。海外協会に移住の選択の余地はなかったのである。

東宮鉄男・加藤完治に率いられて第一次移民団が日本を出発したのは一九三二年一〇月五日である。その時の第一次移民では長野県の割り当ては拓務省計画ではわずか三〇人であった。その二か月前の八月に信濃海外協会・永田稠が満洲愛国信濃村建設計画を政府拓務省とは別に独自に作り上げ、長野一県だけで大規模な移民計画を樹立し実施しようとしたのである。

だがブラジルの信濃村建設の永田稠のやり方と満洲国主権者の関東軍と拓務省の考えとはかなりの違いがあった。この永田ら信濃海外協会の満洲移民活動に対して拓務省は冷淡であった。長野県知事が拓務大臣に永田の「満洲信濃村建設計画書」を持っていくと、「国家の方針も決定せぬ内から、其様な印刷物などつくって、先走ったことをしてはいかんじゃないか」と言い、永田ら信濃海外協会の動きを批判したという。[39]

つまり満洲事変後、いち早く長野県知事を総裁とする信濃海外協会が中心となって官民協力のもとに長野県人が移住者の中心となって満洲開拓を進めようとした。それはブラジル・アリアンサ移民の経験をもつ永田稠が中心となり満洲移民の先陣を切ろうとしたのである。しかし信濃海外協会の愛国信濃村建設計画は関東軍・拓務省の武装移民計画と対立した。満洲でもブラジル・アリアンサと同じように国家意思との齟齬があった。信濃海外協会と永田は軍部・関東軍主導の国家統制に従わない先走りであった。軍官移民と民間主導移民（官民協力）の対立、端的には官と民の主導権をめぐる対立でもある。実際にも信濃海外協会の満洲愛国信濃村の建設は軍部の圧力のためにうまく進まなかった。

満洲愛国信濃村建設計画は一〇か年で五〇〇〇戸、三二万人の送出計画であり、一九三二年度は四〇〇戸で一〇〇〇―二〇〇〇人送出を目標とした。これは先に述べたように在地の信濃海外協会が主体になって民間資金によってブラジル移民と同じように満洲移民を進めようとしたもので無理があった。問題は資金募集である。

一九三二年八月に資金集めに信濃海外協会総裁石垣倉治（長野県知事）名で愛国信濃村建設資金募集のチラシが県下に配布された。初年度募集資金目標は一〇万円であるが在郷軍人会分会、青年訓練所、青年団、女子青年団、産業組合などが募金活動を担った。しかし半年後の一九三三年一月に予定目標の半分にようやく到達しただけという。原因は昭和恐慌下で窮乏の農村では資金難が大きかった。さらに満洲事変の戦火のなかで満洲に渡ることは普通の農民には難しい選択であった。拓務省の武装移民でも一九三二年の第一次から一九三五年の第四次までの長野県移民数は一二八人に過ぎない。民間人による満洲移民の条件はなかったのである。

一九三三年九月から一二月に関東軍特務部長梅谷光貞の依頼で永田稠は第一次武装移民と第二次武装移民の移住地を視察して批判を持つ。そしてハルビン郊外の東亜勧業会社が購入した土地を信濃海外協会の移住地として選定するようになった。

この視察結果について永田稠は『海の外』第一四九号（一九三四年九月）の「佳木斯移民に学ぶ」で次のように総括する。

移住者の武装について、土竜山事件で謝文東の襲撃を受け第一次移民団在郷軍人一〇名が死亡した後であったので厳しく武装移民を批判する。「軍隊をもって移住地の守備をしてもらわねば農業経済は出来ない」、「警備は警備でやり［開拓民は］移民経済に進み得るように計画するの必要」があるという。入植の方法については武力で現地住民の立ち退きを要求して強制的に既耕地を買収したことを批判する。それは「アメリカのケンタッキー植民史での先住民追い出しと同じである」と批判している。そして移住用地は移民の入植前に買収しその先住民の生活を圧迫しないように考慮する必要があるという。また先住民を追い出すのでなく現地「満洲人」はその後小作人や労力を利用すべきであるという。移住者の共同生活はなるべく早く個人経営に移行すべきである。そのため土地分譲後に家族で入植し家屋を事前に建ててやり家畜も農具も政府が用意する必要がある。そのためには巨額の補助金を投下せよという。これがブラジルのアリアンサ移民を経験した永田稠の佳木斯移民視察の結論であった(40)。

その永田稠視察の結果、『海の外』第一四三号（一九三四年二月）で信濃海外協会による「満洲移住者募集要項」が発表される。ここでは「匪賊」反乱の激しい交通不便なソ連に近い北満奥地でなくハルビン郊外への募集であった。そこでは移住地二〇〇〇町歩から八〇〇〇町歩で耕地一五町歩を所有し年賦償還、建物は移民会社が建設し年賦で購入、渡航費支度金は政府と海外協会で支給する。家族は二人以上の労働力が必要で、所有地一五町歩の半分は満洲人に小作させるというものである。拓務省の自作者による武装移民案とはまったく異なるものである。

この満洲愛国信濃村建設は一九三五年三、四月から満洲移住の実行予定だが「まだ確定してない」としている。あくまで永田稠路線で満洲愛国信濃村建設を掲げているが、関東軍・拓務省の武装移民が一九三二年から実行されているのに「まだ確定していない」状況が続いている。拓務省のゴーサインが出ないのである。

さらに『海の外』第一四七号（内地版第四輯、一九三四年七月）で永田稠が「満洲移民の一考察―合理的移住地の建設」を書いている。これも拓務省移民批判である。永田は満洲移民について政府大蔵省、外務省も悲観論であり、内地からの満洲移民視察者も悲観論であるという。視察者は時間と金が少なく、日本人農場経営をよく見ないで、満洲での日本人農業はダメとの先入観で話している。悪いのは移民を統括する計画者、経営者、指導者が悪いとする。矛先は拓務省に向かっている。

永田稠の結論として「満洲においては未だ合理的に計画された移住地はない。……組織的に移住計画が樹立され、合理的に移住地の経営をやってみたことはない」。そのためには今後①体験移住者の取扱いが充分にある者を日本全国から集めること、②満洲の農業の実験を有する者を全部集めること、③農業移住地としてやっていける場所を選定することを挙げている。満洲ではやってみることが必要である。それでうまくいかなければきっぱり諦める、「満洲移民に対する現下の急務は合理的移住地建設の実現にあると確信する」と結論している。[41]

『海の外』第一五五号（一九三五年三月）では新知事として信濃海外協会総裁となった大村清一知事は「昭和七年来の本会計画による満洲愛国信濃村移住地建設は挙県一致の運動で誠に機宜を得たる事業であり本県移植民政策上まさに対満わが国策遂行上誠に大切なこと」と述べている。[42] ここまで愛国信濃村は信濃海外事業の一環として評価されている。

以上からは満洲愛国信濃村建設における永田稠の適切な移住地選定と移住地建設の合理性への強い思いが伝わる。合理的にやってだめならきっぱり諦めるという方針を国家がとるわけがない。次節で詳しく述べるがこのような永田を中心とする信濃海外協会の愛国信濃村建設は関東軍の反対にあって挫折するのである。とりわけ愛国信濃村を押し流したのは都市近郊農業は自由移民の対象地として集団移民とは区別する満洲一〇〇万戸移民計画での登場であった。

ここで永田稠の満洲移民構想をより詳しく考察してみたい。

第六節　永田稠の満洲移民構想

永田稠が北米移民、南米移民に続いて満洲移民をいつごろ具体化したのかは不明だが確かな事実は日露戦争従軍の満洲体験を原点として、昭和初年に第一回朝鮮旅行を行い釜山郊外亀浦の一人の日本人移民を訪問し京城の総督府に立ち寄ったことである。第二回の朝鮮旅行は一九二八年に加藤完治の江原道平康五〇〇町歩の日本人入植地を訪問している。ここで永田は次のように述べる。

「日本民族のアジア大陸進出の一路は、間宮街道即ち樺太を起点として、アジアの極東部に向かっての進路である……しかしてその第二の途は、かつて加藤清正の進んだ朝鮮街道である。釜山→京城→元山→清津→会寧方面に向かうものであり、敦賀から雄基を経由する新街道もある。朝鮮の西南部は既に開拓しつくされているが、東北部には未開の土地が非常に沢山残されている。更に間島から吉林の平野を経、一歩進んでシベリアの平原に進出すれば、土地は何程でも捨てられている」と述べる(43)。

永田稠の「満洲開拓」の夢は、豊臣秀吉が行った朝鮮侵略の際に加藤清正が進軍した釜山から元山を経て朝鮮東海岸を通って会寧に至るルートをさらに進撃し、中国の吉林に向って日本人開拓を進めるというものである。これを永田は「清正街道」と呼んでいる。ただ永田は加藤清正を賛美しているのではない。「鉄砲で取った土地は鉄砲で取り戻されるが、鍬で開いた土地は、取り戻されるには余り固着的であります[44]」、「神功・豊臣・日清・日露の諸役は、亜細亜の友を敵としての進出であった。私共の新たな出発には、敵意があってはならぬ」と述べる[45]。

すなわち「剣」でなく「鍬」で平和的に土地を開拓すべきとして神功皇后、秀吉、日清日露戦争での朝鮮・満洲進出を批判しているのである。歴史からの教訓として平和的入植によって土地に固着することにより海外進出を成功に導くことができるとして、農業開拓の重要性を説くのである。キリスト教ならではの平和的な新天地開拓の思想である。

だが原始古代ならいざ知らず国境に仕切られた近代国民国家の時代、しかも列強帝国主義が激しく総力戦を展開する時代において、国境を越えて「未開の土地」、「捨てられた土地」を他民族が自由に開拓する自由はない。無主の地はない。それは永田稠の北米カリフォルニアの排日運動の体験、さらにはブラジル体験でも十分理解しているはずである。とくに列強帝国主義は土地、鉄道、金融の三本柱によって低開発国に植民地化・従属化を強いるなかで土地問題は深刻な争いとなっている。満洲では一九一五年対華二一か条要求で土地商租権をめぐる争いは深刻化していたのである。のんびりと満蒙シベリアの未開の新天地開拓を謳えるような時代ではなかった。まさに時代錯誤の夢であった。

こうして永田稠は昭和初年の朝鮮視察を経て一九三〇年に日本力行会で朝鮮柘植訓練所を咸鏡北道慶興郡に開設し、一九三二年に愛国信濃村建設、一九三四年新京近郊に力行農園を設立し関東軍移民実習生を教育し（のち拓務省に移管）、朝鮮、満蒙への新天地の開拓実現の第一歩を踏み出すのである。

しかし一九三二年八月に日本力行会幹事森喜一を満洲視察に送り出すが、大連近くの熊岳城の農事試験場視察の後満洲の「匪賊」の襲撃により死亡事件を引き起こしている。もう満洲は日本人にとって平和的な土地取得は難しい状況になっていたのである。にもかかわらず永田の力行会は満洲開拓に突入していくのである。それが悲惨な結果を招くことを本人はまだ自覚していなかった。いずれ歴史における意図と結果の乖離は悲惨な現実となって明らかとなる。

永田稠は愛国信濃村建設の計画をまとめるとともに自ら満洲移民論を執筆している。一九三三年二月に農村更生叢書の一冊として刊行された『農村人口問題と移植民』（日本評論社）がそれである。[46] ここでは二宮尊徳流の勤倹主義・農事改良主義を批判して、開拓主義・世界的建国主義を唱える。

「満洲でも南洋でもアフリカでも南米でも、至る所に日本民族が中心となって新く建国されるべき運命の邦土が、ほとんど極限なしに展開している」、「世界の土地の大部分をアングロサキソン民族が占有支配し、しかも諸他の民族の移住を拒否している」として、日本民族の海外移民による開拓主義を叫ぶ。[47] 現在の人口問題は食糧問題であり、食糧問題は結局土地問題であるから、土地狭小の日本から海外に土地を求める必要を説く。

現在の農村窮乏の精神的原因は三つあるとして、第一は開拓精神の消滅である。「神武天皇の御事績は、私の云ふ所の移住建国即ち開拓的覇業であり、拓地植民主義の御事業であった」、「神武建国後約一千年にして、日本民族は西九州より、東北青森までの営農主義の移植民事業を大成した」という。[48] しかしその後、ハワイ移民や北米の排日運動のために海外移民事業が頓挫し内地開拓も停止期に入った。そのため現在の青年には海外発展の意気がない。第二は勤労精神の消滅である。

「星をいただいて月を見て帰る」生活を理想とした勤労主義は衰退した。第三は宗教的信仰の忘却である。明治になり神仏をないがしろにした。教育の根底に於いて宗教を無視したという。ここには神仏のなかに永田のキリスト教信者としての思いがある。つまり開拓精神、勤労精神、宗教心の消滅を憂える。これを乗り越える途が満洲移民だという。

また農村窮乏の経済的原因として耕作面積の逓減、小農増加、農業の商業化、農産物価格の下落、経営合理化の困難を挙げる。この結果として貧農の増加は農民の赤化を招いている。礼儀・仁愛・節義などの思想は破壊され、法律的反抗的悪意の社会主義的抗争が純朴なる農村の気風を破壊したという。このための解決策は一戸当たりの耕作面積を増加することである。現状の一戸当たり農家耕作面積は一町であるが、将来二町六反を目標に掲げる。現状の農村過剰人口の解決には海外への植民事業が必要であるという論理である。この論理は満洲移民を推進する政府・関東軍の主流派となった満蒙移民論者加藤完治の思想と同じである。

現在の政府が旗を振る農村経済更生運動への批判としては、農林省更生部による精神運動であり農村改革も局部的偏執的なものであり、農民の依頼心を助長するだけである。農民の精神的独立が必要であり、そのために宗教が必要であるという。

永田稠は移民活動ではブラジルでのキリスト教会系力行会による移民を例に挙げ「いわゆる「霊肉救済運動」で、一面において宗教の伝道をなし、同時に移植民を遂行して行くというやり方をして今日に至っておる」として、キリスト教による力行会の「霊肉救済運動」を移植事業と並行したブラジル移民の経験を主張している[49]。永田の思想が満洲移民に拡大された意味がここにある。昭和の農村窮乏の解決策としての移植民事業であり、それを精神的に支える力行会的霊肉救済という宗教活動との並行がその目標である。

永田稠が主張する具体的な移植民事業の計画案は二つある。一つは内地開拓として標高を一〇〇〇尺(三三〇メートル)上げる。このために力行会では八ヶ岳山麓の標高三〇〇〇尺(一〇〇〇メートル)から四〇〇〇尺(一三三〇メートル)の荒れ地を開墾したことを例に挙げる。これを経験にして北朝鮮から樺太への移民を図ることである。すなわち「内地」(北朝鮮・樺太を含む)の開拓である。もう一つは海外植民事業である。この例がブラジル・アリアンサ移民である。この延長が満洲移民だという。満洲国は当時日本内地とは別の独立国とされていたからである。

永田稠によると一九二五年のアリアンサ移民は官民協力時代の始まりであるとして、信濃海外協会、鳥取、富山、熊本の各海外協会を指導する県官庁と協力して移植民事業を展開したという。この到達点が一九二七年海外移住組合法だという。すなわち国内団体(海外協会)の支援による海外開拓である。

永田稠の移民思想のとらえ方の基本は、当初の「出稼主義」から「同化主義」を経て、最終的には「建国主義」に達するという。先に永田が移植民の目標として述べた「開拓主義と世界建国主義」のテーゼである。他国への出稼ぎからその国への同化、出稼ぎによる契約労働者から、現地に同化しつつ請負契約、借地農、自作農になり、しかし完全な同化は拒否して自作農を基礎とした日本民族の建国精神を世界に広げるという「建国主義」の主張である。

「建国主義」の原型はアリアンサにあるという。四万町歩の土地、日本人三〇〇人、ブラジルに同化せず日本とブラジルの良いところを取り新しい村を作る。移民問題（出稼ぎ移民）が移植民問題（定住植民）に発展し、満洲方面に移住地の建設を見るに至れば、移植民的根本思想として「建国主義」と命名することができるという。現在日本人の移住地適地は、南米ではブラジル、アジア大陸では満洲であるとする。こうして満洲移民はブラジル・アリアンサの発展形態と位置づけられる。

また永田稠は主張する。満洲は寒冷地であるが長野県とほぼ同じ気候であり、小麦、トウモロコシ、綿花、果樹栽培に適していると満洲移民不可能説を批判する。

「匪賊の討伐と移民とは一所にやるがよいと思うし土地取得は匪賊の討伐と並行する方が有利であると考えているが、兎に角、匪賊は年と共に減少し、その集団も小さいものになり、左様恐るべきものではなくなる時期がありは遠くはあるまい」、「移住には相当の資金を要するが、その大部分は政府で調達するのほかはあるまい」と述べている[50]。

つまり軍部の満洲国建国と一体で匪賊（中国抗日運動）を排除し、政府の資金で満洲移民を進めることに賛成している。

さらに「今回の武装移民団は、ほとんど自己資金は要せず、すべて官給であるから、ある程度に資金のない者でも満洲移住が出来る様になれば、さらに結構である」という[51]。

アリアンサが自己資金で土地取得、運営し悪戦苦闘したやり方とは違う。自己資金なしの官給移民であり、官営移民論を肯定する。海外協会を媒介とした官民協力から拓務省主導の官営移民論に接近している。

永田稠の満洲移民構想を見るとブラジル移民でアリアンサ方式となった信濃海外協会をモデルにしているが、資金的には満洲では拓務省の「官給移民」を肯定している。愛国信濃村建設失敗の原因となった資金不足の問題である。これについては後述する。アリアンサ方式の政府道府県の支援を受けた海外協会主体の官民協調路線から次第に官給資金に依存する官営移民路線を肯定していった。

拓務省官製移民に賛成していくと同時に、従来の各府県海外協会の推進する府県を一単位とする同郷県民移住方式のメリットを主張する。

「同郷的の移住地建設が出来、移住者の募集が容易だし、移住者の選択が楽だし、移住地と故郷との連絡が出来るし、府県の力を利用できるし、移住地の特色が発揮せられるし、経費を安からしめるし、移住資金の募集も容易であるから、これが一番理想の方法である」、「会社でやるにせよ、官営にせよ、政府と公益移民団体と協力するにせよ、府県を一単位として移住地の建設を遂行することは絶対に必要である」という[52]。ブラジル・アリアンサで当初計画した一県一村方式を満洲で実現しようとしたのである。

すなわちブラジル・アリアンサ移住地の信濃海外協会による建設をモデルとした満洲信濃愛国村建設を通して、満洲でも県民を以て同郷的移住村落を建設することを提唱しているのである。

さらに永田稠の満洲移民構想では日本民族の農民移民の位置づけについて次のように述べている。「日本民族は満洲建国の絶対要素とならねばならぬ、その道徳宗教的、その政治経済的、その教育学術的その他あらゆる方面において、満洲国民中の要素であらねばならぬ。満洲はコンクリートの製造と同様である、支那人は小石である。満洲人は砂である、露西亜、蒙古人は水である。小石と砂と水をいかにかきまぜてもコンクリートにはならない。日本民族のセメントを加えなければならぬのである。然らばいかなる情態において日本人は満洲コンクリートのセメントたり得るか」と問う[53]。

このように永田稠は満洲国では支那人、満洲人、ロシア人、蒙古人と日本人を区別し、日本人がその接着剤としてコンクリートのセメントの役割を果たすことを期待している。そのコンクリート役の日本人の「情態」に関しての永田稠の回答は満洲移民である。

永田稠の結論は「直ちに満洲に日本民族も抜くべからざる勢力を扶植するには農業移民のほかはないのである。満洲を日本の生命線とするか死線とするかは、農業移民をやるかやらぬかによって決定するのである[54]」。「私は日本農業移住者の満洲移住を絶対必要条件と信ずる者である。少なくとも五百万［人］、理想的に言えば一千五百万［人］の日本民族が満洲に移住し、その大部分が農業経営をなすことに於てのみ満洲国の基礎は堅固となり得る」と述べる(55)。

すなわち、永田稠は満洲国では、日本の商工業者が進出し満洲国人を工場労働者として使うことや、工業の原産地や貿易相手国とすることより満洲への農業移民こそが満洲国の「コンクリート」であると断言する。しかも最低五〇〇万人移民構想を打ち出している。五〇〇万人とは当時一戸五人の世帯を標準としていたので一〇〇万戸移民案である。理想としては一五〇〇万人移民であるから三〇〇万戸移民案であった。すさまじい満洲国農業入植数である。すでにアメリカでは日本人移民は一九二四年の排日移民法で事実上禁止され、ブラジルでは永田がこれを述べた翌年の一九三四年に日本人移民は事実上禁止されるのであるから満洲国のみに通用する議論である。アメリカ移民では戦前ハワイに二万人、本土に一八万人が移住し、ブラジルでも戦前二〇万人程度である。日本軍の武力を背景とした大法螺といってもよい無茶な構想であった。

さらに永田稠は満洲国への移民について「支那人、朝鮮人、日本人」が考えられるが「支那人、朝鮮人」では「満洲は健全な国家を形成しない」、「日本民族だけ」が「建国の基調となる」と断定する。さらに「日本民族は先ず満洲新国家の基礎を強固ならしむるために努力し、さらに進んで支那の全土、シベリア、亜細亜の各方面に進展せねばならぬ。それこそ国家の運命を賭しても遂行せねばならぬ日本民族対東洋の大使命である」とまで述べる(56)。

以上、永田稠の満洲移民構想は、過剰人口対策としての海外移住対策であり、そのモデルがブラジル・アリアンサ移民であることが分かる。永田の満洲移民構想では、アリアンサで実施した信濃海外協会という「政府公益移民団体」（永田稠の用語）を主体とした「民間」移民募集に対して、「官」（政府・道府県）が間接的に支援する「官民協力移民」をモデルとした。しかし関東軍・拓務省の管轄下の満洲国では現地の土地取得と官給移民が容易であると判断され「官移民」に傾斜していくことが見て取れる。

だが実際の信濃海外協会の満洲愛国信濃村の建設はうまく進まなかった。

永田稠は一九三二年の武装移民について佳木斯視察後に一九三四年に関東軍の満洲移民指導者東宮鉄男と対立する。その結果、関東軍特務部移民部長梅谷光貞と移民部嘱託の永田は同時に関東軍移民部を追放される。

この時に永田稠は『海の外』第一五三号（内地版第六輯、一九三五年一月）には「移植民事業更新の機」を書いている。肩書は日本力行会長である。しかし依然として『海の外』の編集人は永田であり発行人西沢太一郎は変化ない。

この「移植民事業の更新の機」では「従来の日本人を歓迎していたラテンアメリカ方面はぼんやりしている間に殆んど八方ふさがりの情況を呈する」としてメキシコ、ペルー、チリ、アルゼンチンそしてブラジルも排日法が通過したという。その結果満洲では「特別農民移民」が実行されたが「移住計画に無理の所」がある。さらに拓務省の満洲植民事業も大蔵省に予算を削られて萎縮状態となっている。しかし「日本帝国は海外発展をやらねば生きていけない」、「神武天皇は移住建国をその大生命とせられて建国を完成」したように「国策の中心を海外発展に置くことは第一義である」と言っている。そのためには移植民的国家機関を整備し民間機関との連携を計れと呼びかけている。永田稠にとってブラジルと同様に神武天皇建国神話が満洲国建国と重奏する。意を決して国家的植民機関を整備せよと叫ぶ[57]。満洲移民を諦めることはなかった。

ブラジル移民では一九三四年外国移民二分制限法が制定され事実上日本人の移民が出来なくなると永田稠はブラジル移民国策化が不十分だったから排日法が通過したと政府を批判する。『海の外』第一五六号（一九三五年四月）で永田は「国策移民論」として次のように述べている。

「満洲移民こそは始めから国策移民とならない限りは実行不可能と言うべきもの。……移民事業には資金が必要である。……全部を政府なり移民会社で調達して、一部は補助金、一部は貸付金としていかねばならない。……百万人移住させるには六億円の金が必要になってくる。……これらの資金は日満両国政府、満鉄、日満両国の財閥及び民間から募集するの外はない」という。

あれほど関東軍の東宮鉄男と対立した永田稠はここでは民間移民から完全に国策移民論に同調している。日本政府に依存した移民論であり民間の自立性より結果としての完全国策としての満洲移民実現が目的となっている[58]。

さらに同じ満洲移民国策論では永田は、関東軍は満洲の移住地を確保したあと陸軍省と拓務省に任せろと言う。その場合の満洲国の移民事業は陸軍が拓務省の委託を受けて実行し、拓務省は内地で政府予算の取得と資金調達を斡旋するものとした。関東軍の関与を拒否し陸軍省に任せろというのは、永田鉄山が暗殺されるのは論考を発表した四か月後であり陸軍省の永田鉄山に期待していたのであろうか。

さらに興味深いのは永田稠は陸軍省・拓務省の協力と大蔵省の財政支援の必要性を論じた。「満洲移民に対しては大蔵大臣が何と言うても承知しないとのことである。……この案なら立派に成績を上げ得るという確信ある案を確信あるものが持っていけば高橋さんはウムと言うのである[59]」と言う。政府財政支援なくして満洲移民は不可能でありそのネックは高橋是清であった。彼を説得するのは自分の満洲移民案であるとの自負があったのであろう。

この後関東軍と拓務省による一九三七年以降の満洲一〇〇万戸移民政策が実施される段階になると永田稠の満洲移民論はどう変化しただろうか。しかし『海の外』は現在一九三五年五月から一九三七年三月まで二年間が所在不明である。この時期に満洲一〇〇万戸移民計画が開始実行されるが、その間の永田稠の論考をたどることはできない。次は一九三八年初めの永田の論考が残されている。それを『海の外』第一八九号（一九三八年一月）の永田「剣・算盤・鍬・心」から見てみる。

永田稠は「なるべく人を殺したくない。なるべく血を流したくない。したがってなるべく剣を用いたくないのであるが、いづれの民族もその移住発展の初期においては剣を用いている。民族発展の第一の武器は剣である」。しかし永田は「剣によって得た所は剣によって失う」との聖書の言葉を引く。「剣はなるべく少なく使用し、なるべく早くこれを納むべきもの」とする。民族発展のためには剣の代わりは算盤がある。すなわち「民族発展の次の要具として算盤がある。取引であり貿易である」。「剣」に頼ったイスパニアに対してオランダ・イギリスは貿易すなわち「算盤」（そろばん）によって異民族の信用を得てその国力を世界に発展させていったとして、スペインとイギリスを対比する。しかし「一邦土に民族の根底を植えつけていくためには、その算盤ではその根が深く植えられないという欠点を持っている」と批判する。それを超えるには第三の武器として「鍬」であるという。これが日本人の西欧人をこえる武器とする。その結果農業移民は「剣で敵を倒したり、算盤で一攫千金の巨利を得たりするわけには参らないが一度植え込んだら、何物を持っても動かすべからず、抜くべからざる勢力を植え込むことが出来る」。それは「神武天皇の建国から日本民族が青森県下まで農業的移住をするには約一千年を要したのであるがこの植え込んだ日本人の勢力は他の力では抜くことが出来」ない。「アジア大陸で日本が一〇年ごとに戦争をしなければならなかったのは、日本の実力が大陸に扶植されていなかった」からであるという。日本がアジア統治で失敗している原因は「日本の鍬が用いられていなかったからである」。「だから一民族が地方における勢力強弱のバロメーターは農業移住者がどれだけあるか」だとする。さらに「剣も算盤も要するに物質的存在である」。朝鮮、台湾の日本統治に欠けるのは「心の問題」である。として「鍬」の上に「心」を置く。「民族発展の終局の目的は異民族を同化すること、日本式に言えば皇化にうるおすことである。異民族を皇化にうるおすということは心服させるということである。心をとらえるということである。一番困難なことである。」現在「満洲に於いても北支にしても、多数の先住民がある。今日ではこれらを威服しているがややもすれば、心なき日本人が彼らの心を逃がしている」。日本人は剣も算盤も鍬も天下に恐れるものはないが、「民族の将来を思い世界人類の救済に向こうと欲す者の特に心すべきところである」という[60]。

長文の引用となったが、関東軍から排除された後永田稠が辿りついた結論である。

永田稠は武力は必要だが農業移住の鍬の方が大切だ。さらに異民族を支配するには心の問題が重要である、相手を「皇化・心服」させることである、現在の日本にはそれが足りないという批判である。ここには永田の軍への批判と農業移民にかける情熱がうかがえる。その背後には「剣により得たものは剣により失う」という聖書の教えと「物ではなく心」であるというキリストの教えがあった。

だが永田稠の移民構想にはアキレス腱があった。それは神武天皇以来の万世一系国体論である。神武天皇建国神話である。(61) 天皇制イデオロギーの呪縛といってもよい。ここから日本民族には世界への移住開拓の大使命があるという妄想が展開する。世界に日本人が入植することが大和民族の使命であるというのである。この永田稠の「大和民族使命論」は神武天皇の移住建国神話で支えられていたが、一九三五年八月の政府の美濃部達吉の天皇機関説否定した「国体明徴」声明で国家的保証を得たのである。一九三五年神武天皇以来の万世一系の国体イデオロギーが国家の正統思想となったことが永田を満洲移民の情熱を加速したことであろう。さらにこの使命が聖書の教えと重複する。ユダヤ人がめざした約束の地カナンへの移住を日本人は全世界に向けることができる。神武天皇の皇国建設は世界大に広がるのである。最初は「剣」を使ってもその後に移住することで国を作ることを説く。永田の移住思想はキリスト教の移住思想と国体イデオロギーが無媒介に結合した結果である。これが永田が満洲建国に同調して満洲移民にのめり込んでいった思想背景である。

　このため永田は関東軍を追放されても信濃海外協会『海の外』の編集長として移民運動に執着する。日中戦争では中国に自由移民として新京力行村を建設し、アジア・太平洋戦争が始まると軍部の要請を受けて台湾から南洋に移住適地の調査に向かう。まさに大東亜共栄圏実現に移民運動を通して疾走し続けるのである。

注

（1）満洲移民史研究会編『日本帝国主義下の満州移民』（龍渓書舎、一九七六年）。

（2）森武麿「書評『日本帝国主義下の満州移民』」『歴史学研究』第四五一号、一九七七年一二月。その後の満洲移民の研究は多くここでは信濃海外協会に話を絞っているので満洲移民研究としてこれまでの主要な研究書を挙げておく。
小峰和夫『満洲―紀元・植民・覇権』（御茶の水書房、一九九一年）、蘭信三『「満洲移民」の社会学』（行路社、一九九四年）、高橋康隆『昭和戦前期の農村と満州移民』（吉川弘文館、一九九七年）、玉真之介『総力戦体制下の満洲農業移民』（吉川弘文館、二〇一六年）、今井良一『満洲農業開拓民』（山人社、二〇一八年）、細谷亨『日本帝国の膨張・崩壊と満蒙開拓団』（有志社、二〇一九年）、小都晶子『「満洲国」の日本人移民政策』（汲古書院、二〇一九年）である。
その他、満洲移民に全体にわたる基本史料として満洲開拓史刊行会編・発行『満洲開拓史』（一九六六年）がある。その他満洲開拓の基本史料では『満蒙青少年義勇軍関係資料』全七巻（一九九三年、不二出版により復刻）、『拓け満蒙・新満洲・開拓』全二三巻（一九九八年～二〇〇〇年、不二出版により復刻）、『満洲開拓関係雑誌集成』全一一巻（二〇一五年～二〇一六年、不二出版により復刻）がある。

（3）安孫子麟「「満州」分村移民と村落の変質―宮城県遠田郡南郷村の事例」（木戸田四郎教授退官記念論文集編纂委員会編『近代日本社会発展史論』ぺりかん社、一九八八年）、「「満州」分村移民の思想と背景」（『東日本国際大学研究紀要』第一巻第一号、一九九六年三月）である。なお『安孫子麟著作集』全二巻（八朔社、二〇二四年）がでており、第一巻は『日本地主制の構造と展開』（解題森武麿）、第二巻は『日本地主制と近代村落』（解題永野由紀子）である。満洲移民は第二巻に所収されているので参照されたい。

（4）前掲安孫子麟「「満州」分村移民の思想と背景」四四頁。

（5）岡部牧夫『海を渡った日本人』（山川出版社、二〇〇二年）四八頁。

（6）本稿の関係で長野県の満洲移民の基本資料として長野県満州開拓自興会編・発行『長野県満州開拓史』総論・各団編（一九八四年）がある。さらに下伊那地方の満洲移民については全国でも初の長期にわたる地元市民研究者による聞き書き集として、満蒙開拓を語りつぐ会編『下伊那のなかの満州―聞き書き報告集』全一〇巻（飯田市歴史研究所、二〇〇三―二〇一二年）がある。また戦前・戦後を通した飯田・下伊那の満洲移民通史として飯田市歴史研究所編『満州移民―飯田下伊那からのメッセージ』（現代史料出版、二〇〇七年、執筆者鬼塚博、齊藤俊江、本島和人、森武麿）がある。満洲移民の研究書として下伊那に関係するものとして小林信介『人びとはなぜ満州へ渡ったのか』（世界思想社、二〇一五年）、本島和人『満洲移民・青少年義勇軍の研究―長野県下の国策遂行』（吉川弘文館、二〇二一年）がある。また満洲移民の資料目録としては齊藤俊江『長野県飯田下伊那の満洲移民関係資料目録』（不二出版、二〇二〇年）があるので参照してほしい。

（7）「福島安正の関東州移民政策」、「愛川村開拓と長野県民」前掲『長野県満州開拓史』総論、三八―四四頁。

（8）中倉貞二「関東州愛川村にて」信濃毎日新聞社編『拓民の血を訪ねて―信濃拓民小史』（信濃毎日新聞社、一九四二年）一五二頁。

（9）人口食糧問題調査会は一九二七年七月に田中義一総理大臣を会長として、内務大臣と農林大臣を副会長として設立された。本調査会と海外移民政策との関係に関しては飯窪秀樹「一九二〇年代における内務社会局の海外移民奨励策」（『歴史と経済』第一八一号、二〇〇三年一〇月）を参照されたい。

（10）前掲『長野県満州開拓史』総編、三四頁。

(11) 石川博見「満蒙問題について」『海の外』第一一三号、一九三一年一一月、二頁。
(12) 宮下琢磨「国民的自覚の秋」『海の外』第一一三号、一九三一年一二月、四頁。
(13) 西沢太一郎「巻頭言」『海の外』第一一五号、一九三二年一月。
(14) 羽場金重郎「海外進展主義と満蒙問題」『海の外』第一一五号、一九三二年一月、四―九頁。
(15) 坪井忠治「巻頭言」『海の外』第一一六号、一九三二年二月。
(16) 宮下琢磨「信濃海外協会創立一〇年を迎えて」『海の外』第一一六号、一九三二年二月、四頁。
(17) 桐生悠々「新満洲に於ける信濃村の創造」『海の外』第一一八号、一九三二年四月、二―三頁。
(18) 「満洲愛国信濃村建設運動」『海の外』第一一九号、一九三二年五月、五一頁。
(19) 永田稠「巻頭言　満蒙新国家に待望す」『海の外』第一一九号、一九三二年五月。
(20) 永田稠『満洲移民夜前物語』（力行会、一九四二年）三三八頁。
(21) 満洲愛国信濃村建設の経緯は、前掲『長野県満州開拓史』総編、八七―九三頁による。
(22) 同前書、八七頁
(23) 前掲永田稠『満洲移民夜前物語』。
(24) 梅谷光信編『増補　梅谷光貞略伝』（私家版、一九八五年）八頁。
(25) 永田稠『信州人の海外発展』（日本力行会印刷部、一九七三年）。
(26) 永田鉄山の統制派と皇道派の抗争については川田稔『浜口雄幸と永田鉄山』（講談社選書メチエ、二〇〇九年）、同『昭和陸軍の軌跡―永田鉄山の構想とその分岐』（中公新書、二〇一一年）を参照されたい。永田鉄山と永田稠は同郷で永田鉄山は永田稠の三つ下、永田鉄山と小平権一は諏訪同郷で同年生まれである。永田鉄山の総力戦思想の永田稠、小平権一への影響は残念ながら不明である。三人の満洲建国に関して何らかの思想的交流はあったものと思う。こうして諏訪三人衆は満洲移民と満洲建国を通して行動はクロスすることになる。
(27) 前掲永田稠『信州人の海外発展』一五八頁。
(28) 一九三四年永田稠は梅谷光貞と同時に関東軍嘱託となり特務移民部専属となり満洲移民政策の検討に当たった。この年に永田稠はブラジル移民二五周年に際して拓務大臣より感謝状と銀杯を下賜されている（日本力行会創立百周年記念事業実行委員会記念誌編纂専門委員会編『日本力行会百年の航跡』（日本力行会、一九九七年）年表五一一頁）。ブラジル移民の経験が満洲移民の実施に活かされたのである。

(29) 永田稠「巻頭言　幾人か此信仰に生く?」『海の外』第一二〇号(一九三二年六月)。
(30) 前掲永田稠『満洲移民夜前物語』三四九頁。
(31) 同前書、二三七頁。
(32) 永田稠「満洲愛国信濃村の話」『海の外』第一二二号、一九三二年八月、二―八頁
(33) 同前、五―八頁。
(34) 同前、七―八頁。
(35) 高津生「巻頭言　満洲信濃村の建設」『海の外』第一二二号、一九三二年八月。
(36) 前掲永田稠『満洲移民夜前物語』三三九頁。
(37) 同前書、三四〇頁。
(38) 小平千文「郷党的親睦思想の移植民政策と戦争」『信濃』第四六巻第一二号、一九九四年、九六〇頁。本論文はブラジル移民と満洲移民の連続性を指摘した最初の論文である。
(39) 前掲永田稠『満洲移民夜前物語』三四〇頁。
(40) 永田稠「佳木斯移民に学ぶ」『海の外』第一四九号、一九三四年九月、二―六頁。
(41) 永田稠「満洲移民の一考察」『海の外』第一四七号(内地版第四輯)、一九三四年七月、四―五頁。
(42) 大村清一「所感」『海の外』第一五五号、一九三五年三月、二頁。
(43) 前掲永田稠『満洲移民夜前物語』三頁。
(44) 同前書、六頁。
(45) 同前書、一一―一二頁。
(46) 永田稠『農村人口問題と移植民』農村更生叢書四(日本評論社、一九三三年)。
(47) 同前書、序二、二頁。
(48) 同前書、二三―二四頁。
(49) 同前書、五三頁。
(50) 同前書、九九頁。
(51) 同前書、一〇〇頁。
(52) 同前書、一〇五頁。

(53) 同前書、二一四―二一五頁。
(54) 同前書、一一一頁。
(55) 同前書、二一五頁。
(56) 同前書、二一六頁。
(57) 永田稠「移植民事業更新の機」『海の外』第一五三号（内地版第七輯）、一九三五年一月、二―七頁。
(58) 永田稠「国策移民論」『海の外』第一五六号、一九三五年四月、二頁。
(59) 同前、四―五頁。
(60) 永田稠「剣・算盤・鍬・心」『海の外』第一八九号、一九三八年一月、一四頁。
(61) 神武天皇の建国神話については近年日本神話と近代史の関係について研究が進み一般書も出ている。研究書として古川隆久『建国神話の社会史』（中央公論新社、二〇二〇年）を挙げておきたい。

第七章　満洲武装移民と農村経済更生運動

第一節　武装移民

満洲事変後信濃海外協会の満洲信濃村構想とは別に、関東軍・拓務省が一体となって満洲移民構想が進んでいた。前者が長野県庁と民間中間団体（信濃教育会と力行会）との官民協力路線による移民計画とすれば、後者は軍部（関東軍主導）と拓務・農林官僚との軍官一体路線による移民計画である。関東軍と日本政府は満洲事変による「満洲国建国」で満洲統治と防衛のために人間トーチカ（防衛軍事施設）として日本人移民送出が必要と考えた。その名目は日本の昭和恐慌による窮乏農民の危機救済である。また拓務省は先に述べたように昭和恐慌期の行政整理（現在の行革）で一九三〇年には廃止の寸前となる誕生間もない弱小官庁であり、ブラジル移民も排日運動で行き詰まりを見せるとその生き残り戦略として関東軍と結びついたのである。こうして拓務省も南米移民から次第に満洲移民へ重点を移していった。

これまでの研究で明らかなように満洲事変後関東軍参謀石原莞爾（山形県鶴岡市出身）は関東軍東宮鉄男中佐（群馬県勢多郡出身）と連携し、東宮の意見を入れながら満洲移民計画が進められた。東宮は一九二八年時奉天独立守備隊で張作霖爆殺を実行した人物である。張作霖爆殺後に軍中央にたびたび満洲移民計画を上申していた。その結果満洲国建国後に満洲国軍顧問となり本格的に満洲移民計画を作成する。移民先を反満抗日勢力の優勢な地域、ソ満国境地帯に設定し国民高等学校長で農本主義者加藤完治に日本人移民入植訓練と開拓指導を委任したのである。

ここで注目すべきは満洲移民を発案した満洲事変の首謀者石原莞爾は山形県鶴岡出身で陸軍士官学校へ進むが、のち拓務大臣となる小磯国昭も同郷で山形県新庄藩の子で陸軍士官学校へ進む。そして加藤完治は国民高等学校の前身山形県上山自治講習所で農業移民教育を進めていた。三者とも山形県出身であるか山形県で活動した人物である。とりわけ加藤の影響が山形県を長野県に続く満洲移民送出第二位の移民県にした原因であった[1]。

国策満洲移民に果たした加藤完治の役割は大きい。加藤は小平権一とは東京帝国大学農科大学の同窓で知悉の仲であった。また小平は永田稠とも諏訪同郷の古い仲である。一九二四年アリアンサ移住地建設の下準備で信濃海外協会幹事の永田がブラジルに渡航する時の信州人の送別会で小平は永田を加藤に紹介したという。永田、小平、加藤らの移民問題での交流は一九二〇年代からあった。のちに一九三〇年代に加藤と永田は武装移民をめぐって対立するがそれ以前は農民救済のため海外移民推進で共鳴するところがあったのである。

一九三二年九月には関東軍の東宮鉄男を中心に「満洲移民に関する要綱」（六〇〇〇人案）が決定される。一九三二年一〇月には第一次武装移民として武器の扱いに慣れている在郷軍人会元軍人の中で満洲移民を希望する農民を選択した。彼らを一九三二年度第一次移民として北満三江省永豊鎮に弥栄村、一九三三年度は第二次移民として三江省湖南営の千振村、一九三四年度は第三次移民として北安省の瑞穂村、一九三五年は第四次移民として密山県哈達河に開拓団を送ったのである。それらは沃野を前提にしたものではなく軍事的視点から選ばれたもので反満抗日勢力の優勢な地域で対ソ戦準備のためにソ満国境という最も危険な地帯である。関東軍にとっては「満洲国」防衛と治安維持のために日本人を入植定住させる移民は必要不可欠な課題であったからである。

『海の外』第一三八号（一九三三年一一月）には「希望と光明に輝く満洲第一弥栄村状況」が記事となる[2]。ここでは吉林省佳木斯屯墾第一大隊三中隊長野小隊長高山利政の手紙が掲載されている。高山は東筑摩郡出身の武装移民である。高山は在郷軍人であり予備役少尉であった。高山は『海の外』の手紙の中で、満洲の冬は零下三〇℃で寒いので満洲人用の防寒服を至急送付してほしいとの要求を信濃海外協会宛に送ってきたのである。また入植日の一九三二年一〇月一五日に創立記念日として一年後には伊勢神宮を分祀した弥栄神社の落成式を行うという。『海の外』には在満武装移民の手紙が掲載されて郷土の人たちが状況を知り援護活動に邁進する状況が読み取れる。

一九三二年〜一九三六年の五年間を試験移民期とする。軍事的目的による移民政策の開始である。これを通常の「移民」というにはあまりにも軍事的目的が突出していた。軍事動員ともいうべき移民である。実際の移民対象は満蒙に出動している師団の軍管区である東北・北陸・長野の農民家族である。その結果長野以北の寒冷地に適応しやすい農民で三〇代前半が対象となる。試験移民が終わった後二〇代後半の西日本の農民も入植させるという方針であった。しかも「匪賊」の襲撃に備えるために武装在郷軍人を中心に送る。これは「武装移民」と称される。のちに非武装一般農民を送るための満洲移住が可能かどうかを試験するというものである。満洲関東軍の武力を背景に拓務省が主体となって一九三二年から一九三五年まで四次にわたって武装移民を実施し三〇〇〇人ほどを満洲に送出した。

一九三二年の第一次武装移民弥栄村では、現地ではすでに中国人二〇〇戸が耕作していたが関東軍の武力で一戸五円（一か月分の食費）で追い出す。第一次移民地は関東軍の武力を背景に民有既耕地を含む四万五〇〇〇ヘクタールを取り上げる。現在の横浜市の領域と同じである。第二次武装移民は千振村、弥栄村の三〇キロ南、依蘭県七虎力村は一万ヘクタール買収した。一人二〇町の配分を目標とした。第一次から第五次まで約六〇〇〇人が入植を予定した。しかし実際の入植者は三七五五人であった。目標の半分に過ぎなかった。

一九三二―一九三五年の間に進められた満洲武装移民は、日本人を入植することによる治安維持対策であったが逆に既耕地を強制収用された現地農民の反乱抵抗を招く。彼らは日本から「匪賊」と呼ばれ抗日運動の主体となった。武装移民がますます反乱の標的となったのである。

また国内でも一九三二年から一九三五年までの試験移民・武装移民は、移民に積極的な関東軍、拓務省と消極的な大蔵省、農林省の対立などがあった。対立の背景には大蔵大臣高橋是清の満洲移民反対論、農林省では昭和恐慌対策で国内対策だけで手いっぱいという状況があった。このため政府内の対立により当初の武装移民は小規模なままに留まった。

しかし一九三四年の中国人の抵抗運動である土龍山事件を弾圧した後、関東軍の満洲での治安維持作戦は次第に功を奏し始めた。その後関東軍・拓務省主導の武装移民は一九三三年四月には関東軍「日本人移民実施要綱」の決定、一九三四年一一月二六日―一二月五日まで関東軍の農業移民会議を経て一九三六年五月一一日に満洲一〇〇万戸移民計画が決定される。すなわちこれらの軍部・拓務省主導の満洲移民計画は信濃海外協会や永田稠の力行会の移民運動とは別個に中央政府で展開しており武装移民から一〇〇万戸移民へと関東軍主導の下に強引に押し進められていった。

第二節　長野県の武装移民

ここで長野県の武装移民送出状況について述べておきたい。一九三二年第一次移民弥栄村には三九戸、一九三三年第二次移民千振村には二八戸、一九三四年第三次移民瑞穂村には二七戸が入植した。県では三年間でわずか九四戸である。[3]それも年々減少している。一九三五年第四次移民は土竜山事件の余波か新規入植地でなく第一次―第三次移民の補充移民である。一九三〇年代前半は長野県民にとって満洲移民の条件は整っていなかった。そのためブラジル移民の方に人気があったのである。

武装移民に関する信濃海外協会『海の外』の記事を総目次から見ると『海の外』第一二〇号（一九三二年六月）に「満洲大移民実現に大童の拓務当局」とあるのが最初である。同年に『海の外』第一二三号（一九三二九月）「在郷軍人五百名を北満沃地へ移民―本県から四一人」という記事がありこれに次ぐ。この弥栄村開拓団の記事では四一人と記されているが実際の渡満数は先に述べた三九人である。二人の減少は渡満を断念した者であろう。同じ一二三号には信濃海外協会独自の「満洲愛国信濃村建設」について協会総裁の石垣倉治長野県知事と、政府方針について永井柳太郎拓務大臣がそれぞれ檄を飛ばした記事が掲載されている。[4]拓務省の計画と信濃海外協会の募集が併行している。まさに競合している。このため永田稠の満洲愛国信濃村の方が潰されることを予期させる。

さらに『海の外』第一二四号（一九三二年一〇月）の「第一回武装移民の陣容いよいよ決る」と『海の外』第一二八号（一九三三年二月）の「武装移民団ははち切れるほど元気」は拓務省の第一次武装移民を報じる。この最初の武装移民は際に述べた加藤完治と東宮鉄男が率先指導した弥栄村移民の紹介記事である。

また同年一一月『海の外』第一二五号（一九三二年一一月）の「満洲移民で拓務省対策」、「在満鮮農問題解決案成る」は満洲の中国人と朝鮮人への暴力騒動となった万宝山事件の解決策は朝鮮人農民の「集団部落」であるとした。戦略村というべきもので中国人の襲撃からの防衛手段である。満洲の治安の不安定性は『海の外』からも伝わってくる。

『海の外』第一二六号（一九三二年一二月）の巻頭言では「剣と、資本のみを以て生命線を確保し得らるるものと信ずるが如きは、恐るべきいわゆる認識不足」である、「大地に確乎と根をおろした農業集団地を枢要なる各地点に建設し其処を地盤として民族の発展を策するにあらざれば、遂に満蒙は日本の死線となるに到るであろう」という。(5) この巻頭言は永田稠が書いたものであろう。「剣と資本」でなく「大地に根を下ろした農業集団地を建設」することが大事であると言外に関東軍の武装移民路線を批判しているのである。

同じ『海の外』第一二六号では「楽土のブラジル――頭の豚は四年目から一千円の収益」とあり「明年度伯国移民二万五千余人を認可」との記事が出され満洲だけでなくブラジル渡航者も増加していることが分かる。昭和恐慌の打撃である。巻末には永田稠『満洲愛国信濃村移住地の建設』（信濃海外協会）と「満洲愛国信濃村建設資金募集」の宣伝がなされている。

『海の外』第一二九号（一九三三年三月）には「関東軍特務部の移民部事務開始」が出される。この関東軍特務移民部事務開始は満洲移民において重要な画期である。ここから試験移民から本格的移民への転換の検討が始まるからである。ここでは従来拓務省、朝鮮総督府、軍部、満鉄の各機関が個別に行っていた移民政策を統合することになった。満洲移民の最高決議機関となる。従来の府県の海外協会が独自に動く余地がなくなっていく。しかも関東軍特務部に移民部が設置されてその移民部長には海外移住組合連合会専務理事を追われた梅谷光貞が抜擢される。満洲移民はブラジル移民の経験を梅谷と永田稠から吸収するとによって満洲集団移住を実現していったのである。

『海の外』第一三〇号（一九三三年四月）の「第二次武装移民五百名募集」と武装移民の記事が続く。『海の外』第一三一号（一九三三年五月）では「自衛移民今年も五百名募集」と報じられる。(6) これは第一次では「武装移民」と称していたのが第二次になると「自衛移民」と替えている。五〇〇名募集の内訳は北陸三県に山梨県は四〇人、東北六県に長野県は三〇人、東京府を中心に首都四府県は四〇人である。三〇歳以下の在郷軍人である。東北、関東、北陸である。この理由も第一次武装移民と同じ在満出征兵士の諸県であろう。軍事的論理で決められている。海外移民、満洲移民の熱心さからいえば信濃海外協会が一番であるが関東、北陸の四〇人より一〇人少ない東北の三〇人割り当てでしかない。関東軍が特別に長野県を重視しているわけではない。これに対して信濃海外協会では拓務省に在郷軍人でなく長野県立青年講習所卒業生と上田の産業組合満蒙移住研究会の斡旋する青年の参加を陳情している。(7) しかしこれが認められることはなかった。あくまで条件は在郷軍人である。もはや信濃海外協会が自由に移住者を選定することはできなくなっている。

それに対して『海の外』第一三二号(一九三三年六月)の巻頭言では「郷党的親睦」をタイトルとして信濃海外協会の活動を鼓舞している。拓務省との国策武装移民と長野県独自の満洲愛国信濃村の募金活動は続いていた。しかし農民を送り出してはいない。海外発展事業は気候風土、言語習慣の異なる異境で異民族と接触し「排日の渦中に身を挺して孤軍奮闘を続け、率先千古斧鉞を知らざる原始林」を開拓するには「郷党的親睦の善用」と「地方的結合」を濃厚にし、互いに提携し協力することが必要であると論じている。(8) この号の巻末には「愛国信濃村建設資金募集」を掲載して郡市レベルで信濃海外協会支部での募金活動を呼び掛けている。まだ満洲愛国信濃村建設を放棄したわけではない。信濃海外協会は満洲移民集金組織に転嫁しつつあったとも言える。武装移民は拓務省と関東軍特務部が武装移民の計画と実行責任の主体となり移民の募集も関東軍移民部事務が統括し信濃海外協会が県庁機構を動員して募金活動を展開するスタイルであった。もはや信濃海外協会は関東軍特務部と拓務省の下請機関でしかない。独自の活動が抑えられていく。

『海の外』第一三三号(一九三三年六月)で「南米並に満洲へ新移民方針—拓務省新予算編成へ」とあり久しぶりに南米移民が先となり、次いで満洲の移民新方針が掲載される。南米の移民制限と満洲の集団移民の対比である。『海の外』第一三四号(一九三三年七月)には「佳木斯自衛移民便り」が掲載される。これは第一次武装移民の弥栄村便りである。『海の外』第一三七号(一九三四年一〇月)「満洲国農民は安居楽業を喜ぶ—治安とみに良好」、『海の外』第一三八号（一九三四年一一月）には「希望と光明に輝く満洲第一弥栄村状況―満洲人防寒服送付に添へて」とあり武装移民団の治安が良く希望と光明の未来を宣伝する。これらは『海の外』が満洲武装移民の後援活動として現地弥栄村などの状況を国内家族関係者へ報告するという内容である。しかし実際は異なる。抗日運動は激しくおこなわれ一次の弥栄移民、二次の千振移民は抗日ゲリラに襲撃されていた。しかしそれについて『海の外』の報道は規制されていたのか皆無である。

『海の外』第一三三号（一九三三年八月）「信濃教育会に満洲国の研究室―植民教育に躍進」と『海の外』第一四〇号（一九三四年一月）に「信濃教育会館内に満蒙事情の研究室―就職斡旋の労もとる」が続けて記事となる。[9]信濃教育会が本格的に全県の小学校で「満洲国」の植民教育に乗り出すという。そのために満蒙事情を視察して研究するための研究室設置であるという。目的は満洲人への差別を持たないためで五族協和の実践でもある。もちろん信濃海外協会は信濃教育会が設立当初から深く関係している。しかし今度は県内小学生への直接の植民教育の実施である。さらに信濃教育会は一九三三年には二回中学校と小学校校長を組織して満蒙視察団を送っている。

『海の外』第一五〇号（一九三四年一〇月）には「信濃教育会の移植民教育研究に就て」が記事となる。[10]これによると信濃教育会は大正初期に海外発展教育として学校と男女青年団を通して青年たちに海外移住の奨励運動を行い、満洲、南米、南洋移住する者多数に上ったという。しかしその後信濃教育会自身の植民教育活動は立ち消えになったとしている。大正後期の信濃海外協会の活動は信濃教育会の活動とは認識されていない。それに対して満洲事変以後は信濃教育会が総力を挙げて満洲国の発展を教育の力で協力すること、そのために満蒙研究室を設置することが強調されている。信濃教育会の満洲国建設への協力は満洲国事変以後のことである。これはその後の満蒙開拓青少年義勇軍送出に繋がる動きでもある。この信濃教育会の満洲移民への転換については一九三三年「二・四事件」といわれる長野県教員赤化事件の影響があるという。[11]

『海の外』第一四二号（一九三四年二月）には高山利政「永田幹事の来訪を多謝―佳木斯屯墾第一大隊長野小隊長」と、同年『海の外』第一四七号（一九三四年七月）には永田稠「満洲移民の一考察―合理的移住地の建設」が掲載される。これは永田稠が梅谷光貞とともに弥栄村と千振村開拓地を調査して武装移民を批判する機会となった来訪記事と評論である。この永田の武装移民の視察がのちに関東軍東宮鉄男と激しい論争となる。

『海の外』第一四九号（一九三四年九月）には「第三次満洲特別農業移民」として長野県から二一人が派遣されると報じられている。従来通り茨城県友部の日本国民高等学校の植民講習を受けて「国策遂行の大使命を帯び北満開拓の聖戦に従事す」とある。[12]第一次第二次と比べて長野県の送出数は減少している。

それに続いて『海の外』第一五〇号（一九三四年一〇月）「第三次満洲特別農業移民団の入植地決定」の記事は武装移民第三次瑞穂村建設である。移住地が前と変更となり八月上旬が九月末になったとして長野県人二〇人が渡満することが決定した。第一次、第二次武装移民が現地で襲撃を受けたので第三次は移住地の選定に手間取っている。また『海の外』第一五二号（一九三四年一二月）高山利政「北満開拓の途に一意精進の覚悟」（永豊鎮第一大隊長野小隊長）の記事では土龍山事件後弥栄村建設への覚悟が語られる。このように一九三二年から三四年の『海の外』を見ると武装移民の募集と現地の状況が「移民便り」を通して理解できる。

『海の外』の武装移民の記事で注目すべきは「武装移民の花嫁」の問題である。満洲への男の動員に対して女の動員である。『海の外』第一五一号（一九三四年一一月）の「信州記事」の「武装移民の花嫁二十名渡満―知事司令官の激辞に送られ」が報じられている。「第一次満洲農業武装移民団ではさきに松本連隊区司令部及び本県当局に宛花嫁候補を募ってくれるよう申込んであったが左記花嫁が正式に確定し夫君を助けて大いに満洲の野で活躍することになった」とある。[13]花嫁二〇人が県庁に集合して知事と松本連隊区司令官から激励の言葉を受けて長野駅から東京の拓務省を訪問し伊勢神宮に参拝してから神戸、大連、奉天、ハルビン、佳木斯へ向かった。氏名が掲載されている。下伊那では龍江村の長沼正平は河野村の丸岡正子が妻とされている。このように同郡から花嫁をもらう人もいれば他郡の花嫁もいる。県庁と連隊区の斡旋によるお見合いだから県内で調整しているようだ。花嫁の斡旋はアジア・太平洋戦争敗戦直前まで続けられる（後述）。

佳木斯の武装移民第一次の弥栄村と第二次に千振村移民が入植して一年ほどたった一九三三年九月から永田稠が

関東軍特務部の命令でこれらの移住地経営を視察する

『海の外』第一四二号（一九三四年二月）で永田稠「満洲移住地について」を書いている。ここでは「佳木斯の移住地は色々の無理がありますがその中でも土地の選定を誤ったことが一つの大きな要因でありましょう」と断言し「今後の建設せらるべき移住地はどうしても交通と農産物の販路について何等顧慮のない場所を定めなければならない」と主張している。(14) これは関東軍、拓務省が進めてきた武装移民の土地選定に真っ向から批判するものであった。これが永田と梅谷光貞のその後の運命を決する移住地視察となる。

このような関東軍主導の佳木斯集団移民への批判は『海の外』第一四二号（一九三四年二月）の飯島徹「満洲視察日記と感想」にも見られる。「内地人を満洲移民せしむるにあたり武装移民の如き方法によることはあまり香ばしくない。何となれば国家よりあまり保護を加えることは移民の依頼心を増長させ、且つ支那人と親しむ精神が少く兎角国威を笠に着て威張り散らしたくなる」。「故に日本人のみの集団的移民より支那人をも交えて相互して進むかあるいは都市付近又は従来の農村に単独入植するの方法によるがよいと思う」と述べている。(15)

この武装移民批判をした下飯島徹は更級郡農学校移植民科担当教諭である。満洲の移住地、農場、農事試験場を歩き回っての結論である。永田稠とほぼ同じ結論である。武装集団移民ではなく従来通りの都市近郊農村に入植するか奥地の農村に単独入植する道である。とくに飯島が懸念するのは「異人種の相和して進むためには国際人としての理解と同情との訓練を必要とする」、「差別して喜ぶ様な人であってはならぬ」と忠告している。まさにその通りのことがその後の満洲移民で起きるのである。更級農学校移植民科教諭には軍部主導の武装移民を批判する理性的な人物がいたことが分かる。それを『海の外』に載せることができる余地が一九三四年初頭まではあったのである。

以上のように満洲国建国初期の信濃海外協会独自の「愛国満洲信濃村」の建設と挫折、関東軍・拓務省主導の武装移民の開始と長野県主導の満洲開国信濃村構想との競合について述べてきた。また『海の外』の記事からもブラジル移民から満洲移民へと転換し、関東軍・拓務省と長野県信濃海外協会との競合が分かった。

以上拓務省の武装移民と長野県海外協会の満洲愛国信濃村建設をめぐる齟齬が浮かび上がってきたわけである。そこで節を改めて信濃海外協会を先導してきた永田稠と関東軍の東宮鉄男との対立の内容について述べておきたい。

第三節　関東軍の永田稠批判

一九三三年一一月、匪賊の襲撃の中で満洲試験移民期に退団者が続出して困難に直面した満洲移民に対して、梅谷光貞の関東軍移民部が入植地―弥栄村を視察した。その時にブラジル移民の長野県指導者永田稠も関東軍移民部嘱託として参加する。先に述べた信濃海外協会愛国信濃村建設計画での長野県人会依頼の満洲視察に次ぎ二回目の満洲移民視察である。

永田稠は梅谷光貞部長の依頼で一九三三年一〇月一四日から二二日の一週間、第一次弥栄移民団・第二次千振移民団を視察し、のちに「屯懇移住地視察報告」を提出している[16]。

永田稠の視察報告書はブラジル移民の体験を通して得た移住の理想と満洲移民のギャップを見事に明らかにしている。以下報告書を分析して四点にまとめる。

①日本の権威者を集めたのにもかかわらず、土地の測量、土地の所得、移住者の宿泊所、衛生施設をなんら準備せずに一気に五〇〇人を入植させる暴挙は世界の移住計画に例を見ない。

②生産物の流通、移住民の経済的自立を軽視することは移住民を苦境に追い込む。都市から遠く離れた交通不便は移民の致命傷である。移住地はハルビン近郊がふさわしい。

③満洲人九〇戸を強制退去させた。かれらは家を失い、耕地を離れ、直ちに生活の脅威に直面する。移住者が匪賊より脅威を受けた原因である。満洲人を小作、使用人として使い、生産物と労賃を与え暮らせるようにせよ。日本民族は先住者を排除しなければ移住地の建設はできないのか。「王道楽土」とは世界の人類をみな日本人とすることなのか。

④移民は農業移民の開拓であるにもかかわらず、強いて武装警備に当たらしめたるは、移住者に多大の犠牲を要求し非常な無理をしている。二兎を追うものは一兎を得ずだ。

以上の永田稠の満洲移民への具体的な苦言の対象は軍部より拓務省に向けられたものである。結論として永田はかつて「軍部以外のものが満洲において移住地の経営をなさんとすることは殆ど不可能の状態であったにも拘らず、これを軍部の経営に委せて拓務省自身がこれを実行したるは事情やむを得ざるものありしとはいえども、まさにその出発点において無理があったものと考える」としている。

名目的に「軍部機関の支援」に感謝するが満洲開拓を立案した拓務省の移民政策の不備に批判の鉾先が向いていた。この時関東軍嘱託となっていた永田稠には直接、満洲を支配する軍部・関東軍への批判意識はそれほどなかった。自らは関東軍に報告書を提出してから軍部の批判を受け失脚するとは思ってもいなかったのであろう。関東軍の東宮鉄男と加藤完治の満洲移民の進め方とブラジル移民経験を経ての永田の違いは大きかったのである。

なお永田稠は満洲への「朝鮮集団部落の建設」を関東軍移民部に提出している。永田の朝鮮人への関心は日露戦争で朝鮮軍に召集された経験からかなり深いものがあった。永田は満洲に来る前に朝鮮も力行会の星野米蔵の案内で視察していた。満洲には日本植民地化以後、北部朝鮮から多数の朝鮮人移民が国境を越えて満洲に渡っている。永田はこの満洲に移住した朝鮮人について「集団部落」を建設することを具申する。その報告書を関東軍移民部に出している[17]。

ここでは地方治安維持の一策として満洲の朝鮮人移民を「匪賊」から救済するために集団部落の建設を提言したのである。これはのちに関東軍の朝鮮人移民対策に取り入れられる。中国人「匪賊」の反抗を抑えるための満洲国における朝鮮人集団部落へと発展する。関東軍の満洲の治安維持を前提にした朝鮮人自衛部落の建設が目的である。永田稠の思想には天皇と日本軍に対する信頼感が存在した。日露戦争に二二歳で従軍した体験は強烈で日本軍への信頼は以来強固であったと思われる。

この永田稠の視察報告に対して一九四三年一月二七日付で激しい反論を書いたのは東宮鉄男である。第一次移民の弥栄開拓団、第二次移民の千振開拓団を指導したのは関東軍の東宮と農本主義教育者加藤完治である。その批判は激烈である[18]。

①「南米移民と満洲移民との間に全然別個の国策及び実状が存在するのを知らずして総ては南米移民を基礎として批判している」

②「移民営利会社の如きを策せんとする野心家が感情を挟みてあら探し式視察をなしたる如くにも見ゆ」

③「本移民に対する最も認識深き東宮鉄男少佐、中村孝二郎技師、加藤完治嘱託、山崎芳雄指導員、宗光彦指導員、小野少佐、さらに移民中死しても去らずと決心せる黙々と働きつつある青年等と会わず、秘密式に移民地に入り不平分子と多く接触せるものの如し」

以上から東宮鉄男は結論的に次のように述べる。「満洲移民は南米経済移民にあらずして日本の建設なり」、「支那人を小作に使うという精神力が日本人にはない」、「都市近郊の土地買収は金儲け根性」、「帝国百年の移民国策を立案するに当たり鉄道沿線の猫額的土地に幻惑され新日本建設前衛の移民地に文句をつける輩は国賊というべし」と反論した。こうして、満洲移民を推進した関東軍東宮鉄男は永田稠を「人道王道を振り回する大和民族の大陸進出を妨害する国賊なり」と罵倒する。これに対して永田は「新日本建設の前に満洲移民も総力からの援助なくしては滅亡する様にては、これぞ計画実行したるものは責任なき愛国者ならずや。況や最も忠実熱心なる支援をなさむがために苦言を呈する者に「文句を言う輩」と見る目はそれ自体において盲目にあらずや」と反批判を書き込んでいる。この結果、その一年後永田は関東軍移民部を部長の梅谷光貞とともに追放される。追放の理由は基本的にはブラジル・アリアンサ移民の経験から経済合理的移民論による関東軍の武装移民への批判であったが、副次的には永田がキリスト教教育者であり当時の官学偏重の学歴主義が関係していたという[19]。

以上、永田稠の「屯墾移住地視察報告」と東宮鉄男「屯墾移住地視察報告の誤れる点」のそれぞれの批判、反論をまとめてみた。ここには初期満洲移民をめぐる根本的対立が浮き彫りになっている。

東宮鉄男・加藤完治ラインと梅谷光貞・永田稠ラインの対立である。東宮の大和民族のアジア大陸進出のための軍事的満洲移民論と永田のブラジル移民をモデルとした経済合理性にもとづく満洲経済移民論の対立と言える。東宮は日本の勢力圏とした満洲国を維持するためにソ満国境警備を目的としたもので辺境でも耐えられる自給畑作水田経営を中心とする自営家族農民（自給自足経済）を理想とし、永田は蔬菜園芸と中心とする市場経済を前提とした都市近郊型企業者的農業（新京向け市場経済）を理想とした対立である。すなわち満洲型軍事移民論（東宮鉄男）とブラジル型経済移民論（永田稠）の対立であり、本質的には非合理的軍事優先主義と合理的経済優先主義の対立である。まさに水と油の対立である。これによって永田は関東軍から追放されるのである。

第四節　農村経済更生運動

次に武装移民を推進した関東軍と拓務省に対して農林省の動向を見ておきたい。一九二七年の人口食糧問題調査会以来内務省と農林省は海外移民奨励政策を検討してきた。それが海外移住組合法でありブラジル移民であった。さらに一九二九年の世界大恐慌の発生は昭和恐慌として日本農村を深刻な不況に巻き込んでいった。そこで農林省が打ち出した農村救済政策が農村経済更生運動であった。しかしここでは農林省は満洲移民とは距離を置いている。そこで視点を農政に視点を変えて国内在地農村の動向と農村経済更生運動の展開を満洲移民との関係で考えてみたい。[20]

昭和農業恐慌による農村危機の進行は国家権力による従来の左翼農民運動の弾圧と右翼農民運動の台頭を引き起こし五・一五事件、二・二六事件の社会的背景となる。こうした当時「革新」を叫ぶ右翼社会運動と軍部クーデターを背景に国家改造を伴う総力戦は軍部と革新官僚を主要アクターとして国民の政治的思想的自由を抹殺するファシズム・全体主義国家を作り上げていった。

ここで日本ファシズムの用語を否定する議論もあるので私が「ファシズム」を規定する含意を説明しておきたい。「ファシズム」とは一般的にも使われ『広辞苑』（第二版、岩波書店、一九六九年）では狭義にはイタリアのムッソリーニのファシスト党の運動と政治体制を指すが、広義には「第一次世界大戦後世界の資本主義体制が危機に陥ってからイタリア、ドイツ、日本、南米諸国、東欧諸国の資本主義諸国に広がった全体主義的、権威主義的で、対外的には侵略政策をとることを特色として一党専制の形をとり国粋思想を宣伝する」と規定している。その意味で日本もファシズム国家に入る。

すなわちファシズムとは国内的には全体主義的、権威主義的であり対外的には侵略政策をとるものとしている。一党専制とは具体的には国民、民衆の政治的無権利状態を指す。無権利の最大の現れは議会機能の否定であり機能不全であり、それを通して特定個人・特定集団の独裁形態を意味する。つまりファシズムは思想、運動、体制の三段階を通して展開する。日本ではファシズム体制は一九四〇年の翼賛体制で、すべての政党は解散して大政翼賛会に入ることを強制されて一応成立する。事実上の一国一党制である。日本での戦時下議会は、閉鎖されてはいないが翼賛議会として機能不全となる。

ファシズムは通常の自由、平等、功利の資本主義国家と異なり、資本主義が村落共同体を解体してバラバラの個人を生み出していくその反動として、個人主義、自由主義、さらに民主主義までも否定するファシズム運動を生み出した。こうして個人主義に対抗して国家主義が広がり、自由主義と民主主義を否定する権威主義、全体主義と規定されるファシズムが広がっていった[21]。

ファシズムの条件の第一は一九一七年ロシア革命の衝撃である。ファシズムは資本主義を打倒したロシア革命に対する畏怖であり、ソ連とコミンテルンによる世界革命への対抗のための反共産主義、反社会主義の運動である。

日本では一九二五年の普通選挙法と同時に施行された治安維持法による国体（天皇制）の変革と私有財産制の否定は取締り対象となった。さらに一九二八年には国体の変革、すなわち天皇制の打倒を掲げる共産党員に対しては死刑とされた。また私的所有の否定は資本主義の根底を否定するものであり資本家は震え上がった。その結果、日本はファシズムの典型といわれるドイツ・ナチスと同様に強烈な共産党弾圧が行われた。さらに弾圧は共産主義から穏健な社会主義、自由主義まで広がり社会の自立的社会運動すべてを抑圧する全体主義までにひろがった。

第二の条件は世界恐慌である。恐慌は資本主義の危機を表現するとともに民衆生活の破綻でもある。民衆の窮乏がファシズム台頭の条件である。一九二九年のアメリカ初の大恐慌がヨーロッパ、日本から全世界に広がる。企業倒産により数百万人の失業者と農村窮乏が引き起こされた。その結果現状打破を求める革新運動が軍部青年将校による五・一五事件と二・二六事件を引き起された。民衆の生存の危機がファシズムを生んだのである。

民衆をファシズムに引き付けるには革新性が必要である。そのため革命、改造、革新、改革がいつの時代でも民衆を政治統合するプロパガンダとして使われる。社会主義革命や社会主義思想に対抗するためには日本では国家改造、昭和維新、革新、五カ年計画、経済統制（利潤統制、米穀統制、小作料統制など）のような革新性がもてはやされたのである。

第三の条件は総力戦である。資本主義の危機と民衆の危機をそらすため対外戦争によって解決しようとしたのである。国内の矛盾を国外に転嫁したのである。その場合に国民を統合する最強の手段は第一次世界大戦で生まれた総力戦の思想である。国民総動員こそがファシズムの実現形態であった。国家の生存をかけた戦争に反対する者は非国民とされたのである。民衆の画一的支配は全体主義の政治体制を生む。さらにナチスのゲルマン民族、日本の大和民族など極端なナショナリズムが広がり、それは生存権思想として東亜新秩序、大東亜共栄圏の思想を生んだ。

以上のように一九三〇年代から四〇年代の日本はまさにファシズムの三条件、ロシア革命、大恐慌、総力戦のもとにファシズムへ移行したのである[22]。

ファシズムは共産主義を拒絶するとともに近代化、資本主義化に対する反動でもあった。日本では第一次世界大戦後には一部の農本主義者は資本主義に都市と農村の格差を批判した。昭和恐慌期の農村救済請願運動から五・一五事件の思想的背景となった権藤成卿は資本主義を批判して原始・古代の共同体社会への回帰を唱え無政府主義に接近した。二・二六事件の思想的背景となった北一輝は資本主義批判を批判して国家改造を唱える昭和維新の理論家となった。彼の思想は「純正社会主義」という国家社会主義である。さらにアジア・太平洋戦争期には京都大学の学者を中心にした京都学派が登場し明治以来の西欧資本主義の模倣を批判し日本の近代化の歪みを批判する「近代の超克」を唱えた。ファシズムは単なる復古の思想や運動ではない。資本主義の批判の思想として二〇世紀の近代から現代への転換の時代に起きた固有の思想と運動と体制である。ファシズム概念の乱用はできない。

ここで一九三二年の救農議会の開催から農林省農村経済更生運動を引き出した農村救済請願運動について具体的に長野県での関係を述べておきたい[23]。

一九二〇年代から一九三〇年代の不況の時代に活発となった従来の日本農民組合の指導する小作争議など左翼農民運動が一九三一年九月の満洲事変以後右傾化し一九三三年には権力による組織的な弾圧により壊滅的打撃を受ける。そして一九三三年を転換点に農民運動は急激に右翼国家主義的に転換する。その転換点に位置するのが一九三二年の農村救済請願運動であった。

長野県の農村請願運動は全国のトップを切る。長野の和合恒男は茨城愛郷塾の橘孝三郎とともに日本農民協会に結集していた。日本農民協会は農民自治を掲げる農本主義、反国家のアナーキズム、国家救済を求める国家主義が混在した組織である。昭和恐慌と満洲事変の衝撃を受けて一九三一年九月から日本農民協会の長野県東筑摩郡出身の農本主義者和合はアナーキズム的農本主義者権藤成卿（福岡県久留米市出身）を思想的指導者として、長野朗を在地の組織者として中信の松本市周辺から東信の小県の農民を中心に活発な運動を展開していた。ここは一九二〇年代左翼農民運動の盛んな土地であり、それらの運動はその対抗でもあった。

五・一五事件以降日本農民協会の運動は急進化し、和合恒男らの日本農民協会は一九三二年には臨時救農議会に向けて新たに自治農民協議会を結成、橘孝三郎とともに全国的に救農請願運動を展開し五万人の署名を集めたという。その請願項目は①農家負債三か年据え置き、②肥料反当一円補助、③満蒙移住費五〇〇〇万円補助の三つを掲げた。負債据え置きや肥料費補助は恐慌下の農民要求として当然だとしても、ここに三大項目の一つとして満蒙移住が入るところに自治農民協議会の国家主義への傾斜を見ることができる。ここから農民運動の一部は従来のマルクス主義の左翼農民運動から離れて、急激に国家主義に傾斜してファッショ運動と一体化していく。農民協議会の茨城支部の橘の指導の農民たちは海軍青年将校とともに五・一五事件に参加する。この農民請願運動の原動力が長野県と茨城県であることは注意したい。一九三二年の長野県農民の議会請願運動が政府を救農議会へと動かしていった。救農請願運動に対応して負債整理と農家経営改善では農林省の農村経済更生運動、満洲移住に関しては拓務省の武装移民が一九三二年から実施に移されていった。しかしこの段階では農林省の農村経済更生運動と拓務省の満洲移民は結びついてはいなかった。

また先に述べたように長野県の教員が満洲移民に協力する大きな転機となったのは一九三三年二月四日の「教員赤化事件」(二・四事件)による弾圧が大きいという。昭和恐慌でとくに養蚕に特化していた長野県農民の窮乏は激しく、昭和初頭の教員はマルクス主義の影響で社会主義思想に社会変革の希望や現状打破の夢を託したのである。それを特高(警視庁特別高等警察)が治安維持法で一気に弾圧したのが二・四事件である。そのため信濃教育会を先頭として長野県教員はその苦境を逃れるために満洲移民に協力したという。左翼運動から右翼運動への転向を権力に弁明するためであった。

一九三三年は日本ファシズムの思想統制の画期であり全国的に大規模な農民運動弾圧が起きている。一九三三年を以て組織的な左翼運動もほぼ息の根を止められている。まさに農村経済更生運動と武装移民が始まる時であった。武装移民には長野県人も多く参加していった。もちろん一九二〇年代からブラジル移民に信濃教育会では左翼農民運動への対抗も含めて窮乏農民の救済の一つとして海外発展主義を唱える国粋主義教師が信濃海外協会を通して運動していた。それは左翼小作争議の激発を恐れたためとも言えよう。この動きが満洲移民に連続するのである。

大正期の一九二六年にピークに達する大小作争議と呼ばれる大正期小作争議は一九一八米騒動を契機に急増し第一次世界大戦後の一九二〇年戦後恐慌を画期として本格化する。[24] 大正デモクラシーの波及により寄生地主制の矛盾が顕在化しとくに不在大地主に対する小作人の高率小作料搾取への不満から減免、さらには小作人の地主に対する人格権承認の要求を掲げおもに中農層を担い手として小作争議が激発した。この一九二〇年代の大正期小作争議が信濃海外協会を生む背景となり、一九二七年海外移住組合法の制定を通してブラジル移民の急増を引き起こす背景となった。

それに対して昭和期の小作争議は一九二九年一〇月アメリカで発生した大恐慌により一九三〇年に始まる。米価・

繭価の急落により窮乏農民が激増して農村危機が始まる。

昭和恐慌後の昭和小作争議は主に中小地主・耕作地主の土地取上げ争議として展開する。大正期の争議が中農層を担い手とする人格解放的でデモクラシーの前向きの明るさを持っていたの対して、昭和期の小作争議は中小地主・耕作地主の経営危機から小作地の引揚げよる地主自作化、それに抵抗する貧窮化する小作人、すなわち中小地主の危機とともに中農の没落と貧農の生存危機が合体する。まさに中小地主・耕作地主を担い手とする村落指導部と没落する中農と生存の限界を超える貧農との村落内部の互いに生活を掛けた深刻な争議となった。争議の深刻さでいえば大正期小作争議より昭和小作争議の方であった。これが追い詰められた貧農の満洲移民送出に結びつくのであった。

一九三二年拓務省管轄で武装移民開始されると同時に農林省管轄で新たに農山村経済更生計画が樹立される。農村経済更生運動とも呼ばれる。[25]これは昭和農業恐慌による米価・繭価の暴落による農村窮乏と小作争議の激発による村落共同体分解の危機、さらには窮乏農民の娘の身売りという深刻な社会危機に対する救農政策であった。その主要な対策は農民の自発性を上から喚起して自力更生によって農村危機を乗り切ろうとする官製国民運動である。当初は財政的補助をほとんど伴わない自力更生であり安上がり農政ともいわれた。

農村経済更生運動には前史がある。日露戦争後農村危機が叫ばれるとともに政府は農村再建、難村復興を唱える国民運動が提唱する。そのたびに江戸から明治初期の勤倹力行の二宮尊徳、金原明善が思い出され、農村復興事業が内務省、農林省、文部省を所轄官庁として進められた。明治期においては日露戦後の地方改良運動がそれであり、大正期の民力涵養運動、そして昭和期において農村経済更生運動として展開した。これら国民運動は地方役場、農会、産業組合を指導機関として末端の在郷軍人会、青年団、婦人会などの社会団体を動員し、最終的には村落共同体を動員して行政を末端まで浸透させようとした。このような官僚主導による地域国民運動は近代日本の地方支配において独特のものであった。[26]

昭和恐慌による社会危機は一九三一年九月満洲事変、一九三二年五・一五事件での海軍青年将校による犬養毅首相の暗殺、そして一九三二年の農村救済請願運動の高揚により政府は一九三二年六、八月に連続的に救農議会を開催して農村危機に正面から向き合うこととなった。その結果農林省は農村経済更生運動の提起に至るのである。

五・一五事件による犬養首相暗殺により政党内閣制は崩壊しすぐさま一九三二年五月に元朝鮮総督で海軍大将斎藤実が新首相となる。斎藤内閣は非常時内閣ともよばれ新官僚といわれた内務官僚後藤文夫が異例なことに農林大臣に抜擢される[27]。これは農村の社会危機に対応する治安維持のためであり農林省は内務省と一体となって農村危機への対応を迫られたのである。

一九三〇年代の斎藤実内閣は大正デモクラシーから昭和ファシズムへの転換期に位置する。経済史としては近代資本主義から現代資本主義へ、または一九世紀資本主義から二〇世紀資本主義への転換期に位置すると言える。すなわち従来の資本の自由主義のもたらした失業問題などの矛盾に対して財政金融政策を通して国家権力が恒常的介入する体制への移行である。いわゆるケインズ主義の登場である。それはアメリカのニューディール政策とドイツ、日本の国家権力主導の統制経済の二つの類型がある。国家目標が福祉型か軍事型かの差異である。ともに財政的には国家による有効需要創設政策による失業問題の解決、国際収支のアンバランスを金融為替政策による貿易資本統制によって克服しようとした。この新たな資本主義のシステムが自民族中心主義を引き起こし、世界を地域分割するブロック経済に帰結し最終的には第二次世界大戦に繋がったのである。

斎藤内閣の独自の財政再策を進めた高橋是清蔵相は「日本のケインズ」と呼ばれる。高橋は一九世紀資本主義の世界経済の基礎であった金本位制から離脱して国債の日本銀行引受で大規模な財政散布による公共土木事業を展開した。しかし目的は失業救済の救農政策であったが効果は十分ではなく、結局は軍事的有効需要創設に向かう。福祉型ではなく軍事型ケインズ主義である。

満洲移民は経済史的にはこの転換期に起きている。だが高橋蔵相は自己青年期のアメリカ留学での奴隷体験から か満洲移民には積極的でなかった。高橋蔵相アメリカのみならず満洲移民に対しても反対であり財政的余力はないとして軍部・拓務省の満洲移民助成最小限に留めていた。それゆえ高橋が蔵相を務めていた一九三六年、二・二六事件で暗殺されるまでは満洲移民の大蔵省の協力は得られなかったのである。満洲移民への財政補助拡大は高橋蔵相死後である。金本位制から離脱し国債増発で自由に財政散布が可能になった一九三〇年代の経済システムに転換したからこそ満洲移民が可能になったと言える。

斎藤内閣は一九三二年から疲弊する農村に対する時局匡救事業としての大規模な財政的補助による救農土木事業と一体で進めた[28]。救農土木事業は現在の公共事業による失業救済政策と同じで窮乏農民のための労賃補助を目的としていた。時局匡救事業にはまた農林省予算による用水路、農道の新設・改良だけでなく内務省予算による町村道の新設・改良事業が含まれる。こうして実際にも救農事業は内務官僚後藤文夫のもと農林省と内務省が一体となって進められたのである。

農林省では後藤文夫農林大臣の下に農林次官に石黒忠篤を抜擢し経済更生部を新設して初代経済更生部長として小平権一が就任し農村の再編策を実行する。

小平権一（1884－1976年）

石黒忠篤と小平権一も後藤文夫と同じく政党政派と関係なく帝国大学卒の学歴エリート官僚として抜擢され、五・一五事件以後に新体制に対応する新官僚と呼ばれた。一九三〇年代の昭和恐慌に直面すると彼らは一九三二年農村経済更生計画を樹立する。農村の産業組合を中心として計画的組織的刷新である。しかしこの計画は小作法や小作組合法など農村の根本的改革にはほど遠く、農村の産業組合（戦後農協の前身）の普及には貢献したが満洲事変から総力戦と国策に対応する農民の精神動員運動となり最終的には食糧増産運動に帰結していった。結局、農林官僚の昭和恐慌に対する永久的農村再建策として打ち出された農村経済更生計画は地主制という農村社会の根本的問題の解決策である農地改革を回避したことにより、農村の社会的矛盾は解決されずに、逆にその矛盾を利用して軍部と官僚を中心とした支配層がアジア侵略を合理化しファシズム＝全体主義を構築する結果となったのである。

実際に石黒忠篤と小平権一は非常時の元で軍部が台頭するなかで、新官僚から総力戦体制とファシズムの進展に対応するため農村の抜本的再編成を進める革新官僚に転身していった[29]。実際にその後この二人が農村更生と満洲移民を結合して本格的な満洲一〇〇戸移民政策の実行に深く関わるのである。

石黒忠篤は『海の外』第二〇七号（一九三九年七月）で「日本農村の現状」を寄稿している。これはラジオ放送での講演を『海の外』に転載したもので「［海外の］在留同胞がいかに執拗かつ悪質なデマ宣伝に悩まされ故国の農村問題に心痛されつつある」かということに対する回答であった[30]。

石黒忠篤は農村更生協会長として、第一に食糧供給の不安はない、第二に農村は戦場と工場に多数の人を送り込む巨大な人工貯水池である。「農民的家族農業」が強大な兵士と食糧を供出し国家の安定を支えている、第三に世界農業恐慌の余波は農村経済更生運動により農村経済は好転し勤倹貯蓄により産業組合貯金は激増している、第四に農村は東亜新秩序に建設の堅実な一歩をすすめた。それが「各地の農民および農村青少年の北満に移住して無人の野を開拓し、平和の農業を以て彼地の諸民族と真の協和を日常の生活に実現している」というものである。石黒は世界と日本全体の農業の動きを見定めながら東亜新秩序の一環として満洲移民を積極的に位置づけている。

石黒忠篤は一八八四年生まれで、小平権一と同年同月生まれで六日若い。しかし小平は学士入学しているので農商務省では石黒が二年ほど上になる。この二人は大正から昭和農政を指導する盟友であった。ちなみに永田稠は石黒、小平より二つ上である。

満洲事変の一九三一年農林次官となった石黒忠篤は一九三四年定年で自ら農林省の外郭団体農村更生協会を設置してその会長に就任して小平権一の農村更生を補佐し、一九三六年満洲移住協会設立でも理事となり満洲移民を積極的に補佐した。八岳修練農場は石黒と小平が建設したものである。その後産業組合中央金庫理事長を経て一九四〇年第一次近衛内閣の農林大臣となり、一九四五年終戦内閣となる鈴木貫太郎内閣の農商大臣となる。このように昭和期に石黒忠篤農政と呼ばれる一時代を作る。この石黒農政の下で小平に続いて井野碩哉、松村謙三、東畑四郎が抜擢され戦時総力戦体制を支える革新官僚が育っていく。彼らは戦時農政から農地改革まで農林行政をリードしていく。昭和恐慌で台頭した革新官僚たちが戦時から戦後改革までの日本農政をリードしていくのである。

とくに小平権一は石黒忠篤次官の下で経済更生部長に就任すると、一〇月六日にすぐさま「農山漁村経済更生計画に関する農林省訓令」を発令して農村経済更生運動開始の号令をかける。こうして農林省では自力更生を基本とする指定町村ごとの農山村経済更生計画の樹立が求められた。この農村経済更生運動では農村中心人物・中堅人物を中核に集落の「隣保共助の精神」の活用によって産業組合の新設刷新を図り農山漁村経済全般の計画的組織的整備を進めるとしたのである(31)。

以上のように石黒忠篤、小平権一、井野碩哉を先頭とする農林省の新官僚が農村更生とともに満洲移民に深く関与することで満洲移民が実現したとも言える。信濃海外協会も小川のような伝統的国粋主義者、古典的帝国主義者だけでなく昭和恐慌後の日本農村の後進性を根本的に革新しようとした新官僚の存在も大きい。彼ら新官僚は農林省、農村更生協会、満洲移住協会を拠点にして農林省傘下の行政システムを満洲移民に動員していたのである。この満洲移民の革新性は東京帝大の那須皓と京都帝大の橋本伝左衛門ら農政学者を巻き込んで、満洲移民の知的ブレインとして農業適正規模論をテコに満洲移民政策を形成していったのである。

【図2】から農村経済更生運動の行政指導組織図が分かる。農林省経済更生委員会―県経済更生委員会―町村経済更生委員会を政府、県庁、市町村と更生委員会を縦断的に組織して、その下に町村役場、産業組合(現在の農業協同組合)、農会、森林組合、漁業組合、畜産組合などの産業団体が組織され、さらに学校、青年団、処女会、主婦会、その他教化団体が組織された。さらにその下部組織として農事実行組合が組織され、最終的に農家・漁家・山家に指導が達する。完全に上意下達の官僚統制組織である。

すなわち、農林省が自ら省内に経済更生委員会を組織して新設の農林省経済更生部長に就任した長野県諏訪出身の農林官僚小平権一が政府委員長になり、県庁と市町村の経済更生委員会を指導するというものである。これは滋賀県の事例であるがどこも同じである。山形県では経済更生委員会を経済振興委員会と呼称していた。

【図２】農村経済更生運動の指導組織

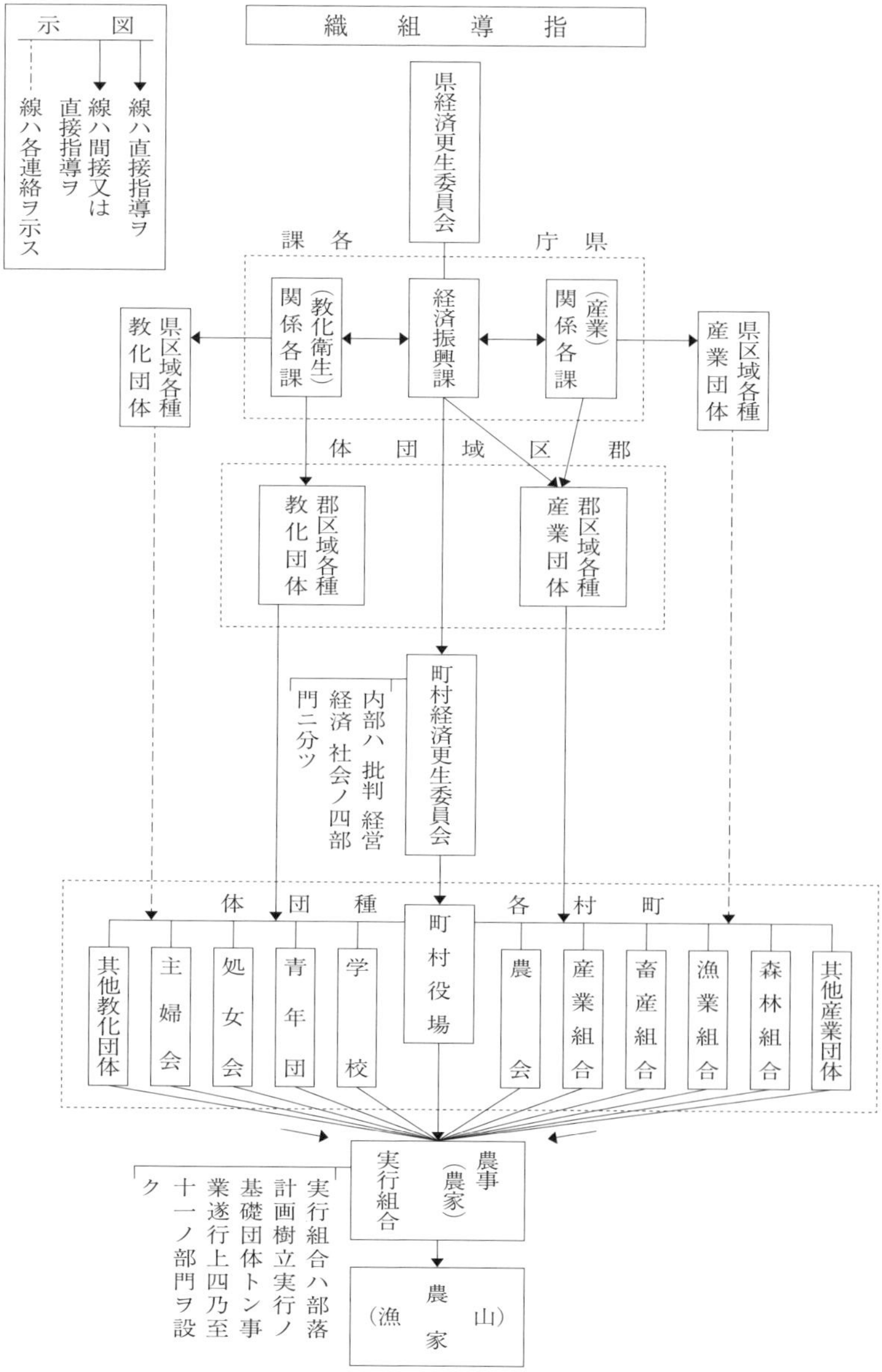

（出典）農林省経済更生部編「農山村経済更生計画施設概要　滋賀県」（武田勉・楠本雅弘編『農山漁村経済更生運動資料集成』Ⅳ柏書房、一九八五年、四九九頁）より作成。

農村経済更生運動で注目すべきは町村経済更生委員会が横並びの役場、産業組合、学校、青年団、処女会、主婦会という社会団体を指導することである。町村経済更生委員会の下にはその他教化団体が置かれるが、その一つとして在郷軍人会が入ることが多い。民衆に軍人精神を注入するためである。農村経済更生運動は農林省だけの政策ではなかった。当時の農林大臣は内務省官僚である後藤文夫であったので、府県庁を統制していた内務省は当然ながら協力した。またそれまで教化団体を指導していた文部省、在郷軍人会を統制して陸海軍省・軍部も農村経済更生運動に関係したのである。

農林省小平権一の命令のもとに役場から産業団体、教化団体、青年団体、婦人団体、在郷軍人会が指導統制に従うのである。すさまじい農林省の独裁的な農村再編の権限である。

農村経済更生運動は農林省と府県庁が毎年経済更生市町村を指定していく。農村更生計画は農林省の指導の下にひな形が作られてその通りに市町村で経済更生計画が作られた。それぞれが村の実情を調査することが前提であるが、村の更生計画自体は役人が作るのでどこの市町村も同じようなものになりがちであった。しかし町村によっては人物がいれば昭和恐慌対策として独自の村づくりを進めたところもあった。こうして小平権一は昭和恐慌の「難村復興」を農村経済更生運動にかけたのである。

この時モデルとされたのは江戸時代の二宮尊徳の報徳精神であった。これは明治末の内務省の地方改良運動から伝統的な難村復興の国民運動の手段である。報徳社など村の協同組合組織がモデルでもあった。しかし更生運動は決して旧慣墨守ではない。総力戦体制に即応する新たな農村再編成の段階となった。産業組合の全国的整備が完成するのは農村経済更生運動の成果である。これは戦後農業協同組合の基盤となるもので江戸時代の再生ではない。

このような農村経済更生運動による産業組合拡充計画を冷ややかな目で見ていた元農政官僚がいた。柳田国男である。もちろん日本民俗学の創始者である。彼は東京帝国大学で農政学を学んで一九〇〇年に卒業し農商務省に入省した。農政官僚として産業組合論と中堅農民論を中心に、いかに農村の貧困を克服するかを目標にしたエリート官僚であった。石黒忠篤・小平権一の九年先輩である。しかし柳田は数年にして農商務省に幻滅して農商務省を去り一人で民俗学を創始していく。その柳田が一九三〇年代に雑誌『産業組合』に産業組合拡充運動を批判する論文を発表している。「農村生活と産業組合」（『産業組合』第三三六号、一九三三年一〇月）である。柳田の古巣農林省への批判は手厳しい。

柳田国男によると、産業組合というのは本来個人主義の産物であり一人一人の人物の人格と自由な意思を尊重する社会運動である。ところが現在の産業組合運動はそれとは正反対で自我を殺し少数の人間のみ光り輝いている。また近世の結の本旨にも反する。昔は指図者はあっても指揮者はなかった。付和雷同や一人のものの高圧的な差配はなく対等な自治が存在した。現在の産業組合運動は組合という個人主義を尊重する社会運動が代表主義と英雄崇拝主義という古い主義になり盛大を為しているだけである。現在の組合制度の発達は優れた少数の人間の献身的な寄与と国家と府県からの非常に大きな補助に基づいて盛んになったにすぎない、と批判したのである。つまり政府の呼びかける自力更生は本物ではないというのである。産業組合という社会運動が個人を無視して上からのエリートによる代表主義となっている。現在の農村社会運動が英雄崇拝主義＝独裁主義となっているとして官製国民運動としての農村経済更生運動・産業組合運動を批判したのである。ここには満洲事変以後に進む農村ファシズムに対する柳田のひそかな抵抗を読み取ることができよう[32]。

農村経済更生運動は農林省の指導の下に国民運動として展開しその際に四本柱と呼ばれる町村役場、産業組合、農会、学校を中心に農村の再編を進めた[33]。役場は政府の農村再編計画の伝達組織であり、産業組合と農会は農民の経済的組織化を進めることによって農村の従来の米穀商、肥料商など旧来の地主勢力と結びついた農村経済に支配者を排除して新しい農村秩序を作り上げていった。学校は小学校、高等小学校、青年学校を中心に青年団、処女会と連携して農村再建の四本柱の一つを担った。その中心は学校の教師である。また町村経済更生委員会には学校代表として必ず小学校の校長が入った。また町村経済更生委員会には必ず僧侶・神官が入る。村の有力指導者はすべて経済更生委員会に組織されたのである。すさまじい農村の革新と組織化である。一九三〇年代農政は復古思想ではなく革新的装いを以て旧来の地主制秩序を内部から掘り崩す役割を秘めていた。こうして昭和恐慌を契機として作られた組織が戦時の日本農村社会を担っていくことになる。

第五節　農村更生と満洲移民の結合

満洲移民開始後の満洲武装移民期の四年間は農林省の農村経済更生運動では満洲移民を農村再建の手段として積極的に取り組んでいない。その原因は農林省が農村の再編成に重点を置いており海外移民を考慮しなかったためである。農村経済更生計画に満洲移民を入れなかった根本的な原因は、国内の地主勢力の抵抗が議会を通じて強固に存在していたことが大きい。満洲移民で土地を持たない小作人が満洲に流出し小作地で耕作放棄し、小作人を再募集するにも小作料を軽減しなければ小作人がいなくなることを恐れたのである。地主制は農村の過剰人口に支えられていたのである。このことは満洲移民を進める村でつねに大地主、とくに不在不耕作地主（寄生地主）は困惑したのである。(34)

これに対して非常時から戦時に村落指導層として新たに台頭する耕作地主はその矛盾が比較的少なく小作人が満洲に移住した後の耕地を拡大経営する可能性もあったため満洲移民に積極的になり得た。このように武装移民期の満洲移民政策は議会で有力大地主の反対が多いため農村救済策としては農林省では検討されず、もっぱら拓務省で扱うことになったのである。そのためこの時期の農林省の農村経済更生運動はひたすら自力更生が謳われ大規模な財政的投下が必要な満洲移民は採用されないのである。これが転換して農林省が満洲移民を本格的に取り組むのは一九三六年の農村更生特別助成事業からであった。すなわち満洲一〇〇万戸移民計画の段階からは財政的裏付けを以て農林省と拓務省が一体となって満洲移民をおし進めるのである。

満洲移民も農村更生であり窮乏農村の救済策となったのである。満洲移民の募集でも農村経済更生運動で作り上げられた農村更生のための動員機構が使われた。移民募集、送出の役場行政は農村経済更生運動で上意下達の命令機構として作り上げられた町村経済更生委員となった名望家、校長、神官、僧侶など有力者、さらに在郷軍人会、青年団、婦人会などの社会団体、そして農村経済更生運動が最も重視したのは隣保共助（郷党的親睦親睦）を絆とする町村末端の村落共同体を利用して行われた。また四本柱の一つである教化部を統率する学校は満洲移民の動員機構として役割を果たす。信濃教育会が典型であるが満蒙開拓義勇軍の送出に学校教員の果たした役割は大きい。

また小平権一は永田稠とも諏訪同郷の古い仲である。一九二四年アリアンサ建設で信濃海外協会幹事の永田がブラジルに渡航する時に信州人五〇―六〇名の送別会を開き、そこで小平は永田を山形県自治講習所の加藤完治に紹介したという[35]。この時加藤は「朝鮮と南米方面に移民活動を展開する」と言ったようだ。まだ満洲は視野に入っていなかった。小平はブラジル移民と農村経済更生運動と満洲移民を結びつける歴史的役割を果したと言えよう。更生運動の経験が満洲移民に持ち込まれた所以である。

こうして昭和恐慌を契機として一九三二年に開始された農村経済更生運動は戦前日本農村の構造転換をおし進める重要な政策となった。

昭和恐慌による農村危機は農村の全階層に及ぶ。それまで村の政治を担っていたそれまでの寄生地主といわれた居村に不在で不耕作の大地主層の権威を揺るがせ、新たな在村耕作地主層が村落支配者へと進出していく。彼ら耕作地主は恐慌による経営危機のなかで小作争議の矢面に立っていた。なぜなら彼らは経営危機を脱するためにそれまで小作人に貸した小作地を取り上げ、自らの自作地を拡大しようとしたからある。これが恐慌下の一九三五年に戦前最大の小作争議を記録する背景であった。また租税負担では地主兼自作＝耕作地主が収入の一〇％、自作八％、自小作三％、小作一％で耕作地主が一番重い[36]。このため中小地主と耕作地主の没落が続いた。

また同時に昭和恐慌はそれまで村落の安定的中産階級であった自作農中堅を動揺させ彼らは急激に右傾化する。彼らは国家に依存して自己の救済を願い国家改造の思想に共鳴する。こうして彼らも右翼社会運動に傾斜していく。一九二〇年代の左翼農民運動を支えた自小作中農層は恐慌のなかで分解して左翼から離反していく。村落下層の貧農、農村雑業層（農村プロレタリアート）は危機に翻弄されて生活は完全に破壊されてその農村危機の矛盾を一身に受け止め、借金棒引き闘争など最後の左翼農民運動に立ち上がる。しかしそれも国家の弾圧で抑え込まれるとその矛盾は対外転嫁され満洲移民へと駆り立てられたのである。

こうして耕作地主、自作農中堅、自小作中農の中間層の危機のエネルギーを国家が利用して農村更生の担い手に上から再編していった。これが昭和恐慌下の農村経済更生運動を下から支えるエージェントになっていった。社会は大きく左から右に揺れたのである。

農村経済更生運動は農村経済更生指定農村として毎年全国の各県各郡内で数か町村を指定して一九四〇年ごろまでには全国の八割が指定された。とくに重視したのは全町村に産業組合を設置してその下部組織として各集落に農事実行組合を設置することであった。農村の経済的組織化の徹底である。小平権一の思想には協同組合主義があったのである。

先ほどから述べているように、一九三二年以降農村経済更生運動では満洲移民は農林省所管と拓務省所管で分離されており、所轄官庁ごとにバラバラに実施されていた。農林省は地主の意向を受けてまだこの時点では満洲移民に消極的であり国内農村の再建に集中していたのである。

だが関東軍と拓務省は満洲事変後に満洲移民推進に舵を切っていく。一九三二年満洲武装移民が始まると拓務省と一体になって加藤完治は農林省次官の石黒忠篤と経済更生部長の小平権一に圧力をかけて一九三四年九月に財団法人農村更生協会を設立した。これは農村更生のための農民の教育機関であり、加藤の要求する開拓精神と拓植教育を政府の事業として進めるものであった。満洲移民の準備のためでもある。会長には次官を退官した石黒が就任する。小平は石黒とともに理事に就任する。

一九三六年一一月に農村指導訓練所を満洲開拓と国内開拓のために新規に設立する。満洲一〇〇万戸移民と同じ時期である。これによって農林省は本格的に満洲移民に乗り出した。

農村経済更生運動は一九三六年以降国内の自力更生から大規模な補助金で国内農村更生を進め、同時に農村更生と満洲移民を結合して一体化させた。それは農村更生特別助成事業として大規模な町村への財政投資を行ったからである。(37) 自力更生政策の転換であり補助金農政の展開である。もちろん補助金が投下されるのは更生指定村のなかでも特定の町村であり特別助成指定村となる必要があった。それ以外は従来の自力更生である。

この特別助成事業はそれまでの補助金行政は全く異なる。それは村落に農村更生に熱意のある指導的人物、即ち農村中心人物が存在することが条件であるとしたのである。過去現在を通して国家助成に人物の人格を条件とする異例の事業であった。当時農村経済更生運動を進める帝国農会は「農村中心人物」を次のように規定する。

「農村更生も所詮は人的要素の問題に帰する。その一は全町村民の魂の置き所の問題即ち全村民の和と気力の問題である。その二は全村民渇仰尊敬の的となりその人格と実行力によって全村民の注意を一定目標に集中せしめてよくこれを統制し得る中心的人物の存在の問題である」[38]。

農村中心人物とは「全村民渇仰尊敬の的で人格と実行力」を有する農村更生の村内指導者である。これを農林省では全国的に調べて特別助成村を指定して一村当たりほぼ一万円という当時としては巨額の補助金を特定の町村に投入したのである[39]。そのため農林省では全国隅々まで農村中心人物が存在するかを調査した。そこで作成されたのが農林省経済更生部『農村経済更生特別助成村に於ける中心人物及び其の活動状況調査』（一九三五年八月）である。これを見ると一九三二年から農村更生指定村を中心岩手から沖縄まで全国二〇県を調査し、そのなかで県に一村一人を選び出して農村中心人物としてその人物像を明らかにしている。

長野県では一九三二年最初に経済更生指定村となった小県郡浦里村の宮下周が注目される。宮下周は村長、農会長、産業組合長を兼ねる八面六臂に活躍をした農村更生の模範人物である[40]。

このように地域の人物を一人一人調査してそのような人物の存在によって補助金を与えることは明治以来の官庁の補助金支出の条件としてはあり得ないことであった。これには各省も驚いたという。現在の農政でも無いことである。人物に予算を付けることは恣意的選定に流れ行政の合理性と相いれないからである。このような農政は「岐阜県小作争議調査復命書」を書いた経済更生部長小平権一なくしてあり得なかったであろう[41]。農村再建には人物が必要であるという小平の斬新さが新官僚と呼ばれる所以である。

小平権一の「農村再建には人物が必要である」という主張は永田稠も同じである。前出の『海の外』第一五六号（一九三五年四月）の永田稠「国策移民論」では「満洲移民の全責任を背負ふて立つ人が中心にならねばハカが行くものではない」として「満洲拓殖会社設立委員長」を設けることを主張する。新設の満洲拓植会社委員長が満洲移民の全権を掌握して関東軍、陸軍省、拓務省の協力得るものとした。さらに「日本の隅々から真に満洲移民実行の衝に当り得る人物を発見するであろう。……移民事業の如きは諸般の事業中特に中心人物の如何によって成敗が決せらるる」と述べている(42)。

ここでの「日本の隅々から満洲移民実行の衝に当たる中心人物」が小平の求める「農村中心人物」であることは当然想定される。移民の成否は人物如何であるとの理解は農林省新官僚小平に通じていたのである。

しかし永田の期待する移民政策の満洲国の中心人物は、一九三五年一二月に創立された満洲拓植株式会社委員長として就任した満洲国民生部大臣で中国人であった、しかも委員長の背後には関東軍参謀長が委員として就いた。委員長は関東軍の傀儡に過ぎなかったのである(43)。

満洲移民はヒトの問題とカネの問題であった。カネの面では特別助成制度の指定を受けた村は農林省補助金として一―四万円以上を貰っている。現在の金額に換算するために日雇賃金基準で倍率を考えると四二〇〇―八四〇〇万円ぐらいであろうか。その資金を農村更生費用として農村共同施設建設や産業組合整備資金などに使用した。また特別助成で農村再生の手段として満洲移民を組み込むと、満洲に移民し離村した人たちの土地や生産手段を母村の人たちが経営規模拡大や母村再生のために再利用した。農村経済更生運動は母村の経営再建のためにもその金銭的魅力も大きかった。補助金獲得による農村の更生が満洲移民を条件として推進される構図である。まさに農村更生と満洲移民が具体的に補助金を通して結びついた画期であった。これが満洲移民政策として上からの下層民送出の原動力となる。

宮下周について次のように言及されている「経済更生運動の如く全村民の協力に依る全村民の協力に依る全村民運動達成上には名実共に中堅的な指導者が絶対に必要である。幸いにして氏は全村民の声望を一身に集めて居る為に氏の発意は直ちに全村民の受け容るるところとなった」と述べ、業績として「一二三の農事実行組合の設置、其の共同作業場の建設、浦里川の改修、各種試験場の施設、飼う主催主演の設置、自給肥料の造成、桑園整理改植、七

○台の製縄機、農産物の販売統制、その他の精神的訓練」を挙げている。そして「その実績すこぶる見るべきものの多いのは、村長の不断の努力と全人格が滲み出る徳望に依るものである」と結んでいる(44)。

これは昭和版二宮尊徳である。江戸時代小田原藩の農民二宮尊徳は勤倹力行で農村の立て直しに成功し難村復興の偉人とたたえられた。まさに宮下周はそのような偉人として農林省から選ばれたのである。このような昭和の二宮尊徳を全国に作り出す模範として農村中心人物が県内から一人選ばれて農林省はそれをモデルとしてその様な人物を全国で生み育て農村経済更生運動の指導的人物にしようというのであった。その下に農村中堅人物養成として主に中農層を対象として満洲移民と戦時体制に即応する国体イデオロギーを身に付けると同時に簿記に明るく農業経営を合理的に設計できる人物を養成しようとした。そのため農林省では全国に農民道場といわれるものを作ったのである。

農村更生協会の設立した一九三六年の農村指導訓練所を発展させたのが一九三八年四月八ヶ岳中央修練農場（現在の八ヶ岳中央農業実践大学校）である。農民道場とも呼ばれた。初代場長は石黒忠篤元農林大臣と小平権一理事である。これが農村中堅人物を養成する中央機関となる。当然満洲移民教育も進められた。各県でも修練農場が設置される。長野県では御牧ケ原修練農場が作られる。

農村経済更生運動は産業組合作りも熱心であったがイデオロギーを注入する人づくりも熱心であった。経済運動であり精神運動でもあった。この人づくりは国体イデオロギーの教化団体と連携しており天皇制臣民として忠実であることが条件であった。教化指導は文部省が中心となった。教化運動とは国体イデオロギーを前提に思想善導と日本精神を国民に徹底するもので、教化団体だけでなく、在郷軍人会、消防組、青年団、婦人会などを動員した。一九二〇年代の左翼農民運動を弾圧の上に農村経済更生運動が展開したことを忘れてはいけない。単なる経済更生でなかったのである。

また一九三〇年代から戦時下の農村社会ではこれまで名望家として国政・地方政治を支配していた大地主でなくその下の在村中小地主（耕作地主）が勢力を強める。彼らが官製国民運動であった農村経済更生運動の過程で農村の新たな「中心人物」として戦時農村から満洲移民政策の指導者として登場する。また従来農業生産力の担当者であった在村耕作地主と自作農に加えて一九二〇年代から成長しつつある自小作中農が新たな生産力担当層として登場し、政府は農村経済更生運動の過程で彼らを「中堅人物」として掌握しようとする。耕作地主と自作・自小作中農層による農村中間層が農村社会で大きな影響力を発揮するのである。戦時下にこれら新たに台頭した「中心人物」・「中堅人物」が農村更生の中心となり、さらに満洲移民の中心的担い手になって農村の過剰人口解決策として満洲移民を実践していく。とりわけ下層貧民を満洲に送り出すことで内地に適正農家を作り出し農村更生を完成させようとしたのである。

一九三九年一二月に農林省農村経済更生委員会は農林計画委員会となった。農村更生が農林計画と変わる。即ち総力戦体制の下で生産力拡充計画の一環として食糧増産が至上命題となるのである。恐慌脱出はこの頃には軍需景気で好況に代わっていた。都市へ農業労働力が流出して農村は労力不足となり食糧生産が危うくなり始めていた。一九三九年には朝鮮に旱魃が起こり朝鮮からのコメ移入が難しくなっていたのである。また農村更生から農林計画の転換は、農村が農林と変わったことも重要である。総力戦の軍需品として木材が重視されものである。山村の意味が政府に注目されたのである。すなわち一九三九年になると農村経済更生運動は変質した。また一九四〇年には満洲国では満洲開拓基本要綱が実施される。そして一九四〇年から満洲移民は満洲開拓と呼称を変えた。満洲移民は政策としては使われずに満洲開拓が主目的となった。内地農民の救済ではなく満洲での耕地開拓、食糧増産へと目的を変えていった。

さらに一九四一年末にアジア・太平洋戦争が開始されると食糧増産が至上命題となり内地では適正規模論が強調され一九四二年一一月の閣議決定で標準農村設置運動が提起されて一九四三年から農村経済更生運動は皇国農村確立運動へ引き継がれていった(45)。

皇国農村確立運動とは適正規模論により農業生産力の担い手となる中堅自作農民を作ることを目標にしたもので標準農村設定運動とも呼ばれる。食糧増産のために生産力基盤が弱い小作人ではなく自作農による農業経営が推進された。その結果小作農を温存してきた地主制は批判の対象となったのである。自作農創設は大正末から始まり小作争議対策であったが、微温的で地主制の改革にはほとんど役に立たなかった。皇国農村確立は膨大な小作人を抱える地主制と対立する面を持っていたのである。また皇国農村では自作農創設事業だけでなく農村経済更生運動の精神主義的な性格もさらに強化され修練農場の活用、すなわち農民道場ともいわれる道府県修練農場で「農村中堅人物」を養成することが強調された、戦時期になると軍部の意向で強靭な兵士は自作農から生まれる。「自作農中堅が大和民族の中核である」という軍国イデオロギーにより自作農創設が強化されるのである。自作農は生産力だけでなく国体イデオロギーの担い手としても期待された。それゆえに標準農村でなく皇国農村確立運動と呼ばれたのである。これによって従来の地主制の衰退は決定的となった。それゆえ国内で適正規模の自作農を創設し農村の中堅とするためには小作人の満洲移民が絶対に必要となったのである。それは皇国農村確立運動は満洲移民を合理化する役割を果たすことにもなったのである。昭和期の石黒忠篤農林大臣・小平権一農村経済更生部長を引き継いだ戦時下の農林大臣井野碩哉はまさに皇国農村のために満洲移民を推進したのである。

注

（1）山形県の満洲移民と加藤完治の関係については森武麿「満洲移民―帝国の裾野」（歴史科学協議会編『歴史が動く時―人間とその時代』青木書店、二〇〇一年）の庄内大和村移民の事例を見てほしい。

（2）高山利政「満洲第一弥栄村状況」『海の外』第一三八号、一九三三年一一月、二四―二七頁。

（3）「満州移民の生活と悲劇」『長野県政史』第二巻（一九七二年）五七一頁。

（4）信濃海外協会総裁石倉倉治「満洲愛国信濃村建設に就て」『海の外』第一二三号、一九三二年九月、二頁、拓務大臣永井柳太郎「開拓精神を喚起せよ」『海の外』同号、三頁―四頁。

（5）芳水生「巻頭言」『海の外』第一二六号、一九三二年一二月。

（6）「自衛移民今年も五百名募集」『海の外』第一三一号、一九三三年五月、三六頁。

（7）「満洲自衛移民に一般青年の入植陳情」『海の外』第一三一号、一九三三年五月、三六頁。

（8）「信濃教育会に満洲国の研究室―植民地教育に躍進『海の外』第一三三号、一九三三年八月、二六頁、「信濃教育会館内に満蒙事情の研究室―就職斡旋の労もとる」『海の外』第一四〇号、一九三四年一月、三一頁。
（9）「巻頭言　郷党的親睦」『海の外』第一三二号、一九三三年六月。
（10）「信濃教育会の移植民教育研究について」『海の外』第一五〇号、一九三四年一〇月、四二―四三頁。
（11）長野県歴史教育者協会編『満蒙開拓青少年義勇軍と信濃教育会』（大月書店、二〇〇〇年）の第四章第二節「二・四事件と信濃教育会」を参照されたい。
（12）「第三次満洲特別農業移民」『海の外』第一四九号、一九三四年九月、二二―二三頁。
（13）「武装移民の花嫁二十名渡満―知事司令官の激辞に送られ」『海の外』第一五一号、一九三四年一一月、二七頁。
（14）永田稠「満洲移住地に就いて」『海の外』第一四二号、一九三四年二月、三頁。
（15）飯島徹「満洲視察日記と感想」『海の外』第一四二号、一九三四年二月、八―一四頁。
（16）永田稠「屯墾移住地視察報告」（永田稠編『満洲移民参考資料』第六巻日本力行会所蔵）。この報告書はNHKスペシャル「満州移民はこうして始まった」（二〇〇六年八月一一日放映）で取り上げられた。東宮鉄男と永田稠の対立を描いた名作ドキュメントである。
（17）永田稠「朝鮮集団部落の建設」前掲『満洲移民参考資料』第六巻。
（18）参謀本部第二部発表「屯懇移住地視察報告の誤れる点」一九三四年一月二七日、前掲『満州移民参考資料』第六巻。これを書いたのは東宮鉄男少佐である。
（19）日本力行会創立百周年記念事業実行委員会記念誌編纂専門委員会編『日本力行会百年の航跡』（日本力行会、一九九七年）二二〇頁。
（20）昭和農業恐慌から農民運動の衰退、右翼農民運動の台頭、農村経済更生運動と農村再編については森武麿「農村の危機の進行」（歴史学研究会・日本史研究会編『講座日本歴史』第一〇巻（近代4）、東京大学出版会、一九八五年）を見てほしい。
（21）全体主義に関してはハンナ・アーレント『全体主義の起源』（原書一九五一年、みすず書房全三巻、一九七二年）がある。アーレントは全体主義を、ナチズムを主な対象としながらもソ連スターリン体制も含めている。このためアメリカでは全体主義はおもにソ連社会主義に対して使用される。日本でも一九八九年東欧革命と一九九一年ソ連崩壊でソ連社会主義の内実が明らかになりソ連が全体主義的であることは明らかである。しかしファシズムはソ連、東欧、中国、ベトナム、北朝鮮なこの既存社会主義とは異なる資本主義の危機への対処である。二〇世紀社会主義国家をふくめて、イタリア、ドイツ、日本、東欧諸国、南米諸国のファッショ的な政治体制をどう規定するのか、ファシズム、全体主義、権威主義の概念の再検討が必要であろう。

(22) 日本ファシズム論に関しては丸山眞男「超国家主義の論理と心理」、「日本ファシズムと思想と運動」『現代政治の思想と行動』(未来社、一九六四年所収)が古典である。安部博純『日本ファシズム研究序説』(未来社、一九七三年、新版一九九五年)、山口定『ファシズム』(有斐閣、一九七九年)を推奨したい。

(23) 農村救済請願運動については安田常雄「第三章第二節　ファシズム的農民運動―自治農民協会」(『日本ファシズムと民衆運動―長野県農村のおける歴史的実態を通して』レンガ書房新社、一九七九年)、長原豊「第一章　一九三二年の農村救済請願運動の特質」(『天皇制国家と農民』日本経済評論社、一九八九年)を参照してほしい。

(24) 農村経済更生運動の研究では森芳三『昭和初期の経済更生運動と農村計画』(東北大学出版会、一九九八年)、森武麿『戦時日本農村社会の研究』(東京大学出版会、一九九九年)がある。

(25) 大正期大小作争議、昭和小作争議および戦後農地改革の連続は、西田美昭『近代日本農民運動史研究』(東京大学出版会、一九九七年)を参照されたい。

(26) 官製国民運動の研究は丸山眞男の村落共同体再編論に基づく石田雄『近代日本政治構造の研究』(未来社、一九五六年)を嚆矢とする。

(27) 「新官僚」という用語は朝日新聞データベースによると一九三四年五月一二日が最初という。五・一五事件以来の政党の転落に乗じ強勢となった官僚、新興勢力として結成された新官僚派であり農林省の役人がこの有力メンバーだという。とくに農林省が進めた産業組合運動で最初に使われたという。中村宗悦『評伝後藤文夫』(日本経済評論社、二〇〇八年)一五七頁を参照されたい。

(28) 救農政策については加瀬和俊『戦前日本の失業対策』(日本経済評論社、一九九八年)を参照してほしい。

(29) 革新官僚とは一般的には五・一五事件以後に政党政治から離れて官僚の専門化が進み、一九三七年日中争後の企画院以後の総力戦体制に対応する戦時官僚を意味する。若月剛史「行政国家と「革新官僚」」(鈴木淳・山口輝臣・沼尻晃伸編『日本史の現在　近現代①』山川出版、二〇二四年)を参照されたい。農林省では農村危機の鋭さから昭和恐慌後にすでに農村の計画的組織的刷新が五カ年計画で実行された。産業組合拡充五カ年年画である。ソ連スターリンの五カ年計画の四年後、石原莞爾が参謀本部課長として重要産業五カ年計画を立案した三年前である。一九三三年の米穀統制法も「統制」という法律用語も最も早い。恐慌脱出を目標とする農村経済更生運動を実行した中心的な農林官僚は戦時下に新官僚からさらに進んで革新官僚に深化したと言えよう。

(30) 石黒忠篤「日本農村の現状」『海の外』第二〇七号、一九三九年七月、一―四頁。

(31) 農村経済更生運動の意味については森武麿「日本ファシズムの形成と農村経済更生運動」(『歴史学研究』一九七一年度歴史学研究会大会報告別冊号、一九七一年一二月、前掲森武麿『戦時日本農村社会の研究』第一章に所収)で述べている。私は一九二〇年代に地主制と戦いながら台頭する自小作中農層の昭和恐慌による挫折と農村更生の活動に注目した。政府農林省は彼らの中から国家に忠誠を誓う「農村中堅人物」を全国的に養成してファシズムと総力戦体制に対応する農村再編を目指したとした。これが農村経済更生運動をファシズム形成との関係で「農村中堅人物」を位置づけた最初の論文であると考えている。

(32) 柳田国男の官製産業組合運動批判については森武麿『戦間期の日本農村社会―農民運動と産業組合』(日本経済評論社、二〇〇五年)の「柳田国男と産業組合拡充運動」一九一―一九四頁を見てほしい。

(33) 農村経済更生運動の四本柱として役場、農会、産業組合、学校を指摘したのは楠本雅弘「解説農村経済更生運動について」楠本雅弘編『農山漁村経済更生運動と小平権一』(不二出版、一九八三年)である。

(34) 大地主の満洲移民への反対、耕作地主の村落指導層への台頭と中堅人物として中堅農民(自作・自小作中農)の社会進出については私の諸論文で書いているが、満洲移民では日本三大移民村山形県庄内大和村を対象とした「満州移民―帝国の裾野」(前掲『歴史が動く時』所収)を参照されたい。

(35) 前掲「長野県の大正期海外移民」『長野県満州開拓史』総論、六五頁。

(36) 「農家の租税負担―地主兼自作が一番重い」『海の外』第一三九号、一九三三年一二月、三五頁。

(37) 農村更生特別助成事業については拙稿「第四章　農村経済更生特別助成事業の展開」(前掲森武麿『戦時日本農村社会の研究』)を参照されたい。

(38) 帝国農会編『農村更生と中心人物』(帝国農会、一九三五年三月)、一頁。

(39) 大門正克「名望家秩序の変貌」(『日本近現代史三　現代社会への転形』岩波書店、一九九三年)が中心人物について具体的に論じている。

(40) 宮下周の農村経済更生運動については中村政則「経済更生運動と農村統合―長野県小県郡浦里村の場合」(東京大学社会科学研究所編『ファシズム期の国家と社会　小恐慌』東京大学社会科学研究所、一九七八年)を参照されたい。

(41) 農村経済特別助成事業の中心人物重視と補助金投入の意義について初めて指摘したのは農村経済更生運動に関係した農林官僚を丹念に聞き取りした楠本雅弘であった。楠本の仕事は前掲『農村経済更生運動と小平権一』を参照してほしい。

(42) 永田稠「国策移民論」『海の外』第一五六号、一九三五年四月、六頁。

（43）君島和彦「満州農業移民関係官営機関の設立過程と活動状況」満州移民史研究会編『日本帝国主義下の満州移民』（龍渓書舎、一九七六年）一五〇―一五一頁。

（44）「長野県小県郡浦里村経済更生運動中心人物」（農林省経済更生部『農村経済更生特別助成事業に於ける中心人物と其の活動状況』一九三五年）所収。その他、前掲『農村更生と中心人物』で同じように農村中心人物を全国七県から一人選んで紹介している。

（45）農村経済更生運動から皇国農村確立運動へ、そして戦後自作農体制への展開は、森武麿「戦時・戦後農村の変容」（岩波講座『日本歴史』近現代四、岩波書店、二〇一五年）を参照してほしい。

第八章　満洲一〇〇万戸移民

第一節　満洲一〇〇万戸移民構想

一九三七年以降の満洲一〇〇万戸移民計画に見られる「本格的満洲移民の時代」を一九四〇年の満洲開拓基本要綱実施で二つに時期区分する。前半を満洲移民の拡大期として、後半を満洲移民の衰退期と区分する。第八章では一九三七年から一九四〇年までの満洲移民の拡大期について『海の外』の集団移民の記事を中心に論じる。

満洲国建国直後の一九三二年四月に梅谷光貞と永田稠は陸軍省嘱託となっている。関東軍は満洲移民の具体的な実施ではブラジル移民の豊富な経験を持つ梅谷・永田の能力を必要としていた。さらに一九三三年二月一三日に関東軍特務部内に移民部が設置される。関東軍参謀部、特務部、満洲国大使館、拓務省、朝鮮総督府、関東庁を統一して日本人移民事業の統制指導機関とした。

この関東軍移民部こそ、その後の満洲一〇〇万戸移民計画策定の震源地となる。「関東軍移民部は満洲移民を生み出す母体」といわれるほどである(1)。この関東軍特務部の移民部に梅谷光貞は移民部長として就任し永田稠は移民部幹事として梅谷の補佐役となった。ブラジル移民の梅谷・永田コンビが満洲移民で復活したのである。

『海の外』第一一七号（一九三三年一月）では「満蒙移民の父として―梅谷本会顧問赴任」の記事が出る。満洲移民の父は現在では東宮鉄男であるが、信濃海外協会では梅谷光貞を「満蒙移民の父」と呼んでいる。長野県の満蒙移民における梅谷評価として注目しておくべきであろう。

一九三三年一〇月に第一次武装移民団が難局にあると知り、その打開のために梅谷光貞移民部長と永田稠嘱託は東亜勧業新京出張所長を伴って北満農村を視察に向かった。その際に関東軍哈爾浜部隊司令官姫路第一〇師団長広瀬寿助中将を訪ねた。「先に拓務省の誰やらが来て移民の話をして行ったがあのようなこまいことで話にならない。

君等は僕に三〇〇万円ほど持ってこんか、そうすれば僕は東部線とウスリー松花江の三角地帯を全部買収してやる」、「僕は広島生まれで広島は移民県じゃ、したがって移民の価値を知っている。君らの子弟を満洲で死なしたが、僕は、満洲に広大な土地買うて来た、あそこへ行って働けば日本の次三男も立派に暮らして行けよう、と広島県民に言いたい」と言われたという。(2)

また広瀬寿助師団長は「黒龍江から松花江の中間の土地を皆んな取れ、そうすれば次三男の新建国が出来る。第一〇師団は移民用地取得に極力協力する。俺は広島県出身だから移民の事はわかるよ」と梅谷光貞と永田稠に述べている。(3)

そこで永田稠は梅谷光貞に向かって「三〇〇万円調達して広瀬閣下にお願い致そう」と話したと回顧している。その直後の一九三三年一〇月三一日移民部長梅谷光貞は関東軍第一〇師団参謀長、東亜勧業社長、拓務省官吏、満洲国官吏を集めて移民用地買収会議を開き、ハルビン部隊司令官の北満土地買収計画が承認された。買収期限は一九三四年三月末である。わずか半年での土地買収であり、あまりの軍依存の強硬策であり杜撰さが際立つ。買収資金は満鉄からの融資で五〇〇万円である。会議では満洲国日系官吏が反対したが、最後は関東軍参謀長の一喝で決定した。こうして満洲国の密山県、樺川県、依蘭県、勃利県の北満の開拓地一〇〇万町歩の土地購入を決定し、一九三四年一月の北満の参謀長依命通牒で第一〇師団が動き二か月で大量土地買収を実施した。(4)軍の力で「剣の移民」を実施したのである。この過程で一九三九年三月に土地を取られた満洲の農民たちが反乱を起こす土龍山事件が起きている。

『海の外』第一四一号（内地版第二輯、一九三四年一月）に関東軍特務部移民部長梅谷光貞が「満洲国に対する日本移民に就きて」を書いている。(5)

「満洲移民は大和民族大陸進出の中枢を形造り、対満政策の基調となり、大陸政策の根幹をなす」という。ここでは特別移民は在郷軍人と普通移民の二つを挙げて特別移民が普通移民の介在を待つものとしている。特別移民が想定しているのは武装移民で第一次の佳木斯移民（弥栄村と千振村）である。その他の普通移民、自由移民としてハルビン近郊の日本農村計画が考えられている。これが永田稠・信濃海外協会による満洲愛国信濃村の建設予定地である。その他移住適地は日本と満洲間を連絡する鉄道沿線であった。さらに工業移民、漁業移民も考慮している。そして満洲国へ「支那人」農業移住を制限することも提言している。このように梅谷は特殊移民と普通移民・自由移民を区別して両立して満洲移民構想を考えていたのである。武装移民とブラジル自由移民の折衷である。これが関東軍と永田の厳しい対立のなかで梅谷の地位を危うくしていくことは前章で論じた通りである。

さらに一九三四年一一月二六日から一二月五日に関東軍特務部「対満農業移民会議」で本格的な移民計画が決定される。一一日間の会議の結果「満洲農業移民根本方策」の策定である。[6] この一九三四年末の関東軍主導の対満農業移民会議が一〇〇万戸移民計画の重要な転換点となる。後のちまで「関東軍満洲移民大会議」と呼ばれる重要会議であった。この会議の委員長は関東軍特務部長西尾寿造であり、委員は内地から国民高等学校長加藤完治、那須皓、橋本伝左衛門らの学者、満鉄、満洲国、朝鮮、関東軍の各関係者である。その中に関東軍代表として移民部長である梅谷光貞、幹事として関東軍嘱託の永田稠が入っている。この時点までは移民計画の実務の中心を担ったのは梅谷と永田コンビである。

「対満農業移民会議」の結果が「満洲農業移民根本方策」の策定である。この会議で満洲移民は日満一体を体現する重要国策であり南米移民より、重要で緊急を要するものと位置づけなおされる。従来の試験移民という位置づけは転換し、本格的な満洲一〇〇万戸移民計画が始動することになる。こうして入植地を従来の東満洲の吉林地方から北満、南満遼河、新京―図們線沿線に拡大する。この会議が試験移民・武装移民から一般農民の移住へと転換し、満洲一〇〇万戸移民計画という本格移民に移行する画期となった。

一九三四年「対満農業移民会議」で関東軍移民部長梅谷光貞は私案として「一〇〇万戸移民案」を提出している。「満洲における一〇〇万町歩の土地を購入した後、三〇年間一〇〇万戸入植の移民計画を立案推進し、あらゆる障害に抗してその一部を軌道に乗せるに至った」という。[7]

梅谷試案を見ると三〇年計画の一〇〇万戸、五〇〇万人案である。会社（満洲拓植会社案）の資金は一億円で社債は資金の一〇倍というものである。すなわち一九三四年の関東軍の移民会議で、梅谷光貞はすでに一〇〇万戸移民計画を打ち出していたのである。

ただしこの時は三〇年計画であり一九三六年の政府閣議決定の一〇〇万戸移民計画の二〇年より長期にわたるものであった。また資金も土地買収資金として満洲拓植会社案で資本金一億円だが、実際の満洲拓植会社は三〇〇〇万円であった。期間も投資額も梅谷の方が大きいのである。その一〇〇万戸の数字はすでに永田稠『農村人口問題と移植民』（日本評論社、一九三三年）で語られた構想と同じであった。まさに梅谷―永田稠ラインで一〇〇万戸移民計画の原型が提起されていたのである。

当時の軍中央は「梅谷を大風呂敷として又正気の沙汰ではないと相手に致さなかった」という。[8] しかしこれは梅谷光貞が関東軍の移民部長を失脚した二年後に、本格的満洲移民となる満洲一〇〇万戸移民計画の原型となった。まさに移民の先進地である広島出身の関東軍北満司令官広瀬寿助中将と話し合った梅谷・永田稠コンビによって大土地買収計画が実現し、この「対満農業移民会議」で満洲一〇〇万戸移民計画の原型が提起されていたのである。

もう一つこの会議で決まった重要なことは満洲移住協会と満洲拓植会社の設置である。

満洲移住協会は一九三五年一〇月に設置される。[9] 第二条に「本会は満洲移民事業の統一ある発展を助成し併せて満洲産業開発に資するを目的とする」という。満洲移民事業の統括と満洲産業開発が目的である。満洲移民の促進と後援、調査宣伝、移住者の訓練、宿泊所の設立および経営である。これはブラジル移民の際に国内の移民者を宣伝募集斡旋する全国組織である海外移住組合連合会に相当するものである。これはブラジル移民で海外移住組合連合会の専務理事を務めた梅谷光貞移民部長と海外協会中央会の活動や信濃海外協会幹事を経験した永田稠嘱託にとっては、当然必要な移民推進設置機関である。大規模移民を募集し海外へ移住をスムーズに行うための必須機関である。梅谷・永田のブラジルの経験がここに生きたものと思われる。しかし満洲移住協会はブラジル移民の際の海外移住組合連合会とは決定的に異なり、募集事業をしない。満洲移民が海外移住組合連合会のような民間斡旋ではなく、軍主導の行政機構を通じた官斡旋移民だからである。同じ名称の移住協会でもそれまでの海外移住協会とは異なるのである。こうして拓務省と道府県庁に移民募集斡旋事業が集中されたのである。満洲移民は民間の自発性に基づく移民事業でなく、実質的には上からの官製移民事業である。

満洲移住協会の人的構成を見る[10]。会長・副会長は名誉職であり実質的責任者は理事長である。会長は永田秀次郎（元拓務大臣）、副会長結城豊太郎（大蔵省）、理事長は大蔵公望（男爵）、理事に石黒忠篤、今井五介、津崎尚武、永井柳太郎、堀切善次郎、安川雄之助が入り、知識人として加藤完治、那須皓、橋本伝左衛門という東京帝国大学、京都帝国大学の農政学者が入る。また信濃海外協会からは長野県のブラジル移民の旗を振ってきた海外協会中央会会長今井、政友会代議士津崎が入る。津崎は海外移住組合法を議会に提案した人物であり、ブラジル移民で法制度整備に尽力した人物である。拓務省からも堀切が加わっている。

満洲移住協会は関東軍、拓務省、満鉄、農林省を中心に組織され加藤完治グループが補佐している。小平権一、津崎尚武のように長野県出身でブラジル移民の法制度作成の経験を持つ人物が満洲移住協会に重要な位置を占めていることは注目すべきだろう。その後満洲移住協会の歴代理事長は大蔵公望（満鉄理事長）、小磯国昭（関東軍参謀長）、石黒忠篤（農林官僚）、小平（農林官僚）である。大蔵・石黒は東京府生まれ、小磯は山形県出身、小平は長野県出身である。実際に長野と山形が満洲移民の中心県となる。

関東軍の「対満農業移民会議」では「関東軍は海外移住協会が扱う移民は民間事業であって、満洲移民は国策である以上、別組織で行うべきであるとの立場をとり、大蔵も同じ意見であった」という[11]。すなわちブラジル移民で活躍した海外協会や海外移住組合連合会をそのまま満洲で利用すべきだという意見は否定された。その結果、新しい組織として満洲移住協会、満洲拓植会社（のち満洲拓植公社）が一九三五年に新たに設置されたのである。

この移民会議に参加した永田稠は「移民地の経営は拓務省自身で選任した移民団長と拓務省で募集した移民たちが協同組合を設立する「官営民助」という一形態になった」、「政府が移民事業を直営し満洲拓殖会社はこれが助成をする」、「さらに満洲移住協会を設立して民間にあって満洲移住の助成をする」、「当時ほとんど絶対の威力を持っていた軍参謀の一言であるから誰も反対する者はなかった」（傍点は筆者）と評価している[12]。この移民会議に永田が反感を持っていたことが分かる。「軍参謀の一言」で決まるからである。ブラジル移民の経験とまったく異なるのである。

関東軍にとっては、満洲移民を従来の府県知事の連合体である海外協会主導でやることは都合が悪いのである。信濃海外協会の満洲愛国信濃村建設が挫折した政治的背景である。今井五介らの海外協会中央会や民間の平生釟三郎が理事長を務める海外移住組合連合会を使って満洲移民を行うことは、関東軍の軍事的移民計画にとっては都合が悪く、彼らを自由にコントロールすることが出来ないとの判断があったと思われる。従来の海外協会と海外移住組合を中心として各府県庁機構が協力する官民連携の移民方式は否定されたのである。こうした軍部と拓務省の中央官僚主導で府県を超えた国家による満洲移民は上からの官製移民であり満洲移民は通常の移民とは異なり、上からの農民の官僚的動員で進められることになった。

さらに現地の土地買収など植民事業の実務を担ったブラ拓組織も満洲でその機能を引き継ぎながら、満鉄系列の土地会社である東亜勧業会社を再編し満洲拓植会社として新たに設置された。満洲拓植会社は資本金一五〇〇万円で満洲国、満鉄、三井合名会社、三菱合資会社の三者の出資で設立された満洲国の半官半民の国策会社である。ブラジル国の現地法人として、海外移住組合の現地代行機関ブラ拓を急遽設置したのとは違う。機能は同じだが満洲国の政府が作る土地買収機関となったのである。満洲国は日本の傀儡国家であるから満鉄と三井、三菱の財閥が出資した土地買収機関でも問題はなかった。

その後満洲拓植会社は満洲で一〇〇万ヘクタールの買収を行っている。この計画の中心を担ったのが梅谷光貞であった。ブラ拓の経験は国家主導に再編されて満洲拓植会社に引き継がれたのである。

満洲拓植会社はその二年後、一九三七年八月に満洲拓植公社（以下満拓と略す）に改組された。本格移民期の一〇〇万戸移民に対応して大規模な満洲土地買収活動をするために、大幅に増資して公社に改組された。出資金五〇〇〇万円、満洲国政府一五〇〇万円に加えて日本政府が一五〇〇万円を出資し日本政府の関与を強めたのである。そのあとの二〇〇〇万円を民間から出資して満洲拓植会社の資本金一五〇〇万円の三倍以上に増資したのである。その後満拓は二年間で一九六〇万ヘクタールの膨大な土地を買収した。満拓とブラ拓が異なるのは満洲国とブラジル国の違いであり、関東軍という武力があるかないかの差異である。

なお一九三六年設立の鮮満拓植会社と満鮮拓植会社は満拓とは別に朝鮮と満洲国に同時に設置された会社で、両社の連携で朝鮮人の満洲移民を進める会社である。ともに東洋拓殖会社・満拓の子会社であり海外興業株式会社と同じ業務である。満鮮拓植会社は一九四一年に満拓に、鮮満拓植会社は東洋拓殖会社に吸収された。

以上、関東軍の「対満移民農業会議」で梅谷光貞が中心になってまとめた「満洲農業移民根本方策」、すなわち梅谷満洲一〇〇万戸移民計画案、満洲移住協会案、満洲拓植会社案はまだ軍部中央と政府の協力承認を得られなかったことがわかる。また満洲移住協会のメンバーからも梅谷・永田稠は外されていた。

一九三五年二月に特務部が廃止され梅谷光貞・永田稠コンビは関東軍を満洲移民の役職を追放される。この背景は永田の一九三三年一一月の武装移民第一次弥栄村、第二次千振村建設に関する満洲移民視察報告をめぐる関東軍参謀東宮鉄男と民間移民論者の加藤完治ら満洲移民主流派との対立があったことは先に述べた。武装移民批判派を排除するためである。

またこの梅谷光貞、永田稠の関東軍追放の人事には統制派と皇道派の争いが絡むと思われる。梅谷が更迭された半年あと一九三五年八月には梅谷、永田稠の推薦者であった永田鉄山が軍務局長室で皇道派の相沢三郎中佐に刺殺されるからである。加藤完治は荒木貞夫陸軍大臣の関係で皇道派との繋がりが強い。統制派永田鉄山のつながりで任命された梅谷、永田稠は関東軍（東宮鉄男）との意見の相違も含めて更迭されたと考えられる。永田鉄山と永田稠が同郷であることはすでに述べた。永田鉄山が暗殺されるまでは皇道派荒木陸軍大臣が陸軍の人事を動かしていたからである。また荒木は加藤の日本魂による精神主義的移民運動の理解者であった。加藤は満洲移民の提言で関東軍移民部の東宮鉄男と相談して、朝鮮人移民を日本人移民に転換した昵懇の仲であったことは先に述べた。皇道派荒木と東宮、加藤とは通底していた。移民政策の違いだけでなく政治的にも皇道派荒木と統制派永田鉄山との対立によって梅谷、永田稠は追放される運命にあったといえよう。

梅谷光貞が満洲移民部長を解任されたのは一九三五年二月であり翌一九三六年九月に死亡する。五五歳の若さでの失意の死であった。梅谷の対満農業移民会議で提案した一〇〇万戸移民計画が再び日の目を見るのは一九三五年二月移民部が廃止され梅谷、永田稠が失脚したあと、一九三六年の二・二六事件を待たなければならなかった。その半年後の梅谷の死である。ブラジル移民の父であり満洲移民の父とも呼ばれた梅谷の早逝という悲劇であった。

第二節　長野県の満洲一〇〇万戸移民

満洲移民計画で一〇〇万戸移民計画を発案した梅谷光貞・永田稠ラインを排除して、二・二六事件後の一九三六年五月に関東軍司令部で東宮鉄男・加藤完治ラインによって作り直された「満洲農業移民一〇〇万戸移住計画」が決定され、同年八月二五日広田弘毅内閣重大方針の一つとして閣議決定する。この移民計画は大風呂敷の梅谷でも三〇年計画の長期を予定していたものであったが、さらに計画終了を一〇年早めて二〇年計画として一〇〇万戸の移民を送出することにしたのである。満洲の軍事的安定のためには強引で非合理な決定であった。そのため目標とされた決定を平均すると年間二五万人を満洲に移民させるという無謀な移民計画でもあった。それまでの一九三二年からの武装移民四年間では一数千人を送るだけであり、しかも一九三四年には土竜山事件という武装移民に対する襲撃反乱が起きている。年間二五人移民送出という目標が非現実的政策であることは明白であった。

軍部の目的、「満洲農業移民一〇〇万戸移住計画」の意義は次の通りである。満洲国支配のために一九三六年の約三〇〇〇万人から二〇年後の一九五六年までに満洲国の人口が五〇〇〇万人になると予想しその一割、五〇〇万人の日本人を入植させ満洲の治安を安定化させることである。この移民数も経済的合理的に決められたのではなく軍事的目的（満洲の治安維持）に合わせて日本人移民が利用されたのである。最初から合理性を欠いた暴力的な移民であった。

現存する『海の外』で満洲一〇〇万戸移民について最初に取り上げられているのは『海の外』第一八〇号（一九三七年四月）である。そこに掲載された拓務省拓務局「満洲移民計画指示事項」が長野県民に一〇〇万戸移民の政府拓務省の方針がいかなるものであるかを示した最初のものである。[13]

「現下帝国社会不安の根源たる人口重圧を緩和し国民生活の安定を図るに極めて緊切にして満洲移民は即ち日満両国同昌共栄の理想を顕現する最良の方途なり」という。そのためこれまでの試験移民（武装移民）から本年度に「新たに樹立致したる集団移民計画により約千戸を送出する予定にして……昭和一二年度を国策として大量的に実施することに決定を見二〇年間百万戸送出を目途とし之が第一期計画とし左表のとおり昭和一〇年度以降五ヶ年に一〇万戸を送出する」と拓務省を通じて各府県、各道府県海外協会に通達している。

つぎに拓務省「満洲移民計画指示事項」では「集団移民」について説明する。「農業集団移民とは将来その周囲に招致せられる自由移民その他と共に形成せらるべき移住村の中心たらしむる目的を以て少なくとも二〇〇戸ないし三〇〇戸の構成員を以て集団移民を為さしむる」として集団移住村には経済的機関のみならず社会的文化的施設を設置するという。

この「自由移民」には二種類があり一つは移住村の周りに入植する者と交通・市場関係に恵まれた特殊地域に入植して特用作物、蔬菜の栽培、乳牛の飼育など集約的経営に当たる。これには渡航費を含めて五〇〇円を支給する。もう一つの自由移民は主に未成年の農業労働者、商業移民や労務者移民をいう。これには渡航費八〇円を支給する。

しかし「政府は自由移民に関しては積極的に送出をなさず責任者よりの計画提出を待ち審査の結果適当なりと認められたるものに対し補助金を交付する」としている。この自由移民には政府は関与せず責任者の縁故と入植地で現地採用するなど勝手に人選せよと突き放している。一九三七年度の政府の集団移民は五〇〇〇戸、自由移民は一〇〇〇戸であった。また満鉄の運賃は集団移民は無料、自由移民は二割引きであった。集団移民はほぼ国費官製移民である。

ここから東宮鉄男と永田稠、拓務省と信濃海外協会の対立の結果が示された。信濃海外協会が進めていた満洲愛国信濃村は自由移民であり勝手に人選して勝手に経営していいが補助金はほとんど与えないということである。すなわちこの拓務省の満洲一〇〇万移民計画は集団移民を満洲移民の本筋として、これまで信濃海外協会などがブラジル移民で実行してきた交通・市場に恵まれた「特殊地域」への入植は「自由移民」として区分するものである。その場合は集団移民には移住地建設補助金と経済・社会文化諸施設の便宜など手厚い補助金を支給する一方、自由移民は責任者に任せて人選も勝手に行ってよいが、人選に政府は協力しない。補助金もわずかで営農指導も各団に任せるということである。つまり永田の目指した合理的営農を方針とする移民は自由移民として位置づけられ政府の集団移民政策からは排除したことになる。拓務省はこの自由移民の入る交通・市場関係の恵まれた地域を「特殊地域」と呼んでいる。しかし実際は拓務省・軍部が選定した移住地こそ軍事戦略優先の危険な「特殊地域」であった。

この拓務省「満洲移民計画指示事項」では、新たな「集団移民」実施のために第六次と第七次先遣隊の募集が出されている。とくに「指示事項」で注目すべきは「本隊募集については……経済更生指定村をして移住による農家人口と耕地面積との調和を企図する農村経済更生計画を樹立せしめ移民募集はこれにより計画的集団移民をなさんとする者を主とされんことを望む」という。すなわち「農家人口と耕地面積の調和」とは適正規模論である。耕地狭小の農家を集団移民の対象とするということである。この移民の狙いが見える。

以上のように一九三七年から満洲一〇〇万戸移民計画は長野県でも実施される。移民形態としては関東軍・拓務省をバックにした県庁主導で実施されていく。日本の県庁が主導して日本人を入植させるという移民形態が難しいブラジル国と違い、現地権力の干渉のない傀儡国家「満洲国」では、傍若無人に関東軍の軍事論理が県庁を巻き込み、国策移民が現地住民の反対を無視してストレートに実施されていったのである。

長野県ではすでに満洲武装移民が始まる前に、加藤完治が所長を務める山形県立自治講習所に倣って一九二九年五月に長野県立青年講習所を菅平高原に設置している。これが国内開拓と海外植民も含めた農村中堅人物養成のための教育施設である。加藤の皇国国家建設の農本主義思想に基づくもので、その教え子がこれら所長として派遣された。さらに一九三〇年には日本力行会の八ヶ岳山麓に信濃拓殖練習所が設置されていた。

先に述べたように満洲事変後の一九三二年拓務省の武装移民が始まると、それと連携して長野県も一九三三年に北佐久郡に御牧ヶ原修練農場を開設している。これは長野県立青年講習所の継承であり、上級官庁として農林省の資金補助で全国的に府県レベルで「農民道場」といわれるものを建設させたものである。とくに満洲移民を前提に県民の開拓訓練を行う農民道場としたのである。

また一九三三年五月には長野県では更級農学校が新たに移植民学科を設置して満洲移民のための殖民教育を開始した。一九三九年には県立満洲農業移民訓練所、県立御牧ヶ原修練農場八ヶ岳分場が作られた。一九四〇年には桔梗ヶ原女子拓務訓練所ができ初めて女性を対象とした移民訓練所として「大陸の花嫁」を養成した。[14]満洲移民を進める県の諸施設が整備されて行ったことが分かる。

一九三六年五月に長野県は関東軍・拓務省の満洲農業移民一〇〇万戸送出案（五月の関東軍移民会議で議論し八月に拓務省で策定し閣議決定）を作成する動きを察知して先取りし、拓務省と連絡をとりながら満洲の一県一村計画である満洲信濃村建設計画を発表する。これは一九三二年に計画し挫折した永田稠を中心とする信濃海外協会による満洲愛国信濃村の「再燃」であり「国策に合わせて修正」したものだったという。[15]

じつは長野県では一九三六年二月一三日、二・二六事件の二週間前に満洲信濃村計画を作成してその実現を拓務省に陳情していた。二・二六事件前後に長野県は満洲移民一〇〇万戸計画を先取りしていたのである。この一県一村計画は拓務省の一〇〇万戸移民計画と連携を取りつつ県で独自に進められた。さらにこの二月に「満洲移植民政策は日本民族生存権確立の根幹」であるとして、県知事を委員長とする満洲移住地建設委員会を設置し全県に二五〇〇人に及ぶ建設委員を任命し、全県民から移住保護助成金一〇万円募金を進め県から三〇万戸に割り当てた。[16]またさに一九三二年の「満洲愛国信濃村」が永田稠の路線と関東軍と拓務省との戦略と異なることで挫折した後の長野県の独自の満洲移民計画であった。これは長野県が関東軍と拓務省を見ながら満洲愛国信濃村を再編成したものとも言える。

長野県では満洲一〇〇万戸移民計画案はすでに梅谷光貞・永田稠ラインによって信濃海外協会で議論されており

政府の大量移民送出計画は知っていた。それに対応して長野県満洲移民計画では一九三六年から五か年間で一二〇〇戸（一―四年度は二〇〇戸、五年度は四〇〇戸）、三移住地を建設するものであった。さらに一移住地は一万五〇〇〇町歩以上、四〇〇戸で一村、四〇戸で一区（集落）を構成するものであった。移民者の条件では年齢は三三歳以下のなるべく既婚者とする。所要資金は政府補助金、ならびに満洲拓植会社の融資による。開拓訓練は国費とする。いわば土地二〇町歩（耕地一〇町歩、放牧採草地＝山林一〇町歩）の購入は満洲拓植会社の低利資金である。あと渡航費は全額補助、開拓諸費用（開田畑、施設建設費）は固定投下資本の三分一は政府補助金で一戸当たり八九〇円（小作農民の年間所得にほぼ相当―森）である。畑地の半分は満洲拓植会社が事前に開墾する。三年間の農事・牧畜指導員の政府農林省からの派遣、診療所、小学校建設は政府外務省の助成である。

長野県満洲集団移民計画の土地二〇町歩所有は拓務省の満洲一〇〇万戸移民計画と同じである。手厚い国家補助も拓務省の計画である。ブラジル移民と違いまさに「官給」による官製移民＝官移民である。

このため計画案を作成するために一九三六年に長野県庁では直接指導下に移植民協議会を開催し、拓務省、外務省、松本連隊区司令官、市長、郡市町村会長と並んで、海外移住組合連合会、海外協会中央会会長今井五介も参加している。これは信濃海外協会を超えて拓務省と連携した県庁の指導力の現れである。また県は移民講習会を開催して信濃海外協会幹事の西沢太一郎が「海外渡航手続」を話している。また入植者の訓練は更級農業拓植学校、県立御牧ケ原修練農場、日本力行会八ヶ岳農業練習所が予定されている　これが長野県の独自に作った集団移民計画である。

しかしこの一九三六年の長野県独自の一二〇〇戸、移住地一万五〇〇〇町歩の満洲信濃村建設も拓務省に拒否され縮小実施されることになる。拓務省の満洲一〇〇万戸移民計画では一九三六年の五次移民では全国一〇〇〇戸で長野県の割り当ては二〇〇戸に過ぎなかったからである。これが長野県と信濃海外協会の最後の抵抗であった。すなわち信濃海外協会独自の満洲移民計画は先に永田稠が計画立案した満洲愛国信濃村建設同様に関東軍・拓務省の満洲一〇〇万戸移民計画の前に駆逐されたのである。その後の満洲移民の主導権は拓務省や軍部（松本連隊区司令部）と連携する県庁に移り、信濃海外協会や永田の日本力行会はその下請け機関として利用され、信濃海外協会の独自の移民計画は自由移民として実施されるだけとなった。

第三節　満洲信濃村の建設

以下第三節から五節までは『海の外』に見る長野県集団移民の三形態（県・郡・村）と自由移民に即して述べる。第三節は県単位の信濃村移民、第四節は一村単位での分村移民と郡単位の分郷移民、第五節は自由移民とも分散移民ともいわれる集合移民である。

拓務省の満洲一〇〇万戸移民計画に対応して長野県が応募して実現できたのは、長野県では一九三六年の第五次移民の黒台信濃村の建設であった。長野県はこの集団移民計画の早さでは他府県を圧倒していた。今井五介など海外協会中央会長、信濃海外協会が存在しており拓務省の計画を早くから察知していたからである。これが長野県全体で移民を集め満洲黒台に一村を作ろうというもので黒台信濃村といわれた。黒台信濃村は東安省密山県にある。ここはソ満国境で最も危険な地帯である。危険地帯とは一九三三年から一九三五年ごろまでは第一次から三次までの武装移民の対象地であったが、一九三九年の時点では日本人満洲視察旅行で制限しているのは第四次、第五次、第六次移住地となっていた。軍の鎮圧で危険地帯が移動する。つまり満洲移民の第一次から第三次までは武装移民である。それが危険地域から解除されているのは関東軍による周辺の「匪賊」の討伐が終わったことを示す。第四次は武装移民の最後の移住地であるが鎮圧が終わってないこと、第五次と第六次は満洲一〇〇万戸移民の最初一年と二年の移住地であるが、まだ治安が悪いが入植してるので禁止区域ではなく旅行制限区域にするという判断である。

そこで拓務省一〇〇万戸移民が『海の外』でどのように報じられたかを見ていきたい。

信濃海外協会の機関誌『海の外』は現在の収集状況では第一五七号（一九三五年五月）から第一七九号（一九三七年三月）まで一二三号が欠本となっている。残念ながら満洲一〇〇万戸移民計画の立案状況が分からない。そこで一

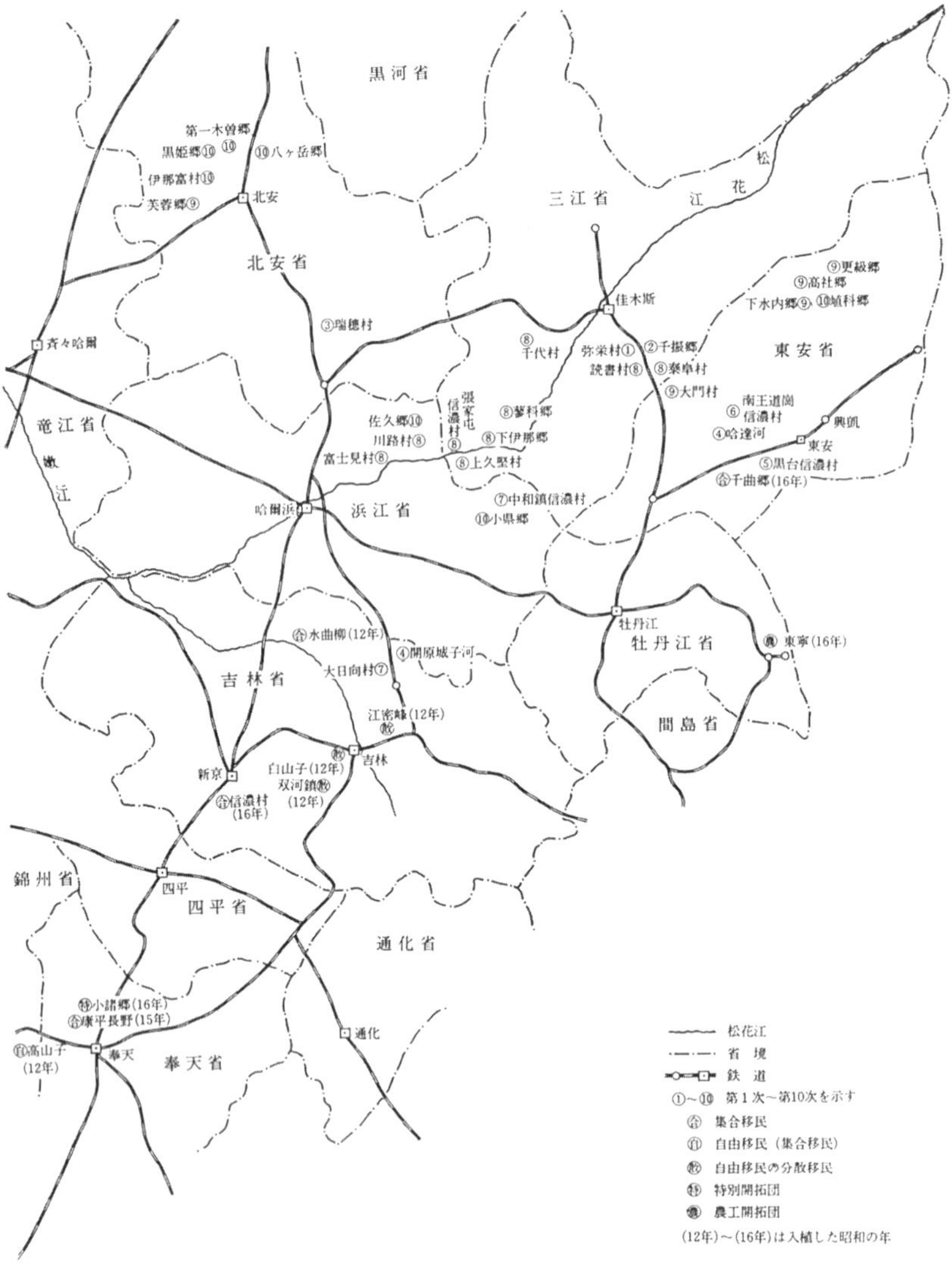

信濃村の位置（長野県開拓自興会満州開拓史刊行会編・発行『長野県満州開拓史』総編、1984年、314頁）

〇〇万戸移民の長野県での実施状況を具体的に知るために一九三七年以降の『海の外』から満洲一〇〇万戸移民に関する記事を拾ってみる。

『海の外』第一八〇号（一九三七年四月）では長野各郡市別の状況がある。とくに目を引くのは下伊那の農家負債が一戸平均一二〇〇円に達するという記事である。[17] 一番多い村は一八〇〇円を越える伊賀良村と上久堅村が挙げられている。これらの村では農村経済更生計画を立てて負債を減少させたという。米価は一九三六年には昭和恐慌前の水準に戻るが養蚕地方ではまだ不況は深刻であった。

密山駅の関東軍トーチカ（2004年筆者撮影）

その養蚕不況のなかで『海の外』の満洲一〇〇万戸移民の記事として最初に掲載されるのは長野県下伊那郡泰阜村移民団であった。第一八〇号の「経済更生の根本は満洲の新天地―泰阜で移民五ヶ年計画」がそれである。[18] 下伊那郡泰阜村は「満洲移民の村」といわれるほどで、長野県では佐久の大日向村と並んで有名な分村移民の村である。[19]『海の外』の記事では「下伊那郡下各町村では満洲移民こそ経済更生の根本計画」として取り組んでいるという。

とくに泰阜村の経済更生は一九三八年度二〇戸、一九三九年度からは三〇戸、一九四二年度四〇戸で合計一五〇戸を満洲に送る計画を樹立したとある。泰阜村は『海の外』で下伊那郡の移民運動の先陣を切っていたが拓務省の集団移民計画に参加するのは遅れる。本来時期的には第五次移民の黒台信濃村移民に応募してもよいのだが人員が集まらなかったためである。泰阜村が満洲移民を行うのは黒台信濃村の建設の三年後の第八次移民である。泰阜村大八浪開拓団として渡満している。

長野県の集団移民については泰阜村の記事の一か月後に『海の外』第

一八一号（一九三七年五月）に「満洲大量移民国策」の記事がある。満洲一〇〇万戸移民の長野県に関する最初の紹介記事である。同号には「満洲富士見村」として諏訪の富士見村集団移民もある。[20]ここでは五年間で二三〇戸を満洲に送るとのことである。富士見村の満洲集団移民の計画は早いが実際に渡満するのは泰阜村と同じで第八次移民団として一九三九年、富士見分村王家屯開拓団と名乗っている。計画と実施のズレは村での満洲移民募集の困難さを示している。

富士見村は信濃海外協会創設者の一人小川平吉の生家の居村である。信濃海外協会で小川の占める位置の大きさを示しているものと思う。富士見村はブラジル・アリアンサ移民の第一陣でもあった。長野県でも大正期から海外移住に熱心な村である。

さらに同号には「配偶者斡旋方をお願い　満洲信濃村第五区長三井豊吉」からの記事が掲載された。[21]記事を送った人の出身は下高井郡倭村である。内容は第五次集団移民で送られた黒台信濃村の区長から信濃海外協会宛に配偶者の斡旋願いの手紙である。『海の外』の満洲移住者に対する後援組織の役割が大きくなっていく。

『海の外』第一八三号（一九三七年七月）には「満洲信濃村状況―第五次黒台信濃村」が記事となる。[22]書いたのは黒台信濃村の渡辺栄雄（下高井郡上木島村）で北満林口小林部隊気付第五次黒代信濃村からの手紙である。黒代信濃村の現在の状況を長野県民に伝える内容である。周囲の自然条件、禽獣、風俗、家屋、耕地、農業経営、家屋、治安状況に至るまで詳細である。故郷の人々に開拓の状況を知らせるものである。これがブラジル移民から一貫して続く『海の外』の役割である。この役割を『海の外』は果たし続けたので生き残れたのである。しかし移民を主導する権限は失っていた。

同号の「満洲信濃村建設協議会」の記事を見るとこのことが分かる。[23]この時の満洲信濃村建設協議会の参加者は長野県知事近藤俊介、拓務省安井誠一郎拓務局長、満洲移住協会大蔵公望男爵、第一四師団司令部付上野少将、県庁職業課内藤課長である。最初の一九三六年二月以前の県庁での黒台信濃村建設の立案時に参加していた信濃海外協会は今回入っていない。長野県では県知事と柘植事業に関係する県庁の課長クラスが入っているだけである。信濃海外協会の地位の低下が見られる。

『海の外』第一八六号（一九三七年一〇月）には「満洲黒台信濃村建設記念行事」として近藤駿介知事の移民団入植を祝って諏訪神社において式典を行っている。[24]知事の祝辞と同時に満洲黒台信濃村の満洲諏訪神社の鎮座祭を挙行している。

黒台信濃村入植一年後の満洲諏訪神社の鎮座祭である。県から慰問品、慰問文を送り、満洲信濃村建設の趣旨とともに移植民思想の普及を印刷したものを全県に配布するとしている。これはブラジル・アリアンサ第一のブラジル信濃村でもなかったことである。アリアンサでは教会建設であった。満洲信濃村で諏訪神社の鎮座祭を長野県の諏訪大社で同時に行うというところに満洲移民の本質が見える。信濃人の精神的支柱である諏訪明神の満洲への移住である。黒台信濃村は信濃海外協会が目指してきた海外移民の完成形態である。単に長野県人の移住ではなく県民の祭神の移住である。これが内地の延長としての海外移住地の特徴である。満洲が完全な植民地であることを証明していた。

近藤駿介知事はこの記念式典の祝辞を『海の外』第一八七号（一九三七年一一月）に寄せている。「満洲国浜江省黒台に本県人のみの二百戸を以て満洲信濃村を建設すること」、「満洲移民事業開始以来未だその例を見ざるところでありまして、輝かしき本県の移植民事業の歴史の上、さらに光彩をある頁を加えた」、「満洲農業移民はわが民族の大陸移動の先駆であり、満洲国建国の本質上より来る不可避的要求であります」と述べている。[25]

近藤駿介知事はブラジル移民以後、長野県人のみで信濃村を建設したことは日本の植民史上初めての偉業であり、日本人のアジア大陸移動の先駆であると賛美している。すなわちこれが満洲信濃村建設に関する県庁の認識である。移民が領土征服と同じ意味をもつことを文人官僚が訴えるのは移民事業だけであろう。

同じ号で「農村更生と満洲移民の標語当選」があり、募集して当選したのは一等「興せ農村拓けよ満洲」、二等「行けよ満洲栄よ農村」、三等「明るい農村輝く移民」であった。[26]

同号では同時に第六次移民の「満洲農業本隊募集要綱」を報じている。[27]これによると甲地域は北日本は長野県を含む東北、関東甲信越、鳥取県、島根県、乙地域は東京府、千葉県、神奈川県、東海、近畿、西日本である。北日本の寒い地域と西日本の暑い地域を区分した。甲地域が移民に熱心で実現可能な地域とされている。それは東北地方と日本海側と甲信越山岳地帯である。拓務省・軍部が満洲移民適地と考えていた地域が分かる。移民募集は自然発生ではない。国家権力の選択である。当然長野県は黒台信濃村と南五道崗信濃村への参加が予定されている。他の入植地の選択はない。官製移民であり移住者の自由は無い。郷党的親睦と地方協力（県庁指導）のため、各府県の入植地はあらかじめ決められており選択はできない。

以上の記事にたびたび現れる黒台信濃村はすでに述べたように拓務省満洲一〇〇万戸移民で最初の長野県の集団移民である。一九三六年度に一県民で一村作りを目指した「満洲信濃村」である。移住地の性格は異なるが長野県人が集住する意味でブラジルのアリアンサに相当する。すなわち黒台信濃村はブラジルで挫折した日本人で一村を建設する満洲移民村の実現である。年度としては満洲一〇〇万戸移民を開始した一九三七年の一年前である。このように永田稠主導で信濃海外協会による満洲愛国信濃村建設構想、一九三六年県独自の満洲集団移民案の提出と挫折、さらにそれらを基礎にして拓務省計画を縮小して実施された黒台信濃村建設に見るように、全国に先駆けて長野県がいかに満洲集団移民で前のめりになっていたか分かる。

さらに拓務省は黒台信濃村を始めとして北満に一二の信濃村を作る予定を立てている。満洲一〇〇万戸移民では当初北満（満洲北部）に日本人だけの村を一二村作るという計画である。ブラジルで長野県が中心となったアリアンサで長野、鳥取、富山、熊本四県がそれぞれ集落を形成したのと比べて、満洲では長野県一県で一二の信濃村の建設を計画しており、一気に規模を拡大していることが分かる。

その後も『海の外』第一八四号（一九三七年八月）では「黒台信濃村建設状況」、「第六次移民団便り―五道崗信濃村団長」が掲載され、同年一一月の『海の外』第一八七号には長野県知事近藤俊介名で「満洲信濃村建設記念日に際して」という激励文が掲載されている。同号で黒台信濃村団長「満洲信濃村便り―歴史的行事も無事終了」、「満洲信濃村―諏訪神社鳥居建設」という建設記念日の報告がある。黒台信濃村では入植と同時に諏訪神社の鳥居建設を行っている。開拓団は現地で必ず郷土の神社を建設している。

一九三八年一月には近藤駿介知事を引き継いで大村清一が再度長野県知事に選出されている。岡山県出身の内務官僚である。近藤知事が黒台信濃村建設時の信濃海外協会総裁であったが、それを引き継いだ大村知事は満洲一〇〇万戸移民計画で全国の模範となった大日向村分村建設時の信濃海外協会総裁であった。大村知事の信濃海外協会総裁としての挨拶が『海の外』第一九一号（一九三八年三月）に掲載されている。[28] 大村知事は一九三八年一月現在で長野県の海外在住者はブラジル四五〇〇人（うちアリアンサは三六〇〇人）、北米二〇〇〇人、満洲八〇〇〇人、その他合計で二万人であるという。一九三〇年以降長野県人の海外在住者では満洲が急増しブラジルの二倍近い。大村知事は言う。「肇国の大理想顕現のためにブラジルといわず満洲といわず世界の各地に進出して其優秀なる技能を以て天然資源の開発と人類の福利増進に寄与することは天与の使命であります」と述べている。このなかで大日向村移民が進められるのである。

この大村清一知事の時に最後の「満洲信濃村」が第八次移民張家屯開拓団が創出されている。『海の外』第二〇七号（一九三九年七月）に「第八次満洲信濃村移民地より」の記事である。[29] しかし団員は長野県民であるが団長は北海道十勝の人である。農事指導員は北佐久郡横島村、警備指導員は東筑摩郡塩尻村である。信濃村でありながら長野県から移民の中心人物を送り出せなかったのである。そのためか『海の外』第二一四号（一九四〇年一月）には長野県下高井郡市川村の川久保芳雄が一九四〇年八月に一か月半長野県に帰国して後続団員の募集に駆け回っている記事が掲載されている。[30] 一度渡満したものが募集のために内地に戻ることは珍しい。それだけ開拓団員が不足しているということだ。『海の外』が募集のみならず増員の要求を伝える媒体となっていることが分かる。

第四節　分村移民と分郷移民

（一）『海の外』に見る分村移民・分郷移民

政府の一九三六年に一〇〇万戸移民計画が確定し本格化したが集団移民計画に分村計画として最初に飛びついた

のも長野県である。一九三六年一一月長野県は「一町村一部落建設に関する要綱」を発表する[31]。

これまでの武装移民期には東北・関東信越地方の在郷軍人を集合して府県別に集落を作りそれを一村にまとめるという他府県混合一村建設方式であった。一九三六年度五次移民団では武装移民から一〇〇万戸移民に移った年である。黒台信濃村、南五道崗信濃村が県単位で希望者を集め信濃村を満洲に初めて実現していた。この段階では一村で一部落を建設することもできない。長野村であり信濃村で部落は各村合同である。村単位の明確な分村移民計画はない。

一九三六年一一月長野県は「一町村一部落建設に関する要綱」を発表した。そのあと『海の外』第一八三号（一九三七年七月）には「さらに十二の信濃村―十六年までに北満に」、「佐久地方五年間に九〇戸―満洲に分村計画」「北満に平根村―壮丁の移民熱」、「大日向村移民計画すすむ」の記事が続々と現れる。一九三六年秋から北佐久郡平根村、下伊那郡泰阜村、清内路村、上久堅村、和田組合村、浪合村、上伊那郡川島村・西箕輪村の八か村が県に相談があったという。北佐久郡、下伊那郡、上伊那郡が中心である。さらにこの八か村に一足遅れ、一九三六年三月には北佐久郡大日向村、上伊那郡南向村、下伊那郡河野村が応募する。これらは窮乏農村救済として村から集団移民で満洲に渡ることで生き延びる窮余の一策であった。まだ一村分割で満洲分村を作ることは無理で、県の方針の一村一部落建設方針である。しかしそれも手を挙げただけで具体的計画を伴っていなかったのであろう。ほとんど実現していない。実行は遅れるのである。

また一村一部落でなく一村分割の本当の長野県分村計画の最初は全国的に有名な北佐久郡大日向村ではなく、北佐久郡平根村であるという[32]。平根村では宮城県南郷村を視察して一九三六年一二月平根村分村計画を策定した。当時分村移民の先駆として南郷村は有名であり、そのため平根村では南郷村を視察し見習って分村移民計画を樹立したという。村内経営規模を一町五反にまで適正規模に拡大するために所有耕作規模の小さい農民を満洲に移住させるというもので、究極の窮乏農村の解決策であった。南郷適正規模モデルである。しかし平根村の満洲一部落建設計画は頓挫する。翌年の日中戦争開始で平根村村長が徴兵されたからである。村長の判断だけで移民計画が決まる。

一九三六年には平根村に続いて富士見村、泰阜村、河野村なども県当局と相談して一部落建設をめざして分村移民を計画するが人が集まらなかったようだ。そのなかで大日向村だけが第七次移民でようやく大日向分村を実現して満洲吉林省舒蘭県四家房に移住が実行され、全国の満洲模範移民村となるのである。[33] いかに分村計画の実現が困難であったかが分かる。

大日向村の記事は現存史料では『海の外』第一八三号（一九三七年八月）の「大日向村移民計画すすむ」である。[34] ここでは「同村戸数の約半数一五〇戸を満洲移住」させるとある。村を半分に割り満洲に分村するという全国初の試みである。一九三七年七月九日に先遣隊二二人が出発するという記事である。同時に本隊派遣と同時に団長堀川清躬が内原訓練所で訓練を受けることになったという。同村の分村計画は全国の注目を集めているので農林省と県庁では移民後の同村の農村更生策を模範的に統率する必要があるとして、農業倉庫建設、林業振興、木炭事業振興、産業組合活動振興のために二万から三万円の助成金を申請する予定という。大日向村が全国注目の的となったことにより長野県庁と農林省が熱心に農村更生策と補助金支給に動いている様子を伝えている。

『海の外』第一九七号（一九三八年九月）に現れる依田国祐「満洲大日向村移民地の概況」である。[35] 記事を書いたのは吉林省舒蘭県四家房移民団大日向村移民地大日向村本部員である。「日盛りが多いためか一般農作物の繁茂伸長は全く想像外で内地では其の比を見ることが出来ません」とある。入植から一年でこの成果である。当然開拓農地ではなく中国人の開拓した土地を関東軍が奪ったものである。農産物は大豆が大半であと陸稲、高粱、黍稗、粟、小豆、小麦、ポピーである。主要作物は大豆で、食事は水稲ではなく陸稲である。

また治安について「当地四家房付近一帯は二年以前までは匪賊の巣窟として知られ現在の各民族五十余名は不安の内にその日を送り従って土着の意志乏しく居住を転々としたる風聞なるも……只今は治安確立されました」とある。「土着の意志に乏しく居住を転々したる」民族、「婦人は極めて矮小なる足部にて歩行にすら不自由の感ある概観致しております」とある。これは移民団から土地を奪われた現地住民と「纏足」の描写からその妻たちであろう。最後に「五族協和一致親睦建国の一線に突進して止まない念願であります」と結ばれている。

このように『海の外』では満洲移民を移民団の目線から状況報告がされる。そこには作物の栽培だけでなく治安の状況、民族協和の念願を知ることができる。そのなかから中国人との関係などを推測することができる。

この一九三八年の大日向村が分村移民の始まりであり、模範村として全国に宣伝されたがこれも満洲信濃村の一つの形である。一村だけで満洲に村を作ったのである。こうして作られた村は満洲の大日向分村と呼ばれた。それ以後は分村が「郷党的親睦」の模範として農林省、長野県庁肝いりの移民村として満洲移民が進められたのである。これに続くのが泰阜村、富士見村、読書村などである。

佐久地方では五年間で一つの村をつくる運動がすすめられた。一県より地方に限定した方が郷党親睦の関係が作りやすいからである。満洲に移民する者も村を追放されたのではなく、同じ村を分割して独立した分家のような存在として満洲の日本人村を位置づけたのである。大日向村の人も渡満して満洲国の満洲人と融和することがあっても、現地人に同化するということは考えていない。満洲の長野県人である。満洲の諸民族の指導者としての日本人である。これが満洲に分村を作るという意味である。母村と同じ村名をつけたのはその心情である。内地の延長である。

『海の外』第二〇四号（一九三九年四月）には「満洲農業移民続々鹿島立ち」として第七次と第八次集団移民の長野県人出発の状況が報じられている[36]。長野県の主な集団移民は一九三九年三月六日から二八日にかけて、第六次南佐久郡大日向村の本隊一一三人は長野市に集合し敦賀港から、第七次中和鎮信濃村の本隊一〇二人は長野市に集合し敦賀港から、第八次蓼科郷と下伊那郷の先遣隊三一人と下伊那郡泰阜村、千代村、川路村、下久堅村、西筑摩郡読書村、諏訪郡富士見村、各分村先遣隊九九人は長野市に集合し新潟港から渡満している。

集団移民は長野市に移民団を一〇〇人単位にまとめて敦賀港と新潟港から船で朝鮮の清津を経由して渡満している。県ぐるみの集団移民である。ここには第六次南佐久の大日向村本隊を先頭に第八次の下伊那の泰阜村、千代村、川路村、下久堅村、西筑摩の読書村、諏訪の富士見村先遣隊のように村単位に送出した分村移民形態と、第七次の中和鎮信濃村の県単位の移民形態と、郡単位（郷）の下伊那郷、蓼科郷の移民形態という三つの形態の移民団があったことが分かる。この年から数年が長野県集団移民の集中した時代である。

同第二〇四号では「分村移民の目標遼遠―耕地調べなる」がある。[37] 現在土地問題の最終解決として満洲分村が行われているが、長野県全農家戸数一九万七六〇四戸で一戸当たりの耕地面積は八反九畝である。将来の農家の適正規模は一町二反であるが、それに達することは「前途遼遠」であるという。分村計画の目的は貧農の満洲への分村によって、彼らの残された土地を母村の人たちが分け合うということである。しかしその目標がいかに困難であるかを述べて満洲移民の非現実性を「前途遼遠」とあざ笑うような記事である。

『海の外』第二〇八号（一九三九年八月）の「信州ニュース」で「自作農創設へ邁進―大日向村の土地処分」の記事がある。[38] これによると全村三三六戸のうち一五〇戸を満洲へ送り移民が残した土地を母村農家で分けあうことで現在の耕地一戸当たり六反一畝を一町一反に拡大して耕地を適正規模にするという。この農村更生策の現状を報じる興味深い記事である。現状で移民農家の手を離れたのは水田三町歩、畑一五町歩、山林二〇町歩である。村では経済更生特別助成四万円で一切の土地を産業組合で買い上げ、各部落の共同収益地として部落管理している。その後土地処分委員会を設けて検討するという。方針は未定だが耕地の少ない農家を中心に自作農創設を図り、耕地の広狭は交換分合で解決する方向とした。本隊を送り出した後の大日向村の余剰耕地が水田三町、畑一五町であり適正経営規模に調整するにはまさに「前途遼遠」である。耕地だけでなく村有林数千町歩の山林のうち二〇町歩の権利移動ではほとんど意味がない。大日向村を分割して満洲に分村を作って貧民を送り出しても母村の耕地拡大、山林経営拡大にはさほど寄与しないことがすでに明白となっている。これが大日向分村移民の実態である。

長野県の集団移民村建設計画では黒台信濃村に続き一九三七年第六次移民として満洲国牡丹江省密山県南五道崗に南五道崗信濃村、一九三八年第七次移民として浜江省葦河原中和鎮に中和鎮信濃村、一九三九年第八次移民として遼寧省奉天市張家屯に張家屯信濃村が合計四開拓団建設される。[39] これは「全県編成団」としていわゆるアリアンサ移民で実験した一県一村方式による集団民形態の完成版であった。

同じ第八次移民として渡満したのは先に述べた下伊那郡泰阜村である。有名な「満洲移民の村」である。耕地狭小の山間部の養蚕の村である。居住地の標高は平均六一七メートルである。天竜川の河岸段丘を駆け上って三二〇メートルから七七〇メートルの所にある。村内の最高峰は一〇五〇メートルである。山地と言ってもよい。それゆえ耕地は少なく養蚕に依存するしかない村である。養蚕を主業とする農民が多いので農山村という。昭和恐慌と一九三四年の養蚕危機は破滅的だった。商品作物の繭は山間部では農産物と違って自給生活の足しにならないのである。繭は製糸工場が買ってくれなければ生きていけない。そのため生計の途は山を離れて都市雑業労働者となるか満洲に行って一戸当たり二〇町（耕地一〇町、山林一〇町）の所有者となる夢を追うしかなかった。この村は下伊那郡の中山間地で、耕地狭小で耕作地を求めて満洲開拓に農民を呼び込むことに最もふさわしい土地であった。分村移民の村として有名な大日向村と似ている。

泰阜村は敗戦後も「満洲移民の村」として残留孤児救済運動など戦争と満洲移民を語りつぐ村として、長野県のみならず全国で有名となった。この村の近く阿智村に満洲移民開拓記念館が出来たのは偶然ではない。泰阜村の実際の満洲分村移民は一九三九年であるが二年前から移民計画を立てていたことが分かる。泰阜村開拓団は泰阜村では集まらずに他村から泰阜開拓団として無理やり集めたものである。掛け声だけで実際に一村で分村として送り出すだけの村の体力はなかったのである。

泰阜村が入植したソ満国境国境に位置する三江省樺山県はソ満国境の戦略的要衝地であり、いったん日ソ戦が勃発すればもっとも危険な場所であった。それは一九四五年八月のソ連参戦で現実になる。まさに軍事優先の満洲一〇〇万戸移民をもっともよく体現した危険な一県一村建設であった。

先に述べた泰阜村も分村移民形式をとって一〇〇万戸移民の先陣を切っていた。すでに『海の外』で泰阜村が一〇〇万戸移民に呼応して一九三九年から多数の村民を満洲に送出していることを報道していた。ここでは満洲移民を推進した泰阜村指導者について述べておきたい。

泰阜村では満洲分村を進めたのは、下伊那郡の村長らを集めた団体で満洲を視察した村長杉山直樹の熱意であった。一般に満洲移民の推進は村長以下の村当局の行政指導に依ることが大きい。これは大日向村では浅川武麿村長の指導性にある。泰阜村長も満洲移民の熱意はすさまじく自村では満洲で分村を作る人数が足りないと隣村、他村から人を集め、拓務省には泰阜村の村民であるかのように振舞っている。また農林省の特別助成村に指定されると大きな補助金がもらえることも一つの誘因だった。泰阜村は一九三九年に満洲分村を実現して一九三九年に農村更生特別助成指定村となっている。満洲移民を農村更生策の一つに採用すると農林省から多額の補助金がもらえるのである。農村更生の一環としての満洲移民である。そのため満洲移民を農村経済更生計画のなかに組み込んで農林省の予算を獲得するのである。これが村行政当局にとっては満洲移民政策採用のメリットであった。泰阜村の満洲移民が行政主導であるのは満洲に渡った開拓団長が泰阜村の役場書記であることが示している。役場の仕事であり役場書記が団長として満洲に渡る。村長と役場書記の線で満洲移民が進められたことを表している。一九三七年から満洲分村移民計画が持ち上がり一九三八年から敗戦まで満洲移民開拓団として二一六戸六七四人が渡満した。

しかし隣の大下条村の村長佐々木忠綱は満洲を視察して満洲移民に公然と反対した剛毅な村長であった[40]。村長如何によって満洲移民は決まる。満洲移民とは行政主導移民である。村長が反対すれば満洲移民は実施しなくてもよかったことになる。それゆえに経済的条件でめぐまれていた西日本の諸県では、東北地方や養蚕県と比べると満洲移民の村が少なくなるのだろう。

泰阜村は満洲でソ満国境に近い三江省樺川県に大八浪開拓団を建設する。ここは大日向村と同じく第一次武装移民が開拓した弥栄村の近くで危険な地帯であった。

戦後残留婦人の帰国運動を進めた泰阜村出身の中島多鶴は、NHKドキュメントで放映された『忘れられた女たち』で知られているが、中島の父新井正は泰阜村の養蚕農家で満洲移民を熱心に進めた満洲移民を推進する農村中堅人物だった[41]。泰阜村では村長を農村中心人物として満洲移民を積極的に進め、それを支える農村の中堅人物もいたことが分かる。その下に耕地ほとんど持たない多数の養蚕農民がいた。一九三〇年の昭和農業恐慌で打撃をうけて、一九三四年にそれを上回る繭価格の惨落があり、生計が困難であった。現地の情報を閉ざされていた彼らが満洲に土地を求めるのは必然でもあった。一九三七年に泰阜村民はその脱出の道を満洲に求めたのである。

一九三八年大日向村、一九三九年泰阜村に続いて分村移民した川路村については、細谷亭が分析している[42]。平場農村での満洲移民として取り上げている。泰阜村のような山村的な貧窮村ではない。細谷は川路村ではそれまでの満洲移民が次三男移民であったのが家族移民、即ち挙家離村であることに注目している。満洲一〇〇万戸移民になるとそれまでアメリカ、ブラジルでも一般であった次三男移民が家族移民に転換する。川路村はその典型例であるという。

川路村が家族移民を選択したのはこの村の経営構造にある。ここは天竜川を間近に望む河岸段丘が始まる土地である。比較的平場が多い。そのため養蚕経営を水平的に展開して経営規模を拡大して養蚕専業農家として自立できたのである。これは大日向村や泰阜村との大きな違いである。日本三大桑園ともいわれる地形的条件である。しかし一九三〇年代の養蚕危機は富裕な専業養蚕に最も打撃を与えたのである。そのため平場であっても養蚕危機の打撃の現れは市場経済に深く組み込まれた農民にとって破壊的であった。養蚕専業大経営も生活を完全に破壊され、満洲移民の道を選んだのである。もちろん経済条件だけではない。国からの経済更生特別助成という政府の補助金が出る。このため川路村当局は満洲移民計画を樹立して一九三八年度には農村経済更生特別助成村に指定されている。この特別助成金が満洲移民の誘因になったという証言がある[43]。

川路村開拓団副団長の息子として渡満した今村秀平は次のように語る。「(分村に応募して)行く人がなかった。川路は豊かな土地だったもんで、ここを捨てて行くということはね。こんなことを言うと怒られるけど、千代や泰阜や上久堅とは土地が違う」、しかし「何しろ分村をやれば金をくれるっていうことがあったようですね。二万円、国から確か助成が出たようですね」と証言している。

つまり平場で養蚕規模も大きく豊かな川路村では満洲に行く必要はなかった。二万円の国からの助成金が出るので行ったという。たしかに一九三四年の養蚕危機は深刻だったが次第に軍需景気で価格が回復してゆき、川路村が分村移民を計画した一九三八年頃には行く人がいなかったというのも事実であろう。特別助成金、即ち政府の助成金が満洲移民の目的だという。その結果一九三九年、満洲移民に向かったのである。満洲移民は母村の経済更生のためで満洲移民は捨石だということを赤裸々に証言している。

川路村が平場の養蚕村であり経済的余裕があったにもかかわらず分村移民を実施したのは、下伊那郡在郷軍人分会長が川路村出身だからであるとして、このような軍人分会の満洲移民への推進は河野村や伊賀良村など他村でも同様であるという(44)。たしかに満洲事変以降在郷軍人会の活動が活発化し銃後の戦争体制づくりに対する貢献は著しい。

そもそも満洲移民のはしりとなった大正期の関東州愛川移民の推進者福島安正が、退役後帝国在郷軍事会副会長となったことは既に述べた。帝国在郷軍人会が末端まで満洲移民の推進のプロパガンダを行うのは当然であった。移民した日本人が満洲支配のための人的主柱となるからである。

農村経済更生運動でも町村農村経済更生委員会の教化団体として在郷軍人分会が農村更生に積極的に協力することが決められていた。満洲移民に対する末端での在郷軍人会の関与については今後明らかになるだろう。

一九三九年の第八次満洲移民でもう一つ有名な分村移民がある。読書村である。西筑摩郡で木曽の山林である。標高は三〇〇メートルから九五〇メートルに及ぶ。森林の七〇％は国有林である。山村的性格は大日向村と同じである。この村は高橋泰隆が分析している(45)。

一九二九年の読書村では蚕繭が村収入の四六％を占め、続いて農産三一％、工産九％、林産八％であった。それが一九三一年には蚕繭が三五％に落ち農産が四二％と逆転する。他に工産九％、林産八％である。養蚕危機のすさまじさを示す。一九三四年以後の統計は不明だが、養蚕危機はもっと激しい。養蚕主業が昭和恐慌で副業に転落する。しかし大日向と違い炭焼きの比重は少ない。大日向の方が山村的である。しかし木曽の西筑摩は農山村として養蚕主業の経済構造が恐慌で破壊されたのである。しかし木曽では養蚕収入なくして生活はできない。満洲移民の盛んな土地には、このような養蚕を主業とする山村的農村、高冷地農村が多い。西筑摩郡の読書村は山村的農村の代表である。平場の豊かな養蚕専業農家の川路村より、山村的な読書村の方が危機が鋭く満洲移民に積極的だったと言えよう。そのため読書村は一九三九年に満洲移民を送り出して、一九四〇年に農村経済更生特別助成指定村となり二万円の補助金をもらっている。

読書村の分村移民については『海の外』第二三四号（一九四一年一〇月号）で読書村村長園原次郎が「理想郷の建設」を書いている[46]。それによると昭和恐慌を克服するため農林省の農村更生特別助成金をもらったので「根本的大計画」を立てることにしたという。それが分村移民である。

読書村は耕地と人口の調整から過剰人口を満洲に送る。そのため一九三八年五月に村の六五〇戸のうち一五〇戸、その他次三男で分家する五〇戸を加えて二〇〇戸で満洲分村を建設するとした。これが実現すると母村では一戸当たり二反五、六畝歩増加して一戸平均八反七、八畝となるという。そして一九四〇年三月までに二一四戸八〇〇人が渡満したという。村では一〇〇〇人近くの人口が減ったので労力調整が大変であったという。残った村民は毎朝夕三〇分長い時間働いて「労働時間絞り出し」を行って対処したこと、特別助成で村内三か所も出来た製材共同作業所で能率を上げて増産を図ったという。また母村の木曽と分村の満洲での連携を図り母村で不足する米・大豆・飼料は分村で報恩地を設けてその収穫物を母村に送る。分村で必要な茶、梅、竹などは母村から送ったという。巨額の国家資金は母村の公会堂、資源館、開拓館の建設となったという。村長の『海の外』の報告で経営規模拡大について一切述べていないことが分かる。労力不足を母村の労働強化で乗り切っているということである。

以上のように読書村の満洲分村の結果は潤沢に国家資金が建物建設など村に投下された恩恵はあるが、山林・農業経営再建となったかどうか疑問である。

木曽の母村読書村の満洲の分村移住地は三江省樺川県読書村と呼ばれた。泰阜村満洲分村の大八浪泰阜開拓団の近くである。三江省はソ満国境に近く危険な地帯であった。このような危険なところに送り込まれたことで敗戦時に多数の犠牲者を出すことになるのは他の長野県の代表的分村と同じである。読書村の「理想郷の建設」は挫折したのである。

次に第九次移民について『海の外』第二一三号（一九三九年一二月）の信州ニュースとして「大陸集団開拓民一六〇〇戸送出」が報じられている。長野県の割り当ては分村、分郷移民である。大門分村移民二〇〇戸、高社分郷三〇〇戸、五常分郷三〇〇戸、下水内分郷三〇〇戸、更級分郷三〇〇戸、県単位二〇〇戸である。これは拓務省の事前割り当て数である。応募があってもこの戸数だけ送出できるか別である。『長野県満州開拓史』各団編で見ると第九次の長野県単位移民はない。大門分村は分郷移民となり他に芙蓉郷と筑摩郷移民が加わっている。満洲集団移民が自発的なものでなく満蒙開拓青少年義勇軍と同様に拓務省の割り当てで人数が決められる官製移民であることが分かる。

（二）分村移民・分郷移民の論理

これまで満洲分村移民について研究史をふまえて見てきた。そこでは大日向村、泰阜村、読書村の山村的農村と川路村の平場農村の差が見られた。

坂口正彦は「行政村の統合力の弱い山間地の貧窮村」と「行政力の強い平場の模範村」とを対比している[47]。たしかに満洲移民の盛んな土地に平場と山間地があるという指摘は重要である。満洲移民は決して山間部だけではない。だが序列はある。どちらを重視するのか。ここに満洲移民をめぐる歴史像の問題がある。問題は山間地と平場という類型的差異を貫く論理である。平場と山間地を貫く同質性があるはずであろう。それは養蚕危機である。山間地であり平場を貫く養蚕主業の経済構造が昭和恐慌と戦争で破壊される。その破壊の打撃は山村ほど危機が鋭く現れたのではないか。しかし経済危機、養蚕危機だけではない。人的条件が重要である。農村経済更生運動で生みだした農村更生の新たな指導者層の存在である。村落の中心人物である村長と村落内の新たな中堅指導者の台頭である。彼らが総力戦体制の末端を担うことになる。下層民を動員するのは土地所有という内在的論理より外在的な動員の論理が必要であった。それが補助金であり適正規論による内地農村更生のための「適正規模の論理」である。これは経営規模の小さい小作人、貧農を排除する論理に転化する。

このため農村更生と満洲移民が結合する重要な制度として特別助成制度が大きな役割を果たしたのである。では特別助成村が下伊那でどこに投下されたかを一九三七年から一九四一年まで時系列で追ってみよう。

下伊那郡では一九三六年度に大島村、三穂村、一九三七年度に根羽村、一九三八年度に川路村、清内路村、一九三九年度に泰阜村、千代村、上久堅村が農村経済更生特別助成村に指定されて、西筑摩郡の読書村は一九三八年度に特別助成村となっている。[48] まさに農村経済更生特別助成村は下伊那で有名な満洲移民村とぴったり重なり合うのである。しかも特別助成村は川路村のような平場農村ではなく泰阜村、清内路村、読書村のような山村的養蚕村が多いのである。しかし特別助成は国内母村更生ための補助金であり満洲移民する人たちに使われるものではない。補助金は国内村落指導層の母村の経済更生が目的であった。一九三六年度に特別助成村となった三穂村では満洲移民を農村更生に取り入れていない。特別助成は満洲移民を組み込まなくても指定されたのである。村当局に中心人物がいて農村更生に熱心であれば支給したのである。だが政府の巨額な補助金が投下されると農村経済更生運動の一環として満洲移民が結合する。満洲移民が活性化するのは当然であった。

全県レベルでの農村経済更生特別指定村は一九三六年度から一九四二年度までで四八村に達する。代表的移民村が特別助成の補助金を受けたとしても、長野県の市町村数は三八七（一九二七年）もあり全市町村のわずかに一二％である。また特別助成村指定を見ると下伊那郡が一二村で全体の四分の一を占める。しかし山間部の西筑摩郡は四村のみである。一割以下で少ない。農村経済更生運動が盛んであるとは言えない。更生運動は山村的であるより農村的色彩が強い。農村の再生であり農村の中農を基盤とする中堅人物の活動は平坦農村に多かったのである。ただ満洲移民は農山村の下層民を海外に移住させるという海外移住政策の極端な形態をとったもので通常の農政とは区別しなければならないと思われる。貧窮民対策と国内矛盾の対外転嫁という側面が入るのである。満洲移民は内地農村更生の手段として利用されている。

その意味で特別助成指定村はまさに母村を模範村とするものである。これは満洲移民を樹立するための模範村表彰の意味を持ったのだろう。しかし農村更生と満洲移民を結合することで起きるこの貧窮民「排除の論理」の構造を理解することが大切である。

下伊那の満洲移民では齊藤俊江が下伊那郡町村全体にわたる送出状況を網羅的に明らかにしている。[49] 飯田市の他四三町村ごとに渡満者数と終戦後の行方、渡満者の女性比率、渡満者の町村人口に対する比率、渡満者のうち帰国した人の比率である。それによると下伊那郡全体の開拓民は七一五七人で最も満洲移民の送出数が多い村は泰阜村の七四六人である。四三町村のうち一村で一〇％を超える移民者を創出している。泰阜村の次が上久堅村六四一人、千代村四九七人、清内路村三四二人で三位を占め、つづいて神稲村三三六人、喬木村三二三人、川路村三一一人、上郷村三〇四人が続く。これらの地理的条件としては、山間部は泰阜、清内路、千代村、上久堅はそれに近いが、神稲村、喬木村、川路村、上郷村は山村とは言えない。しかし養蚕が盛んな村であるとは言えよう。もちろん山村的農村である泰阜、清内路、千代でも養蚕は盛んであった。養蚕危機が満洲移民の条件になったということは下伊那の主要な送出村からは言えよう。

倉沢大発団長を中心とした開拓団メンバー（『満洲阜分村―七〇年の歴史と記憶』不二出版、二〇〇七年、口絵）

これらの村は村民多数を移民に出し集団として満洲に渡った。大日向や泰阜村ほど人数が集まらないので分村形態はとれないが、部落を形成し下伊那郡単位の分郷集団移民としてまとまって渡満したのである。しかし泰阜村でも分村のなかに多数の他村の出身者がいたことが分かっている。単独で分村するだけの人を送ることはできなかったのである。このような満洲移民に熱心な村は、行政当局から特別指定村に指定されることで予算を獲得することができることも魅力だった[50]。

また満洲では渡満した開拓民のほかに報国農場八七人、勤労奉仕一三二人として渡満して開拓民のために農業労働を提供した若い人たちがいた。開拓民関係者や若者・学徒が多かった。また一五歳から一九歳の青少年義勇軍も先生たちが教室の生徒に上からの割り当て数を配分して募集活動を展開した。これら生徒たちは下伊那から九七八人が送出され、開拓民全体の一二%を占める。そして開拓民全体の帰国比率は五割であった。半数は帰国できずにほとんどは敗戦時のソ連侵攻時に亡くなったか、残留日本人となったのである。泰阜村の開拓団長倉沢大発智は敗戦後中国人に銃殺されている。満洲移民の末路がいかに悲惨であるかは下伊那の人々が今も「満蒙開拓を語りつぐ会」と「満蒙開拓を考える会」を組織して若者たちに語り継いでいる。[51]

このようにして長野県では町村末端の動員機構は行政組織一村一部落の分村を建設していった。長野県は県庁が各市町村に移民数の割り当てを行い、満洲での村落(集落)建設を強力に進めたのである。移民形態は一県一村(一村一部落)建設、一村分割から分村建設へ、一郡から一村建設へと深化したのである。長野県で進めた分村移民は一時期に全国の移民形態の主流になる。これはブラジル移民で始まった一県一村方式が実験のレベルを超えて一村が一村を形成する、また一郡が一村を形成するという分村・分郷形態は満洲移民特有の形態となって北満地方から内モンゴル地方に広がっていった。これは行政主導でなければできない移民形態であった。自発的な自由移民では不可能である。

その他地縁的範囲の違いによって最初の県単位の信濃村、長野村から、郡単位で一集落の建設する分郷移民(伊那とか佐久とか地方名を冠す)など、分村移民を含めて三つの集団移民が同時に開始される。その先端を長野県が担ったのである。

もちろん、一九三二年の第一次から第四次までの武装移民期に弥栄村、千振郷、瑞穂村でも「郷党的親睦」を基盤に東北・北陸の移民たちがそれぞれ県単位に集住し長野区(部落)などを形成していた。ブラジル移民でもレジストロ植民地第五区が長野県人を中心に組織され長野区と呼ばれていた。これを満洲移民期では正確には「分村」とは呼ばない。当時村を割って別に「分村」を名乗るということは大変なことで母村の理解を得らないからである。村の自治という共同体的一体感は村民意識としては大切なものであった。

安孫子麟によると「分村」という用語は一九三七年二月の大日向村の役場、農会、産業組合、小学校の経済更生の四本柱で行われた大日向村農村経済更生委員会で初めて作られたという。[52] 実際の分村運動は大日向村が発祥であるという。

ここで戦後の総括である『長野県満州開拓史』各団編から本格的移民期の長野県移民の全体像を見てみる。一九三六年から一九四五年まで県、郷、村単位の三つの移民形態で区分する。長野県の満州分村形態は県単位四、郷二四、村一二である。[53] 村単位で満洲に集落を作ることができたのは一二村だけである。圧倒的に郷（郡）単位が多く、次いで村単位であり県単位は最も少ない。つまり一村で集落を作ることは困難であり県全体で集落を作ることもあまりない。村単位で開拓村を作りたかったが人数が集まらずに郷＝郡単位でようやく集落を作れたということである。

まず第一に県単位の移民形態を見る。満洲で県レベルの移民形態で「信濃村」を名乗った始まりは、一九三六年の第五次移民団で東安省密山の黒台で信濃村（一部落）を初めて名乗っている。その後一九三七年第六次移民団で東安県密山の南五道崗、一九三八年第七次移民団で浜江省中和鎮、一九三九年第八次移民団で張家屯の四開拓団が信濃村を名乗っている。

第二に郡単位の移民形態を見る。信濃村建設後は一気に大日向村の分村移民が続くが、その後一村での分村移民が困難となると郡レベルの分郷移民が次第に増加していった。一九三七年第八次移民団の三江省通河の第八次移民団の大古洞で下伊那郷が最初である。下伊那が分郷移民の先陣を切っている。それ以降、年度と移住先は略するが、下伊那郷、蓼科郷、大門村（小県郷）、高社郷（下高井郷）、下水内郷、更級郷、芙蓉郷（東筑摩）、千曲郷、八ケ岳郷（諏訪）、埴科郷、黒姫郷（上水内）、小諸郷、小県郷、木曽郷（西筑摩）、上高井郷、佐久郷、南安曇郷、三峰郷（上伊那）、原郷（上伊那郡）、伊南郷（上伊那）、第二木曽郷（西筑摩）、東筑摩、南信濃郷、北安曇郷、阿智郷の二五開拓団を数える。

第三に分村形態を見てみる。一九三八年第七次移民団の舒蘭県四家房の大日向村が長野県のみならず日本全国の先陣であることは述べた。その後に富士見村、川路村、泰阜村、読書村、千代村、上久堅、伊那富村、落合村、檜川村、河野村、御嶽郷の一二村である。

大日向村で全国に注目された分村移民であったが実施に実現できたのは長野県でさえ一二村に満たない。そのため分郷移民が多くなるのである。あれほど政府に評価された長野県の分村移民でさえこの程度である。満洲移民運動の計画と実態の齟齬を見ることができる。

このように拓務省は一九三七年一〇〇万戸移民計画が実施される本格移民期に入ると、府県が主体となって県内移民希望者を集めて郷党的親睦集団として満洲に送り込んで一つの村落を建設する方式を実施した。旧来の郷党的親睦的共同体を利用して移民の現地定着を図ったのである。またそれが満洲では「匪賊」対策にとっても有利であるからである。

この移民形態は一九二〇年代の信濃海外協会の南米信濃村建設の経験、一九三二年武装移民期に頓挫した信濃海外協会単独の愛国信濃村の経験を経て、一〇〇万戸移民計画の時代に再び脚光をあびることになった。

ブラジルのような少数移民と異なり、満洲では国策一〇〇万戸移民となれば県庁機構をフル動員して行政権力で集団移民を進めることが必要な段階に来たとも言えよう。ブラジルの信濃海外協会のアリアンサでも明らかであったが自由意志での移民によって一県一村、まして一村で一分村を形成することは困難であった。だが満洲では関東軍と拓務省による強引な用地買収＝強奪による国策官製移民として初めて実現できたと言えよう。しかしそれでも実態は極めて不十分であり予定募集人員が集まらないことが多く、分村といっても他村の人を動員して無理やり間に合わせる状態でもあったことは注意しなければならない。

第五節　満洲自由移民

以上信濃海外協会『海の外』に見たように長野県の満洲移民は「郷党的親睦」を基礎として分村（大日向村、泰阜村など）、分郷（下伊那郷など）、全県（信濃村、長野村など）の満洲開拓集落を三形態で結成して集団移民を展開した。このように満洲一〇〇万戸移民計画は分村移民をモデルとした「集団移民」が主流であり、それを補佐する青少年義勇軍の展開が副流であり、その二つが満洲移民の中核であった。

それに対してもう一つ「自由移民」と言われた民間の移民運動を主体としたものがある。「集団移民」より小規模な「集合移民」や「分散移民」といわれるものである。集団移民とともに集合移民、分散移民も重要な満洲移民の形態であった。これらの移民団は政府の統制が緩い代わりに集団移民のような手厚い財政援助も指導も少なく「自由移民」とも称された。

『海の外』では自由移民といわれた集合移民や分散移民についての記事は少ない。これら自由移民とも称される満洲移民は主に天理教、キリスト教などの宗教団体や貧民救済を唱える民間社会団体の組織した移民団であった。しかし信濃海外協会ではこれら自由移民の動向を、『海の外』で報道はするが協会としてはほとんど財政的人的援助を行っていない。信濃海外協会は自由移民に対して冷淡であった。しかし無視したのではない。満洲移民の中核を県単位の信濃村・分村移民・分郷移民の集団移民として建設しその周囲に自由移民を配置して日本人村の防衛を強化したのであり、また満洲の都市周辺に自由移民を配置して近郊農業としての蔬菜、果樹栽培の産地として利用したのである。

ここでは満洲自由移民と呼ばれる開拓民についても若干述べておきたい。

このような民間の自発的意思で満洲に移住地を作ろうとしたものは内務省では自由移民として武装移民、一〇〇万戸農業移民と区別されていた。自由移民は満洲国建国当初の満洲熱で四〇以上が出来たというが最後まで残ったのは天照園、黒龍省ハルビン郊外の天理教（長野県人五六人を含む）、吉林省鏡泊湖畔の鏡泊学園の建設ぐらいという。宗教教団、失業者救済、学校建設という強固な意志と目的を持つものだけである。このような移民は国家的補助が無くては満洲での経営がいかに困難なものであったかを示している。

一九三九年「満洲開拓政策基本要綱」（実施は一九四〇年）で移民目的が変更される。内地向け目的では農村窮乏対策から日満支経済ブロックの食糧増産に転換した。その際に集団移民と集合移民と分散移民とに移民形態を三つに区別するようになった。

自由移民というのは一〇〇万戸移民計画の国策農業集団移民以外の満洲国に入国する開拓移民のことで、すべて自由移民と呼んでいる。自由移民を区分して農業を営む開拓民を農業自由移民、その他の自由移民に分ける。農業集団移民は一戸当たり一〇〇〇円、農業自由移民五〇〇円、その他の自由移民は二〇〇円の政府・県から補助金が支給される予定であった[54]。

一九三六年の長野県独自の移民計画では五か年計画で一九三六年は満洲農業集団移民五〇〇戸、農業自由移民一〇〇〇人、ブラジル移民二五〇人、南洋移民三〇人である。ブラジル移民も二五〇人を予定していることに驚く。これらは絵に描いた餅である。とくにブラジル移民では一九三四年以後新規入植は難しく、現地入植者の呼び寄せがあるだけである。実際は集団移民も自由移民もその半分にも達していない。たしかなことは自由移民であっても日本人を満洲に送ることは国策であり、軍事的治安維持のための絶体的要請であったことで、そのため補助金が農業自由移民にも集団移民の半額が支給されている。満洲自由移民といっても国家的支援がなくては不可能であった。

基本要綱では集団開拓移民は二〇〇―三〇〇戸で団長ほか農事、警備・保健、経理、畜産の指導員を置き本部、学校、診療所を備え五年後には村政を敷き開拓村となる。それに対して集合開拓移民は三〇―一〇〇戸で少なく、集団移民より自由な立場での入植が可能である。独立した公共施設を持たず鉄道沿線や都市部に定着する。分散移民は集落を作るのに満たない小集団で、集団、集合開拓団周辺に入植するというものであった。

『海の外』では自由移民についての記事は満洲一〇〇万戸移民が始まる前の武装移民期にわずかであるが、すでに関係記事が掲載されている。

一九三二年六月の『海の外』第一二〇号には「集団移民のトップ―天照園の二百名」という記事がある[55]。これは東京深川・塩崎町の「ルンペン二〇〇名が、今度いよいよ全村をあげて満洲へ進出することになり……大連市外大房身所在の農場を提供されることになったので、同園主小坂凡康《ママ》夫氏が移住すべき農場下検分のために渡満した」とある。記事には「集団移民のトップ」とある。信濃海外協会の永田稠が主導した「満洲愛国信濃村」より早い対応である。ここでの「集団移民」とはのちに述べるように一九三九年には拓務省が集団、集合、分散と三つに移民団を区別する以前の語法である。これは一九三七年以降には集合移民と呼ばれる移民形態である。

東京天照園は失業労働者に無料宿泊をさせる宿を経営していた小坂凡康夫（小坂芳春）が計画したものである。実際の天照園の満洲移民者は第一期（一九三二年）では東京だけでなく一道一七県から四二人、高等小学校卒一二人、中学中退六、中卒三人を含むものであった。昭和不況のゆえか高学歴の中卒まで含むのは意外である。第二期生は三三人が集合したという。土地の斡旋は東亜勧業株式会社であり錦州管内馬家屯の農業実習所で一年間の訓練を受けて内モンゴルの通遼近くの銭家屯で小作から出発した。農場は「天下の最悪の所」であったという[56]。その後の満洲「ルンペン村」は一九三五年では天照園開拓村は奮闘して「素晴らしい好成績」と現地新聞『満洲日報』が一九三五年に報道している[57]。

一九三三年七月の『海の外』第一三四号（内地版第一輯）では「天台宗が満洲国に布教」という記事があり、宗教教団の満洲国布教活動が活発となる。また「対満移植民事業に満鉄が乗り出す」という記事があり、そこでは小磯国昭関東軍参謀長と拓務省首脳部との会見で満洲農地開拓会社設立構想（のちの満洲柘植会社）が出されると同時に、満鉄も民間の満洲移民運動の助成活動を開始する[58]。その際「移民は自由移民を以て原則とす」と記されている。すなわちこの時点では、武装移民の実験的開始以外は自由移民を原則としていたのである。そのためこの時点では宗教教団をはじめとして民間の独自の移民運動が満洲移民の主流であり、そのなかで信濃海外協会の愛国信濃村や「ルンペン村」も自由移民として満洲に満洲移民団を組織して送り出すことが可能であった。『海の外』で天照園は「集団移民のトップ」と高く評価されているが、一九三九年以降は集団移民ではなく分散開拓移民と規定されるものである。失業救済集団や宗教教団や学校を目的とした開拓民には分散移民が多い。

これに対して集合移民は長野県で見ると一九三七年から始まり錦州省で満鉄が建設した高山子鉄路自警団、吉林省で下伊那郡の松島親造が建設した一九三七年双河鎮、白山子、江密峰、一九四〇年水曲柳の四つの松島開拓団ができる。そのあと一九四〇年東安省の南佐久八か村の千曲郷、奉天省の松本市瑞穂精舎による長野村、一九四一年吉林省の松本市の信磨村、東安省の破竹開拓団、一九四二年三江省の東筑摩河西郷開拓団、一九四三年奉天省の松本市松本郷、三江省の飯田郷などがある。これを見ると満鉄、下伊那、南佐久、松本市を中心とした独自の自発的移民集団として集合移民を作っており、拓務省による上からの動員移民団とは異なる別個の自由な移民団を結成していることが分かる。南佐久（大日向村のある地方）、下伊那、松本市に集中しているのは一九二〇年代からの信濃教育会の海外発展主義教育を展開したところであり、信濃海外移民運動の拠点であることも分かる。それらが集団移民とは別に独自の集合移民を形成しているのである。

長野県の自由移民は国策集団移民として政府の指導下で行われなかったので、記録が残りにくい。『長野県満州開拓史』では松島自由移民は記録されているが、錦州省の満鉄自警村、興安北省ホロンバイルの笠井村自由移民を除いて他にはほとんど記載がない。満鉄自警村は字義の通り南満洲鉄道を防衛するために満鉄が長野全県から県民を集合移民として送り込んだものである。この自警村の指導にも永田稠は加わっている。ホロンバイル開拓団も長野県民を集めてソ連・モンゴル国境に近いホロンバイルに笠井平十郎中将の指揮下で集合民として入植したものである。

自警団、笠井中将開拓団が満鉄線、ソ連・モンゴル国境警備という軍事的防衛の意味を持っているの対して、松島自由移民はキリスト者松島親造夫婦を中心として「自由」を掲げるように、国策移民の方針とは別に移民たちの経済生活自立と日本人・朝鮮人・中国人融和を目的とした自由な路線を選択したものである。

自由移民の一つの典型として、先の松島親造夫妻が吉林省に建設した「松島自由移民」といわれるものを見ると集合移民の特徴がよく分かるであろう。吉林省日本領事館朝鮮課長であった松島によって一九三七年から実施された[59]。

松島親造は国策移民がソ連国境に近い不毛の北満に偏っていることを批判し、移民自体の経済生活が可能な土地選択を行い、朝鮮人、満洲人との融和を図ることを目的とした。松島はクリスチャンの朝鮮人を妻としており、関東軍の進める集団移民の在り方と一線引いていたことが国策集団移民に参加しなかった理由であろう。また松島開拓団は国策集団移民が北満ソ連国境を中心として入植したのに対して、新京（長春）に近い吉林省吉林市近郊に入植した。入植地は吉林省の水曲柳、双河鎮、白山子、江密峰の四開拓地に分散選定している。

一九三二年五月永田稠は信濃海外協会から派遣されて吉林省に行った時に吉林の総領事石井射太郎の紹介で松島親造に会う。松島は一八八七年生れの下伊那郡市田村出身で、朝鮮に渡り朝鮮総督府通訳官となり朝鮮人（両班出身）を妻としてその間に生まれた子供も大学に進学させた。そのため彼は「朝鮮統治のためには命を捨てる者がいなくてはいけない」として民族協和を貫く。その思想の背景はカトリックであり妻もカトリック信者であった。その後彼は朝鮮人の大陸発展のためには満洲が第一線であるとして、一九二〇年朝鮮総督府から派遣され外務省嘱託として吉林省領事館に勤務した。その時の上司である領事石井射太郎は吉林の移民問題の第一人者として松島親造を永田に紹介している。信濃海外協会の永田と会った時に松島は朝鮮人の移民を進めるべきで、日本人だけでの吉林省への移住は反対であるとまで言っている。[60] 彼は永田が下伊那の同郷でもありキリスト教徒でもあり、また朝鮮人に対する移民にも理解があるとして心を許し、永田のその後の満洲移民の建設にも協力している。その松島が朝鮮人の満洲移民に代わって下伊那農民による満洲集合移民を自発的に組織するのは、一九三五年の妻と息子の突然の死亡以後である。その後彼は満洲一〇〇万戸移民に対応して一九三七年から土地の選定、移住地の経営も独自の見識を持って吉林省で移民運動を展開した。いわゆる松島自由移民として拓務省の官製移民とは異なる独自な満洲移民運動に生涯をかけるのである。[61]

しかし、松島自由民など集合移民については『海の外』ではその活動を見ることができない。そこに信濃海外協会の性格が現れている。満洲一〇〇万戸移民を通して日中戦争後には満洲移民は国策官製移民となり、上からの完全移民動員方式となった。そのため民間の自発性が失われ土地選定と移住地経営で自由な移民活動をしたいと思った時は、国策移民の目的から外れることを意味していた。そのためそのような移民団の活動は信濃海外協会の『海の外』には掲載されなかったのである。

もちろん満洲国のどこに日本人が入植しようと、関東軍や日本政府にとっては日本人の権力基盤を拡大できるという意味で国策協力者であることに変わりがなかった。その意味でそれなりの便宜を最後まで図っている。つまり集団移民、集合移民、分散移民という序列は日本帝国の権力配分序列であった。権力の移民への手厚い保護は集団移民であり、集合移民、分散移民になるにつれて援助と保護は低下するのである。

このように自由移民は関東軍・拓務省の軍事優先の移住地選定を無視して自由に移住地を選定したため官製移民を推進する信濃海外協会からも無視されている。しかし、満洲移民がソ連参戦で崩壊する時に自由移民が官製集団移民より有利に帰還できるということはなかった。松島自由移民の最後も悲惨であった。

満蒙開拓を語りつぐ会では松島自由移民水曲流開拓団の仲田保が開拓団の最期を証言している[62]。「襲撃と自決を乗り越えて」というタイトルからも敗戦後に開拓民の状況が伺われる。開拓団は現地中国人の「報復襲撃」を受けて殺され「集団自決」を遂げるさまを述べている。官製集団移民であろうと主観的には善意を持った自由移民であろうと、中国人にとっては同じ侵略者でしかなかった。「意図は良かったが結果が悪かった」という弁明は許されないのだ。

権力の統制が厳しくなると民間の自由な移民運動が展開する余地はなくなり、一部の強力な結束を保つ宗教組織のみが満洲移民に参画できるだけとなった。もちろんそれにつれて信濃海外協会の自由な移民活動も制限されていくのである。

キリスト教による海外移民による民衆救済を目指した永田稠の日本力行会も、この自由移民として新京（長春）近郊に満洲新京力行村を建設する[63]。この自由移民も権力の統制によって長野県庁により県民の参加は制限され、キリスト教の布教は禁じられ、自由な活動は制限されている。にもかかわらず永田は戦時下に満州移民を実行するのである。永田が書いた「新京力行村建設の精神」には次のように記されている。

「神武天皇の把持し給える開拓移住建国の精神とこれを基調として蓄積したる日本民族固有の文化を経とし満洲帝国建国の精神を緯とし日本民族無極の繁栄及び世界人類の最高理想実現の為和親協力して奮闘努力することを以て新京力行村建設の精神となす」。

これを見ると、一九二四年のアリアンサ移住地の建設の精神とそっくりであることに気づかされる。永田稠のもともとの国体論的イデオロギー（建国神話）は満洲移民と親和的だった。キリスト教徒ではなくても神武建国神話からも開拓精神を合理化できるのである。

実際に永田稠は一九三四年関東軍・拓務省の武装移民路線に反対して国策満洲移民政策指導部から追放されたあとも満洲開拓の情熱は持ち続けていた。その理由を永田は次のように述べる(64)。

「日露戦争に配置小隊長として満洲に出征致しました。戦争が終わりました後、私は満洲に残りたいと思い、同郷の関係をたどって福島将軍にお願いを致しましたが、将軍からお叱りをもらって凱旋しました。もしかの時に満洲に留まりましたらば思ふに私は今日まで生きてはおらなかったろうと思います」、「満洲事変の硝煙の未だ収まらざる昭和七年五月には多年熱望していた満洲に再度の足を踏み入れることが出来たのであります。先の時には剣を帯びてきたのでありましたが、今度は鍬を担いできたのであります。現在自由移民の仕事は困難でありますが、国策移民と併行してやっていかねば満洲移民の完璧を期すことは出来ない」と断言している(65)。

ここには関東軍の関東州愛川移民を指導した福島安正将軍が出てくる。松本出身で帝国在郷軍人会副会長である。満洲移民は日露戦争以来の念願であったという。一九三二年五月の話は「剣を担いで」は愛国信濃村建設の時代の武装移民のことを言っている。そして「今度」とは愛国信濃村建設の挫折の後一九三八年の日本力行会として新京近郊日本力行村による自由移民を実施して関東軍の国策移民と併行して実施することに意義を見出したということである。

実際の新京力行村は九州熊本県八代市昭和村の松田喜一が率いる日本農友会創立者の支援で二六家族を集めた。松田は地元熊本で尊王精神基づく農業技術指導の農民塾を開き数万の人材を養成し、有明海の干拓地を開発して昭和村を創設した九州の開拓のエキスパートである。二八家族のうち熊本県出身者が一七戸で全体の三分の二を占め、その他は長野が一戸である。熊本が中心で永田稠の長野が一戸とは驚く。自由移民で永田の帰属する自由移民団に長野県かいかに冷淡であったか分かる。

永田稠のこの長野県人と無関係な移民熱は、賀川豊彦もそうであるがキリスト教徒に見るように満洲移民に関わる宗教者としての意味をもつものである。キリスト教ばかりでなく仏教も朝鮮・満洲への布教と移民にはきわめて熱心であった。天理教もそうである。国家神道の建国神話も含めて宗教的開拓の持つ意味を考える必要があるだろう。どんなに危険があっても満洲新天地での布教活動と大地の開拓はキリスト教徒やその他の宗教団体にとって魅力的であったのだろう。

しかしこのように創立から敗戦まで『海の外』編集者であった永田稠による自由移民であっても、一字たりとも『海の外』の記事として報告されることはなかった。もちろん新京力行村に信濃海外協会は一切協力していない。このようには終始信濃海外協会に伴走した永田は、満洲移民に於いても関東軍にとって愛されざる鬼子だった。

信濃海外協会『海の外』の記事の掲載は、一九四〇年以降に激減して内容も薄くなることがそれを現している。信濃海外協会の移民活動は集団移民を中心的な対象としており、集合移民と自由移民（分散移民）は軽視されている。

第六節　満洲三大分村移民

（一）宮城県南郷村分村計画

ここでは満洲一〇〇万戸移民計画のまとめとして長野県を全国レベルでの模範村として知られた宮城県と山形県の満洲分村移民と比較して考察する。

とくに分村移民運動を早期に展開し満洲三大移民村として全国的に有名な宮城県南郷村、山形県大和村、長野県大日向村の比較である。[66] 満洲移民の特徴を三村の村落構造の比較を念頭に考えてみたい。

南郷村の分村計画は実際には県単位の分村運動となり、大和村の分村計画は実際には郡単位（庄内地域）の分村運動となり、大日向村は分村計画が実際に村単位の分村運動として結実したのである。三村とも母村の分村運動であっても満洲では三村すべてが一分村を建設したのではない。南郷村は県単位の集合移民で満洲一部落（満洲黒台宮城部落）の建設、大和村は郷（郡）単位の集団移民で満洲一部落（満洲庄内郷）の建設、大日向村だけが一村単位の集合移民で満洲一村建設（満洲大日向村）である。他の二村と比較して大日向村のみが母村の分村運動によって満洲でも一分村を実現したのである。長野県大日向村が分村運動としていかに突出しているか分かる。その違いに至った根拠を村落末端での担い手を中心に考えてみたい。

第一に最初の分村移民として有名な南郷村の分村移民を見る。これは分村の計画ではあったが実際は県単位の満洲移民になる。農村更生のために村を分割しようとした満洲集団移民の先駆的な事例である。

南郷村では当時福田清人『日輪兵舎』（朝日新聞社、一九三九年）の小説でも有名であった。これは南郷村の満蒙開拓青少年義勇軍に参加した少年をモデルに初期の南郷村移民の状況を描いていたものである。

集団移民として満洲分村構想として満洲移民が最も早く計画されたのは一九三六年の宮城県遠田郡南郷村である[67]。南郷村は一九二九年で戸数一〇〇〇戸、水田二八五六町で耕地の九四％を占める水田単作地帯である。小作地率は八三・五％と全国水準をはるかに凌駕する小作村であった。同時に五〇町歩以上の大地主が八戸、二〇―五〇町の地主が一二戸で全国有数の大地主村である。そのために一九二〇年代から大地主支配に対抗する農民運動が活発で農民組合運動のみならず、産業組合運動、農家小組合運動、農事改良運動が、実業教育充実運動が自小作上層農民を担い手として活発に展開していた純農村である。

南郷村移民運動の指導は長野のような組織化された海外協会や県教育会ではない。指導者は南郷国民高等学校校長松川五郎（一八九七年生まれ）である。北海道帝国大学農学部卒、父は陸軍大将松川俊胤であり農村救済のインテリとして村の移民指導者となる。松川五郎の構想としては一九三六年二月に「南郷移民計画案」が作られている。村の全戸数の四〇％を満洲に送るという壮大な計画であった。そして母村では平均経営規模を一ヘクタールから三ヘクタールにするというのである。まさに最も先駆的な適正規模論の実施である。

南郷分村運動の構想は大日向村より早いが大日向村のように満洲で南郷村分村建設を成功させたわけではない。なぜなら松川五郎は村内の校長ではあったが村政指導者でなかったからである。そのため松川は村ぐるみの満洲移民政策を実現することは出来なかった。

松川五郎は昭和恐慌以降に土地を持たない農民の窮状を救うために従来の小学校卒業後の実業補習学校を一九三一年に南郷国民高等学校に改組してその校長になり満洲移民を推進した。しかし地主を中心とする村政指導部は松川の推進する移民運動を拒否する。南郷村では昭和恐慌を経ても旧来の村落支配は依然として大地主の主導であり満洲移民は国内の小作人が減少して地主経営に支障が出るという理由で満洲移民は否定されていた。松川は満洲移民の反対者について「反対するのは地主さんと村の学者ですなあ、村の農会の反対があったのは南郷でも同じです」、「小作人が減少し地主制経営に支障がある。、村の労働力が不足する、移民者の借金整理法が地主に不利であるという」理由だと述べている(68)。

農林省では松川五郎の移民運動など農村更生の動きを早くから察知して南郷村に対して一九三二年から農村経済更生計画の指定村認定を打診していたが、村政を牛耳る地主勢力を中心とした村落指導層は拒否したという。それも指定村指定拒否は三回に及ぶという。南郷村では地主たちは恐慌による村の立て直しは自分たちでやれるので農林省の介入はいらないという姿勢を貫いたのである。背景に村政指導者の地主たちは松川の動きを敵視して自小作中農と貧農が村政に口を出すことを嫌ったからである。

松川五郎が村内に設立したこの移民運動の拠点とした国民高等学校という名前は加藤完治が一九一五年に山形県上山に設立した山形県立自治講習所という民間農民教育機関を一〇年後に茨城県友部に日本国民高等学校として移転したものを真似たものであった。松川はそれを踏襲したのである。この段階では松川は加藤と直接関係を持っていない。松川は一九三〇年代前半は昭和恐慌の脱出をブラジル移民に求めていたが、一九三四年に加藤が南郷村に講演に来て満洲移民を力説すると満洲移民論に転換したという。ブラジル移民から満洲移民への転換は一九三四年である。これで松川と加藤が繋がった。また南郷村では中核的な推進者は「満洲狂い」といわれた新聞店主の皆川七之助がいた。彼は恐慌下で没落の危機に瀕する村内零細農と下層民を救済するために松川の海外移民を支持する若者であった。しかし松川に対して村長、村会議員は実業補習が目的の南郷国民高等学校で満洲移民を指導することは問題であるとして一九三五年に校長を追放した。

こうして松川五郎追放のあと、皆川七之助を中心に会長に村政とは独自に移民運動を展開する。東宮鉄男の創設した満蒙開拓義勇軍の先駆とされる東安省（黒龍江省）の饒河少年隊に応募参加した少年の父親を会長として一九三六年南郷移民後援会が設立された。もちろん村指導層は反対である。また一九三七年に拓務省の一〇〇万戸移民にも一九三六年第五次移民団に応募して五九戸が応募し満洲黒台で南郷部落を作った。村政指導部は国策となった満洲移民には逆らえなかったが村政の指導権を掌握しつつ村内の満洲移民を推進する新興勢力と対立するという構造が一九三〇年代に成立する。

南郷国民高等学校を追放された松川五郎はその後東京で新たに設立された満洲移住協会の（会長斉藤実、理事長大蔵公望）の企画部長（参事）となり東京に移転する。この人事の背後には加藤完治がいた。満洲移住協会では満洲移民の分村計画の指導者となる。松川の満洲分村計画の構想はブラジル・アリアンサの移民運動が念頭にあったという[69]。

南郷村では一九三六年の本格的移民開始の第五次から一九三九年の第八次までに分村移民として満洲黒龍江省黒台に南郷村民五九戸で分村（集落）を建設した。村内の指導者としては主流になれなくとも、満洲移民では政府・軍部に協力して満洲移民の民間活動家として中央で活躍し在地の南郷村満洲移民送出にも最後まで貢献している。

以上のように宮城県南郷村の松川五郎の移民運動を見ると、村落指導層として村政を掌握しないと村落全体を満洲移民に動員することが困難であると分かる。しかし戦時体制が深まり一九四三年になると、南郷村では村落指導層は国策として満洲移民に内心反対でも皇国農村確立運動では南郷村の標準農村設定運動の特別指定村に選ばれ村政として満洲移民をようやく本格化している。このように移民運動の中心人物は村政を掌握しきれない場合には満洲移民は限界を持つ。松川五郎は民間移民活動家であったが満洲移民の村落の「農村中心人物」ではなかったのである。そのために南郷村は分村移民の先陣を切っても満洲分村を実現することは出来なかった。

南郷村では一九二〇年代台頭する自小作農は松川五郎を支持して村政指導勢力と対立した。しかし中堅農民たちは実業補習学校の延長としての南郷国民高等学校設立に賛成しても満洲移民に賛成したわけではない。南郷村は水稲単作で小作地は異常に多いが経営規模は一町歩で全国平均であり、昭和恐慌のような養蚕危機はない。米価が回復すれば中農層が満洲に行く必要はなくなる。南郷村を研究する安孫子麟は農村窮乏の村政指導部の地主たちは慈善活動で傘下の小作人救済を行い政府の農村経済更生運動に頼る必要がなかったという。安孫子麟は「南郷村は県下第一の大地主の村でこの地主の力によって村財政も健全であり、村有財産の収入も多かった。このため他町村で多くみられた小学校教員給与の遅払いも全くなかった。また基本財産収入も健全であり、村有基本財産からの収入も社会事業的事業に充用するという考え方も強まっており、村議会は村立診療院、村営託児所（四カ所）、高等国民学校を次々と設置していった。個々の地主も困窮している自分の小作人を客土工事に雇って賃金を与えるなどしていた。こうして地主層は国が主導する経済更生事業に頼らなくとも村の秩序を維持できると考えたのであろう。」と述べている(70)。

また在地で満洲移民の旗を振った皆川少七之助は新聞店主であり農民ではない。成長する自小作農中農を代表する存在ではない。一九二〇年代の革新派であった彼ら自小作中農は自作地を所有しており小作地も苦労して拡大しているのでそれらをすべて手放して満洲に移住することは望んでいなかった。そのため皆川を支持し動員された農民たちは加藤完治のイデオロギーと満洲の土地に憧れた少数の零細農民たちであった。このようにいかに優れた移民指導者がいても少数の移民指導者だけで満洲移民を実行することが戦前農村でいかに困難であるかを典型的に示している。移民運動は指導者とその担い手が一体化して行政機構全般を掌握することが必要である。満洲移民は民間運動では成り立たない官製移民がその本質であるからだ。

（二）山形県大和村分村計画

第二に分村移民としては取り上げるのは山形県東田川郡大和村である。満洲移民では山形県は長野県に次いで熱心であった。一九三七年の山形県も庄内郷移民として庄内地方の諸郡数か町村をまとめた開拓団が有名である。ここでは南郷村に倣って分村を計画しながらも郡レベルの満洲移民となった事例である。いわゆる庄内型移民で富樫直太郎を中心とした庄内郷移民である[71]。

富樫直太郎も松川五郎と並んで満洲移民では全国的に著名な人物であった。和田傳『大日向村』（朝日新聞社、一九三九年）ほどではないが農民小説として丸山義二『庄内平野』（朝日新聞社、一九四〇年）のモデルになった。

大和村は山形県東田川郡東田川郡にある庄内の水稲単作地帯の一角を占める。一九二八年で戸数は五七九戸、村の七割が耕地である。耕地の九五％が水田である。小作地率は七三％であり南郷村より低いが全国レベルでは小作地が多い小作村である。しかし富樫直太郎は二—三町歩を形成する自小作農であり、また大和村は経営規模の多い小作人が多い村である。決して貧農が多いというわけではない。地主は一〇〇町歩と五〇町歩を所有する農民が君臨し一〇町歩以上の地主が耕作地の四三％、小作地の六〇％を占めていた地主村でもあった。東北地方は近畿と異なり一九三〇年代になっても昭和恐慌で小作地が拡大していた。

大和村は農林省の一九三二年農村経済更生運動の山形県内で最初の農村更生指定村に選ばれ、一九三五年に教化指定村となる。一九三五年には大和村分村移民団長となる富樫直太郎の盟友である名望家土田嘉右衛門が大和村助役に就任し翌年には村長に就任する。土田は昭和恐慌の農村立て直しのために旧来の農村秩序を批判した新しい指導層であった。ここでの村内の指導部を掌握していたのは一九二〇年代から登場した名望家層の革新派で農村改革を唱え助役ののちに村長に就任する土田であった。その結果一九三六年庄内で唯一農村経済更生特別助成村初年度に選ばれている。土田は一九三六年村で富樫を中心に結成した満洲移民を進める加藤完治指導の皇国農民団に参加している。こうして土田は農林省が推奨する農村更生に熱心な「農村中心人物」となり、富樫が「農村中堅人物」として更生運動と移民運動の分業体制が整った。それが大和村特別助成村選定の理由である。

富樫直太郎の経歴と思想を見てみる。富樫はもともと三町歩の自作農であったが昭和恐慌で小作農に転落しその後三町歩経営の自小作中農まで上昇する模範的な自小作前進型の中堅農民であり、当時政府が全国に農民道場を建設してまでして養成しようとした「農村中堅人物」の代表である。彼の移民への情熱は山形県に県立自治講習所を建設した加藤完治の満洲移民論の影響を受けていた。国体イデオロギーで武装されていた。富樫は昭和初頭から加藤から新庄の萩野開拓団で直接に開拓訓練を受けていたからである。そして昭和恐慌期に自ら大和村で下層民救済のために加藤の指導の下に皇国農民団の結成に動く

同時に一九三六年には加藤完治の指導を受ける富樫直太郎の下で皇国農民団大和村支部が結成され満洲移民を推進していく。一九三六年大和村は土田―富樫という農村中心人物―中堅人物の指導ラインが形成されたのである。

また富樫直太郎が作った一九三七年二月「大和村移民計画案」は南郷村の松川五郎の「南郷移民計画案」を元にしたものであったという[72]。また萩野開拓地以来、富樫は加藤完治との関係も密であり満洲移住協会で一〇〇万戸満洲移民を計画していた松川も大和村に来て満洲移民を指導したという。その結果出来たのが大和村の移民計画であった。松川の指導の下大和村の適正規模を算出し農村の過剰人口である下層民を満洲に送るという農村救済案である。全村三町歩経営を目標とした。

とくに富樫直太朗の思想は加藤完治の影響を受けていた。国体イデオロギーと開拓の精神を結語した大和魂による拓魂である。先に永田稠が神武天皇東征を国土開拓に結び付ける論理は富樫にも通底する。「移民とは食えぬ人間が他に移ることを云うのではない。農の意義本質を究めて日本魂に目覚めた我々同志が正しき立場に一本立たんとする業である。これが農業移民であると思う。日本の歴史は正しく移民の歴史である。人間の正条植の歴史であった。神武天皇の御東征、四道将軍の兵備、日本武尊様の熊襲征伐。みな人心をして倦まざらしめん為の苦労である。二宮翁の報徳運動も我が団長加藤先生の殖民運動も期するところは一つである。その真理を実行銭とする人々は純一無雑挺身捨石となるべく覚悟して事にあたらざれば……後続部隊のウラル進出の礎石となろうではないか[73]」。

これは大和村開拓団長富樫直太郎が一九三八年に発表した『拓け満蒙』の論考である。神武天皇東征を日本人開拓の原型と捉え満洲移民を「ウラル進出の礎石」とする。この心情こそは富樫が先生と崇める農本主義者で満洲移民の扇動者となる加藤完治の教えでもあった。ちなみに長野県小県郡菅平の長野県立青年講習所長石川博見は加藤の教え子であるが一九三〇年所長就任のはなむけに加藤から「研げや鎌を磨けや魂を敷島の瑞穂の国はウラルの麓

ぞ」の短歌を送られている。[74]ウラル進出の礎石となることを期待しての言葉である。日本農民が日本魂に目覚めて開拓に邁進することそれを加藤は「拓魂」と言い生涯の開拓記念碑に揮毫し続けたことを思い出させる。

大和村分村移民の状況を述べよう。「大和村全戸移民者調査」（一九四一年）によると実際に満洲に移民したのは貧農。[75]つまり移民したのは農業の手伝いをする日雇労働者が圧倒的に多い。満洲に移民した二〇人中一一人が日雇い労働者である。日雇でも二反程度の零細な農地を持つ者が三人いるがほとんど日雇で生計を立てている。いわゆる貧農あるいは雑業層である。零細農民の他に年雇が一人いる。すなわち貧農、年雇から雑業層など農村プロレタリアートである。大和村の移民計画案でも南郷村と同じく適正規模を出してそのために土地を持たない零細農民を満洲に移民として送ることだった。

具体的に見ると大和村から送出した移民の基準は①「耕地無きか、不足しているもの」一五人、②「農耕の従事したる年数の多きもの」として五反、七反、八反を耕作する農民三人が参加している。これらは経営規模が小さく小作経営が多い。[76]③「特技者」として大工、職工、工場労働者の三人である。これらの人は移民村建設には不可欠な技能者である。④「衆望を担い将来移住村の中堅たりうるもの」として農村中堅人物である。これは団長となる富樫直太郎のことである。この④つのグループが移民団形成の条件であった。

このように大和村移民団は満洲移民に理解のある「農村中心人物」土田嘉右衛門が村長となり「農村中堅人物」富樫直太郎を指導者として貧農、日雇雑業労働者を指揮して満洲に動員する体制が出来ている。農業に熱意持つ中堅農民で国体イデオロギーに忠実な「農村中堅人物」を指導者として、土地をあまり持たない貧農、日雇層を中心として、あとは移民村の建設に不可欠な大工、職人を動員する。

すなわち、大和村ではいち早く農林省の農村経済更生運動の指定村となり村長が満洲移民を支持し在村の農民リーダーとして中堅農民が移民の指導者となっている。南郷村のように村政指導者が満洲移民に反対し農村経済更生計画とは無縁で、東京に追放された加藤完治に繋がるインテリ松川五郎とそれの指導に従う新聞店主皆川七之助も農民ではないなど、思想先行のイデオローグ主導とはかなり違っている。

大和村では農村経済更生運動と満洲移民運動が見事に結合した事例である。これが満洲移民の三大模範村の一つと持ち上げられたのである。しかし実際の移民状況は不振である。適正規模を基準にした移民数は二〇一戸であり募集しても集まらないので目標を一四七人に下げている。それさえも難しく一九四一年の大和村全戸移民者調査では二〇戸に過ぎない。その中で皇国農民団に参加しているのは三人だけである。華々しい模範村の掛け声と比べると実態は乏しいのである。

しかし大和村の満洲移民の村長土田嘉右衛門が富樫直太郎と盟友であっても農村更生の切り札として全力を傾けたようには見えない。大和村では中堅人物富樫が突出した満洲移民指導者として登場しており村長の名望家土田はその陰に隠れている。富樫を梃子にして農林省、満洲移住協会、松川五郎ら農林省・拓務省中央が直接指導に当たっている。大和村移民は村長ではなく中心的イデオローグ富樫を通した農村中堅人物主導で貧農・農村プロレタリアートの一部を動員したに過ぎないと言えよう。村政全体を分村移民の熱気に巻き込むのは困難であった。その原因は庄内では平場農村で水田単作の広大な平野に一〇〇〇町歩地主の本間家、五〇〇町歩地主の風間家が君臨し、全国でも三町歩の自小作大経営が集中的に展開する豊かな純農村地帯であった。さらに庄内では第一次世界大戦以降の農村景気で大規模自小作大経営は地主制と対立して小作争議が激しく展開した。そのため大地主も小作農民にかなり譲歩し、地主の財力で小作料軽減、土地基盤整備、小作人保護などが進んでいたことなどがある。

庄内では満洲移民が展開する条件としての貧困問題が緩やかになっており、しかも養蚕危機の影響は庄内では軽微である。このため自小作前進と言われる農民運動の中心的担い手が自ら満洲に移民する必要はなかった。地主は満洲移民に反対し、自小作農中堅が自分の自作地を捨て大規模小作経営を放棄して満洲に移民する必要はなかった。その結果一部の先進的なイデオローグを指導者として満洲移民に応募するのは土地を持たない零細小作農か農村雑業層、いわゆる農村プロレタリアートであった。しかもその層が一九三七年日中戦争後の軍需景気の回復で労働力として都市に流出し始めると満洲移民の応募者は激減したのである。それゆえ山形県大和村は分村移民として満洲に第二の大和村を作ることは出来なかった。庄内郷として数郡の町村をまとめて満洲に移民を送り出したのである。これが大和村の庄内郷分郷移民の実態である。

　農村経済更生運動の模範であっても、満洲移民を計画しても農民を動員出来ない。それが豊かな水稲単作地帯の庄内農村である。加藤完治のイデオロギー先行の移民活動が空転していたのである。こうして第七次の大日向村と同じ時期に移民団長として渡満した富樫直太郎はソ満国境国境の危険な浜江省珠河県三股流開拓団に配置され、ソ連参戦で妻と子供たちを殺され、本人はシベリアに抑留されて帰国するという悲惨な結末を迎えるのである。

　富樫直太郎はシベリアから庄内に帰国のあと、妻と子供たち、そして自分で旗を振って満洲に動員した犠牲になった庄内郷移民たちの鎮魂のために満洲地蔵尊を建てている。満洲から命からがら引き揚げてきた人たちを戦後開拓で北海道サロベツ原野に第二の庄内村を建設した。それが富樫の罪滅ぼしであった。

『アサヒグラフ』で報じられた送別の宴の様子
（1937年7月27日号、36頁）

（三）長野県大日向村分村計画

　第三に本論が対象とする分村移民の全国モデルとなる大日向村を前二者の南郷村、大和村との比較を前提に考えてみる[77]。

　大日向村は満洲移民では最も有名な村である。大日向村移民の経緯はすでに述べたのでより多角的に大日向村分村を分析してみる。

　開拓団は全国初の分村移民としてマスメディアを通して分村移民も村としても全国的に有名になった。満洲一〇〇万戸移民が始まってからは満洲移民の模範とされ拓務省が全国に分村移民のモデルとして宣伝したためである。メディアでは信濃海外協会『海の外』のほか全国紙では『朝日新聞』、県の主要メディアでは『信濃毎日新聞』が率先して報道した。朝日新聞では『アサヒグラフ』一九三八年七月二七日号で大日向村移民を取り上げる。農民作家和田傳が大日向村をモデルとして小説『大日向村』（朝日新聞社、一九三九年）に書いた。これは農民文学の傑作とされ大日向村は満洲開拓の模範として読者の感動を誘った。演劇でも和田傳の小説をベースに前進座が「大日向村」を一九三九年大阪と東京で公演している。

一九四〇年には東宝で映画「大日向村」が上映された。農山村の貧困とその解決を満洲に求めるという筋書きである。ロケは一九四〇年二月から八月にかけて大日向村で行われた[78]。また同年日活でも「沃土万里」という映画が作られた。モデルは愛川村と大日向村でここでは満洲日本人村は「信州村」と名付けられている。これらの映画は当時「大陸映画」といわれ満蒙開拓団が未開の満洲の大地を水田の沃野に変える開拓賛美の映画である。武装移民時代の屯墾病（ホームシック）、一〇〇万戸移民時代の勤労奉仕隊、大陸の花嫁が描かれていた。

また映画とともに視覚に訴えるメディアとして紙芝居も利用された。一九四一年に発表された日本教育画劇株式会社「大日向村」である。原作は和田傳である。このように庶民は新聞、グラフ雑誌、小説、演劇、映画、紙芝居を通じて満洲開拓、分村移民に動員されていく。こうして大日向村は全国的にも満洲移民を代表する「神話」となったのである[79]。

大日向村は全国で満洲集団移民のモデルになっただけでなく長野県満洲移民の特徴を最もよく示す村でもあった。

長野県南佐久郡大日向村は経済的条件でいえば南郷村、大和村が平坦部に展開した水稲単作地帯であるのに対して標高七〇〇メートル以上に位置する養蚕と炭焼きに依存する農山村である。農村と山村の間に位置する中山間地である。また長野県内の比較では同じ養蚕地帯といっても上田・小県、佐久平の平坦な農村とは異なる。大日向村は千曲川の上流で佐久平の南末端に接する農山村でわずかな水田三〇町歩があるだけである。そのため水田を中心に展開する大規模な地主制の展開は見られない。せいぜい耕作地主の存在と零細農が広がる中山間地である。実際の標高は抜井川の沿いの道七〇〇メートルから一〇〇〇メートルぐらいにつれて下から上流に向けて部落が点在する。大日向村の端は抜井川の最上流の十国峠で一三二〇メートルである。その先は群馬県である。当然耕地狭小の村である。炭焼きの村といわれるほど山林の炭焼き・木炭業が盛んであった。さらに小さな鉱山も点在していた。

東京帝国大学農学部農学経済学教室（教授那須皓）『分村の前後』（岩波書店、一九四〇年）によると大日向村内の経済構造は次のようなものであった[80]。

大日向村の戸数は一九三六年で三四〇戸、うち農業者二二四戸、木炭業者五二戸、雑業者六四戸である。村内集落第全五区で経営規模は一戸当たり最小で〇・九反、最大で六・三九反である。〇・九反とはほぼ耕地を持たない山村の生活である。全五区のうち二区はほとんど耕地がない。養蚕と炭焼きで生計を立てるほかはない。全村の職業分類では農業者は二二四戸（六〇％）、木炭業者は五二戸（二一％）、雑業者は六四戸（二五％）である。

第一に農業者が全体の六〇％を占める。水田は全村で三〇町歩に過ぎない。農業者は狭小な耕地と養蚕を主業とする。一戸当たりの水田面積は二反ほどである。水田は少ないので飯米は購入する人が多い。

第二の木炭業が二一％を占める。この層は炭焼きを業とする山の民（山民）である。村内の山林は三六〇〇町歩のうち二七〇〇町歩が村有林である。これら山林の一部は木炭業者（炭焼き）に貸与されていた。大日向村では山林は明治末の部落有林の統一で村有化されており炭焼きなど山林の利用権は村の許可が必要である。生産手段の所有者が村有であるため村長と村政指導者の権限が圧倒的となるのは当然であった。村内は炭焼きの材料の木材は村有林と私有林を伐採したもので入山料を村当局と山林所有者地主に支払う。この入山料は高いので村の商人から前借して炭を集荷する時に支払う。大日向村の製材業者には与志本（吉本）という鉄道の枕木を販売して東京にも進出して全国展開する大商人がいる。それ以外にも中小の木炭商人がいた。これらは問屋制前貸しでありそれは高利であり当然木炭業者の製炭料の収入は少ない。また炭焼きには焼子という炭焼き労働者がいた。これは雑業者になる。

第三の雑業者は二五％を占める。この層は炭焼き業者より多い。その理由がこの村が鉱山の村でもあったからである。大日向村は明治期から鉄、クロム、ニッケル、銅、鉛を算出した。ピークは一九一八年であった。採掘の技術者は外部の人々が多数村に入ってきたが採掘作業は村人が携わった。これが雑業者と数えられた。大日向は鉱山村の側面も持っている。大日向村では雑業者には鉱山労働者だけでなく農家の後継ぎにはなれない次三男が養蚕農家の手伝い、炭焼き手伝い（焼子）、運搬労働（中馬）などの日雇労働で日々の生計をたて、その他村内の様々な労賃稼ぎで生きていた多くの人がいた。

またこの雑業層のなかには大日向村から佐久の米などの農産物、林産物などを十国峠を越えて群馬や秩父に馬で運ぶ駄賃稼ぎ、運搬労働者がいた。大日向村は近世から近代明治まで佐久から秩父・群馬に抜ける中馬（運搬業）が存在する宿場・中継駅でもある。大日向村は明治の秩父事件で困民党などの民間活動家が十国峠を越えて逃れたという伝説を持つ交通の要衝の地でもあった。けっして山奥の山村というわけではない。佐久平へ降りるのも近く群馬、埼玉に通じる交通の拠点であった。このような大日向村を水田共同体ではなく「中馬共同体」と捉える研究者もいる。(81) 実際に筆者も現地を訪ねて山奥の暗いイメージは吹き飛んだ。

大日向村の収入構造は一九二七年で林産物生産八万四七一五円、養蚕六万二七三七円で農産物五万六六七二円を上回っていた。林産収入が最大の収入源で、次いで養蚕収入、最後は農産物（耕地）収入である。耕地が乏しく山村で炭焼きなどの林産収入が主業で、山に桑を植えた養蚕業がそれに次ぐ。耕地からの農産物収入は村内全収入の四分の一に過ぎない。

戦前村落社会で重要な地主制の展開については『分村の前後』では明示していない。かろうじて大日向分村運動の堀川清躬団長を出した宿戸部落の小作率が分かるだけである。(82) それによると宿戸の耕作耕地面積は一三町二反でそのうち水田は一町九反で畑が一一町二反で水田比率は一五％である。小作率は三六％である。大日向村は養蚕・炭焼きの農村と山村の中間地帯で農山村である。水田耕地はほとんど存在しない。耕地二町歩以上の大地主は存在しない。一・五―二・〇町の自作兼地主（耕作地主）三戸が最大である。村の中心であり満洲開拓団長が居住する宿戸部落五八戸では、五反以下の所有農家は二一戸で全体の三六％を占める。

すなわち大日向村の部落には養蚕に依存する零細農と炭焼きが大半でわずかな耕作地主が村落の中心に存在する。それが団長堀川清躬を取り巻く環境である。このように大日向村民の経済構造を見ると水稲単作地帯で地主制が高度に展開した宮城県南郷村や山形県大和村と著しく異なることが分かるだろう。

次に大日向村民で満洲に渡った者を検証しよう[83]。農業者（養蚕が主業）が全体の六六％、木炭業が一五％であとは雑業者一九％である。農業者とは耕地は零細であるため養蚕・繭収入を主業として生活しており、昭和恐慌の養蚕危機は深刻でそのために多くが渡満を考えたことは当然と思われる。満洲に移民した人数を見ると全戸三四〇戸のうち移住戸数は一三二戸で三〇％である。内訳は全戸移住（挙家離村）一五％、移住関係戸数（部分移住）二四％である。挙家離村は少ないことが分かる。また部分移住とは一家の移住でなく家の次三男の移住である。これでは適正規模の母村更生のための耕地配分に効果はない。さらに移民の職業分類では全戸移民（挙家離村）に絞ると農業者移民数は農業者全体の一二％、木炭業者は二三％、雑業者は一五％が満洲に移民したに過ぎない。

そこで適正規模論が想定する零細農の耕作する土地・小作地を母村に残る中農層に供出するとしても木炭業者、雑業者は土地を持たない。すると適正規模の実現の為には渡満する農業者の耕地がどれだけあったかが重要である。『分村の前後』では宿戸部落で残されて母村の提供された土地面積が記録されている[84]。所有権の移転は田畑で一町八反、そのうち水田は四畝、小作権の移転は畑五反のみである。全水田の一・三％に過ぎない。ほとんど意味をなさない適正規模論である。それゆえ東大農学部調査では「我々の調査ではかかる重大なる変動を村全般に亘っては見出し得なかった」と大日向分村は極めて批判的に総括している[85]。

また渡満したものは木炭業者より雑業層の方に満洲移民が多い。木炭業は貨幣経済の変動に左右されるといっても戦時下において村民の生活に必要不可欠なエネルギー供給である。この層を満洲に送り出すのは母村の存立を不可能にする。土地を持たない雑業層が渡満するのは当然であった。

昭和恐慌期の村民の困窮の状況は養蚕業の打撃と同時に木炭業（炭焼き）と鉱山業も不況で雑業労働者にも貧困が広がっていた。炭焼き業者だけでなく焼子や鉱山労働者や運搬労働者など村内の雑業層が木炭業者を超えて全村の四分の一（二五％）を占めることに注目したい。このように大日向村では中山間地であり、移民には養蚕を中心として畑作の零細農業者と炭焼き、そして農村労働者も多かった。これらの人々は農村プロレタリアートと規定されるが、戦前農村には大量のこのような雑業層が多く滞留していたのである。いわゆる農村過剰人口である。彼らが満洲移民の供給源でありそのなかから大陸に渡ったものが多い。

つまり村長を頂点に村落上層農民たちは、村の下層農民である農山村の土地をほとんど所有しない養蚕農民、小作貧農、炭焼き山民、鉱山労働者など農村雑業層（日雇労働者）を満洲の分村に行けば広い大地を所有できるとして送り出そうとした。そして送り出した農民たちの残された農地や山林を残された母村の農民が農村更生のために使うといういわゆる適正規模論である。これは机上の空論であり幻想でしかないが、適正規模論は模範農村を作るための農林官僚の思考回路にあった。これを池上甲一は、その近代合理的な適正規模論が下層民を母村から満洲に送り出す「排除の論理」になったとして近代農政を批判している(86)。

浅川武麿団長（左）と堀川清躬開拓団長（右）

しかし大日向村の養蚕業も鉱山業は一九三七年日中戦争が始まると軍需景気で回復し満洲移民が本格化すると満洲への移民希望者は少なくなる。大日向では一九三六年でようやく米相場は昭和恐慌前一九二九年のレベルにもどり繭価格にいたっては遅れて一九三九年に戻る。農村プロレタリアートも一九三七年日中戦争後の軍需景気で村内鉱山も復活し都市・軍需工業地帯へ流出していく。下層民が満洲に行く必要が薄れるのである。このため大日向村でも満洲移民計画で適正規模論の想定する送出人数は送り出せずに他村の人を無理やり集めて送ることになった。これはどこの村でも同様である。

大日向村分村移民では村では浅川武麿村長を「農村中心人物」として適正規模を基準として村内の経済更生を担当し、農村改革の運動の中核の担う「農村中堅人物」として産業組合専務理事の堀川清躬が移民団長となって二人が満洲移民送出の車の両輪となった。

しかし大日向村の中心人物浅川武麿の登場の経緯は南郷村と大和村とはだいぶ異なる。浅川は前村長と助役が昭和恐慌下の村税滞納のなか小学校移転建設で資金流用の疑獄事件で辞任した。この大日向疑獄事件で一九三四年の一年間村政は長野県内務官僚の直接介入で村長代理が派遣された。これが大日向村の分村移民の前提になったという。

一九三五年六月に弱冠三五歳の浅川武麿は官選村長代行に代わって村から村長に就任するように特別に請われて東京から帰郷した。村の難局解決のために東京から帰郷して村長に就任した。浅川は村内随一の名望家であり早稲田大学出身のインテリである。その背景には一九三四年大日向村疑獄事件の前年一九三三年には長野県二・四事件と呼ばれる教員赤化事件がある。この事件は長野県教員ほか青年、労働者、農民など六〇〇余人が治安維持法で逮捕された戦前長野県の最大の治安維持法事件であった。この名誉回復のために信濃教育会は国策に貢献することで汚名を晴らそうとして満洲移民にのめり込んでいったと言われる。[87]

大日向村ではとりわけ一九三四年に村の疑獄事件で村政指導部が一斉に辞任したため以後の村政一年間は長野県内務官僚代行となり、その後も県内務官僚は汚名挽回のために大日向村を農村更生の模範村にするべく村政に積極的に介入したという。

大日向村はすでに農村経済更生運動の二年度目の一九三三年に農村更生指定村となっており農村経済更生運動を早期に展開していた。ここでは一九三四年九月に大日向村経済改善委員会で負債整理、金融改善、生産増殖、販売統制、経済改善実行会の設置奨励を決定している。これは産業組合を通じた負債整理と商人に対抗する販売統制である。そして大日向村では重要な方針であった経済改善実行会という下層の製炭業者（炭焼き層）をも組織化する部落実行会である。これは農林省が推奨していた部落ぐるみの農事実行組合の設置であった。これらは通常の自力更生運動でありこの段階ではまだ満洲移民は入っていない。

大日向村農村更生計画の二年目の一九三四年疑獄事件と同時に起こった繭価格の暴落は村財政に決定的打撃と

なった。村政の崩壊と村財政の破綻は一九三五年である。その後一年間で村の負債総額は一九三六年で三六万二〇〇〇円に上る。村の予算が当時は三万円程度であるから村財政の破綻は深刻であった。

また大日向村疑獄と繭価暴落が起きた一九三四年は農村更生が武装移民から一〇〇万戸移民に舵を切り始めて満洲移民との結合が鮮明となっていく転換点であった。この中で大日向村村政は県官僚代行に代わって一九三五年六月に浅川武麿村長が大日向村更生のエースとして登場したのである。しかし彼の独自の村政運営は難しい時代状況であった。

一九三五年長野県では全県の財政危機と地域経済の崩壊を前にして県経済部は県庁に企画課を設置し各郡に経済主張所を設置して町村の農村更生を直接指導するようになった。それだけ長野県の養蚕危機は深刻であったのである。とくに疑獄事件で県代行となった大日向村浅川武麿村政に対しては県内務部、経済部の介入は著しかった。大日向村ではこの激動の浅川村長時代に満洲移民が実行される。

早くも大日向村では二・二六事件の一か月後の一九三六年三月に村更生委員会で満洲分村を検討している。そして四月に産業組合専務理事の堀川清躬が満洲を視察する。堀川清躬は自己の満洲視察体験から村の経済更生委員会で満洲移民は可能であると報告し各部落で堀川の満洲視察報告会が開かれた。これで村民の満洲移民熱が高まったという。この結果大日向村では一九三六年一〇月には村経済構成員会において満洲分村移民を正式に決定している。この堀川清躬の満洲視察の資金と準備は誰が行ったのであろうか。財政危機に喘ぐ村が出せるわけがない。当然県と政府の支援があったものと思われる。その間の経緯を見てみる。

一九三六年一〇月大日向村経済更生委員会の満洲分村の決議後の翌年一九三七年四月には堀川清躬を団長として満洲移民先遣隊を送り出している。この四月に農林省小平権一経済更生部長が来村史満洲分村を説得する。これは広田内閣の一九三六年七月の広田内閣が七大国策の一つとして満洲農業移民一〇〇万戸移住計画公表後の九か月後である。そのあと一九三六年一二月の帝国議会で一〇〇万戸満洲移民の予算が通過する。大日向村分村計画と先遣隊派遣が異例に素早い対応であることが分かる。

先遣隊派遣後の一九三七年七月と八月には長野県南佐久経済出張所の農村経済更生特別助成の指導、県規画課の満洲移民計画の指導が入る。一九三七年九月には大日向村農村経済特別助成が決定し特別助成指定村となる。本村の助成金は一九三七年度と一九三八年度に支給される。大日向分村は一九三八年二月に入植地は満洲国舒蘭県四家房と決定し堀川団長の指導で入植式を行う。一九三八年六月から一〇月に満洲移民本隊が大日向村を出発する。一九三八年一〇月に満洲大日向村は成立する。当初の分村計画では全村四〇〇戸から一五〇戸を満洲に送る計画であった[88]。一九三六年に浅川武麿新村長のもとで始まった大日向村分村運動は長野県、農林省の強力な指導の下に展開し満洲分村として全国で初めて満洲国舒蘭県四家房に満洲大日向村、すなわち第二の大日向村の建設が実現するのである。

一九三八年四月の満洲移民本隊が母村を出て満洲に向って出陣する行列は全国で報道された。大日向村を十国峠から駆け下る抜井川沿いの村内の五つの部落を通ってブラスバンド付きで堂々と行進する姿は新聞、雑誌、グラフ誌で報道され全国で大日向村分村移民は全国に知れ渡った。大日向村の最後の集会地は村の諏訪神社境内である。大日向分村の本隊は神社に参拝してそこから満洲へまるで出征兵士のように海を渡っていった。諏訪神社は先の『拓民の血を訪ねて―信濃民小史』に見るように村の氏神様であるとともに武運長久を祈る「軍神」でもあった。この満洲移民本隊を送り出す大日向村こそ分村移民の先駆であった。そして向かった満洲分村の中心には大日向神社が建設された。この祭神は諏訪神社の分神である。

以上、大日向村分村移民の特徴を二つの側面から考える。まず分村運動の素早い対応の原因は一九三三年村政の疑獄事件とそれに続く村政の空白と県内務官僚の村政代行、そして昭和恐慌下の養蚕危機による村財政の危機打開のために新村長が国家に依存して農村更生を求めたことが背景にあった。すなわち財政危機打開のための経済更生特別助成の補助金の獲得要求がある。分村移民を確定した村には政府から巨額の補助金が下りるからであった。大日向村は一九三七年度の農林省指定特別助成村となる。大日向村では一九三七年と一九三八年の二年間で四万九〇〇〇円を越える補助金が村に投下された。村の予算の二倍近い補助金が配分されたのである。これは満洲移民渡航費用などではない。満洲移民の財政的補助は拓務省で別途出される。農村更生特別助成の対象はあくまで国内農村更生向けである。大日向村では農道改修と共同倉庫建設、牛馬購入による有機肥料の増産などである。その補助金と引き換えに満洲に村から人を送り出す必要があったのである。とくに長野県では一九三八年から特別助成は満洲移民を条件とするように変えている。県も満洲分村移民を補助金の条件としたのである。そのため村の指導者は満洲移民に飛びついたのである。

大日向分村計画では農林省は一九三七年四月に経済更生部長小平権一が直々に村を訪問している。さらに農村更生協会理事杉野忠夫が大日向村を訪ね職員を常駐して満洲移民を指導する。さらに一九三七年四月には長野県学務部職業科の職員塩沢治雄が大日向村を指導している。塩沢は県庁職員として最初の満洲移民の指導員である。

このように長野県が満洲移民のために大日向村の指導とその後県内、郡内の満洲移民推進に乗り出していることが分かる。この背景には長野県の置かれた状況がある。一つは養蚕危機で県財政が危機に瀕していたこと、即ち財政的条件である。もう一つは一九三三年二・四事件で県官僚が国策に順応することで町村政治の正常化を図ろうした政治的必要があった。

大日向村満洲移民の特徴について池上甲一は「浅川は時の大村清一県知事や内務省・農林省からの出向官僚と再三会合している。また県からも規画課職員が頻繁に大日向村に来村している。官製自治の下でこそ分村移民のレールを敷くことが可能であった」と述べている[89]。つまり池上は大日向村政への政府の満洲移民方針への素早い対応の背景に「官製自治」があるとしている。その原因を長野県特有の一九三三年二・四事件と大日向村疑獄事件以後の村政の自立性の脆弱性にあることを指摘している。

また大日向村移民を早くから研究している山田昭次は「一九三七年六月農林省経済更生部長小平権一は係官とともに自ら来村して特別助成のための調査を行ったが、その際に分村計画を実現させるために村民を説得した」という[90]。

小平権一は農林省の革新官僚として石黒忠篤とともに満洲移住協会の理事となり、その後信濃海外協会の顧問格となることは既に述べた。もともとブラジル移民で一九二七年から海外移住法を起案して産業組合を海外移民に適用しようとした人物である。満洲移民にのめり込むのは必然であった。小平が更生部長の就任した一九三二年から一九三六年までは農林省では地主の反対が強く農村経済更生と満洲移民を結び付けることには消極的であった。しかし二・二六事件から軍部統制派の力が中央官庁を圧倒すると小平は農林省による満洲移民の先陣を切ることになった。それが小平の大日向村訪問の意義であった。農村更生と満洲移民が結合したのである。

さらに農村更生と満洲移民の結合の論理を作り上げたのはもともとが加藤完治であり、三大移民村における加藤の果たした役割は大きい。加藤は小平権一とは東京帝国大学農科大学の同窓で知悉の仲であった。加藤の満洲移民論が大日向村に農村更生の一環として入るのは農林省と満洲移住協会の国家官僚の役割も大きいのである。大日向村の指導に向かった塩沢治雄は加藤の教え子である。こうしてみると大日向村の分村移民は宮城県南郷村とか山形県大和村のような在地の農山村の自立的移民運動とは言えない。官製的性格が強いのである。

こうして浅川武麿村長は農村経済更生特別助成指定村と満洲移民推進の政策を受諾していった。ここで『海の外』から大日向村分村移民の構造を検討してみる。

『海の外』第二三二号（一九四一年八月）には浅川武麿の「開拓運動と科学的営農」という投稿が掲載されている[91]。「重大な国策の遂行は大和民族の大陸移動によってのみその所期の目的を果たしうる」、「大陸に開放されたる何千万町歩の未墾地は急速に諸君の開拓を待っている」、「大陸に開拓に拓士の送出し他方また、軍需産業戦線にその弟子を送出し、その残されたる労力を以て従来以上の耕地を耕作する、……自ら科学的なる労農法が工夫さられねばならぬ」と述べている。満洲移民送出と軍需産業への労力流出のあと残された大日向村母村の農業労力不足の深刻さが伝わる。戦争は徴兵と満洲移民と軍需産業のため労働力不足を内地農村にもたらした。満洲移民の旗を振った浅川村長が満洲に農民を送った母村の労働力不足を嘆いている。満洲移民は矛盾の集約点であった。

農林省、長野県海外協会の宣伝と農林省と長野県の上からの指導で大日向村が満洲分村計画を立案した結果である。意図したことと結果は大きく乖離することになったのである。このように大日向村の満洲移民立案経緯は南郷村、大和村の満洲移民送出の経緯と比較すると村当局の受動的な対応に注目することが出来る。

もう一人大日向村満洲移民を推進した人物に堀川清躬がいる。これを農林省が農村更生の模範とした「農村中堅人物」であると考えられている。彼は大日向村産業組合専務理事として一九二〇年代から農村経済更生のリーダーとして活躍した。また大日向村満洲移民で産業組合長として村長浅川武麿の右腕として移民運動の中心を担いみずから大日向分村移民の団長として渡満した人物である。

大日向産業組合は一九二二年に産業組合法にもとづき大日向製炭販売実行組合（製炭組合）が組織される。最初製炭業者（炭焼き）を基盤として大日向産業組合が組織されたことに南郷村、大和村の水稲単作地地帯との差異が見出せる。この大日向製炭組合は一九二四年には大日向信用販売購買利用組合（大日向村産業組合）に改組される。この産業組合の組合長となって指導したのが堀川清躬である。彼は零細な自小作農であるという。零細といって耕地では零細あっても大日向では製炭業を副業として耕地農業を営む者が多い。堀川はその一人である。堀川を「零細な自小作層で貧困層のエース」であり「中堅人物」として認めていない意見もあるが堀川は製炭組合の出資金条件である三〇円以上が出せるだけの製炭業者としては中位の経営者であり、それに零細とはいえ自小作農として耕地経営を展開していた中堅農家と言えよう。また堀川清躬の堀川本家は古くからの名望家であり堀川が分家とはいえ村内の権威を有していた。しかも堀川が居住する宿戸部落は産業組合本部が置かれた大日向村の中心部にあった。中堅人物になるだけの実績を有していた。

堀川清躬が農村更生のエースとして評価された経緯は一九二二年産業組合法にもとづき製炭産業組合が組織化し、中堅炭焼き層を基盤としてその代表として製炭産業組合を活発化して炭焼き商人の高利資金の借り入れに対抗しようとしたことから始まる。これは農村経済更生運動の産業組合運動と同じ論理である。村内商人を敵視し産業組合を普及することである。さらに一九三二年には政府の農村経済更生計画では下層の農民を組織化するために彼らを農事実行組合に加入させて組合として簡易法人化して産業組合の下部組織とした。これによって部落の農家小組合を産業組合の融資のパイプとすることで貧農層まで巻き込んだのである。大日向村が一九三三年農林省農村経済更生計画二年目に経済更生指定村になると、堀川は率先して出資金三〇円を支払えない貧困製炭業者を製炭農事実行組合に組織して産業組合の下部組織とする。これが堀川清躬が一九三四年に組織した製炭改善実行会である。実行会が産業組合融資を得ることにより木炭商人からの高利支配を脱却しようしたのである。

なお堀川清躬の農村更生の対象が製炭業者（炭焼き）救済に重点が置かれていて、大日向村の満洲移民が山村更生のように見えるが決してそうではない。大日向村で満洲に渡ったのは農業者が六六％であり木炭業者一五％、雑業者一九％であり圧倒的に農業者の移民が多い。満洲移民の目的が農村更生運動であることを忘れてはならない。満洲移民は貧農の土地拡大の要求が主目的である。また製炭業者や雑業者など非農業者の満洲農業経営は経験不足で失敗することが多い。渡満すると彼らは農業耕作を中国人小作に任せて地主化する。これがより中国人の恨みを買うことになった。

以上のように堀川清躬の運動は農林省が推進する中堅人物として貧農層を巻き込みながら農村更生を実現しようとした活動履歴である。在地での農村経済更生運動の最先端の活動家であり農村中堅人物の運動家であったのである。堀川はその衆望を以て零細養蚕農民と炭焼き層の下層民を満洲移民に動員したのである。大日向村の経済更生の条件はやはり養蚕危機に対する山村的条件が関係していると考えるべきであろう。炭焼き層の商人高利貸からの解放要求から始まった大日向村の経済更生は一九三四年には全村農業を組織した産業組合設立に至る。その背景には昭和恐慌と一九三四年の養蚕危機が厳然として存在していたのである。その際に大日向村の満洲移民がある程度成功し持続的に展開できたのは、国策に応じて貧農層を動員することが出来たためであり、それは中堅農民層の代表として登場した浅川武麿村長と堀川開拓団長の果たした人格的な役割が大きいのである。大日向満洲移民ではこれまでの聞き書きではすべて満洲移民行った人は移民団長となった堀川を尊敬しており「清躬さんを信頼していた」、「みんなが付いてあとをついて行った」と言ったというのは彼の実行力と人格であろう。

また先の東京帝国大学農学部『分村の前後』では大日向村には伝統的な「マケ」といわれる同族的結合が存在して満洲移民の動員機能を果したという。[92] マケとは家族として墓地を共有するものであり大日向村ではマケの数は五五ある。そのなかで満洲移住者を出したマケは三〇であって、出さないマケは二五である。つまりマケの力が働いている。満洲移住では在村年数の古きものが多く流出し、若きものは流出が少ない。つまり村の自治に深く関わるものが移住する。家族数多きマケがよく渡満し、少なきものが比較的動かない、つまり同族団の大きさが関係する。本家は母村に留まり、分家が移住する。つまり本家でなく分家が渡満する。また鉱山労働者のような新しい入寄留者（新入村者）は渡満しないという。農林省や農村インテリが机上で考えた適正規模論による村の人数の半分を満洲に送るという経営合理性で満洲移民は割り切れるものではない。分村が現実の村社会ではいかに難しいかわかる。貧困だから行くわけではない。農村プロレタリアートだから行くわけではないのである。同族の関係、村の共同体的関係のなかで村を離れることができる、または満洲に行かざるを得なかったのである。

堀川清躬も堀川の同族団のなかの分家である。堀川は名望家の分家として産業組合をリードする農村中堅人物であり、零細農民と炭焼き層の救済に尽力しておりその人望は国策遂行に必要な人材であった。しかも村長浅川武麿と住居が近く昵懇の仲であった。彼が村長の意向を受けて堀川分家として大日向開拓団長を引き受けざるを得ない立場にあったのである。中堅人物の活動性が国策としての満洲侵略に利用される悲劇である。

拓務省は大日向村を分村移民として優遇しており、いちばん危険で既耕地の少ないソ満国境国境の三江省でなく比較的豊かな舒蘭県の既耕地が多い水田地帯を与えていた。といっても大日向村の入植したところは武装移民の第一次移民の弥栄村、第二次移民の千振村、第三次移民の瑞穂村と近い地域であった。武装移民（試験移民）も大日向村の分村移民もモデル農村は失敗が許されなかった。

しかし戦時下では大日向村でも後続の応募者が少なくなり結局他村の人を登録してまで満洲移民を継続していった。途中で移民政策を放棄できなかったのは、国策であることと同時に全国的に名が轟いた分村移民のモデルという圧力も大きかったであろう。また景気が向上して満洲に行く必要性が薄れても国策としての満洲移民を軍部・政府は緩めることをしなかった。満洲国の軍事的支配の人的主柱としての日本人農業移民は不可欠であり、一九四〇年からは満洲国の食糧供給の要求も日本人移民に加重される。政治的必要で満洲移民が強引に遂行されたのである。このため政府は特別助成で村財政を優遇し農林省、満洲移住協会を通して敗戦まで全面支援したのである。

戦時末期に大東亜大臣重光葵の大日向村長浅川武麿への表彰状となって表れている。「浅川武麿　右は満洲開拓事業遂行に寄与しその功績はまことに顕著なり。よってここにこれを表彰する。一九四五年三月」と記された表彰状が自宅に保存されている。しかし入植した土地が豊かな土地であればあるほど中国人の土地所有と開発が進んだ地域であり日本人が開拓するにはそれを安く買い叩き立ち退かせての強引な略奪となるのは必然であった。中国人の恨みは骨髄に達していた。敗戦後大日向村開拓民が悲惨な状況となったのはこのためである。

大日向村の最後は大日向開拓団の大林作三の「終戦の記」に詳しい。一九四五年八月一五日の敗戦で大日向村開拓団は現地の中国住民の襲撃を受ける。八月一九日には大日向神社が放火され、その後六六〇人の団員中三七四人が亡くなっている。[93]

大日向村分村の人々にとって故郷の心の支えとなっていた大日向神社の消失は満洲大日向村滅亡の証明であった。満洲の長野開拓団の神社については詳しい研究がある。[94]これによると下水内郷開拓団の神社は野原のなかに当初は御柱一本だけだったという。入植地は東安省宝清県だったので宝清神社と称した。下水内郷の氏神は諏訪神社であり満洲の御柱は諏訪の御柱を連想する。現地結婚式もこの御柱一本の前で行われたという。終戦で開拓員六割が死亡する。神社はそのまま置いて逃げるが結末は分からない。戦後訪中すると宝清神社は跡形もなかったという。

団長堀川清躬も敗戦と逃避行のあと現地で一九四六年二月病死する。二度と村に戻ることはなかった。一九四四年一二月の『信濃開拓時報』第六号の大日向村の「開拓だより」に堀川の消息が報じられている。そこで堀川は「わしらは幸福です。本当に内地にいたときのことを考えると今の生活は勿体ない位恵まれています」と語っている。[95]それから一年余あとの悲劇である。

満洲分村大日向村移民たちの慰霊碑が大日向村の龍興寺にあり「満洲分村関係犠牲者堀川清躬ほか三七三名の霊」が残されている。これが満洲移民のもたらした結果である。

戦後浅川武麿は満洲移民を送り出した責任を追及される。その償いは帰国した人の開拓先を見つけることであった。そのため農林省の戦後開拓で軽井沢の浅間山の山麓に第三の大日向村建設を実施する。一九四七年二月に満洲引揚げ者の六五戸一六八人が浅間山麓に再入植し再出発している。

それから一七年後の一九六四年に浅川武麿に対して軽井沢町大日向開拓を代表して戦後開拓団長堀川源雄から「あなたは元大日向村長として満洲分村計画を樹立し我々同志の満洲移民の送出を初め爾後の指導に当たっては私財を投げ打って村の厚生に尽くされました」として記念品が贈られている。[96] 送り出した村長と送り出され悲惨な経験をした満洲引揚げ者との戦後一七年経っての和解であった。

さらに二〇一九年二月には軽井沢大日向墓地に大日向村満洲移民の犠牲者の供養塔と観音像が建立された。そこには「大日向村は行き詰まった財政の健全化を図るために国策による海外侵略の満蒙開拓に分村して参加することになった」と最終的に自分たちの満洲移民を「海外侵略」と総括している。この言葉は現在の我々に重い問いかけとなっている。

(四) 三大分村移民の比較

以上の満洲三大移民村を検討した結果をまとめる。分村移民の構想を最初に実施したのは宮城県南郷村であるが、移民指導者松川五郎は初めて適正規模論を根拠とした農村更生と満洲移民を結合する論理を満洲一〇〇万戸移民の実践運動で示した。母村の農村更生として経営拡大のために村の半分を満洲に送り出し母村では送出した農民の土地・資材を利用する、満洲に行った貧農、無所有者は満洲で広大な土地を所有できるという論理である。しかしこの方針では南郷村で村政を支配する水稲単作地帯の大地主は多くの小作人を抱えていたため満洲移民に非協力であった。それゆえ南郷村長は一九三〇年代に国策で満洲移民が正当化されているので表向きは反対できなくなるが、農村経済更生画指定村を拒否し満洲移民を進めることもしない。南郷村では国策に応じる農村中心人物が存在しないのである。その結果南郷村分村移民は失敗するのである。

また山形県大和村でも同様に庄内の大地主が君臨しており村政指導部の影響をもつ大地主は満洲移民に非協力である。大和村では満洲事変以後新村長は農村更生と満洲移民ともに賛成するがその他の地主は非協力で村政全体が富樫直太郎の移民運動に同調するわけではなかった。村層指導部全体の合意が得られないので大和村の分村運動も失敗する。庄内郷への参加として大和村は組み込まれるのである。このように南郷村、大和村の村政指導部は大地主の満洲移民反対の動きのなかで国策に呼応する農村中心人物はいないか機能不全にあった。村政指導部を掌握して村ぐるみの大量移民送出は困難であった。

また村政改革派の自小作中農層を基盤とする農村中堅人物は南郷村では見えない。農村中堅人物たりうる松川五郎は農民というより軍人の子弟であり北海道帝国大学農学部卒の農村改革のインテリである。これに対して大和村は農村中堅人物が存在する。富樫直太郎がそれを代表し村内中堅農民の内部から信頼すべき満洲移民指導者を生み出すことに成功している。そこが南郷村と大和村の違いである。しかし中堅人物の富樫が旗を振っても村政の動きは鈍く一村での満洲分村計画は失敗して庄内郷移民として消滅する。農村中堅人物が存在しても村政指導部を掌握し村政全体を動かす農村中心人物の機能が必要であった[97]。

これに対して長野県大日向村は村政指導部に名望家出身の新村長浅川武麿と中堅農民で指導力を発揮した堀川清躬の農村中心人物と中堅人物の満洲移民指導体制が成立している。村ぐるみの満洲分村運動が展開されて目標に及ばないとしても満洲大日向分村建設に成功している。この差異をどう考えるかである。三大移民村の比較からなぜ大日向村満洲分村が成功したのかの原因を考える。

南郷村と大和村と比較した大日向村の分村移民の特徴は三つある。

第一の特徴は養蚕危機の鋭さである。南郷村と大和村が水稲単作地帯であった。これに対して大日向村は養蚕プラス炭焼きの農山村である。大地主は存在しない。中小地主地帯であり耕作地主が多い。大地主のような小作人を多数抱える寄生地主は存在しない。満洲移民に反対する階層がいないのである。もちろん満洲移民の条件は満洲の土地を日本人が自由の取得できるのが条件である。軍部の満洲支配を不動の前提としていた。

経済的に見ると養蚕、炭焼きも製糸業とエネルギー産業として全面的に貨幣経済、市場経済に著しく依存している。昭和恐慌で貨幣収入が途絶すると飯米購入が難しい。水田地帯はコメの自給が可能である。養蚕地帯は難しい。飯米は貨幣で購入するのである。とくに零細な養蚕業、炭焼き層は深刻であった。養蚕業に依存する零細な自小作、小作、さらに炭焼き層、農村プロレタリアートは食料を手にすることが出来ないほど追い詰められていた。

第二は財政的危機の深刻さである。大日向村では一九三六年で村予算の一〇倍以上の負債を抱えていた。養蚕地帯では米価が回復しても繭価格は低迷し危機は長引いた。そのため長野県の財政危機は深刻だった。養蚕危機と連動して長野県政と市町村の財政は破綻する。政府、県の指導で農村経済更生運動では経営改善事業、経営多角化で養蚕業とは別の商品作物を模索する動きが展開する。ナシ、リンゴなど果樹栽培、さらに蔬菜栽培も含め新たな商品作物への挑戦である。養蚕経営からの脱出の道の模索が始まったのである。これが長野県で農村経済更生運動が活発化する原因である。この財政危機からの脱出の道が大日向村では満洲移民である。一九三六年満洲移民一〇〇万戸計画と同時に実施された農村経済更生特別助成事業の実施によって満洲移民に対しては大規模な補助金政策を展開したためである。とくに長野県では特別助成の補助金支給に満洲移民を条件づけたので活性化する。大日向村は農村経済更生計画でも満洲移民計画でも全国的な行政指導の最先端を進んだのである。

第三は政治的危機の鋭さである。農林省、長野県指導の上からの行政介入の強さである。大日向村の満洲移民送出の経過を見ると一九三四年大日向疑獄事件以後の長野県内務官僚、経済官僚、学務官僚がすべて指導に入って満洲移民を計画していることが分かる。さらに信濃海外協会がブラジル移民から満洲移民に送出先を切り替えて満洲移民を推進する。『海の外』はそのための宣伝機関誌となる。これは南郷村、大和村分村移民とは大きな違いである。大日向村では一九三三年大日向村疑獄事件を契機に新村長を中心村政指導部が農林省、満洲更生協会、満洲移住協会、長野県庁、信濃海外協会が一体化して満洲移民を推進している。浅川武麿村長をバックアップする官製自治である。

第四として満洲移民を支える社会的条件を挙げておく。満洲移民を推進する社会的基盤としての人物の育成である。一九三〇年代の政治的危機のなかで農村再生のキーパーソンとして新たな村政指導部を担う農村中心人物の台頭、村落の中堅層としてあらたな生産力担当層であり社会的産業的なリーダーとして成長し国策に呼応する農村中堅人物の存在がある。大日向村では農村中心人物浅川武麿村長と農村中堅人物堀川清躬産業組合専務理事である。これらの人材形成では長野県が最も進んでいた。ここで重視するのは県と末端社会をつなぐ中間団体の存在である。すなわち県政に対応して社会末端で満洲移民を進める中間団体として信濃海外協会の役割である。満洲移民を進める社会運動がどこまで地域末端まで浸透するかで政治が決まる。長野県はその意味でも先進的であった。

一九三〇年代三大満洲移民村の比較検討から、末端村落での養蚕危機、財政危機、政治危機の鋭さと移民送出の社会的条件でも大日向村は大和村、南郷村を超えていた。

しかし満洲移民には根本的矛盾があった。軍部・政府が先頭で満洲移民の旗を振っても中堅農民は自らの土地と経営を捨てて満洲に行く意思は当然ない。国内経済更生が目的であり満洲移民は考慮外である。当然満洲移民の担い手は村内下層民に頼らざるを得ない。それも満洲移民は日本人の土地所有が満洲では自由に奪取できるという条件でのみ成り立つ議論である。それは戦争が進み敗戦が近づくにつれて幻想と化する。

満洲移民の送出の要因は経済的条件だけでなく社会的条件、財政的条件、政治的条件が複合的に絡んでいた。しかしその実現は地帯構造と村落構造に規定されるもので適正規模論のような村社会の分割というような計数的合理性は机上の空論でしかなかった。現実の権力と農民相互の力関係のなかで満洲分村移民が破綻するのは当然であった。

注

（1）永田稠編『信濃海外移住史』（信濃海外協会、一九五二年）二一五頁。
（2）同前書、二一八―二一九頁。
（3）永田稠『信州人の海外発展』（日本力行会印刷部、一九七三年）七〇頁。

（4）前掲『信濃海外移住史』二二〇―二二二頁。
（5）梅谷光貞「満洲国に対する日本移民に就きて」『海の外』第一四一号（内地版第二輯）、一九三四年一月、一〇―一二頁。
（6）加藤聖文『満蒙開拓団―虚妄の「日満一体」』（岩波書店、二〇一七年）七六頁。
（7）梅谷光信編『増補梅谷光貞略伝』（私家版、一九八五年）九頁。
（8）前掲『信濃海外移住史』二二七頁。
（9）満洲移住協会については山畑翔平「昭和戦中期における満洲移民奨励施策の一考察―移民宣伝誌を通じてみた満洲イメージとその変容」（『政治学研究』第四一号、二〇〇九年）を参考にした。
（10）「満洲移住協会規約・満洲移住協会役員」『拓け満蒙』第一巻第一号、一九三六年四月二五日（復刻版『満洲移民関係資料集成　第Ⅱ期　拓け満蒙・新満洲・開拓』不二出版、一九九八年所収）。
（11）前掲加藤聖文『満蒙開拓団』八二頁。
（12）前掲『信濃海外移住史』二二六―七頁。
（13）拓務省拓務課「満洲移民計画指示事項」『海の外』第一八〇号、一九三七年四月、一―四頁。
（14）『長野県政史』第二巻、五七一―五七二頁。
（15）長野県開拓自興会満州開拓史刊行会編・発行『長野県満州開拓史』総論（一九八四年）一九八頁。
（16）同前書、二〇二頁。
（17）「一戸平均千二百円―下伊の農家借金調べ」『海の外』第一八〇号、一九三七年四月、二〇―二一頁。
（18）「経済更生の根本は満洲の新天地開拓―泰阜で移民五ヶ年計画」『海の外』第一八〇号、一九三七年四月、二一頁。
（19）泰阜村を「満州移民の村」として有名にしたのは小林弘二『満州移民の村―信州泰阜村の昭和史』（筑摩書房、一九七七年）である。またそれに触発されて一九七九年には泰阜村で独自に満洲移民の証言記録、泰阜分村記念誌編集委員会編『満洲泰阜分村―後世に伝う血涙の記録』（泰阜分村記念誌編集委員会、一九七九年）が刊行された。さらに一泰阜村分村移民送出七〇年を期して、「満洲泰阜分村―七〇年の歴史と記憶」編集委員会『満洲泰阜分村―七〇年の歴史と記憶』（不二出版、二〇〇七年）が刊行されている。これほど詳細な証言と研究がある満洲移民の村は全国でも稀である。
（20）「満洲富士見村―二百世戸を五年間に移民す　諏訪富士見の計画樹つ」『海の外』第一八一号、一九三七年五月、二二頁。
（21）「配偶者斡旋方お願い」『海の外』第一八一号、一九三七年五月、七―八頁。
（22）渡辺栄雄「満洲信濃村状況」『海の外』第一八三号、一九三七年七月、六―一一頁。

(23)「満洲信濃村建設協議会」『海の外』第一八三号、一九三七年七月、一三頁。
(24)「満洲黒台信濃村建設記念日行事」『海の外』第一八六号、一九三七年一〇月。
(25)近藤駿介「満洲信濃村建設記念日に際して」『海の外』第一八七号、一九三七年一一月、一―二頁。
(26)「農村更生と満洲移民の標語当選」『海の外』第一八七号、一九三七年一一月、二〇頁。
(27)「満洲農業本隊募集要綱」『海の外』第一八六号、一九三七年一一月、一二―一四頁。
(28)大村清一「ご挨拶」『海の外』第一九一号、一九三八年三月、一頁。
(29)「海外通信第八次満洲信濃村移民地より」『海の外』第二〇七号、一九三九年七月、八頁。
(30)川久保芳雄「第八次張家屯信濃村より」『海の外』第二一四号、一九四〇年二月、一二頁。
(31)「一町村一部落建設に関する件」は長野県が一九三七年度の第六次移民に対して一九三六年一一月二八日に県学務部長の通達として市町村に通達したものである（前掲『長野県満洲開拓史』総論、二一四頁による）。
(32)「平根村分村計画と挫折」、前掲『長野県満洲開拓史』総論、二一六頁を参照のこと。
(33)全県編成開拓団の各団概要については長野県開拓自興会満州開拓史刊行会・発行『長野県満州開拓史』各団編（一九八四年）一一三―一五七頁による。大日向村分村移民については山田昭次編『近代民衆の記録六　満州移民』（新人物往来社、一九七八年）一三頁に詳しい。
(34)「大日向村移民計画すすむ」『海の外』第一八三号、一九三七年七月、二六頁。
(35)依田国祐「満洲大日方村移民地の概況」『海の外』第一九七号、一九三八年九月号、一―五頁。
(36)「満洲農業移民続々鹿島立ち」『海の外』第二〇四号、一九三九年四月、一三頁。
(37)「分村移民の目標遼遠―耕地調べ成る」『海の外』第二〇四号、一九三九年四月、一八頁。
(38)「自作農創設へ邁進―大日向村の土地処分」『海の外』第二〇八号、一九三九年八月、一〇頁。
(39)全県編成開拓団の各団概要については前掲『長野県満州開拓史』各団編、一一三―一五七頁を参照のこと。
(40)大日方悦夫『満洲分村移民を拒否した村長―佐々木忠綱の生き方と信念』（信濃毎日新聞社、二〇一八年）。
(41)中島多鶴『忘れられた女たち―中国残留婦人の昭和』（日本放送出版協会、一九九〇年）。中島多鶴の帰国運動については森武麿「満州移民の戦後史」（飯田市歴史研究所編『満州移民―飯田下伊那からのメッセージ』現代資料出版、二〇〇七年）を参照されたい。
(42)細谷亨「第一章　全国一の送出地域―長野県下伊那郡川路村」『日本帝国の膨張・崩壊と満蒙開拓団』（有志舎、二〇一九年）。

(43) 今村秀平「副団長の父と息子」（聞き手齊藤俊江・向山敦子・本島和人）満蒙開拓を語りつぐ会編『下伊那のなかの満洲—聞き書き報告集　一〇』（飯田市地域史研究事業準備室、二〇一二年）二六〇頁。

(44) 在郷軍人会下伊那郡分会長の川路村、河野村など、満洲移民への関与については齊藤俊江氏の教示による。

(45) 高橋泰隆「第四章　日本ファシズムと満州分村移民の展開—長野県読書村の分析を中心に」満州移民史研究会編『日本帝国主義下の満州移民』（龍渓書舎、一九七六年）。本論文は私の一九七一年の論文「日本ファシズムの形成と農村経済更生運動」（『歴史学研究』一九七一年度歴史学研究会大会報告別冊号、一九七一年一一月）を受けてファシズムと農村経済更生計画と満洲移民の関係を本格的に明らかにした最初の成果である。

(46) 読書村村長園原次郎「理想郷の建設」『海の外』一三四号、一九三一年一〇月、一一—一二頁。

(47) 坂口正彦『近現代日本の村と政策—長野県下伊那地方一九一〇〜六〇年代』（日本経済評論社、二〇一四年）を参照されたい。

(48) 農林省農政局「農山漁村経済更生特別助成町村名一覧」一九四二年三月（武田勉・楠本雅弘編『農山漁村経済更生運動史資料集成』第七巻、柏書房、一九八五年）三四〇頁による。

(49) 齊藤俊江「下伊那地域における満洲移民の送出過程」『飯田市歴史研究所年報』第一号、二〇〇三年。

(50) 下伊那の満洲移民の政府の補助金目当てのことは齊藤俊江「第二章　満州移民の送出と開拓民の生活」（前掲『満州移民—飯田下伊那からのメッセージ』）を参照されたい。

(51) 満蒙開拓を語りつぐ会編『下伊那のなかの満洲—聞きとり報告集』飯田市地域史研究事業準備室、二〇〇三—二〇一二年。

(52) 安孫子麟「満州分村移民の思想と背景」『東日本国際大学紀要』第一巻第一号、一九九六年三月、四三頁。

(53) 前掲『長野県満洲開拓史』各団編、目次二頁（以下の文中の全県移民数、分郷移民数、分村移民数も同じ出典である）。

(54) 「長野県の大正期海外移民」前掲『長野県満洲開拓史』総論、二一二頁。

(55) 「集団移民のトップ—天照園の二百名」『海の外』一二〇号、一九三一年六月、二二頁。

(56) 前掲『信濃海外移住史』一八八—一九一頁。

(57) 『満洲日報』一九三五年一月一五日（神戸大学歴史資料館所蔵）。

(58) 「対満移植民事業に満鉄が乗り出す」『海の外』第一三四号、一九三三年七月号、六九—七〇頁。

(59) 松島自由移民については前掲『長野県満州開拓史』各団編の「第二節自由移民と分散・自警団移民」六二一—一〇六頁、引揚

げ後の松島自由開拓団の行方は森武麿編『戦後開拓―長野県下伊那郡増野原』（神奈川大学大学院歴史民俗資料学研究科、二〇一三年）、森武麿・齊藤俊江・向山敦子「調査報告　戦後福島県葛尾村松島共栄開拓―岩間政金の満洲開拓と戦後開拓体験」（『飯田市歴史研究所年報』第一六号、二〇一九年二月）を参照してほしい。

(60)　前掲『信濃海外移住史』一八七頁。

(61)　松島自由移民に関して、水曲流移民の戦後開拓については前掲『戦後開拓―長野県下伊那郡増野原』、白山子移民の戦後開拓については前掲「戦後福島県葛尾村松島共栄開拓団」（『飯田市歴史研究所年報』第一六号、二〇一八年）を参照してほしい。官製移民と異なり移民団の結束は固く戦時の満洲から戦後も内地へと開拓は継続している。

(62)　語り手吉林省水曲流開拓団増野原開拓組合仲田保（聞き手は齊藤俊江、向山敦子）「襲撃と自決を乗り越えて」（前掲『下伊那のなかの満洲―聞きとり報告集』一〇）。

(63)　新京力行村については森武麿「ブラジル移民から満洲移民へ―信濃海外協会と日本力行会を対象として」（『ブラジル日本人入植地の常民文化』神奈川大学日本常民文化研究所、二〇二一年）の「自由移民と新京力行村」（一四六―一五四頁）を参照してほしい。満洲移民論については第二巻に二論文が所収されている。

(64)　『新京力行村移住案内』（日本力行会、一九三七年）巻頭言。

(65)　同前書、三頁。

(66)　満洲分村の三形態は朝日新聞社編『新農村建設』（朝日新聞社、一九三九年）が最初で、戦後の『満洲開拓史』（満洲開拓史刊行会、一九六六年）でも踏襲された。

(67)　南郷村については『安孫子麟著作集』全二巻（第一巻日本地主制の構造と展開（解説森武麿）、第二巻日本地主制と近代村落（解説永野由紀子）八朔社、二〇二四年を参照してほしい。満洲移民論については第二巻に二論文が所収されている。

(68)　安孫子麟「『満州』分村移民と村落の変質」『安孫子麟著作集』2（日本地主制と近代村落）八朔社、二〇二四年、一五一頁。

(69)　安孫子麟「『満州』分村移民の思想と背景」同前書、一七七頁。

(70)　前掲「満洲分村移民の思想と背景」三九頁。松川五郎が南郷村でブラジル移民移民構想を念頭に移住協会で分村計画を立案したというのは松川自身の意識としては当然であったが、本文で述べたように梅谷光貞と永田稠がすでに信濃海外協会と連携してブラジルで南米信濃村を建設しており、一九三四年にはブラジル移民で関東軍移民部の中核に梅谷と永田が食い込んで一〇〇万戸移民計画を樹立していたので県ごとの集団移民計画は必然であった。ただし、松川のように分村までは考えていなかったと思われる。

(71) 山形県大和村移民については柚木駿一「満州農業移民政策と庄内型移民」(『社会経済史学』第四二巻第五号、一九七七年二月)を参照されたい。大和村で満洲移民での農村中堅人物の役割について論じたのは森武麿「満州移民―帝国の裾野」(歴史科学協議会編『歴史が動く時』青木書店、二〇〇一年)、同「戦時下日本農村と植民地―満州移民を中心に」(西田美昭、アン・ワズオ編『二〇世紀日本の農民と農村』東京大学出版会、二〇〇六年)を参照してほしい。

(72) 前掲安孫子麟「満洲分村移民の思想と背景」四二頁。

(73) 富樫直太郎「分村運動の戦塵を浴びつつ」『拓け満蒙』第二巻第一一号、一九三八年一一月号(前掲不二出版復刻版『拓け満蒙』当該巻を参照のこと)。この富樫論文については安孫子麟氏(故人)の御教示による。

(74) 石川博見「菅平大高原の修道場」『海の外』第一〇二号、一九三〇年一二月、一五頁。

(75) 大和村「大和村全戸移民者調査」(積雪地方農村経済調査所編『満洲農業移民母村経済実態調査』一九四一年)。

(76) 大和村の移民者調査は積雪地方農村経済調査所編「満洲農業移民村研究実態調査」(一九四一年)による。前掲森武麿「戦時下日本農村と植民地」表七―二、一七七頁を参照のこと。

(77) 大日向分村移民については山田昭次編『近代民衆の記録6　満洲移民』(新人物往来社、一九七八年)の山田昭次「ふりかえる日本の未来―解説満洲移民の世界」、長野県立歴史館編『長野県の満洲移民―三つの大日向をたどる』(長野県立歴史館(上条宏之)、二〇一二年)の上条宏之「なぜ数多くの県民が満洲に移民したのか―三つの大日向を事例として」、大工原千恵「満洲移民と「大日向村」―三つの大日向村をたどって」(満蒙開拓平和祈念館冬期連続講座第一回、二〇一九年レジメ)などによる。

(78) 映画「大日向村」は「頗る興行性の希薄なものである。東宝系封切館における封切り成績は一斉に不振」といわれ都会では四日で上映が打ち切られたという。むしろ移民勧誘の手段として大日向村や地方農村で利用されたという。古川隆久『建国神話の社会史』(中央公論選書、二〇二〇年)二〇五頁による。

(79) 伊藤純郎『満州分村の神話―大日向村はこう描かれた』(信濃毎日新聞、二〇一八年)。

(80) 東京帝国大学農学部農業経済学教室『分村の前後』(岩波書店、一九四〇年)六八―六九頁。

(81) 畠山次郎『実説大日向村―その歴史と民俗』(郷土出版社、一九八二年)。

(82) 宿戸部落の農民層分解は「第二表　経営規模別農家の所有状態による分類表」(前掲『分村の前後』)一二三頁による。

(83) 同前書、六八―六九頁。

(84) 同前書、一五五頁。

(85)同前書、二三頁。
(86)前掲池上紘一「満洲分村の論理と背景」二八頁。
(87)「第四章　信濃教育会と満蒙開拓義勇軍」長野県歴史教育者協議会編『満蒙開拓青少年義勇軍と信濃教育会』(大月書店、二〇〇〇年)。二・四事件と満洲移民の関係については小林信介「満洲移民送出における経済的要因の再検討―最大送出県・長野県を事例として」(『社会環境研究』第一〇号、二〇〇五年)がある。ここで大日向村の中心人物と中堅人物について論じている。その後小林信介は『人びとはなぜ満州へ渡ったのか―長野県の社会運動と移民』(世界思想社、二〇一五年)で満洲移民と二・四事件など長野県社会運動弾圧との関係を追及している。本書と関係するので参照されたい。
(88)大日向村分村の年表は前掲『長野県の満洲移民』一〇頁による。
(89)池上甲一「「満州」分村移民の論理と背景」『村落社会研究』第一巻第二号、一九九五年、二五頁。
(90)山田昭次「ふりかえる日本の未来―解説満州移民の世界」前掲『近代民衆の記録六巻―満州移民』二九頁。
(91)「開拓運動と科学的営農」『海の外』第二三二号、一九四一年八月、六頁。
(92)前掲『分村の前後』五四―五七頁。
(93)前掲『長野県の満洲移民』二三頁。
(94)「大地に御柱を立てて」嵯峨井健『満洲の神社興亡史』(芙蓉書房出版、一九九八年)一九八頁。
(95)「伸びゆく大日向村」『信濃開拓時報』第六号、一九四四年一二月、二二頁。
(96)浅川武麿への政府感謝状と戦後軽井沢開拓団の感謝状は佐久穂町公民館大工原千恵氏の紹介である。
(97)農村中心人物・中堅人物論については森武麿『戦時日本農村社会の研究』(東京大学出版会、一九九九年)、同「戦時・戦後農村の変容」(『岩波講座日本歴史』第一八巻、近現代史四、岩波書店、二〇一五年)を参照してほしい。

第九章　戦時期満洲移民の解体

第一節　満蒙開拓青少年義勇軍と「大陸の花嫁」

満洲移民は一九三九年満洲開拓基本要綱（実施は一九四〇年）で転換する。政府用語では一九四〇年から「満洲移民」ではなく「満洲開拓」に転換する。農村窮乏対策として貧農を満洲に送る「移民」から、東亜経済ブロックの食糧供給基地としての満洲の役割に「開拓農民」を動員することであった。それは同時に満洲移民の衰退と解体の始まりであった。本章では一九四〇年以後の満洲移民衰退期を『海の外』誌面の変化を中心に見ていく。

一九三九年朝鮮・西日本の凶作による食糧危機の発生を契機として食糧増産と統制経済化が進む。食糧増産の国家的要請と政府の価格支持政策により米麦中心の農家経済の回復が促進された。だが養蚕業では化学繊維の発達による製糸業の世界的衰退により養蚕地帯の農村危機に歯止めは掛からなかった。また総力戦体制による軍需景気によって農村から都市へ労働力が送出され、農村における労働力不足は満洲移民の送出圧力を著しく低下させた。こうして満洲移民の切迫性は農村から次第に失われていったのである。これが満洲移民の衰退を決定的にした。

さらに一九四一年アジア・太平洋戦争開始を転機として満洲移民は解体期に入る。アメリカと西欧、さらに南米諸国との国交断絶は従来の移民政策を崩壊させた。国境を自由に超える信濃海外協会の活動の余地がなくなったのである。

本節では満洲移民の衰退期を『海の外』を中心に見ていく。

満洲移民政策の見直しは一九四〇年阿部信行内閣の拓務大臣となった小磯国昭の議会答弁から明らかである。小磯が拓務大臣に就任したのは一九三九年四月の平沼騏一郎内閣に続き一九四〇年一月の米内光政内閣と二回ある。拓務省大臣が文官でなく軍人となりしかも関東軍参謀長であった小磯となったことは、満洲移民がまさに関東軍主導の官製移民であることを示していた。前に述べたように小磯は永田鉄山、今井五介を通じて永田稠を関東軍の嘱託に採用した人物である。この小磯答弁は一九三九年七月アメリカが日米通商航海条約破棄通告をした後でありその後の一九四〇年九月日本軍が北部仏印進駐の前の答弁であった。

小磯の議会答弁は『海の外』第二一五号（一九四〇年三月）の小磯国昭「移民政策の根幹」の記事である[1]。これは衆議院予算委員会での小磯国昭の発言の要旨を掲載したものである。

小磯国昭は現在我国の植民政策は国策として重点を大陸に傾倒しているが北米移民や南米移民に対して「棄民であってはならなぬ」という。現在の満洲移民と北米南米移民の政策対比を明確に認識すると同時に従来の北米南米移民についても「皇国日本の八紘一宇の大精神」を持ち続け「日本精神を強化」し維持することは将来の「国策上重要なるもの」であると述べている。

さらに「［昭和］一六年末になりますと唯今の計画に於て大体目的が遂行せらるならば五年間一〇万戸という数にはあるいは到達せぬかもしれません……ただに努力が足らぬ結果もあろうと思いますので甚だ遺憾であります」という発言をしている。

小磯国昭は、「満洲一〇〇万戸移民計画という大量移民政策を実施しているが日中戦争もあり移民数は減少しており目標に到達できない」という危機感を露わにしている。実際に小磯は一〇〇万戸移民計画の第一期五年間で一〇万戸の家族、五〇万人を目標に掲げていたが四年目の一九四〇年では開拓農民三万二〇〇〇戸で目標に遠く及ばず、あと一年で達成することは到底不可能であった。開拓農民に青少年義勇軍三万人を加えても到底目標に及ばない。だがこの時点から青少年義勇軍が多くなっていることに注目したい。開拓農民の不足分を青少年義勇軍が補う役割が期待されたのである。

そこで満蒙青少年義勇軍の長野県の送出について『海の外』報道をさかのぼってみよう。

小磯国昭が期待していた満蒙開拓青少年義勇軍の募集活動推進に関しては信濃教育会の役割が大きいことはこれまで指摘されている。なぜなら青少年の募集には個人の意思に対して学校教師の役割が大きいからである。信濃海外協会はもともと信濃教育会の影響が強い組織であった。『海の外』では早くから少年の満蒙開拓を美談として報じていた。

『海の外』第一八〇号（一九三七年四月）で満洲移民の記事には「満蒙に巣立つ―更級農校の五少年」がある。[2] 更級郡は信濃教育会の海外発展主義の発祥地であり中村国穂が海外発展主義教育を率先して実践したところである。そこに一九三三年に設置された更級農学校移植民科が満洲移民送出の教育機関となっていた。そこから満洲移民に向かう少年が生まれている。彼らは一九三四年には満蒙青少年義勇軍の先駆として知られる饒河少年隊が送られている。武装移民の時代にすでに満蒙開拓青少年義勇軍の前身が生まれていた。

さらに『海の外』第一八九号（一九三八年一月）では「青少年移民三万人―両年中に満洲国へ」とあり、『海の外』第一九〇号（一九三八年二月）では「満蒙開拓義勇軍募集」（現地では摩擦を避けて義勇隊と名乗った）で初めて正式に第一回青少年義勇軍募集の情報が流される。長野県からは本隊二五〇〇人、先遣隊三五〇人が募集されている。政府として一九三八年から一〇年間で五〇万人、一年間で五万人の青少年を全国から募集する。長野県では二五〇〇人が募集されている。数えで一六歳から一九歳である。募集に当たるのは拓務省、道府県、大日本連合青年団、満洲移住協会である。申し込みは市町村長、学校長、青年団長の推薦により市町村で受け付けるものであった。ここには信濃海外協会は入らない。

『海の外』第二〇五号（一九三九年五月）で「満蒙開拓義勇軍出発」の記事がある。[3] ここでは青少年義勇軍送出二年度の第一回壮行会で六〇〇人の青少年を集めて長野市城山蔵春閣で挙行されている。城山神社で祈願祭、善光寺に参詣したあと「義勇軍列車」を仕立てて内原訓練所に入所したという。その全県下六〇〇人の名簿が掲載されている。

『海の外』第二一一号（一九三九年一一月）には「信州ニュース」として「青少年二千四百名―郡市の割当決る」という記事がある。[4] 次年度に送り出す青少年義勇軍は四〇個小隊二四〇〇人で県庁に各郡市教育会長を招き各郡市状況に即応した募集方法をとることとしている。中隊長が教育会の推薦により県単位で斡旋決定したあと、各郡市での割り当て数を決定している。郡市別の割り当て数は郡の状況で大小があるが、各郡小隊単位で二〇〇人から三〇〇人である。郡の教育会が青少年を推薦するという。このため郡教育会傘下の教員が割り当て数をこなすために青少年義勇軍の募集に動き強制的に高等小学校卒の生徒を応募させるようになったのである。義勇軍推薦の責任が信濃教育会になるのは必然である。まるで一六歳徴兵令である。その招集者は信濃教育会であるかのようである。

『海の外』ではたびたび満蒙開拓義勇軍の募集が報じられ青少年の満洲移民送出に熱心であることが分かる。これは西沢太一郎専任幹事など信濃海外協会はもともと信濃教育会の影響が強いことを表している。満蒙開拓青少年義勇軍の募集は満洲開拓民募集が頭打ちになるなかで青少年の移民に期待をかけることで登場したのである。

満蒙開拓青少年義勇軍は一九三八年から始まった。敗戦まで全国で一般開拓民約二七万人が渡満したが、青少年義勇軍は八万六〇〇〇人とその三割に達する。また長野県は一般開拓民と満蒙開拓青少年義勇軍をあわせて約三万八〇〇〇人を送り全国の四割以上を占めて全国一であった。義勇軍は一九四一年末でも全国で約三万一六〇〇人が送出されていたが、開拓団に移行したものが三一〇〇名にのぼるという[5]。これらの人が対ソ戦にほぼ徴兵されたと思われる。

『海の外』第二三四号（一九四一年一〇月）では「四個中隊一二〇〇人青少年義勇軍」の記事がある。九月に長野市の信濃教育会館で各郡市教育部会長を招集し県から拓務課長西沢権一郎、中川学務課長が一二〇〇人の適齢児童を集めることを郡市の教育部会長と協議している。これによりそれまでの青少年義勇軍と合わせて長野県は五〇〇〇人の児童を青少年義勇軍として送り出すことができると書いている。集団移民は停滞しても義勇軍の募集は県と教育会の連携で児童の動員に向かっていることが分かる[6]。満蒙開拓義勇軍の募集では県学務課と拓務課の中堅官僚が地方の郡教育会を招集して上意下達で割り当てしている。

なお、一〇〇万戸移民の分村移民の進展状況、満洲での現地移民状況報告が中心で、女性の状況はほとんど出てこない。『海の外』での女性の報道として「大陸の花嫁」の報道を見てみる。

『海の外』第二〇九号（一九三九年九月）で「大陸の花嫁便り」として北満千振郷長野村百瀬たま枝東筑摩郡波多

村の手紙が掲載されている。[7] ここも武装移民の第二次移民で入植当初に抗日武装闘争の標的になったところである。それから六年経過した千振長野村である。手紙は千振に来て四か月の「大陸の花嫁」である。

百瀬たま枝は言う。満洲の冬の殺風景な景色、春のシャクナゲ、スズランの花の美しさ、ヒバリやキジの鳴き声、耕地を毎日八キロから一二キロ歩いて収穫される米、小麦、高粱の喜びなどが淡々と綴られる。そして「とくに苦力の支那人を上手に使っていくことこそ一つの努力が必要です。支那人は日本の人たちがどんなに偉いかと思っている、だからどんなことを言ってもよく用を足してくれます」と書いているところに「日満協和」の二つの心が見える。一つは「日満融和」という日満平等の建前である。もう一つは「支那人は日本人が偉い」ことを知っているから「どんなことを言ってもよい」ので「苦力の支那人を上手に使う」という日本帝国主義の支配者の本音である。

また同号では「満洲は招く　女性満洲視察団」として一九三九年八月初めての女性満洲視察団が紹介されている。[8] 八月二四日に長野県庁に女性二四人が集合して長野県の移住地をくまなく回り九月一三日に帰国する。女性はモンペに背中にリュック姿、「モダンお国姿」と呼ばれている。渡満した女性の氏名一覧が掲載されて、帰国後に「大陸の花嫁」の媒酌に活躍する予定とのことである。「満洲信濃村」は郷党的親睦と地方的協力（県庁援護）により花嫁を探すには有利であった。

『海の外』第二一〇号（一九三九年一〇月）では「大陸の花嫁便り」がある。[9] 花嫁は下高井郡上木島村の島世お忠という女性である。彼女の開拓団は北満黒咀子開拓団である。この開拓団は福井県が組織したものである。長野県から福井県に嫁いだものであろう。長野県出身ということで『海の外』がこの手紙を掲載したのだろう。彼女はこの女性の文章には「恵まれぬ運命と戦いつ唯今まで生きた私にもまた今後いかなる苦難がおとづれるかも知れませんけれど努力を以て突破いたす覚悟でございます」とある。

じつはこの黒祖子開拓団はソ連侵攻後の翌日一九四五年八月一〇日に東安県密山駅事件に遭遇している。この事件は日本軍の爆弾爆発で最後の避難列車に乗って待機していた数百人の逃避行中の開拓団員が犠牲になったものである。彼女の安否は確認できていない。

同じ号には「大陸の花嫁速成―十ヶ所に訓練所開設」がある。[10] ここでは最近開拓民が花嫁招致で帰るものが多く女子青年団、愛国婦人会の斡旋で現地に一緒に帰っている。そのため今後は「移民国策の見地から県予算四〇〇〇円で県下一〇か所の女子拓殖訓練所を開設して促成移民花嫁を送り出すことになった」という。「促成花嫁」とは七日から一〇日で一か所五〇人、一〇か所で五〇〇人の促成花嫁である。これが塩尻市に開設される桔梗ヶ原女子拓殖訓練所である。この用語で男子が「拓植」であり女子は「拓殖」であることに注目してほしい。女子の場合は子供を殖やすことが目的だからである。満洲移民での女子の位置づけは「満洲国建国」の軍部の兵力動員思想で染め上げられているので、女性は男性戸主に従属するものとして子供を産み育てるための存在でありに日本人を満洲に殖やすための「大陸の花嫁」としてのみ歓迎されたのである。女子拓殖訓練所の漢字が「拓植」ではなく子供を殖やす「拓殖」であることに注意したい。

『海の外』第二二三号には「満洲奉仕隊便り」として長野県高社郷増産班の女子生徒の便りが掲載されている。[11] 高社郷とは満洲東安県宝清県に渡った第九次開拓団で一九四〇年二月に渡満した長野県下高井郡の分郷移民地である。ここもソ満国境で危険なところである。便りを書いたのは下高井の故郷を離れてはるばる満洲開拓地に渡り食糧増産の援農活動に参加した女子生徒湯本つな子の手紙が掲載されている。「私たち女子班一同ますます元気で増産目的に邁進いたしております」。「狭い部屋が今にも破れはしないかと思われるほどの大きな声で唄い笑い、若い乙女たちはいつも朗らかなものでございます」と書いている。開拓団が入植して一年半後の一九四一年八月の夏である。その四年後の惨劇を彼女は思いもよらない。

同号で同じく「老石房開拓団より」を書いた下伊那郡川路村増産班新海とき子がいる。彼女は南佐久海瀬村出身である。同じ村出身ではない。これらの援農者は同郷が多く開拓団の縁者知人が多かったといわれる。内地では、もう少し遅くなると学徒勤労動員令により軍需工場を中心とするが援農活動にも生徒・学生が動員された。増産活動は決して内地だけではなかった。というより満洲の方が先行していたのである。

「大陸の花嫁」の養成所といわれた桔梗ヶ原女子拓務訓練所がおかれた長野県塩尻市での満洲移民帰還率は男子六三・三％に対して、女子五四％である。一〇歳から九歳までの幼児と小学生低学年では一〇人のうち八人が死亡したという。[12]さらに一般的に四歳以下の幼児はほとんど帰還することは出来なかったとも言われている。つまり満洲移民で犠牲になるのは先ず幼児であり次いで少年、そして女性である。男は敗戦直前に現地満洲で根こそぎ動員されて、ともかくも武器を持って集団行動しており、捕虜になっても故郷に帰還できたのである。長野県全体では男性の帰還率は五割であった。すなわち戦争というのは一番犠牲になるのは子供と女性である。戦争とは社会的弱者が真っ先に犠牲となるのである。

以上のように満洲集団移民が応募者数の減少で衰微するにつれて満蒙開拓義勇軍と「大陸の花嫁募集」の記事が多くなる。これは普通農民の動員が難しくなると青少年と女性の動員に満洲移民の対象が移ったことを意味している。青少年義勇軍の募集と「大陸の花嫁」斡旋に関しては信濃海外協会の広報斡旋活動という独自の役割であろう。

第二節　アジア・太平洋戦争と信濃海外協会改組

一九四一年六月の独ソ戦開始、七月の南部仏印進駐、そして一二月真珠湾攻撃でアジア・太平洋戦争へと日本は戦時体制を強化し、ついに満洲を超えて大東亜共栄圏確立に突き進む。それにつれて信濃海外協会も再編を余儀なくされる。

『海の外』第二三三号（一九四一年九月）には農林大臣井野碩哉が「食糧問題不安なし」を書いている。[13]井野は第二次近衛内閣の石黒忠篤農林大臣を一九四一年六月から引き継いだ人物で石黒農政を継承する。

井野碩哉は『海の外』で国民に呼びかける。一九四一年六月の「独ソ開戦以来、国際情勢は急転して今まで得られた物資も手に入らなくなり、従って生活必需品にも一層窮屈さが加わってくる」として生産者、配給業者、消費者が一体で食糧危機の解決のために政府に協力することによって東亜共栄圏確立を目指そうと呼びかけている。もちろんタイトルの「食糧問題不安なし」は嘘である。不安であるから食糧危機の解決を呼び掛けたのだ。

日本ではすでに一九三九年四月に米穀配給統制法が制定されて配給統制が開始されている。一九四〇年一〇月には米穀管理規則が制定されて六大都市から米穀通帳制が実施されている。そして一九四一年六月の独ソ戦から一二月の日米開戦に向かう時代となる。このような食糧問題の激化に満洲も動員される。それが先に述べた一九四〇年実施の「満洲開拓基本要綱」である。

一九四一年一二月アジア・太平洋戦争が開戦して東亜新秩序から大東亜共栄圏建設が国策となる。信濃海外協会も満洲開拓に南洋開拓が加わる。信濃海外協会はこの時代の転換を迫られている。

『海の外』第二四三号（一九四二年七月号）では「井野拓省信濃路へ！分村富士見に感嘆」の記事が出される。[14] 井野碩哉は第二次近衛内閣の農林大臣として石黒忠篤のあとを継いで一九四一年六月に農林大臣に就任している。本来なら農林大臣小平権一でもよいのだが小平はこの年三月に満洲国経済顧問として満洲国建国の枢要の地位にあり八月には満洲国参議になっている。石黒であっても小平を呼び戻すことは難しかったのであろう。小平の跡を継ぐ人材は農林省では井野碩哉だった。井野は近衛第三次内閣でも留任し一九四一年一〇月の東条内閣でも農林大臣に就任して一九四三年四月まで在任する。さらに井野は東条内閣の一九四一年一二月八日アジア・太平洋戦争開戦の四日前に拓務大臣を兼任し一九四二年一一月まで務めている。彼が一九四一年一二月から一九四二年一一月までの一年間で最後の拓務大臣である。彼のあと戦争末期に拓務省は廃止となり大東亜省に引き継がれるからである。その意味で井野は戦時下の満洲移民の帰趨を決める重要な位置にいたのである。

井野碩哉の「信濃路分村富士見」視察は重要である。まず井野拓務大臣は「満洲開拓は貫遂」としている。その理由は富士見村にある。

富士見村は「昭和一一年経済更生特別助成村として農林省から指定されて以来全村一致を以て分村計画を遂行分村とともに母村の経済更生をなし遂げ今日見る拓民村としてあるいは農地交換分合適正規模による模範農村たり得た」と評価している。つまり農村更生と満洲分村の模範村であり、母村においても農地の交換分合により零細分散化した経営耕地を一つまとめることに成功した農村更生の模範村であるという。すなわち長野県富士見村を、全国的にみても満洲分村とともに適正規模による経営大規模化を実現した優良村であるとしたのである。日本の農村は先祖伝来の土地は相続や所有の移動により零細錯圃制といわれる耕地が散在した形態となっていた。それでは農業生産力を上げるには不都合なので食糧危機に対応するには土地所有の改革にまでやる必要があるということである。これが一九四二年から農林省でも農村経済更生計画を廃止して標準の農村設定計画による皇国農村建設運動へと発展する背景である。こうして井野碩哉農相は富士見村をモデルとした適正規模論を引っ提げて拓務大臣として登場したのである。

さらに井野碩哉拓相兼農相は言う。「満洲開拓とともに南方開拓の問題は日本農村今後の方向を決定づけるものである……日本農村の進むべき方向は今後適正規模による多角農経営によることが最も緊切であり……農村の中農以上のものを拓民として満蒙に送り出し南方新開地にはもっぱら指導者を送ることが政府の方針である」と述べている。

井野碩哉拓相兼農相は「日本農村の経営方針は少くとも一戸当たり一町歩ないし三町歩の耕地を耕すことに改めなければ」ならないと断言している。しかしこれは容易なことではない課題である。国内の経営規模を一戸当たり二町から五町経営にするともいう。しかもそのためには国内の中農を整理して満洲にまでも送り出して満洲の農業生産力の担い手にするという。さらにその経営方針を日本の指導者を送り出して南方開拓にまで及ぼそうとする。これは土地所有の革命と経営革命を大東亜共栄圏で同時に行うことである。ほとんど空想の域に達している。これが戦時農政の担い手である革新官僚の最後にたどり着いた構想であった。[15]

アジア・太平洋戦争の開始と大東亜共栄圏建設は信濃海外協会の転機となった。それが一九四二年一月の信濃海外協会の大改組である。趣旨は長野県の海外事業を満洲移民から大東亜共栄圏に拡大することである。この改組案をリードしたのは西沢太一郎であるという。[16]

一九四二年八月の『海の外』第二四四号で信濃海外協会の改組を宣言している。[17] その内容はブラジル移民で大正期に成果を挙げたあと、昭和では満洲分村分郷運動で成果をあげ青少年義勇軍の送出で積極的に活動してきたと誇る。しかし現在の組織と経済力では「全く隔靴掻痒の憾み」があるとする。一九四一年一二月八日の「大東亜戦争の大詔」を受けて「大東亜共栄圏確立に挺身する人士を求め開拓国策を支持する本県の強力なる拓植事業団体として積極的に活動をなす」ものとした。まさに満洲開拓から大東亜共栄圏開拓へ拡大するために信濃海外協会は組織を改組して資金力を拡充するという。

規約では従来の海外協会の目的であった「県民の海外発展の調査研究とその発展に資する」というのを第三条に下げて「長野県人の拓植発展を図るを目的」とするとストレートに表現した。会を拓務省と一体化して拓植事業機関としたのである。

一九四二年度信濃海外協会事業計画では「満洲開拓の運動の積極的推進南方共栄圏確保」を掲げる。さらに組織を協会の下に郡市中間行政機関と連携して六市一六郡に協会支部を設置し専任職員を置くという。さらに必要に応じて区町村支部を設置し部落会・町内会と連絡協力する。満洲、南洋、中南米への拓植思想の普及と中小商工業の海外発展、海外の投資貿易の奨励を図るとした(18)。

新たな一九四二年事業計画案は一〇〇万円会費拠金募集による資金運営である。これは年度計画である。将来的には長野県民一〇〇年計画であるという。

長野県農家の適正規模は一戸一町二反三畝と計算して過剰人口は七万六〇〇〇戸に達する。商工業も不要不急産業を統制して過剰人口を生む。これを満洲に送る。さらに大東亜共栄圏建設のために南方には指導者を送り出して適地を探す。そのあと南方に開拓民を送る。南方においても長野県は全国でその指導的地位に立つべきであるという。このために信濃海外協会では在京県民をセンターにして長野県と海外移住者の連絡を密にして一〇〇万円を集めて大東亜拓植事業を展開する。その使途内訳は満洲一五万円、南方五〇万円、東京センター施設費二五万円、県内施設費一〇万円とする。まるで夢想のような大東亜拓植計画が樹立されていた。ブラジル、満洲から南方まで日本の拓植事業の指導センターは長野県であると宣言しているようである。これがアジア・太平洋戦争の衝撃が引き起こした信濃海外協会の改組の内容である。この時の信濃海外協会改組の新役員の名簿が同じ『海の外』第二四四号に掲載されている[19]。

　一九四二年の大改組後の信濃海外協会総裁は永安百治長野県知事である。顧問は歴代総裁知事の本間利雄、岡田周造、大村清一、近藤駿介、富田健治、鈴木登の六人が入る。移民運動に熱心な県内有力者として今井五介、伊沢多喜男、原嘉道、片倉兼太郎、松島肇、藤原銀次郎、小阪順造、小平権一、有賀光豊、青木一男、佐藤寅太郎ら三五人がいる。幹事は西沢太一郎、輪湖俊午郎、永田稠、北原地価造、宮下琢磨、塩沢治雄ら一八人を数える。あと理事二五人、郡市支部長二一人である。『海の外』誌面で活躍した人物に絞ったが国家官僚から県内名望家と移民運動活動家の主要メンバーを網羅している。

　ここには歴代県知事と同時に大正期の海外協会中央会長として信濃海外協会創立の立役者である片倉財閥の今井五介と片倉兼太郎（二代目）、信濃毎日新聞社主の小坂順造、農林省経済更生部長、満洲移住協会理事から一九四二年の翼賛選挙の推薦候補で衆議院議員となった小平権一、初代大東亜大臣の青木一男、信濃教育会会長の佐藤寅太郎の顔ぶれが勢ぞろいしている。そして幹事として創設期からの永田稠、輪湖俊午郎、北原地価造、西沢太一郎、宮下琢磨がいる。そして拓務課長の塩沢治雄が改組された協会の幹事に新たに就任している。

　アジア・太平洋戦争の衝撃は信濃海外協会の停滞する満洲移民に替わる代替地として南方に目を向ける機会となったことは確かである。日中戦争期の満洲移民の集団移民が膠着停滞するなかで起死回生の移住方針を信濃海外協会は提起したのである。もちろんこれは世界の四面楚歌のなかで不発に終わるしかなかった。この時の改組された信濃海外協会の新役員の名簿に移民国策を支え後方支援活動として先頭に位置していた長野県近代移民史の歴史が集約されていた。

　信濃海外協会の大東亜共栄圏確立のための会費一〇〇万円募集は翌月の『海の外』第二四五号（一九四二年九月）では「資金募集の件」の記事となる。三年間で会員募金一二〇万円と上がり長野県人で県内五〇万円、県外七〇万円、総額二四〇万円が目標となっている。ますます計画が肥大化している。郡市別の割り当て金額だけは精密になっている。

日米開戦によるアジア・太平洋戦争の開始は信濃海外協会幹事永田稠にも大きな衝撃を与えた。『海の外』第二四六号（一九四二年一〇月）では永田稠「壮年層に希む―海外発展と中核」という評論が出される[20]。最初に「大東亜共栄圏の建設はほかの言葉を借りていえば、日本民族の海外発展である」としてアジア・太平洋戦争の画期性を捉える。そのあと過去の海外発展の反省としてハワイ移民では一九世紀末の「アメリカのハワイ併合」は日本移民が単なる出稼ぎ民でなくて「政治に興味を持つものが相当多数に混在していたならば……うまくいけば日本が併合で来たのではあるまいかと思われる」。もし北米移民も「在米日本人が今回の壮年団の如く協同的事業に対して訓練されていたならば、米国の排日をも少し日本に有利に誘導することが出来たであろう」という。南米では「中頃から植民地ないし移住地の建設が開始され、日本本国から有識階級の人々が移住した」、「もし初めから有識階級をもっと多く混入しさらに有産階級を加えたならば、今日在伯同胞の経済的地位は現状に幾倍してい
た」、その場合には「今日のようにブラジルを米国人によって人形の様に踊らせられずに」、「親日的状況に置くことが出来た」と反省している。

結論として永田稠は今後の大東亜共栄圏の移住事業は「地についた移民」が必要である。そのための一番の早道は「壮年団員の如く教育あり政治的思想あり、事業経営の体験を有し、相当の経済的余力のある者が、出来るならば家族を携えて先住民族の間に進んで居住し、その先住の隣人指導に当たることである」と提言している。日米開戦後の永田の姿は愛国信濃村建設で見せた武装移民対する激しい批判とは全く異なる。大東亜共栄圏確立にもろ手を挙げて賛成している。とくに満洲も含めて大東亜共栄圏に翼賛壮年団を送り込んで日本人移民の「中核」として彼らが大東亜共栄圏に家族移住すること提言している。

それを裏付けるように一九四二年に永田稠は『南方新建国』として日本力行会で刊行している。その序文では「南方建国は日本民族が神授の世界的大使命遂行の聖業である」とする。すさまじい日本軍を先頭とする南方＝東南アジアへの日本人海外移住の勧めである。それを日本民族の世界的使命であり聖業であるという。神武天皇以来の民族の使命であるという。ここではもう軍部への批判はない。大東亜共栄圏建設の煽動である。アジア・太平洋

戦争は信濃海外協会改組をもたらしこのような永田構想を顕在化させたとも言えよう。

一九四二年は満洲建国一〇周年であり長野県は満洲開拓の功労賞を送っている。『海の外』第二四六号（一九四二年一〇月）に「功労者表彰者」が掲載される。[21]まず信濃教育会である。海外発展教育を起こし一九三二年満洲に視察団を送り満蒙開拓教育普及の功績である。次は信濃海外協会である。「一九二二年創立以来海外発展に尽力し、満洲事変後は全国に先駆けて満洲移民に着目し本県の開拓成績を今日あらしめた背後の力となった」としている。また分村移民村長として南佐久郡大日向村長の浅川武麿、下伊那郡松尾村長吉川亮夫、下伊那郡泰阜村杉山直樹、下伊那郡上久堅村長川手正重、諏訪郡富士見村村長細川玖偀、同村拓務主任小松喜作の六人である。富士見村は一村で二人出している。分村と適正規模の二つの功績であろう

とくに富士見村を評価しているのは同じ『海の外』第二四六号に「映画になる富士見村」として報道されている。[22]そこでは「映画高原の村」のモデル富士見村は「大日向村が村の窮迫からやむにやまれず分村計画を決行したのに比し」、「有財階級や知識階級が満洲分村計画に参画し当時の村長樋口隆次氏が自ら団長となり率先移住を試みた「明るい開拓団」」であることを宣伝した。

永田稠が大東亜共栄圏の移住の中核と考えた翼賛壮年団は長野県翼賛壮年団員二八人が一九四二年九月から一〇月まで一か月「満洲開拓視察団」として松本駅に集合して渡満している。満洲移民も集団移民から始まり青少年義勇軍、女子青年、そして翼賛壮年団の動員にまで広がったのである。しかしこれは徴兵年齢と重なり無理な移住である。失敗は目に見えている。[23]

アジア・太平洋戦争開戦と信濃海外協会改組の影響を最も受けたのは県内では下伊那郡である。『海の外』第二五三号（一九四三年四月）では「前進する下伊那特別指導部」という記事が掲載される。[24]

一九四二年度より下伊那郡は開拓特別指導部として大東亜省と満洲移住協会の指定を受けたのである。この時の初代大東亜大臣は長野市出身の青木一男である。特別指導部とは下伊那地方事務所、信濃海外協会郡支部、郡町村長会、郡農会その他各団体である。その結果下伊那郡では南信濃郷として三〇〇〇戸の大下伊那郷を建設する計画

が樹立されたのである。このため一九四三年三月五日から二泊三日で飯田市で郡下農業報国推進隊を中心とする分村推進講習会を開いている。ここには前農相で満洲移住協会理事長石黒忠篤が参加している。満洲移民最大の農林省大物の登場である。さらに講師として長野県拓務課長として塩沢治雄、下伊那地方事務所拓務主任伊藤孫武、下伊那地方事務所座光寺久男が参加している。これが戦時末期において下伊那が全県トップの満洲移民送出の結果をもたらした原因である。

下伊那郡では「満洲開拓特別指導部長村計画実施要綱」を作り郡下各村に通達している[25]。それによると下伊那郡では一戸当たりの平均耕地面積は現状では五反から九反であるがそれを平均で一町歩に引き上げる。そのため過剰人口・過剰戸数を各村ごとに割り出す。その結果、一九四二年から満洲開拓第二期五か年計画で各村ごとに五〇戸から三〇〇戸の過剰移民戸数を割り当て各町村ごとに満洲に送出するという。まさに下伊那郡は適正規模を目標とする皇国農民確立運動の先陣を切ったのである。適正規模論は大日向村移民がその原型であるがそれは大日向村で見たように機械的な適正規模の村民への強制による過剰人口・戸数の満洲送出は絵に描いた餅である。それを皇国農村確立として国民に強制したのである。

『海の外』第二五四号（一九四三年六月）には皇国農村確立のための長野県経済部「標準農村設定要綱」が掲載されている[26]。

大東亜建設のための日本農村再編策として①自作農創設事業の拡充と、②修練農場の整備と、③標準農村設定の方策の三つを挙げる。第一は日本農村の基本は自作農であるという。これは地主制否定に通じる大変革を予期させる。もちろん当時の国家権力は在村地主に依存しており、戦後アメリカが実施したような農地改革を戦時下で実施することは不可能であった。しかし自作農が農村の中核であると規定したことは重要である。第二の修練農場整備とは農村更生の課題であった中堅人物を養成することである。中農層を基盤として天皇制に親和的な中堅農民を養成するために修練農場を全国に普遍化することである。彼らが日本農村の中核を作るのである。これは極めて精神主義的な要素を含んでいた。天皇制を中核とした官製農民イデオロギーの農村への注入である。農村経済更生運動が精神主義を抱え込んだのはこれである。第三の標準農村設定の方策とは適正規模論である。最初の自作農創設が所有革命なら標準農村設定とは経営革命である。これらは農林省の革新官僚が到達した総力戦体制とファシズムに適合的な農村に再編成する農村改造構想である。満洲事変以後の農村再編策の最終的帰結であった。とくに満洲移民で課題となった適正規模論は要綱で「適正規模農家が当該村における農業上の中核となり村全体が隣保共助の精神により安定的かつ調和せる農村を確立する」と書かれている。この適正規模の農民を内地で実現するために移民を通して大東亜共栄圏の農業構造の全体を再構成しようというのが革新官僚の構想であった。まさに壮大な夢想の世界であった。

さらにアジア・太平洋戦争下の長野県の満洲移民には天皇の「御下問」が加わった。『海の外』第二五三号（一九四三年五月）の「畏し本県拓植事業に御下問―郡山知事恐懼奉答申上ぐ」として一九四三年八月一二日の全国地方官会議で天皇が各知事に一つずつ「御下問」をしたが長野県に対しては「長野県民の満洲開拓移民の状況はどうか」と聞かれたという(27)。それに対して郡山義夫知事は「目下満洲にある県民は開拓に懸命の努力を致しておりますが県におきましてもその後続部隊の養成鍛錬に万全を期しておる次第でございます」と答えている。天皇の満洲移民への御下問があったのは長野県だけである。郡山知事は長野県に戻りすぐさま県民に「大御心に応え奉らん」と話し、県内務部長は満洲の開拓団長に「満洲移民の御下問」があったことを通知し、地方事務所と郡市教育会長にも「関係者一同いよいよ一致協力開拓事業の進展に努力し以て大御心に応え奉ることを期せられたし」との通牒を発した。天皇の「御下問」が長野県庁と知事県官僚、郡地方事務所、郡市教育会長の大きなプレッシャーとなったことは間違いない。

第三節　信濃海外協会の終焉

戦時末期に通常農民による集団移民が難しくなると戦時統制下での商工業者の転廃業者を狙って満洲に移住させるようになる。さらに満蒙開拓青少年義勇軍の青少年の強制動員と既存集団移民と義勇軍参加の若者のための「花嫁」動員が激しくなる。

「一九四二年は一九三二年度から満洲一〇〇万戸移民計画実施後五年計画第一期が終わり一九四二年から満洲開拓第二期計画が始まる。アジア・太平洋戦争開始後に満洲移民は第二期五か年計画となった。第二期の重点はこれまでの集団移民とともに青少年動員と女子青年の積極的動員が挙げられている[28]。

アジア・太平洋戦争開戦後の『海の外』第二四四号（一九四二年八月）には「満蒙開拓義勇軍の府県別送出番付表」がトップに掲載されている[29]。そこでは東の横綱が長野県で四七六八人、西の横綱が広島県三一六三人であり、次いで山形県二九二七人がベスト三である。それに次ぐのが熊本県、福島県、山口県となる。開拓民の停滞のなかで青少年義勇軍の送出で成果を挙げて県庁と信濃海外協会は横綱級だと満蒙開拓青少年義勇軍番付を作っている。

一九四二―一九四三年の「信濃義勇軍」の郡市別総送出数を見ると、第一位は下伊那七七八人、二位東筑摩六四一人、三位上水内四二五人、四位諏訪四〇〇人、五位小県三五〇人、六位埴科二六九人、七位更級二六〇人と続く[30]。下伊那の送出数が一番多いことがわかる。同時に東筑摩（松本地方）、諏訪、上田、更埴地方は一九二〇年代から信濃教育会の海外発展主義教育の盛んな地域であった。信濃教育会が信濃海外協会を支えて海外移民を推進した構図が満蒙開拓青少年義勇軍送出に現れたということである。

青少年義勇軍の送出とともに彼らの花嫁問題が深刻となる。青少年義勇軍に花嫁を送ることによって満洲の指導民族である「大和民族」を殖やすことである。満洲移民の目的は軍部にとってはもはや過剰人口の排出ではなく満洲国建設のための大和民族の統治が目的だからである。一九四〇年満洲開拓政策基本要綱から満洲移民の目的は転換したのである。

『海の外』第二四五号（一九四二年九月）にはトップで「女子拓民へ主力集中」の巻頭記事が出る[31]。信濃海外協会では「大陸の花嫁」への「主力集中」とは初めてのことである。青少年義勇軍が全国一となることでその青少年の将来花嫁を長野県から送出する宣伝斡旋が信濃海外協会の重要な仕事となる。ここでは東亜建設女子同志会の結成、現地開拓所塾の入所訓練など拓植女子の大量養成に取り組むことになった。女子拓殖講習会、女子拓殖指導会、満洲開拓民配偶者斡旋者協議会が開かれている。

『海の外』第二五二号（一九四三年四月）には元信濃海外協会書記「義勇隊開拓団と花嫁問題」の記事が出される。[32] ここでは桔梗ヶ原女子拓務訓練所が創設されたがそれでも不足なので御牧ヶ原訓練所の女子部の女子拓務訓練所に独立することを提言している。そして独自に結婚斡旋機関と渡満後の講演連絡機関の設置の要求である。このためには一九四二年に設立された大日本婦人会の協力が必要であるという。これが一般婦女子の大陸進出である。

『海の外』第二二五号（一九四〇年三月）では今井五介の「商工業移民を奨む」が出される。[33] 今井五介は「さらに移民政策が必要であるが……農業のみならず……中小商工業者の移民が大に必要であると思う。今日の日本は統制経済の行われるに当たって……失職のやむなきに陥っている者も相当多い状態である。かかる人々は満洲、北支、蒙疆等に発展しその運命を開拓するにあらずんば聖戦の意義は達せられない」という。今井五介は信濃海外協会の創立者のひとりであり片倉製糸の創業者一族である。もともと農業移民より商工業移民を重視しており南米でも資本進出の条件として農業移民を考えていた。戦時末期に急増する商工業者の移民がすでに一九四〇年三月の時点で先駆的に主張されていることに注目したい。移民運動は決して農業移民に留まらないことを示している。

これが農民移民でなく商工業者移民として満洲移民の末期に実行された「農工開拓団」である。農村での送出が困難になると戦時体制下が強化されて軍需産業中心の産業構造への転換が進む敗戦末期には都市中小商工業者の転廃業が広がりこの「農工開拓団」が飛躍的に増加した。長野県では一九四一年から始まり一九四五年まで実施され、とくに牡丹江省、東安省、間島省に送られた。

『海の外』第二四五号（一九四二年九月）で「上水に転業開拓団」との記事が出る。[34] これは「本県における満蒙開拓第二次五ヶ年立体計画実施第一年度本年中に送出すべき二〇ヶ集団送出のトップを切って実施」されたものである。団長は上水内木炭同業組合理事長である。二〇人の炭焼き業者をつれて黒姫郷開拓団に入植している。その際に長野県の転業開拓総合助成金三〇〇〇円を受けている。

また、戦時期の信濃海外協会において満洲移民以外に注目すべき独自の活動はパラグアイ移民、海南島移民、南洋移民である。

第一のパラグアイ移民では『海の外』の記事の初出は少し時期をさかのぼって一九三七年七月の一八三号のパラグアイ移住地便りである。「理想郷パラグワイ移住地より」（パラグワイ国ラコルメナ移住地四十三号柿沢国平）とある[35]。同時に同号で信濃海外協会の「パラグアイ移民斡旋」の記事が掲載されパラグアイ移民の斡旋募集をしている。このパラグアイ国移住地はかの梅谷光貞（元長野県知事）がブラ拓専務時代に大規模購入した土地であり、その結果ブラジル移民の専務理事を辞任するきっかけとなった因縁の土地である。

『海の外』第一八七号（一九三七年一一月）では藤沢正三郎「パラグワイ国便り―悲壮の決意を以て移住地教育に精進」が続き、同年一二月の『海の外』第一八八号では「行け！現世の楽土南米パラグワイ国へ」とパラグアイ移民を奨励している。藤沢は一九三九年年八月の『海の外』第二〇八号で「豊穣の楽土―パラグアイ移住地より」として悲壮の決意から二年、移住地は楽土になったとの便りを出している[36]。このとき彼はパラグアイ国ラ・コルメナ中央小学校校長となっている。藤沢は信濃教育会出身の教師であったと思われる。このように信濃海外協会がパラグアイ移住地建設を支援していることが分かる。戦時体制になっても信濃海外協会は満洲移民送出だけではないことがわかる。さらに『海の外』第二〇五号（一九三九年五月）では拓務省拓務局で「パラグアイ国概況」が記事となっている。戦時下で日本人入植地はブラジルからパラグアイ移民に拡大している。ブラジル、パラグアイ、アルゼンチンと拓務省の移民活動は薄く広がっていた。しかしそれもわずかの期間である。一九四一年日米開戦で南米諸国との平和裡の移民活動はもはや不可能となるからである。そのあとパラグアイ国移住地の記事はない。この移住地は戦後にパラグアイ移住地として日本人の多くが渡ることになる。梅谷光貞の遺産は現在も生きている。

第二は戦時下信濃海外協会で注目すべきものが海南島移民と南方移民である。『海の外』で海南島の移民の記事が最初に出されたのは一九三九年四月の第二〇四号の「国際関係より見たる海南島」（東京日日新聞渡瀬正人）である。一九三九年初頭の中国南部海南島の日本軍占領により海南島は日本人の新たな移住地として注目される。海南島は西太平洋争覇戦の軍事的要衝となり香港、シンガポール、広州、ベトナム、グアム、フィリピンなど南方共栄圏への日本軍進出拠点として重視されるからである。そこへの移民として再び信濃海外協会が利用される。戦時下にすでに南方進出の拠点として台湾へ信濃海外協会として長野県人をいくらか送出していたが、一九三九年の海南島占領以後は軍部は海南島を重要視する。南方経営のために海南島を第二の台湾にする目論見である。

アジア・太平洋戦争開戦後は信濃海外協会改組によって満洲から大東亜共栄圏に移住事業を拡大する。従来のブラジル、満洲を中心とした移民からパラグアイ、海南島から東南アジアを含めた南方移民の記事が増加する。『海の外』第二二四号（一九四〇年二月）では在比島ダバオの長野県人から信濃海外協会の永田稠に対して「永田先生の来比を望む」という記事が掲載されている。そのあと永田はフィリピンなど南方を訪問している。

また『海の外』第二四六号（一九四二年一〇月）の「南方の農林開発に挺身する指導者の派遣」である。[37]またその一環として西沢太一郎は南方経営人材養成を信濃海外協会と信濃教育会の協力で実施するとした。信濃海外協会ではそれ以前から南方移民に目を向けておりフィリピンを中心に移民活動を独自に展開していた。これには拓務省に指示を受けて県拓務課で南方農林開発指導員の募集を進めて県で定員八人に三〇人の応募があった。その選定後八人を静岡県拓南錬成所に送り三カ月の訓練を施し現地南方で九カ月の訓練を受けて南方指導者になるという。

このように永田稠と西沢太一郎はアジア・太平洋戦争が始まると南方移住計画を独自に進めていた。

一九四二年に拓務省が解体され大東亜省が再編設立されると海軍は海南島に移民を送る計画を立てたが、初年度長野県は無視されていた。そこで信濃海外協会は西沢太一郎専務幹事と永田稠幹事が海外移住組合連合会に談判して翌一九四三年度全国九〇人の内三〇人を信濃海外協会から海南島に送ることを決定した。しかし実際には応募者は二人しか集まらなかった。海軍はその他の県民を集めて海南島に日本人村を作るために村長を探した。そこで拓務省は海南島民に熱心であった西沢を海軍に推薦し彼の派遣が決まった。西沢は長野の応募が少ないこともふくめてみずから責任を取って海南島移民の村長となって海南島移住を決意したという。拓務省が信濃海外協会の西沢の役割を知らないはずがない。

西沢太一郎の海南島村長派遣の『海の外』第二五三号（一九四三年五月）の記事を見てみよう。元信濃海外協会書記の宮崎袈裟義「西沢幹事を南方に送る」である。[38]ここでは送別の辞として西沢が信濃海外協会幹事としてアリアンサ建設、ブラジル移民に貢献したことに賛辞を表している。「昭和一二年満洲開拓民の大量的送出が始まるまで、海外在住一万五〇〇〇県人の慈父として仰がれた」とまで西沢を評価している。また一九四〇年の紀元二六〇〇年祝典で海外移植民事業功労者として表彰されている。「今回同志が南方某要職に栄転せられたるは、まことに多年の労苦が報いられたというべきである」という。

西沢太一郎はブラジル・アリアンサ移住地建設、そして満洲愛国信濃村建設、満洲集団移民から南方移民への拡大をおし進めた信濃海外協会の中心人物である。彼が永田稠とともに幹事として信濃海外協会の屋台骨を支えてきたのは間違いない。その彼を海南島に送り出すことは信濃海外協会の活動を否定することであった。なぜ大正期から信濃海外協会幹事として会を支えていた西沢を左遷したのかを考えてみたい。

一九四二年西沢太一郎はアジア・太平洋戦争後の信濃海外協会の大改組で、信濃海外協会会長となった永安百治新知事に南方開拓発展計画を申請している。長野県で一〇〇万円の募金活動を展開して南方移民を進めるよう迫ったのである。

大東亜の南方共栄圏としてニューギニア一五〇万町歩の無償譲与で開拓民を送る計画である。これは信濃海外協会総裁の永安百治知事が動かず挫折している。背後の軍部が信濃海外協会のニューギニア移住地建設を了承していなかったと思われる。この南方開拓計画は一九四二年に募金活動を展開すると「意外の辺から横やりが入り」計画が頓挫したという。[39]この「意外な横やり」が誰だかわからないが、県庁と海外協会の拓務行政を統制するのは大東亜省であり軍部である。そこから「横やり」は推測がつく。軍部にとって西沢太一郎は目障りだったのではないか。その結果が西沢の一九四三年四月の海南島派遣である。いわば「島流し」である。

もちろん西沢太一郎の海南島移住を信濃毎日新聞記者は「海軍省、大東亜省、台湾拓植株式会社の三方面からの切なる招請」で海南島の日本人移住地の村長に栄転したように描いている。[40]南方移民を信濃海外協会の先頭で旗を振った西沢の最後にふさわしい結末である。この時五六歳である。老境にかかっていた。その二年後に大東亜共栄圏は崩壊し海南島日本村は滅亡する。

信濃海外協会の活動停止のように大東亜共栄圏建設の段階になると民間の独自の移住活動は認められないのである。一般にファシズムは自立した市民社会の運動を嫌う。社会のあらゆる権力への抵抗を根絶やしにするのがファシズムであり全体主義である。日本はその時代に入ったのである。海外移住運動が軍官の主導で官製移民が完成する時に西沢太一郎のような独自の民間移住運動は目障りでしかなくなったのである。それが翼賛体制の一つの帰結でもあった。西沢の信濃海外協会追放を以て信濃海外協会の活動は事実上終焉したと言ってよい。

『海の外』の終刊については後継雑誌の『信濃開拓時報』創刊号の編集後記を見ると『海の外』は「二〇年の歴史」と書いている。[41] また戦時下の用紙不足など印刷条件の困難性も述べている。現在残存している『海の外』は第二五四号（一九四三年六月）が最後である。後続の機関誌の『信濃開拓時報』創刊の一九四四年七月まで一年間のブランクがあることになる。

とくに日本が第二次世界大戦に枢軸国として参戦すると各国との国交断絶が続き自発的移民は困難となった。拓務省も一九四二年一一月に廃止されて大東亜省に吸収され移民を扱う拓務行政の単独官庁が喪失したのである。その結果満洲移民も拓務省から大東亜省満洲事務局の所管となった。これに陸軍省、農林省、内務省、外務省、その他がそれぞれの分野で関与して府県段階では学務部社会課または職業課が担当した。[42]

戦時末期の移民政策は外務省、内務省、農林省、陸軍、さらには戦時下の大東亜省など複雑の諸官庁、諸勢力のせめぎあいの焦点となったのである。大東亜省でも独自の移民政策を立案することも困難であった。

一九四二年拓務省が廃止された際に、信濃海外協会の『海の外』を刊行する人材と財力がどの程度あったか不明である。満洲移民は大東亜省に引き継がれ満洲移民の後援活動に徹して活動は継続していたが信濃海外協会はほとんど機能停止状態で一九四三年三月に事実上解散される。そして一九四三年四月の西沢太一郎の海南島への「島流し」で信濃海外協会は終焉を迎えた。それと同時に『海の外』一九四三年六月でほぼ廃刊となる。

第四節　長野県開拓協会

一九四三年三月に信濃海外協会は事実上解散しその後、機関誌『海の外』も廃刊されたが、一九四四年七月に長野県開拓協会が設置され機関誌として『信濃開拓時報』が創刊される。一九四三年七月から長い準備期間を経て一九四四年三月一〇日にようやく長野県開拓協会発会式を行っている。信濃海外協会の活動を停止してから一年が経過していた。

長野県開拓協会の初代会長は大坪保雄長野県知事である。常務理事は清水清作である。清水は塩沢治雄のあと県拓務課長である。理事は小山邦太郎、成沢伍一郎、小出佐一など地域を代表する者である。他は幹事、主事、嘱託の実務者である。知事が長野県開拓協会会長となり県拓務課長が常務理事となり満洲移民は完全に長野県行政機構に組み込まれる。

長野県開拓協会の事業目的は長野県満洲移民の①企画研究、②各種行政組織と諸団体の連絡統制、③移民の指導奨励、④移民家族の後援事業の四つである。具体的には開拓民支援、開拓館と在満報国農場設置、満蒙青少年義勇軍支援、結婚斡旋、啓発宣伝である。すなわち県満洲移民行政に対する支援活動に特化したものである。

『信濃開拓時報』の編集兼発行人は長野県開拓協会小出佐一、印刷人は長野市の大日方利雄、印刷所は信濃毎日新聞である。ここには西沢太一郎も永田稠もいない。西沢は海南島へ「島流し」となっていたし、創刊以来『海の外』編集人を一貫して務めてきた永田も『信濃開拓時報』では駆逐・追放されている。外部の移民運動家が関与する余地はない。しかし印刷だけは信濃毎日新聞で変わらない。

『信濃開拓時報』の編集兼発行人小出佐一は西沢太一郎と永田稠の仕事を継いだ重要人物である。彼はこの時に飯田市助役となっており下伊那出身者である。それまで編集発行者である西沢が海外協会設立時には諏訪岡谷小学校分校長であり、永田が諏訪出身者の民間移民運動家であることは述べてきたことである。この戦時末期の長野県開拓協会で小出が下伊那出身で地方役人であることは満洲移民の中心的実務家が教員から役人に代わったことを意味し、地域的には諏訪から飯田に転換したことを象徴的に示している。実際に飯田市は敗戦直前に飯田郷を建設して農民だけでなく市内の転廃業者を組織して満洲に送り出している。

創刊一号は一九四四年七月二〇日であり七月七日にサイパン守備隊が全滅し七月一八日東条英機内閣が総辞職しそのあと小磯国昭内閣が成立する時である。日本の終戦を目前に絶対国防圏は崩壊し南方、大東亜共栄圏、さらに中国本土を切り捨てでも最後の権益として「満蒙」だけは確保したいという軍部の意思がこの雑誌の背景にあった。東条内閣から小磯内閣に代わり一九三六年小磯が関東軍司令官の時に満洲一〇〇万戸移民の立案にかかわりその終末期の一九四四年は「満蒙開拓地」の必死の維持で終わるというのも不思議なめぐりあわせである。

信濃開拓時報の「発刊の辞」『信濃開拓時報』創刊号（一九四四年七月）は長野県開拓協会長となった郡山義夫長野県知事である。

信濃海外協会を発展的に解消して長野県開拓協会を結成する。「大東亜建設を貫徹」するため「満蒙の確保は実に今次聖戦の帰趨と密接な関係があり……県民各位は現地にある開拓民諸子に対し懇篤なる感謝と援護の手を差し伸べていただきたい」、「信濃開拓時報発刊の理由もここに存する」と述べている[43]。

すなわち県の拓植事業を「大東亜建設のための満蒙開拓」に絞ることである。理由は満蒙の確保が今次の戦争の帰趨に決定的意義を持つからである。裏返してみれば北米、南米、南洋、南方の移民の継続と援護を断念することを意味している。またその断念はそれらの国に送られた日本人移民が棄民状態になることを意味していた。その結果として信濃開拓事業は満蒙移民の送出と援護に絞るということである。それだけこの時点ではその他の移民の保護を切り捨てでも満洲移民を維持することの意味が大きかったのである。南方開拓に執念を燃やした信濃海外協会の西沢太一郎が邪魔になったのもうなずける。

「長野県開拓協会設立趣意書」によると「本県民は……最近満蒙開拓事業においてもまた全国に冠絶せる成績を示しつつあり」、「さらに進んで官民一致強力なる組織を以て」、「時局に要請に応ずべく」、「根本的改組の必要を認め」、「大東亜建設の聖業完遂に邁進」するとしている[44]。すなわち、「官民一致」強力なる組織への根本的改組である。従来の民間団体の運動を県官僚が支援するという官民協力、官民連携ではなく官主導に転換することであった。民間移民の要素を完全に払拭して完全な官製移民に転換することである。これは信濃海外協会を「発展的に解消」という言葉に代表されている。

長野県開拓協会の目的を見ると「開拓精神」「開拓教育」「調査研究」のあとにようやく「開拓年度計画」がある。そのあとに「開拓民・青少年義勇軍・残留家族の援護」、「開拓功労者の表彰」が続く。ほぼ満洲移民の支援援護活動が重点となっている。既存の軍官僚の満洲移民計画を支援補完し開拓民・開拓青少年・残留家族の援護組織になったのである。

つぎに長野県開拓協会の事業について見ておこう。会則では主要事業は開拓年度計画の実施と開拓民・青少年義勇軍・残留家族の援護が主なものである。役員名簿では会長は長野県知事郡山義夫で理事長は小平権一である。副理事長は県内内政部長と県町村長会長、常務理事は長野県拓務課長である。理事は県経済部長、県商工経済会会頭、県会議長に各地域の有力者である。理事の中でも注目すべきは代議士羽田武嗣郎のあとに三番目に貴族院伯爵渡辺昭が入っていることである。ブラジル・アリアンサ移住地の渡辺農場主である。ブラジル移民のアクターが戦時下の長野県開拓協会まで連続していることを示す。

また参与として小平権一、今井五介、片倉兼太郎、渡辺昭、中原謹司、岩波茂雄が入っている。中原謹司は信濃郷軍同志会から聖戦貫徹議員連盟の中心を担う戦時下の長野県を代表する超国家主義者である。長野県開拓協会の役員は基本的には信濃海外協会を踏襲しているように見えるが内容は民間の移民運動家を排除して中央官僚と従来の長野県庁官僚に県内名望家に、大東亜共栄圏を叫ぶ超国家主義者を新たに加えた構成である。

注目すべきは理事長・参与となった小平権一である。小平はこれまで述べてきたように一九二七年海外移住組合法作成から信濃海外協会とは深い関係を持ってきた農政官僚である。一九三二年農林省経済更生部長として農村経済更生運動の陣頭指揮を執り一九三五年に満洲移住協会の理事となり、一九三六年に拓務省拓務局参与、陸軍嘱託として関東軍司令部付として満洲に深い関係を持ち、一九三七年満洲拓植公社設立委員、一九三九年満洲糧穀会社理事長、一九四〇年満洲興農合作社中央会理事長、一九四一年満洲国経済顧問、満洲国理事となる。その後国内に戻り長野県で一九四二年信濃海外協会顧問となっている[45]。そして先述のように一九四四年信濃海外協会を発展的に解消して長野県開拓協会が設立されると理事長となる。この間小平は長野県の満洲移民を指導して八ヶ岳郷、落合村分村、岡谷郷富士見村分村を指導している。

小平権一はこれまでの信濃海外協会で見られた民間の今井五介、片倉兼太郎、政治家小川平吉、信濃教育会の幹事ら在地性を残した人物とは異なり在地性を飛びぬけた中央エリート官僚である。それが戦時期には長野県出身の国家官僚経験者として満洲移民のトップエリートとなっている。彼が満洲移民の長野県開拓協会理事長となるのは官製移民としては当然の帰結であった。

長野県の拓務行政として注目すべきは一九四五年四月から従来の満洲分村移住は県農政課担当であったが、戦時統制の強化で県内務部設置とともに満洲分村移住計画は拓務省に一元化している[46]。

『信濃開拓時報』創刊号の内容を見ると一九四四年度の協会の「歳入歳出予算」と「開拓便り」での二本立てである。『海の外』との違いは「開拓便り」は「発刊の辞」の通り満洲移民に限定している。『信濃開拓時報』では長野県集団開拓団の募集現況報告、県青少年義勇軍の募集現況報告、そして「大陸の花嫁」の報道が中心である。つまり『信濃開拓時報』は満洲開拓事業に純化して新たな集団移民の送出と既存移民団の充実、さらに満洲開拓地と内地との交流を図ることに目的が限定されている。南方、南洋、南米の報道はもうない。

まず第一に集団移民の送出・支援活動である。

『信濃開拓時報』創刊号（一九四四年七月）では「交換渡満で開拓」というように現地開拓の援農に内地から駆け付けている報道がある。これも集団開拓の支援活動である。

『信濃開拓時報』第三号（一九四四年九月）では「未完成開拓団充足を重点とす――「戦時開拓方針」も決定」という記事がある[47]。これは特別指導部連絡協議会が西筑摩郡読書村開拓館で開催されて既存開拓団の充足を話し合っている。下伊那郡と同様に西筑摩郡も特別指導部に指定されていることが分かる。読書村がそのセンターでとくに未完成開拓団の充足が課題となっている。満洲移民解体期の定員不足の開拓団への必死の定員充足運動である。

『信濃開拓時報』第五号（一九四四年一一月）では「苦闘一〇年の瑞穂村」の記事がある。[48] これは武装移民として有名な一九三四人入植した第三次移民である。それから一〇年で治安平定作戦が進んだと思われるが一九四〇年四月一八日に共産ゲリラ七〇人の襲撃を受けて一四人が死亡したという記事である。内訳は男性九人、女性五人でその中の長野県人は東筑摩と西筑摩の人二人である。戦時下でも抗日運動の標的で開拓民の死者が出ていることを報じている。このような状況は内地にはほとんど伝わらない状況であるが慰霊祭を開いたとして報じられている。きわめて貴重な情報である。

『信濃開拓時報』第六号（一九四四年一二月）には開拓協会から長野開拓団の移住地神社建設の補助金が出されている。[49] 一一月に支給された開拓神社は松島開拓組合、更級村、下水内郷、下高井郷、南信濃郷、大日向村、泰阜村、佐久郷など一三社である。満洲日本人開拓地にこの頃には神社の整備が進んだことが分かる。

『信濃開拓時報』第七号（一九四五年一月）では「第一四次集団を編成送出」という記事が目立つ。[50] 一九四四年敗戦直前の開拓団である。九開拓団九〇〇戸の計画である。その中で二〇〇戸を送るのは下伊那郷と御岳郷（西筑摩）である。ここでは第二八ヶ岳郷を送る諏訪市、岡谷市ほか二〇か村が大東亜省から特別指導地区に選定されている。下伊那は二年前に指定されていたものである。諏訪は製糸業は生活必需品であっても輸出は途絶しており危機的状態にあった。商工業者の転廃業も増えるなかでの特別指導区指定である。

『信濃開拓時報』第八号（一九四五年二月）では一九四四年第一四次移民八集団の承認内定が報じられている。[51] ここでは下伊那郡が集団で二〇〇戸送るのに対して上伊那郡三義村では単村で分村を実行している。興安東省の北満奥地である。敗戦直前の分村移民とは驚く。

また諏訪郡では下伊那郡に続いて特別指導地区（郡）に選定されて八ヶ岳郷建設、岡谷郷建設と富士見分村、落合分村補充のための翼賛壮年団を中心に活発な運動を展開しているという。

同号では各団長現地報告が掲載されている。[52] 千代村分村建設では計画三〇〇戸で半分しか充足されていないが食糧増産に励んで目標を達成したと報告している。同じく下高井郡高社郷、北安曇郷、上高井郷でも団員の不足を訴えている。とくに北安曇郷団長は「内地一般が無関心すぎる」、「末端組織への徹底を図ってほしい」と抗議している。

さらに注目すべきは「拓士送出に非常措置（飯田郷）」の記事である。[53] 飯田市では先遣隊八戸が入植したが経営不振で送出方針を改めて勤労動員令により八〇人強制的に動員して一年交代で現地満洲で食糧増産に協力させるという。その中で現地に継続入植者を求めるというのだ。勤労動員したうち四〇人を八ケ岳訓練所に送り一九四五年三月に満洲に送り込むとしている。形は勤労報国隊員で徴用令と同様の扱いである。彼らには開拓団に政府から二五〇円、家族援護で五〇円の補助金が出されている。その入植者の中には「五〇歳前後の老年二〇数名がいずれも進んで参加を申し出た」という。「老人」も開拓団員に徴用されたのである。期間は一九四五年三月から秋までである。まさに官製民の極致を飯田郷が実行したのである。この五か月後がソ連侵攻である。

先に見たように満洲移民は農民だけでなく商工業者を巻き込んでいった。戦時統制による転廃業者の満洲移民対策である。『信濃開拓時報』第四号（一九四四年一〇月）では「大陸帰農開拓団連絡協議会の開催」として長野県商工会議所で商工業者の移民団、農工開拓団の送出を始めている。『信濃開拓時報』第六号（一九四四年一二月）の「南満開拓にも力を注ぐ―都市疎開者も招致」という記事にも注目したい。長野県は農業とは無縁の都市疎開者まで満洲開拓に動員したのである。商工業者の動員もそうだが非農業者まで動員するまで追い詰められていたのである。

第二に満蒙開拓義勇軍の記事を拾ってみよう。長野県は満蒙開拓義勇軍送出でも全国一であったことはこれまでも述べてきた。そのため『信濃開拓時報』では満蒙開拓義勇軍関係の記事が多い。これらの記事は長野県教師がいかに満蒙開拓青少年義勇軍として満洲移民送出に熱心であったかを示している。[54] 一九四二年以降全国では一般開拓団の送出が五〇〇〇戸から一九四五年一〇〇〇戸に減少するのに対して青少年義勇軍の入植戸数は一九四五年まで一〇〇〇〇戸を維持していた。[55]

とくに下伊那郡では一九四三年転廃業の商工業者の移民が中心となってゆき新たな一般開拓団の分郷・分村移民は停滞するが、「義勇軍は従来通り教育会が中心となり、国民学校の卒業生を中心に郷土中隊を編成送出す」としている。(56) 教育会の主導性が際立つのが満蒙開拓義勇軍募集である。

『信濃開拓時報』創刊号（一九四四年七月）の「二〇年度義勇軍一一三中隊確保」の記事のように満蒙開拓義勇軍の募集関係も多く掲載されている。また『信濃開拓時報』第二号（一九四四年八月）では「長野県満蒙開拓青少年義勇軍本部規定」が出されている。長野県開拓協会内部に青少年義勇軍本部を置いて義勇軍送出事業の円滑な進展を図るものという。本部長は知事で理事長は開拓協会理事長の小平権一である。(57)

『信濃開拓時報』第四号（一九四四年一〇月）では「物故義勇軍の慰霊祭」が行われている。東筑摩郡片岡村の病死した義勇軍の若者九人の慰霊祭の報道である。まるで戦死者を弔うかのようである。「鍬の戦士」という言葉の通りである。

『信濃開拓時報』第六号（一九四四年一二月）の「二〇年度義勇軍三個中隊確保」、「東筑義勇軍拓務訓練」と義勇軍募集関係が多い。

『信濃開拓時報』第八号（一九四五年三月）では「義勇軍中隊長に校長先生」とある。満蒙開拓青少年義勇軍の中隊長に若い先生でなく校長先生が選ばれるとは驚きである。そこまで人材が払底していたのだろうか。

『信濃開拓時報』第九号（一九四五年三月）には「義勇軍三中隊内原へ進発す―今年も全国一の成績確保」の記事が出されている。(58) 一九四五年度の義勇軍三個中隊七五八人の祈願祭・壮行会が三月二日に長野市で開かれている。大坪保雄長野県知事の告示を県拓務課長清水清作が代読し、壮行の辞を国民学校高等一年生が読み上げ答辞を義勇軍代表が応える。とくに義勇軍長野部隊代表の東筑摩郡本城国民学校坪田幸一の答辞は鮮烈である。

「今や帝国は悠久三千年来未曽有の大国難に際会し決戦の様相は切迫せる戦局の推移と相俟って真に激烈凄愴の度を高めまさに皇国存亡の岐路に達せる感深きもの」、「国家の要望に応えて義勇軍に参加し幸いに許されて欣喜雀躍内原訓練所に入所する身とはなりました。嗚呼逞しき哉、男子の本懐我らの感激何ものにか譬えましょう」という。

一六―一九歳の青年が「少国民」として「欣喜雀躍」戦地に向かう覚悟である。義勇軍とは農民ではなく戦士である。

第三に「大陸の花嫁」の記事を拾ってみよう。

『信濃開拓時報』創刊号（一九四四年七月）の「拓士の縁結び一三組」、『信濃開拓時報』第二号（一九四四年八月）では「躍進する結婚斡旋」として長野県開拓協会内に結婚斡旋部を設置している。また「女子拓植指導者協議会」を開いて「県下女子拓植運動」を提起し「大陸の花嫁」を長野県では年二〇〇〇人を送ることを目標にして桔梗ヶ原女子拓務訓練所に送るという[59]。実際に『信濃開拓時報』第五号（一九四四年一一月）には「日婦幹部に拓植訓練」として大日本婦人会を動員して三五八人を桔梗ヶ原女子拓務訓練所に送り込んでいる[60]。『信濃開拓時報』第六号（一九四四年一二月）では「増産に凱歌も高し本県開拓団―日婦現地踏査視察記」として大日本婦人会長野県支部理事降旗富江の視察記がある。また同号では「結婚斡旋連絡協議会の開催」、「拓士の結婚には祝儀を贈る」と続く。さらに第七号（一九四五年一月）では「結婚斡旋連絡協議会」、「東筑郷の拓士送出懇談会／結ばれた大陸花嫁二〇組」、『信濃開拓時報』第八号（一九四五年三月）では「桔梗原女子拓務訓練所訓練状況実績調査表」、「下伊那の結婚斡旋協議会に臨みて」（降旗富江）、「昭和二〇年度女子訓練所訓練生募集」が続く。

以上のように長野県大日本婦人会が満洲に視察団を送って、現地が「増産に凱歌も高し」状態であると安全を宣伝し国家の増産に貢献していると報じている。

『信濃開拓時報』第八号（一九四五年三月）には「桔梗ヶ原女子拓務訓練所訓練状況実施調査表」が掲載されている[61]。それによると一九四〇年から一九四四年度までの訓練生は長期七九人、短期生と臨時生を合計して二五三七人に達する。その六割が短期生であるがこれは大日本婦人会と女子青年団の興亜女子青年錬成の講習会の成果であるという。社会集団を官庁が動員するとすさまじい威力を発揮する。満洲移民が官製移民であるというのはこのような中間団体の民間動員のシステムによる。

「大陸の花嫁」の記事では一九三六年から一〇年経つ満洲開拓地では結婚を望む男子が増加していることを語る。日本国家も満洲国統治の中核として日本人移民が家族を形成して子供を作ることが絶対に必要であった。しかしこの数か月後にソ連の満洲侵攻がある。きわめて危険な女性への花嫁勧誘である。

以上のように「満蒙開拓青少年義勇軍」と「大陸の花嫁」の送出というように満洲開拓が最後は社会的に最も弱い女性と青少年の犠牲でもって終わるのである。それも戦時末期にソ連侵攻直前に青年と「花嫁」送出に拍車がかかっている。ここに満洲移民政策の無謀性と悲劇性が象徴的に表現されている。

他には『信濃開拓時報』第六号（一九四四年一二月）の「満洲報国農場」（一二か所へ補助指令）、「小諸で報国農場増産感謝祭」、第八号（一九四五年三月）「報国農場の大戦果」、「上高井郷に報国農場」などが続く。報国農場とは一九四三年から遂行された満洲移民の末期的国策で終戦時に七〇か所近くが設置された。農林省や東京農業大学の農学者たちが学生を実習生として満洲に送り込んだ。そのため敗戦後の悲惨な体験を学徒が経験する。[62]まさに女性、青少年続いて学徒を巻き込んでの満洲移民の末期的悲劇が起こるのである。

最後に注目すべきものは一九四五年四月の『信濃開拓時報』第一〇号で「満蒙開拓公労表彰」の名簿一覧が掲示されていることである。[63]換言すれば長野の県開拓協会では開拓事業の計画でなく過去の事績の表彰で満洲移民を激励することしかないということであろう。

表彰されている功労者は一九四五年三月一日付の大東亜大臣重光葵から南佐久郡大日向村、諏訪郡富士見村、下伊那郡松尾村、下伊那郡上久堅村、西筑摩郡読書村、下水内郡永田村の各村長宛である。もう一人小平権一が八ヶ岳郷の落合村と富士見村の分村移民を指導したとして表彰されている。長野県知事表彰もほぼ大東亜大臣賞と同じである。これらの村々は信濃海外協会の時代の表彰と同じである。戦時で新たな表彰村が出ないことに長野県満洲移民の解体状況を示している。

また一九四四年一二月八日付の満洲移住協会理事長石黒忠篤感謝状では下伊那郡教育会をトップに上伊那、諏訪、東筑摩、上水内の各教育会、また北佐久郡春日国民学校、諏訪郡高島国民学校、上水内郡若槻国民学校、下伊那郡鼎国民学校、南安曇郡梓国民学校、下水内郡永田国民学校、上伊那郡伊那国民学校、西筑摩郡山口国民学校宛に満蒙開拓青少年義勇軍完遂に寄与したとして贈られている。郡教育会と国民学校（小学校）の青少年義勇軍送出における役割の大きさがわかる。これら表彰を見るだけで長野県の満洲移民が上からの動員で誰がその役割を担っているかが一目で分かる貴重な資料となっている。

また現存する最終号は第一一号であり一九四五年五月一五日に刊行されている。明確に終刊号という言葉はないのでそのあと刊行されたかは不明である。第一一号が刊行された時点はドイツが五月七日に無条件降伏し、一四日には政府は近衛文麿を特使として対ソ講和交渉の方針を決定して終戦工作を開始した時である。県には開拓民を奨励する余力もなくなっていた時代である。もはや『長野県開拓時報』を刊行する条件はなかったというべきであろう。

こうして送られた満洲開拓民、満蒙開拓青少年義勇軍が一九四五年八月九日のソ連参戦で満洲に侵攻して以降どのような悲惨な体験をしたかはよく知られていることである。

逃避行のなかで集団移民のなかで「集団自決」などで犠牲者が多く出る開拓団と犠牲者が少なく引き揚げできた開拓団の違いが問題となる。また集団移民と自由移民での逃避行に差異が出る場合がある。それは開拓地と鉄道沿線との距離でありソ連国境との距離である。北満開拓地の位置である。すなわちソ連軍の侵攻のとの関係である。もう一つは開拓の時に周囲の中国人との日常関係が重要である。日満共栄、五族協和のなかで実際にどこまで「協和」を実践していたかによる。逃避行で日常親しく付き合っていた中国人に救われたという証言がよくある。建前の五族協和を実際に実践出来たかが生死を分けたのである(64)。

ソ連侵攻前にすでに関東軍は満洲開拓民を置き去りにして精鋭部隊は新京以南の後方に布陣し、ソ連侵攻後には満洲開拓民はまさに棄民状態となっていた。その結果、開拓民約二七万のうち三分の一の八万人が帰国できずに満洲で死亡したのである。一九三八年から募集された一六歳から一九歳の青少年義勇軍は敗戦まで八万六〇〇〇人に達したといわれる。彼らは二、三年の現地訓練を受けてソ満国境の最も危険な地域の開拓者として自立していく。

長野県満蒙開拓青少年義勇軍は一般開拓民と同様に全国最大の送出数を誇ったという。そして一九四五年八月九日のソ連侵攻を迎え一般開拓民と同じ悲惨な運命をたどる。

しかも敗戦直後そのような悲惨な状況に置かれた満洲開拓民、青少年義勇軍を政府は帰国の途を中国、ソ連と交渉準備するどころか「現地定住化」を指令する。敗戦後の開拓民の処遇をソ連、中国政府に意のままに任せるとしたのである。これも第二の棄民である。戦前満洲送出が最初の政府による日本農民の棄民であり、敗戦後の満洲開拓民は二回目の棄民となったのである。さらに開拓民の男子は敗戦間際の関東軍の根こそぎ動員で一九歳以上はすべて徴兵されてソ連侵攻の最前線で満洲国防衛に当たったが、敗戦後捕虜となりシベリア抑留者となった。そのため夫や男子を関東軍に取られシベリア送りとなってあとに残された開拓民は女性と子供ばかりとなりソ連軍を避ける逃避行も悲惨なものとなった。

河野村開拓団慰霊碑（2004年齊藤俊江氏撮影）

最後にとくに述べおきたいのは敗戦間際に満洲に移民を送った長野県下伊那郡河野村の集団自決とそれを知った村長胡桃澤盛の自死である。[65]

戦時下の長野県下伊那の河野村も皇国農村指定村であった。一九四五年で県から満洲に移民を送出していたのである。ここでも戦時末期に多数の村民が満洲に渡った論理は、分村移民で打ち出された適正規模論であった。満洲へ行けば広い大地を所有できるとの美名のもとにである。

『信濃開拓時報』第七号（一九四五年一月）には「開拓だより」として「河野開拓団」が掲載されている。[66]そこでは「昨年（一九四四年）春筒井愛吉団長以下二七戸の先遣隊を満洲新京郊外へ送り既耕地三五〇町歩を獲得」という。一九四五年正月には家族七〇人が渡満予定で三月には本隊が送出されるという。ソ連侵攻はその五か月後である。

満洲に河野村民が渡ったのは一九四四年三月でソ連侵攻は一九四五年八月である。河野村開拓民七七人は二人を除いて全員殺されるか集団自決を余儀なくされている。わずか一年五か月の短い満洲開拓で命を落としている。まるで満洲に死ぬために渡ったようなものである。しかも村長胡桃澤盛はそれを知って自死している。責任の重さに心をさいなまれ指導者としての責任を深く感じての行動である。

本来満洲移民で本当に責任を取るのは末端の村政指導者ではなく国家トップの軍人、政治家、高級官僚であるべきだ。胡桃澤盛のように満洲移民の責任を取って自死した国家の指導者はいたのだろうか。敗戦もそうだが国策移民の失敗で犠牲になるのはいつも末端の庶民である。とりわけ青少年、女性、子供の社会的弱者の犠牲は心が痛む。

戦前の海外移民や移住地建設というものは海外雄飛、新天地を求めるとの美名のもと国益のぶつかり合う苛酷な現場であり、一つ間違えると悲惨な結末を招くというのが実態であった。それは戦時下のアメリカ移民の強制収容所、ブラジル移民での日本語の禁止と敵性日本人収監、そして戦後の勝ち組騒動、そして満洲移民の敗戦による悲惨な逃避行、シベリア抑留などすべての日本人海外移住地にその悲惨な結果が満ち溢れている。政府と移民運動家は戦後のこの問題の責任に正面から向き合うことを迫られたのである。なぜこのような悲劇が起きたのだろうか。最後に本書をまとめてみよう。

注

(1)「移民政策の根幹」『海の外』第二一五号、一九四〇年三月、二頁。
(2)「満蒙へ巣立つ更級農校の五少年」『海の外』第一八〇号、一九三七年四月、二三頁。
(3)「満蒙開拓青少年義勇軍出発」『海の外』第二〇五号、一九三九年五月、一五頁。
(4)「青少年二千四百名—郡市の割当決る」『海の外』第二一〇号、一九三九年一一月、一九頁。
(5) 永田稠編『信濃海外移住史』(信濃海外協会、一九五二年)二五八頁。

(6)「四個中隊一七年度青少年義勇軍」『海の外』一三四号、一九四一年一〇月、一九頁。
(7)百瀬たま枝「大陸の花嫁」『海の外』第二〇九号、一九三九年九月、八―一〇頁。
(8)「満洲は招く　女性満洲視察団」『海の外』第二〇九号、一九三九年九月、一〇―一一頁。
(9)島世お忠「大陸の花嫁便り」『海の外』第二一〇号、一九三九年一〇月、一四頁。
(10)「大陸の花嫁速成―十ヶ所に訓練所開設」『海の外』第二一〇号、一九三九年一〇月、一八頁。
(11)湯本つな子「乙女達は明朗です」『海の外』第二三三号、一九四一年九月、一三頁。
(12)青木隆幸「果てしなく黄色い花咲く丘で―長野県民の満洲移民」『平出博物館紀要』第三八巻、二〇二一年、六―七頁。
(13)井野碩哉「食糧問題不安なし」『海の外』第二三三号、一九四一年九月、六―八頁。
(14)「井野拓相信濃路へ！―分村富士見に感嘆」『海の外』第二四三号七月、一―二頁。
(15)大東亜共栄圏研究では経済構想を中心に大東亜建設審議会を対象とした安達宏昭『「大東亜共栄圏」の経済構想』(吉川弘文館、二〇一三年)、同『大東亜共栄圏―帝国日本のアジア支配構想』(中公新書、二〇二二年)がある。「大東亜共栄圏」の鉱工業の資源配分のみならず農業・農産物資源の配分問題も触れている。
(16)若林俊平「西沢さんを送る」『海の外』第二五三号、一九四三年五月、六―七頁。
(17)「信濃海外協会改組要旨」『海の外』第二四四号、一九四二年八月、一頁。
(18)「昭和一七年度信濃海外協会事業計画書」『海の外』第二四四号、一九四二年八月、五―六頁。
(19)「信濃海外協会役員」『海の外』第二四四号、一九四二年八月、三―四頁。
(20)永田稠「壮年層に希む―海外発展と中核」『海の外』第二四六号、一九四二年一〇月、五―七頁。
(21)「功労者表彰式」『海の外』第二四六号、一九四二年一〇月、一―二頁。
(22)「映画になる富士見村」『海の外』第二四六号、一九四二年一〇月、一一頁。
(23)「翼壮大陸視察団出発」『海の外』第二四六号、一九四二年一〇月、一三頁。
(24)「前進する下伊那特別指導部」『海の外』第二五二号、一九四三年四月、三頁。
(25)「満洲開拓特別指導部長町村計画実施要綱」『海の外』第二五二号、一九四三年四月、五―一一頁。
(26)長野県経済部「標準農村設定要綱」『海の外』第二五四号、一九四三年六月、一四―一六頁。
(27)「畏し本県拓植事業に御下問―郡山知事恐懼奉答申上ぐ」『海の外』第二五三号、一九四三年五月、一―二頁。
(28)「満洲開拓第二期計画決まる」『海の外』第二四五号、一九四二年九月、一二頁。

(29)「満蒙開拓青少年義勇軍府県別送出番付」『海の外』第二四四号、一九四二年八月。
(30)前掲永田稠『信濃海外移住史』の「昭和一七・八年度信濃義勇軍郡市別総送出数」二五七頁による。
(31)「女子拓民へ主力集中」『海の外』第二四五号、一九四二年九月。
(32)宮崎袈裟義「義勇隊開拓団と花嫁問題」『海の外』第二五二号、一九四三年四月、一―三頁。
(33)今井五介「商工業移民を奨む」『海の外』第二一五号、一九四〇年三月、三頁。
(34)「上水に転業開拓団」『海の外』第二四五号、一九四二年九月、一四頁。
(35)柿澤国平「理想郷パラグワイ移住地より」『海の外』第一三八号、一九三七年七月、一四頁。
(36)藤澤正三郎「豊饒の楽土―パラグアイ移住地より」『海の外』第二〇八号、一九三九年八月、一〇―一一頁。
(37)「南方の農林開発に挺身する指導者の派遣」『海の外』第二四六号、一九四二年一〇月、一三頁。
(38)宮崎袈裟義「西沢幹事を送る」『海の外』第二五三号、一九四三年五月、五―六頁。
(39)前掲『信濃海外移住史』一〇八頁。
(40)若林俊平「西沢さんを送る」『海の外』第二五三号、一九四三年五月、六頁。
(41)若林「編集後記」『信濃開拓時報』創刊号、一九四四年七月。
(42)若槻泰男・鈴木譲二『海外移住政策史論』(福村出版、一九七五年)七〇六頁。
(43)郡山義夫「発刊之辞」『信濃開拓時報』創刊号、一九四四年七月、一頁。
(44)「長野県開拓協会設立趣意書」『信濃開拓時報』創刊号、一九四四年七月、三頁。
(45)楠本雅弘編『農山村経済更生運動と小平権一』(不二出版、一九八三年)巻末小平権一年譜による。
(46)「県拓務行政一元化実現す」『信濃開拓時報』第一一号、一九四五年五月、一〇頁。
(47)「未完成開拓団充足を重点とす―「戦時開拓方針」も決定」『信濃開拓時報』第三号、一九四四年九月、三―四頁。
(48)「苦闘一〇年瑞穂村」『信濃開拓時報』第五号、一九四四年一一月、一七―一八頁。
(49)「開拓神社(十三社)に補助金交付」『信濃開拓時報』第六号、一九四四年一二月、一八頁。
(50)「第十四次集団を編成送出」『信濃開拓時報』第七号、一九四五年一月、六頁。
(51)「第十四次八集団に承認内定」『信濃開拓時報』第八号、一九四五年二月、一二頁。
(52)「各団長現地報告並意見発表要旨」『信濃開拓時報』第八号、一九四五年二月、一四―一六頁。
(53)「拓士送出に非常措置(飯田郷)」『信濃開拓時報』第八号、一九四五年二月、一九―二〇頁。

(54) 長野県歴史教育者協議会編『満蒙開拓青少年義勇軍と信濃教育会』(大月書店、二〇〇〇年)を参照されたい。
(55) 長野県開拓自興会満州開拓史刊行会編・発行『長野県満州開拓史』総編(一九八四年)第Ⅳ―九八表「一般開拓団と義勇隊の入植戸数」六二三頁による。
(56) 同上書、六二三頁。
(57)「義勇軍送出本部の設置」『信濃開拓時報』第二号、一九四四年八月、一―三頁。
(58)「義勇軍三中隊内原へ進発す　今年も全国一の成績確保」『信濃開拓時報』第九号、一九四五年三月、一―三頁。
(59)「女子拓植指導者協議会」『信濃開拓時報』第二号、一九四四年八月、一六―一七頁。
(60)「日婦幹部に拓植訓練」『信濃開拓時報』第五号、一九四四年一一月、一―九頁。
(61)「桔梗ヶ原女子拓務訓練状況実績調査表」『信濃開拓時報』第八号、一九四五年二月、八頁。
(62) 満洲報国農場については足達太郎・小塩海平・藤原辰史『農学と戦争』(岩波書店、二〇一九年)。
(63)「満蒙開拓公労表彰―受賞者は六団体八学校一〇〇氏」『信濃開拓時報』第一〇号、一九四五年四月、一―九頁。
(64) ソ連侵攻による在満日本人の苦難については麻田雅文『日ソ戦争―帝国日本の最後の闘い』(中公新書、二〇二四年)の第二章「満洲の蹂躙、関東軍の壊滅」をみてほしい。
(65) 戦後の胡桃澤盛については森武麿「満州移民の戦後史」(飯田市歴史研究所編『満州移民―飯田下伊那からのメッセージ』現代資料出版、二〇〇七年)を参考のこと。飯田市歴史研究所監修『胡桃澤盛日記』(全六巻、胡桃澤盛日記刊行会、二〇一一年一一月―一三年一二月)とその第一巻に森武麿「胡桃澤盛日記刊行の意義」を書いているので参照されたい。
(66)「河野開拓団」『信濃開拓時報』第七号、一九四五年一月、一八頁。

終章　信濃海外協会の移民運動の総括

第一節　近代移民史の時期区分

　ブラジル移民と満洲移民を比較すると連続性とともに断絶性も明らかである。連続性は梅谷光貞、永田稠、小平権一などが信濃海外協会を通してブラジル移民と満洲移民を媒介したことである。信濃海外協会によるブラジル・アリアンサの信濃村建設と満洲国での満洲信濃村建設の連続性である。移民送出の一県一村方式は一九二四年ブラジル・アリアンサで信濃海外協会、鳥取県海外協会、富山県海外協会、熊本海外協会などの海外協会がおし進めようとした政策であった。しかしブラジル国の排日運動、ブラジルにおけるマイノリティとしての日本人移民環境からブラジル人の反感を買って挫折する。

　この海外移住の一県一村方式を満洲でふたたび最初に実践したのは信濃海外協会であった。満洲移民でも信濃海外協会は永田稠を中心として愛国信濃村建設でブラジルでの一県一村方式を引き継ぐが、政府が非協力的で県民も募金も人も集まらず失敗する。しかし永田や力行会を追放したあと満洲一〇〇万戸移民のなかで長野県は信濃海外協会の力を使って民衆を動員しながら黒台信濃村など一県一村方式を完成させている。

　またブラジル移民での海外移住組合法制定、海外移住組合連合会、ブラジル拓植組合（ブラ拓）の経験は満洲拓植会社・満洲拓植公社に引き継がれる。ブラジル移民の経験が日本政府・関東軍による満洲現地での直接移民指導機関の新設整備に活かされたのである。さらに満洲事変後の武装移民期には永田稠の現地調査によるブラジル移住地計画の経験が満洲移住地建設に活かされた。

　だが断絶面として永田稠は民間の移民論者として宗教者としての理想郷建設が目標であり、移住者としての経済合理的生活の論理を重視しており、満洲国の関東軍が求める軍事的戦略的移民の論理とは相いれないものがあったのである。これが満洲開拓政策から梅谷光貞と永田が追放された原因となる。満洲事変後の一九三二年、信濃海外協会は県庁機構を巻き込んで満洲移民を主導した。しかし関東軍・拓務省は当初武装移民路線を取っており、信濃海外協会を率いていた梅谷、永田などのブラジル移民専門家の非武装・経済合理的移民と鋭く対立する。関東軍は彼らの満洲移民政策への介入を嫌って排除する。

しかしこの信濃海外協会が始めた市町村役場から社会諸集団を動員して募金活動を行うなど部落末端までの移民への動員方式は一九三六年からの国策満洲一〇〇万戸移民計画に引き継がれる。政府・関東軍の指導権のもとに内務省県官僚が移民募集の主導権を握り、満洲移民を民間主導でなく県庁機構をフル動員して官主導型に再編して移民をおし進めるのである。満洲移民はブラジル移民での海外協会のような県と民間（信濃教育会）の中間団体でなく、政府・県直轄の官製移民＝官移民として再編されて強権的に実施されるのである。

一九二九年からブラ拓と拓務省設置を契機に国策移民は一段階高次の段階に入る。ブラジル移民では一県一村建設を十分に実現できずに終わったが、満洲事変を転機に次の実験場を満洲に求めたと言える。一九二九年に出来あがったばかりの弱小官庁である拓務省は関東軍と結び内務省地方行政と連携してブラジルで実現できなかった一県一村建設方式を満洲に持ち込み、さらに一村一部落建設の分村移民、そして郡内各村を統合する分郷移民にまでに深化させたのである。

関東軍によって主導性を否定された信濃海外協会は官製移民事業の一環に組み込まれ、満洲移民の一つの官製移民を補完する動員組織、後援組織として活動する。海外協会は移民の主導権を失い満洲移民の主流ではなく政府関東軍の指導の下に県庁移民行政の補佐機関になっていったのである。

政府の満洲一〇〇万戸移民計画では県庁、市町村から部落末端に至る行政機関を中心とし、在郷軍人会、青年団、小学校、婦人会など村の社会的諸集団を動員した移民募集機構がフルに機能することになった。それに一九三六年から農村経済更生計画の一環に分村計画が組み込まれることによって、多額の補助金が分村計画を樹立した特定村に集中的に投下されて移民を満洲に誘導していった。完全な国策として全額渡航官給（国費・県費）による移民送出が可能となった。官製移民形態＝官移民の完成である。

ブラジル移民と満洲移民の関係について以下の三点を指摘する。

①ブラジル移民と満洲移民の差異は、前者が経済移民であり後者が軍事移民という移民目的が異なる。経済移民とは出稼ぎを中心に移住者の経済生活の向上を目的にするもので、軍事移民とは国家の軍事目的のために移民を進めるものである。満洲移民では傀儡国家満洲国を日本統治下に置くための手段として窮乏する農民を利用して強引な日本人移民が行われた(1)。

②信濃海外協会を媒介にしてブラジル移民の経験が満洲移民に持ち込まれた。関東軍と内務省・拓務省がブラジルで実践し不徹底であった一県一村集団移住方式を満洲移民で本格的に実施した。

③ブラジル移民から満洲移民への媒介者が梅谷光貞・永田稠・小平権一である。満洲移民では関東軍・拓務省がブラジル移民の制度運営方法を吸収したあと、満洲国支配に不都合として梅谷と永田が切り捨てられた。政府の農政官僚小平はブラジル移民で海外移住組合法を作り上げ日中戦争後には満洲国顧問として満洲移民に重要な役割を果たす。ブラジル移民・満洲移民の歴史からほとんど顧みられない梅谷・永田・小平の果たした役割を再評価すべきである。

ここで移民史の時期区分としてブラジル移民と満洲移民を区分する必要を述べておきたい。移民史の時期区分について岡部牧夫『海を渡った日本人』では、第一期は端緒的移民期として一八六八年明治元年から始まり、第二期は成立期として一八八四年ハワイ官約移民から始まる。第三期は社会化期として一九〇五年日露戦争から始まり一九二四年の排日移民法でアメリカ移民が一頓挫するまでである。日本が日露戦争後に植民地帝国化し朝鮮・満洲へ地歩を固めると同時に一九二一年内務省社会局が設置され移民活動が北米から南米ブラジルへと広がり、地方に根付いて社会化する。第四期は一九二五年から一九四五年までの国策化と戦時化の時期としている(2)。

本論で対象とした第四期を、岡部牧夫は国策化したブラジル移民の最盛期とともに戦時国策移民として満洲移民が開始されるとしている。すなわち国策化の時代としてブラジル移民と満洲移民を一つの時期として一括しているが、私は国策化と戦時化を別個の時期区分として分離すべきと考えている。

まず、一九二五年の北米移民が頓挫した後ブラジル移民を中心とした渡航費無料化による移民国策化の開始と、一九三二年を転機として「満洲国建国」以後の渡航費と移住費無償化という国策深化の段階の差異に注目すべきである。すなわち一九三二年満洲武装移民開始、一九三五年満洲移住協会設置と満洲拓植会社設立、一九三六年満洲一〇〇万戸移民計画開始と満洲拓植公社改組と進む戦時化の段階は、一九二〇年代から三〇年代初頭のブラジル移民の段階とは明らかに異なる歴史段階に入ったものとみなされる。戦時化の時期設定をどこに取るかむつかしい問題であるが、新たな段階としては一九三四年ブラジルの外国移民二分制限法で日本人移民が事実上禁止された時点を画期として一九三六年満洲一〇〇万戸移民計画がスタートする時期とするのが妥当であろう。

また、一九二五年の移民国策化の段階と一九三六年の移民戦時化という移民史の段階性は移民を送り出す担い手から見ると明白になるだろう。

移民の送り出しの担い手については、坂口満宏の指摘にあるように五つのアクターがある。[3] ①政府、②府県知事・市町村長、③移民会社、④移民会社の代理人（府県海外協会・海外移住組合など）、⑤日本人移民である。

一般的に見るならば移民の担い手の段階性は、民間移民会社→国策会社東洋拓殖株式会社（東拓）・海外興業株式会社（海興）→海外協会・海外移住組合連合会→拓務省→関東軍へと変遷する。そこでブラジル移民を移民の担い手から区分してみよう。ブラジルでは一九〇八年の笠戸丸移民以来一九一〇年まで移民送出の担い手は民間移民会社であった。この時代の移民は本国から新天地を求める民間の主体性にほとんど任されていた。いわば第一期の「民の時代」である。

一九一九年にはブラジルでの民間移民会社合併によって国策会社海興に設立される。これ以降移民送出は海興の一手支配となる。東拓・海興の時代である。これが第二期である。

一九二五年の渡航費全額助成により以後の国策化の段階に入る。アリアンサ移民に見るように送り出しのもう一つの担い手として府県ごとに設立された海外協会が登場する。これが第三期である。従来の個人による分散移民方式に対して府県別の集団移民形態が登場する。一九二七年には政府系公益団体である海外移住組合連合会が設立され、府県別の海外協会を母体に海外移住組合が設置、集団移民形態が本格化する。さらに一九二九年移民国策の中央官庁として拓務省が設置される。ブラジルではこれに対応してブラ拓が設置される。政府の一元的移民行政が開始される。これまでの「民」に対して、政府・府県を中心に「官」が組織的に移民送出に対応する。これを永田稠は「官民協力時代」と名付けている[4]。これが第四期である。

このブラジル移民の「官民協力時代」も一九三四年七月の外国移民二分制限法（各国移民数を過去五〇年間各国移民数の二％に制限する）により日本からの移民そのものが困難となる。

一九三七年海外移住組合連合会は日南産業株式会社に改組され、一九三八年アリアンサのブラ拓移管が完了したことによって、民間移民団体力行会の主体性は否定される。永田稠のいう「官民協力時代」は終焉を告げる。ブラジル移民における「官の時代」となる。これが第五期である。そして一九四一年一二月の日米戦争開始と日本ブラジル国交断絶でブラジル移民は本国との関係も途絶される。

一方満洲では一九三二年に「満洲国」が作られると、武装移民が試験的に始まる。そのため民間の主体性にもとづく府県別の海外協会活動の自立性と独自性は失われていく。海外移住組合連合会は排除され、関東軍と拓務省傘下に満洲移住協会が作られ、その傘下に府県移民行政が組み込まれる。一九三六年から満洲一〇〇万戸移民計画が始まると民間集団移民はほとんど排除される。満洲では宗教団体移民のように一部の自由移民はあるが、満洲移民送出の担い手である関東軍・拓務省の指導の下に府県市町村機構を総動員した全県編成移民、分郷移民、分村移民として官製開拓団が作られていった。これらは一九三〇年代恐慌克服のための農民総動員運動として始まった農村経済更生運動の官製国民運動の手法を適用したものであった。こうして移民の担い手は全面的に「官」が担うことになるのである。ここでは「民」の主体性は消え去り官製移民、「官」移民に転換する。海外協会も圧倒的な政府拓務省・関東軍の圧力のもとに自立性・主体性を失う。「官の時代」である。

以上海外移民の時期区分としては一九三六年に始まる本格的な満洲一〇〇万戸移民により移民運動はブラジル移

民と大きく異なり変質することを述べてきた。一九三二年以降農村経済更生運動と同時に満洲武装移民、二・二六事件以後の満洲一〇〇万戸移民が始まると、拓務省と海外移住協会連合は力行会永田稠のアリアンサ移民を統制し、永田が中心となった信濃海外協会単独による満洲信濃村計画を弾圧し一切の民間の移民運動を弾圧して、軍部と拓務省による官製移民運動に転換したのである。経済的条件より軍事的条件を絶対化して、自由な移民は抑制され行政による一元的移民動員に転換する。それは強引な官製動員による移民数の急増に見られる。民間の在地教員による移民運動という社会運動的性格を抑制して軍部・拓務省中心の官僚主導の官製移民に転換することを意味した。そのため信濃海外協会の活躍する余地が少なくなったのである。募集斡旋活動は行政と学校を通じた行政主導のものとなる。これは従来の自発的移民とは言えない。その結果、信濃海外協会は官製移民の応援団、移民の後援活動に変質したのである。すなわち信濃海外協会は政府・拓務省からの一定の独立性も奪われ軍部・政府県庁官僚に従属したのである。

先に述べた岡部牧夫のいう一九二〇年代中期（一九二五年）からの第四期「移民国策化の時代」は、一九三〇年代中期（一九三六年）に「移民戦時化の時代」に転換する。つまり岡部の四期の「国策化の時代」を「国策化」と「戦時化」の二つに区分することを提唱したい。経済移民から軍事移民への転換と言い換えてもいい。それはブラジル移民の時代が終わり満洲移民の時代に入ったことを証明する。

第二節　満洲移民の地域的特質

ここでは本論で論じてきた近代長野県の海外移民の地域的特徴について考えることで、長野県の移民運動を総括し、信濃海外協会の活動が持った意味をまとめておきたい。

第一はなぜ長野県が満洲移民送出数全国一となったかを検討していく。

本論では満洲移民をブラジル移民との連続性の視点から考察してきた。ブラジル移民の経験なくして長野県満洲移民送出全国一となった理由を理解することはできないということである。

長野県は一〇〇万戸移民計画を経て敗戦までの満洲移民送出人数は全国一の実績を残したことは述べてきた。一九二〇年代から一九三五年末の満洲移民が本格化する以前の段階の長野県の海外移民総数はブラジル移民を中心に一万七三四三人であった。それに対して一九四五年敗戦までの間の長野県の満洲移民の総数は三万三七四一人（『長野県満州開拓史』名簿編）である。前者は海外移民の総計であるのに後者は満洲だけの数字である。この間に長野県人はブラジルから満洲に移民先を変えて倍増したと言える。その結果、全国道府県別では長野県の満洲移民は二位の山形県一万七一七七人を超えてその二倍に達して第一位である。一九三六年から一九四五年までの長野県の満洲移民の送出がいかに凄まじいものであったか分かる。

【表８】から満洲移民の府県別送出順位が分かる。四七道府県上位半分を示した。満洲移民の先進県に地域的な共通性があるのだろうか。最上位五県を見ると長野、山形、熊本、福島、新潟である。上位三県では長野は中部地方、山形は東北地方、熊本は九州である。バラバラである。長野県がトップなので中部地方または中部養蚕県の群馬が一三位、山梨が二四位で最低、その他の養蚕農家の多い栃木、茨城、埼玉、岐阜（東濃）は圏外（二五以下）である。養蚕地帯に満洲移民が多いとは必ずしも言えない。ただし長野、群馬、山梨の養蚕中心三県が全国の中位以上であることは注目すべきだろう。養蚕危機が満洲移民と無関係とはいえない。東北地方の福島県も主要な養蚕地帯でもある。福島県は上位四位である。これは東北地方でも養蚕が関係している可

【表8】府県別満洲移民送出順位　単位：人

	府県	送出人数
1	長野	37,859
2	山形	17,177
3	熊本	12,680
4	福島	12,673
5	新潟	12,641
6	宮城	12,419
7	岐阜	12,090
8	広島	11,172
9	東京	11,111
10	高知	10,082
11	秋田	9,452
12	静岡	9,206
13	群馬	8,775
14	青森	8,365
15	香川	7,885
16	石川	7,271
17	山口	6,508
18	岩手	6,436
19	岡山	5,786
20	鹿児島	5,700
21	奈良	5,243
22	富山	5,200
23	福井	5,136
24	山梨	5,105

（出典）満州開拓史刊行会『満州開拓史』別冊統計、1966年より作成。道府県の上位過半24府県のみ。

能性もある。また二位が山形県なので東北地方が多いか見てみる。すると山形県に続き第三位は熊本県であるが、四位が福島、五位が新潟、六位が宮城で秋田一一位、青森一四位、岩手一八位東北全県が上位に入っている。

昭和恐慌で娘の身売りなど一番打撃を受けた東北地方に満洲移民が多いという通説はある程度妥当する。では近畿または西日本はどうだろうか。九州、四国を除くと広島県、岡山県、山口県がやっと入るだけでその他の近畿周辺部は低調である。熊本県が三位と満洲移民では目覚ましい活躍を示しているが、その他の県は高知県の一〇位、香川県の一五位が入るだけであとは圏外である。たしかに養蚕地の長野が満洲移民に一番熱心で、東北地方も満洲移民に熱心で、近畿地方は熱心でないとは言えよう。

明治のハワイ移民から移民は広島県、山口県を中心として西日本が中心であった。一九二〇年代に入るとブラジル移民では当初西日本が先行しているが関東大震災以後長野県が急増していく。満洲移民では西日本に代わり長野県を中心に総じて東北から甲信越が盛んである。

また一九二〇年代のブラジル移民と一九三〇年代の満洲移民の府県別関係の連続性は単純ではない。長野県と熊本県は連続性が顕著であるが山形県、富山県、鳥取県では顕著な連続性が見られない。長野県、熊本県はブラジル移民も満洲移民も活発であったが、富山県、鳥取県ではブラジル移民は熱心に進められたが満洲移民ではそのような積極性は見られない。ブラジル移民の時代に富山と鳥取両県の知事となった白上佑吉知事の特異性が際立つ。ブラジル移民と満洲移民との比較では後者に対する軍・政府の国策性が格段に強まる中で二つの移民の段階において県行政の取り組み姿勢に大きな差異が関係している。

そして都市と農村の差である。ブラジル移民では都市部は移民に積極的でなかった。では満洲移民ではどうであろうか。都市部で東京府が九位で満洲移民では上位である。その他の大阪、名古屋、京都、福岡の都市府県が入っていない。都市は一般的に低調であるとは言えるが東京がダントツに多いのはどう説明するのか。考えられるのは戦時末期に商工業者の転廃業にともなう満洲移民の推進である。首都として国策協力の必要性は大きい。戦時末期では東京都でも、満洲のみならず内モンゴルまで戦時下で軍需と関係のない中小商工業者が整理縮小されそのため満洲移民を余儀なくされた。これは下伊那飯田市で起きていたことでもある。転廃業者の満洲移民である。しかし他の都市府県の都市の満洲移民は続いていない。地方行政の指導者の方針も関係するのだろう。今後の課題である。

以上のように養蚕危機の激しい長野県、昭和恐慌の打撃が大きかった東北地方に満洲移民が多いという通俗的な理解はそれなりの妥当性を認めることができる。しかし地域が同じでも満洲移民数の順位はバラバラである。こうしてみると地理的経済的条件が絶対的基準だとも言えない。あとは何が作用しているのか。

そこで考えられるのはトップ五の長野、山形、熊本、福島、新潟の五県が一九四〇年に政府勅令で特別に拓務課を設置したという事実である。それ以外の県は課に係を置くぐらいであった。これらの五県は一九四〇年までに満洲移民が活発だと認められている県である。それが【表8】の一九四五年敗戦後の満洲移民の最終送出順位とぴったり重なるのである。

すなわち県庁行政の主導性である。満洲移民は拓務省、内務省、農林省が深く関係したが道府県の主導性が強かったのではないかということである。道府県官僚による満洲移民政策の取り組みの地域的政治的条件である。しかし道府県官僚がどんなに優秀で満洲移民に熱心であってもそれだけで民衆はついていくわけではない。それは県庁行政を支える社会運動の役割であり、それらを担う社会団体、権力と民衆の中間に存在する中間団体の存在が必要である。行政を支える社会的基盤の問題である。それは農村経済更生運動と満洲移民では農村中心人物であり農村中堅人物である。それは満洲移民に連動する。末端まで満洲移民の送出のメカニズムを追求することで初めて満洲移民送出全国第一の原因を明らかにすることができるのだと思う。経済的社会的政治的条件の三つを総合的に考えることである。

そこで長野県の満洲移民の郡市別特徴を考えることによってその経済的社会的条件の差異を確認しておきたい。【図3】から長野県地方別の送出数を人口比で見ると第一位は飯田下伊那で四・四六%、第二位は南佐久郡、第三位西筑摩郡三・三〇%である。(5)

すなわち人口に対する満洲移民の人数と人口比において下伊那地方がトップであることに注目したい。第二位は南佐久郡で大日向村を含む。第三位の西筑摩郡は木曽山林を含む。総じて平地より山間部が多いとは言える。ただ南佐久郡は平坦な佐久平であるが、高原でありとくに大日向村は標高が高く山間部に近い中山間地にあると言える。下伊那の泰阜村も同じである。また松本市、上田市、長野市など都市は少ないと言える。

【表9】から満洲移民について図よりさらに詳しく表で見てみよう。比率だけなく満洲送出開拓民の人数と満蒙開拓義勇隊員の郡市別の移民数が分かる。飯田、松本、上田、長野市は元管轄郡に入れている。ここでは、満洲移民を総括的に考えるために【表3】（七八頁）の一九二〇年代から一九三〇年代前半のブラジル移民の最盛期と比較しながら考える。

【表9】の満洲移民では送出人数で見ると下伊那・飯田が飛び抜けている。ブラジル移民期は上伊那・諏訪地方が第一位であったことと比較するとトップは交代したのである。上伊那郡と下伊那郡の逆転はブラジル移民と満洲移民の差異を表現している。

【図3】長野県各地域の満洲移民の人口に対する比率（括弧内は送出者数）

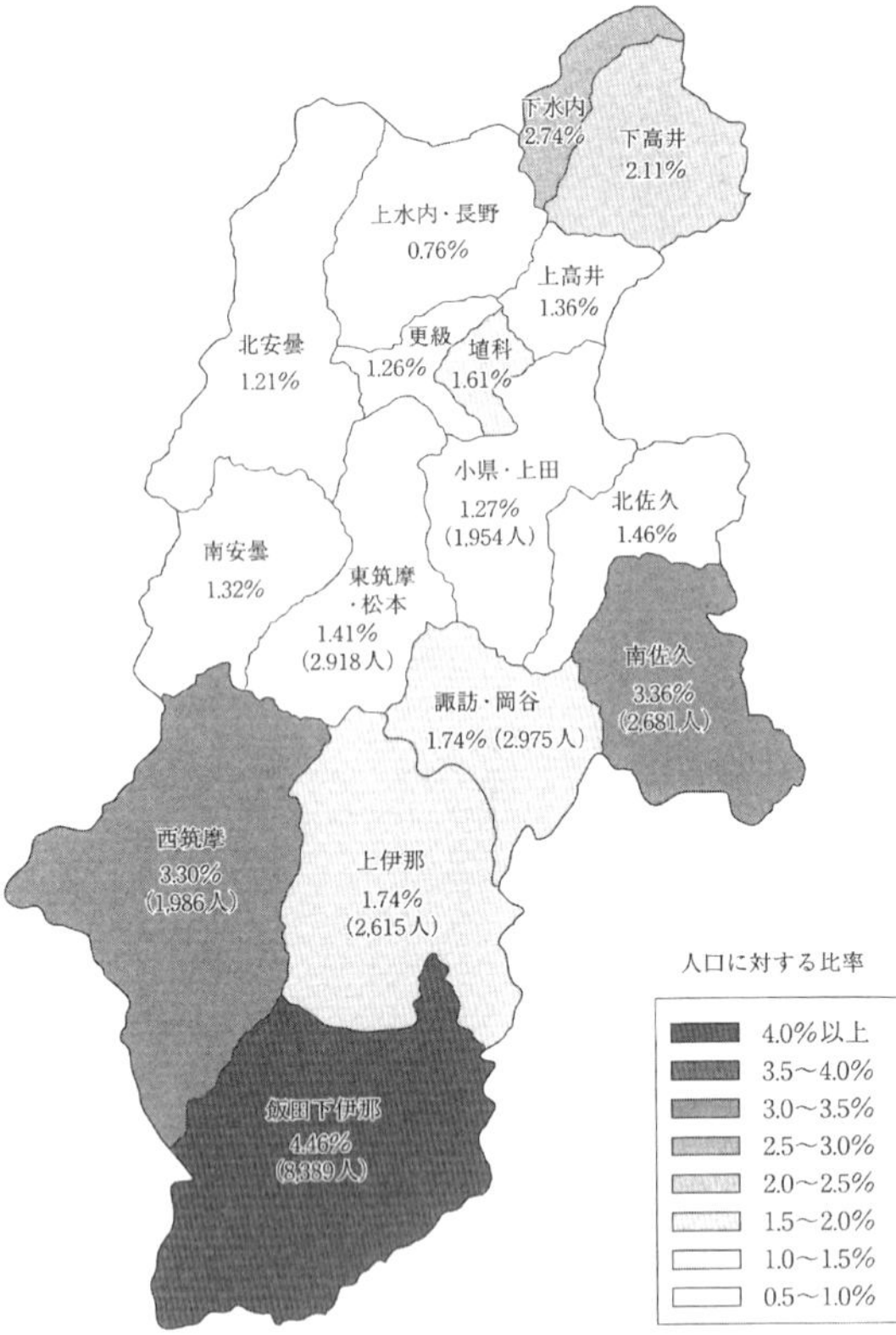

（出典）飯田市歴史研究所編『満洲移民―飯田下伊那からのメッセージ』（現代史料出版、二〇〇七年）五頁、図の作成者は鬼塚博。

上伊那と下伊那は城下町で近代製糸業の拠点でもある諏訪のヒンターランド（後背地）でもある。諏訪の隣接郡として製糸業、精密機械工業の直接影響を受けている。物流、人的交流でも諏訪と上伊那、下伊那は一体である。また諏訪の片倉兼太郎は信濃海外協会の強力なスポンサーであった。すなわち一九二〇年代の諏訪は移民運動を進めた小川平吉、小平権一、永田稠の拠点でもあり、海外協会の今井五介、片倉の故郷である。上伊那は一九二〇年代の信濃海外協会の活動家永田や信濃海外協会、信濃教育会の海外移民活動家の拠点だった。

また満洲移民期の第一位となる下伊那郡はまさに飯田市を中核都市とする伊那谷の中心であり山間部の養蚕と耕地狭小の土地であった。満洲移民の送出条件において耕地狭小で養蚕に依存している地方に満洲移民が多いと言える。これは下伊那の泰阜村と南佐久の大日向村がそれを体現している。経済的条件が満洲移民を規定するのである。人は経済で生計を立てて生きる、経済が成り立たなければ生きていけない。生活できることが人間存在の根底にある。

【表9】 地域別満洲移民送出人口比率

	郡市別	（%）	総送出人数（人）	内義勇隊員数（人）
1	下伊那・飯田	4.46	8,389	990
2	南佐久	3.36	2,681	267
3	西筑摩	3.31	1,986	169
4	下水内	2.74	2,615	211
5	下高井	2.41	1,408	244
7	諏訪・岡谷	1.74	2,975	489
6	上伊那	1.74	2,615	517
8	埴科	1.61	855	303
9	北佐久	1.46	1,471	328
10	東筑摩・松本	1.41	2,918	812
11	上高井	1.36	817	244
12	南安曇	1.32	770	167
13	小県・上田	1.27	1,954	420
14	更級	1.26	1,008	272
15	北安曇	1.21	780	234
16	上水内・長野	0.76	1,392	548

（出典）長野県開拓自興会満州開拓史刊行会編・発行『長野県満州開拓史』総論（一九八四年）七二四頁。送出比率は前掲『満州移民—飯田下伊那からのメッセージ』六頁。

次に満洲移民の比率では下伊那郡が第一位であったが、次いで南佐久郡が第二位である。しかしブラジル移民では南佐久郡は二〇位中第一〇位と中位で決して盛んではない。ブラジル移民では小県郡が二位で圧倒している。ブラジル移民は最初は農民運動が活発な上小地方を対象としてそれへの対抗として信濃教育会の海外移住運動が展開したことを忘れてはならない。ブラジル移民と満洲移民送出でそれぞれ第二位の小県郡と南佐久郡は同じ東信であっても産業構造も移民運動の担い手も異なるのだ。

一九二〇年代のブラジル移民は信濃教育会の支える県指導の民間社会集団（中間団体）である信濃海外協会の活動の成果であったが、一九三〇年代後半からの満洲集団移民は拓務省・村行政当局主導の官製移民であった。これは南佐久郡が大日向村を典型として分村移民発祥の地といわれるほど長野県庁と村当局が満洲集団移民に積極的に取り組んだ結果である。一九三〇年代後半になると信濃海外協会は満洲移民の送出ではなく広報活動とその後の援護活動を行ったに過ぎないとも言える。ブラジル移民と満洲移民における信濃海外協会の位置づけの差異でもある。

南佐久郡が満洲移民送出数で第二位になった条件を見ていこう。経済的条件でいえば南佐久の大日向村は上田・小県の平坦な農地と異なり千曲川の上流、佐久平の南末端で山林も多い。野辺山高原にも近い。耕地狭隘の村である。炭焼きの村といわれるほど山林の炭焼き・木炭業が盛んであった。農民も木炭業の山民もぎりぎりの生活を余儀なくされていた。農山村で農業では耕地狭小で生活は困難で、炭焼きの副業をしながらでしか生きられないことが分かる。

それが満洲移住二位の地域に躍り出るのは先に述べた県庁の指導とともに村当局と農村中心人物と中堅人物の存在如何であった。本論で詳しく述べ来たように南佐久の大日向村の農村更生の中心人物は浅川武麿村長で産業組合専務理事の堀川清躬は中堅人物として満洲開拓団長を務める。彼らはブラジル移民のような外部からの働きかけではなく、窮乏農村を脱出するため在村指導者の村内部から生まれた新たな農村活動家の台頭（革新派）であった。まさに大日向村はその代表だったのである。そのことが南佐久を満洲送出地域として有名にした理由である。大日向村を見ると満洲移民とは耕地狭小の中山間地を対象としていたとも言える。地理的経済的条件を基礎として、その上にのしかかる政治的指導力の有無が満洲移民の展開を規定したものと思う。移民とは個人の力というより血縁関係、地縁関係を基本として、一般に地域の移民運動家の役割が大きく、それに村長、学校長、産業団体、青年団、在郷軍人会、寺社、僧侶、クリスチャンなどの宗教活動など、地域の政治的社会的指導者の地域への働きかけ、宣伝動員がなければ実現しない大変困難な事業である。

しかし満洲移民は従来の下からの運動というより、それ以上の権力を持つ政府拓務省と県庁主導の官製移民である。耕地狭小、中山間地、養蚕危機などの経済的条件とともに、地域の地域村政指導者の存在も大きいが、それを満洲移民に動員する県庁と市町村末端の農民をつなぐ中間団体の役割が重要である。長野県では上からの県庁の拓務主事、拓務課、地方事務所と下からの信濃教育会、信濃海外協会、在郷軍人会などが一体化して満洲移民を送出していった。この移民運動の中枢の形成と活動はそれぞれの地域の村落構造と社会運動の在り方に規定されていた。

次いで第三位は人数では西筑摩郡（木曽）でなく諏訪郡・岡谷が第三位となる。さらに東筑摩郡・松本が第四位、上伊那郡と下水内郡が同じ数値で第五位である。西筑摩郡（木曽）は人数では第七位まで落ちる。すなわち人口比で送出率が第二位であるが数値では第七位となる西筑摩郡（木曽）をどう考えるかである。木曽地方の送出比率三位は満洲移民を求める切実さの現れである。耕地狭小で生活困難な山間部に満洲移民の要求が強かったということである。

満洲移民では農村だけでなく山村という位置と生活条件が重要である。ブラジル移民が中心であった一九二〇年代では西筑摩郡（木曽）は二〇位中一七位と全く低調であった。これが一九三〇年代後半の満洲移民では劇的に変化する。まさに満洲移民の「効果」を典型的に表す地域である。耕地狭小で貧農たちの土地拡大要求が強くその欲望を利用して彼らを満洲に送り出した国策の結果であった。国策に翻弄されたのは木曽山間部の農山村の民であった。満洲移民は決して農村の問題だけではない。山村の問題も大きいのである。農林省の昭和恐慌の対策から始まり満洲移民に連続する農村経済更生運動は農山村漁村経済更生計画と正式にいう。山村、漁村の更生も視野に入れて歴史を理解することを述べておきたい。

さらに満洲移民の上位に急激に割り込んだ第四位下水内郡と第五位下高井郡について述べておきたい。この地域は長野市郊外で信越国境の山間地帯である。これらの郡は一九二〇年代ブラジル移民では下水内郡は第二〇位で最下位、下高井郡は第一五位であった。全くブラジル移民に無関心である。それが満洲移民では四、五位に躍進したのである。その理由は何であろうか。やはり東筑摩木曽地方と同じ山間地であることだろう。耕地狭小、過剰人口論が通りやすい地域であったと言える。ブラジル移民では国費は渡航費だけ国家補償でそれ以外の移民経費は自力であることを考えれば貧民が簡単に移民することは困難であった。移民とは貧しいから行くという単純なものではない。経済、社会、国家との複合的な関係のなかで実現するものである。下水内郡、下高井郡が移民を送り出したメカニズムはまだ不明だが国策として過剰人口処理の圧力とそれにこたえる農山民が昭和恐慌から戦前山村僻地には存在したのである。国策移民が底辺まで浸透すると今まで移民に無関心な人々も新天地をもとめて海外に目を向けることもある。それがどんな結果を招くかのリスクについて行政は一切口を噤んでいた。

最後の都市部の移民について見てみたい。ブラジル移民期では諏訪が四位、長野が一四位、松本が一八位、上田が一九位と諏訪を除いて都市部ではほとんど移民熱はない。

ではなぜ都市のなかで諏訪だけが移民に熱心だったのか。それは何度も繰り返しになるが諏訪の移民活動の成果である。信濃海外協会、信濃教育会、中村国穂、今井新重、西沢太一郎、永田稠などの移民運動家の活動なくして諏訪と上伊那郡のブラジル移民はあり得なかっただろう。諏訪のブラジル移民熱は移民運動家の活躍だけではない。製糸業という産業構造が関係している。諏訪製糸業の片倉家は大正期から移民活動に熱心であった。背後には資本の海外市場への展開の期待がある。しかも諏訪製糸業は戦前日本産業の中核である。資金力も豊富である。この財力がブラジル移民をバックアップしたのである。また諏訪製糸業の原料供給減として上伊那・下伊那郡が存在する。この地域には膨大な養蚕農家が存在したのである。この養蚕・製糸業の展開を無視して長野県の海外移民を論じることはできない。

しかし移民というのは都市の市民には人気がないのだ。失業者の移民労働者としての出稼ぎは一つの途だがそれも先に述べた自力での資金準備がなければいけない。誰でも行けるわけではない。それでも満洲移民期には国家的動員・扇動のなかで満洲移民が強行された。それも特定の移民活動家との関係でなく全県的に満洲移民は広がっていった。しかも長野県は圧倒的に移民数が多いのである。満洲移民全国一になった理由を明かにする必要がある。それには国策移民、官製移民という満洲移民の構造を明らかにすることである。そこでブラジル移民と満洲移民を通してそれぞれトップの地位を占めた上伊那郡と下伊那郡それに諏訪郡によって構成される伊那谷を中心にして満洲移民を総括してみたい。

第三節　満洲移民の経済的条件

長野県内では一九二〇年代ブラジル移民のトップは諏訪・上伊那であり、一九三〇年代の満洲移民では下伊那郡・飯田がトップである。なぜ同じ伊那谷の上伊那と下伊那が一九二〇年代から敗戦まで海外移住のトップとなったのであろうか。また長野県のみならずブラジルと満洲でも長野県は全国の道府県のなかでも海外移住の先進県である。その理由を少し広い視野で考えてみたい。

ブラジル移民の諏訪・上伊那とブラジル移民の下伊那の特徴はともに天竜川の河岸段丘に広がった「伊那谷」にある。この地理的条件を第一の要因として指摘したい。伊那谷は東西日本のほぼ真ん中に位置する。長野県は伊那谷を通して日本海と太平洋に通じている。そのため江戸時代には中馬という馬に荷物を積んだ物資流通が盛んで南北の交通路となった。一名「塩の道」として日本海の塩を越後（上杉謙信）から信州（武田信玄）を送ったことから「敵に塩を送る」という言葉が生まれたという。物資は太平洋岸からも天竜川沿いに伊那谷を経由して飯田、諏訪の伊那谷に達する。伊那谷自身が古くからの交通の要衝であった。現在の飯田線がその道である。そのため古くから物資のみならず東海道を通して京都、大阪の文化が伊那谷に入った。とくに江戸時代になると市場経済は伊那谷と京都・大阪を直結する。文化の交流も緊密となり飯田の人形劇はその象徴である。近代になると伊那谷は経済、文化、情報とも日本のなかでも先進的地域となった。とくに明治初年から始まる岡谷の製糸業は近代の伊那谷の姿を劇的に変えた。伊那谷は明治から製糸業で生まれた生糸を横浜からアメリカに輸出するため首都圏との関係が密接になった。鉄道の普及で明治中期に中央線が岡谷まで開通するのは日露戦争後一九〇五年でそれ以後伊那谷はいっそう東京と直結する。

こうして近代になると伊那谷が日本の真ん中となり文化情報でも京都・大阪と東京の経済と文化の二つ同時に受ける稀有の地域となった。このような豊富な文化情報を得て太平洋から東海道を通り神戸・横浜からハワイ、アメリカ、ブラジルへ向かう人が生まれたのだろう。

また伊那谷の冬は寒い。そのため満洲の寒冷な気候も苦にならない、しかも塩の道を通れば上越から新潟に出て朝鮮の清津へ出られる。満洲までは近い。新潟からはウラジオストク経由でロシアも行ける。情報さえしっかり捉えることが出来れば伊那谷は満洲も近いのだ。

第二は製糸業の勃興を背景に養蚕業が伊那谷に富をもたらした。諏訪の片倉製糸がその代表である。製糸養蚕業は伊那谷の経済的繁栄をもたらした。富の蓄積である。それが移民の条件を生み出した。移民はこれまで述べたように貧困だけでは生まれないのである。都市と農村の格差、農村の内部の地主制による格差は激しい、経済の発達が農村の分解をもたらして移民を生み出した。とりわけ資本主義の農村分解の力は圧倒的であった。

長野県農村では養蚕型といわれるように養蚕に特化した経済構造を伊那谷に作り出した。日本の農業地域類型として地主制の展開において養蚕型を論じたのは中村政則である(6)。

中村政則の養蚕型の提起は東北や近畿での水稲を中心とする小作人を対象とした地主制と区別して、養蚕地帯では水田と養蚕の複合経営の上に地主制が展開することで独自の小作料収取メカニズムが働いたとする。すなわち養蚕地帯でも水田を中心に高率小作料を目的とする大地主にとっては有力な貨幣収入源となる小作人の養蚕経営が高率の水田小作料補填の役割を持つということを解き明かした。それを養蚕型地主制と規定したのである。ちょうど都市部で発展する製糸業の世界史的発展を可能にした低賃金が女工の家計補充的低賃金によって支えられたのと同じ論理である。水田と養蚕の複合経営により養蚕農家の剰余価値が水田小作料として地主に収取されるメカニズムである。日本資本主義の発展は養蚕製糸地帯では労働力（女工出稼ぎ）と資金（養蚕業収入）の両面において養蚕農家を基盤にして資本と地主の同時成長を可能にしたことになる。昭和恐慌で資本と地主の両者から挟撃された養蚕農民の危機の鋭さを見るべきであろう。

このような地主制の展開が農村の格差社会を肥大化して一九二〇年代その社会矛盾が小作争議として爆発し、窮乏農民の救済解決の最終手段として移民が国策として登場することになったとは言える。水稲単作地帯の南郷村、大和村の移民運動はまさに大地主支配への対抗の側面を持っていた。

だが長野県の養蚕地帯でのブラジル移民、満洲移民を地主制の矛盾解決として考えられるだろうか。長野県では養蚕危機への対応ではあるが水田大地主支配地域で移民運動が展開したわけではない。しかも大日向村、泰阜村を水田・養蚕複合経営と言えるか。これらの地域は山間部の水田経営が副業で養蚕主業の地域である。山間地の炭焼きの村でもある。伊那は伊那谷では養蚕専業農家が多く展開している地域である。地主制が高度に展開していると も言えない。地主制の類型としては在村耕作地主を含む中小地主地帯である。ここでの地主に小作農民を救う財力もない。養蚕危機のなかで在村地主と小作農民が土地取り上げをめぐって死闘を繰り返す村落危機のなかで登場したのが満洲移民であった。このような村落構造の差異を前提に養蚕危機の構造を満洲移民と関係づけて考える必要がある。

すなわち諏訪の製糸業は明治初年に興隆し一九一〇年代の第一次世界大戦のブーム（戦争景気）を頂点として一九二〇年代には戦後恐慌から危機の時代を迎え震災恐慌、金融恐慌、そして一九三〇年代には昭和恐慌で深刻な養蚕危機を迎える。小作争議、農民運動、様々な社会運動が百花繚乱に展開する。農村の分断と危機は深刻化したのである。そしてついに満洲事変が起こり戦争統制へと突き進む。戦争によるアメリカへの輸出は途絶して製糸業は急激に衰退する。繊維産業自体が軍需産業優先のなかで国策により縮小され、絹は贅沢品として批判されて一九三〇年から一九四五年まで養蚕・製糸業は不要不急産業として一部の軍需（絹のパラシュート）を除き壊滅するのである。

長野県蚕糸業の展開と満洲移民の関係を探ってきた青木隆幸は大正期の長野県の養蚕モノカルチャーの経済構造

が満洲移民日本一の条件となったとして長野県庁の養蚕業の交流と衰退への逆転のなかでの財政危機に注目している(7)。青木によると一九一九年の第一次世界大戦終結と一九二〇年恐慌は大戦景気とそのバブル経済崩壊の衝撃により長野県財政が構造転換したことに注目して長野県の財政危機が満洲移民の最大送出県となる原因である。すなわち長野県は増大する県税収入源としては日本経済を牽引する製糸業（工業資本）への軽課税、それに対して地主への地租付加税・戸数割への重課と商人の営業税への重課が進むという。また税収基盤として長野県では一九二九年で全国の蚕繭額の一二％、全耕地の五〇％、畑面積の六九％が桑畑で、農家の八〇％が養蚕業を営み農家収入の七〇％が養蚕といういわばモノカルチャー経済であった。それが長野県財政の隘路となり昭和恐慌の養蚕危機で破綻して地主、商人を基盤とする県会と一般養蚕農民の不満が爆発してその結果、長野県庁が国家財政依存路線の最終的手段として満洲移民政策に活路を求めたのである。長野県がブラジル移民から満洲移民政策に吸引されていく条件は一九二〇年代から一九三〇年代に顕在化する養蚕製糸業の危機が深く関係していたのである。

また養蚕業の壊滅は一九三〇年代からのナイロンの発明による新たな化学繊維の急激な発展により、アメリカで絹の靴下からナイロンの靴下に転換したことが原因である。アメリカへのシルクの輸出は戦争で途絶したのではなくナイロンに敗れたのである。これが養蚕・製糸業の衰退を決定的にした。これが戦争と相まって日本の生糸壊滅の大きな原因であった。

【表10】から戦時下養蚕・製糸業の推移（全国）を見てみよう。

養蚕業は日本全国では一九三〇年が二二〇万戸、一六四二万貫でピークである。それからの養蚕戸数の激減はすさまじい。一〇年後の一九四〇年に一六三万戸、一九四五年には一〇〇万戸、さらに戦後一九五〇年には八三万戸まで衰微している。すなわち一九二〇年代に急増して一九三〇年代に凋落する。とくに養蚕業は戦時から戦後にかけて壊滅状態である。この傾向は長野県でも同じである。

繭総価額の統計を見ると一九三八年までは低迷するが戦時下の一九三九年と一九四〇年にかけて恐慌前の水準（一九二九年）に回復している。養蚕戸数が激減しているのに対して繭価格は一九四三年と一九四四年にも高くなり

【表10】　戦時下養蚕・製糸業の推移

	養蚕戸数（万戸）		収繭量		生糸（万貫）	製糸工場（万）
	全国	長野県	全国（万貫）	長野県（万石）	全国	全国
1920年	189	16	6,332	84	588	24
1925年	194	15	8,477	1,052	828	18
1930年	220	16	10,642	1,302	1,136	6
1935年	188	15	8,198	856	1,166	4
1940年	163	14	8,741	874	1,140	3
1945年	100	12	2,256	323	139	–
1950年	83	11	2,144	330	283	–

（出典）加用信文監修『改訂　日本農業基礎統計』（農林統計協会、一九七七年）および農林統計研究会編『都道府県農業基礎統計』（農林統計協会、一九八三年）による。

一九四五年では前年の倍以上に高騰している。一見して養蚕危機は終わったように見える。しかし生産費と繭価を比較すると日中戦争後の八年間で繭価格が生産費を上回ったのは四年間だけで一九四四―一九四五年には生産費の六割から七割台に割り込んでいた(8)。戦時下インフレによる見せかけの高騰であった。戦時下の養蚕危機は終わっていないのだ。これは戦後に繋がる日本製糸業の世界史的崩壊の前提であった。

生糸生産収量の統計を見ると、一九三五年が一一六六万貫でピークを記録し、そのあと一九四〇年まではなんとか生産を維持しているが一九四〇年から敗戦の一九四五年には一三九貫と壊滅的減少である。戦後は若干持ち直すが戦前の栄華は戻らない。製糸工場は一九二〇年から合併によって大工場への独占化が進むが、一九四〇年からは軍需産業に資材を集中するために製糸工場は不要不急産業として整理の対象となり、一九四五年には工場はゼロとなり生産停止である。

これは生糸世界市場で日本は生糸生産高で一九一〇年までにフランス、イタリア、中国を凌駕したのが一九四〇年以降一気に衰退する。戦後も一九五〇年代に中国に追い抜かれており日本製糸業の世界史的衰退である。理由は戦前では日本がフランス、イタリアを追い抜いたのは低賃金である。中国に対しては同じ低賃金であっても日本の機械設備が進んでおり生産性で優っているためであったが、これも一九五〇年代には機械設備でも中国に抜かれる(9)。いわば日本養蚕製糸業は中国の製糸業によって戦時と戦後早期に世界市場から駆逐されたのである。それゆえ戦後も戦前のようなシルク産業の復興は無かった。戦時下一五年にわたるシルク産業の崩壊は劇的である。戦前産業のリーディンセクターの崩壊である。

昭和恐慌と総力戦が引き起こした戦前日本の基幹産業として産業革命をリードし輸出産業の中核として日本経済を主導した養蚕製糸業＝絹産業の一五年間にわたる崩壊は農村社会に強烈は衝撃を与えたことは間違いない。その結果の一つが満洲移民であったのではないか。主要産業が丸ごと短期間に崩壊して人々がそれを耐えてしかも柔軟に対応することは難しい。

時の政府は民衆の生存と救済より戦争の勝利だけが目的である。満洲移民はその悪しき問題解決の手段であった。明治から一九二〇年代まで養蚕製糸業の発達の恩恵に受けた伊那谷は一九三〇年代から戦争によってその矛盾を集中的に背負ったのである。

養蚕業は農村商品でありながら農産物と違い一〇〇パーセント工業原料として工場に集荷する特異な商品である。農産物であるが自給食料にはならないのである。そのため資本主義恐慌・不況の荒波が農村を直撃する。養蚕が壊滅した農村では食べることが出来なくなるのである。養蚕地帯の繭は農民にとって資本主義の極端な光と影の差を生む。その矛盾をどこの県より深刻に受け止めたのが長野県であり伊那谷であった。それがブラジル移民と満洲移民の激流を生み出したのではないか。

交通文化情報の発達と資本主義と養蚕業の発達という条件は伊那谷だけではない。長野県の他地域、松本平、善光寺平、佐久平でも同じ条件がある。また長野県でなく山梨県の甲府盆地も同じ養蚕型で零細農耕という条件は同じである。しかし山梨県は満洲移民では二四位で全国のかろうじて中位である。下伊那郡とは比較にならない。この差を考える必要がある。

一九二〇年代山梨県の甲府盆地は小作争議、農民運動の激しく展開した地域であった。しかも一九三〇年代になると平野力三らの右翼農民運動の中心地となる。だが満洲移民では山梨県は長野県とは大きく差をあけられている。いわば山梨県は長野県の東信の上田・小県地方と似ている。小県郡も一九二〇年代の長野県農民運動の先進地区であり同時に信濃教育会の国粋的な海外発展主義教育の中心地となる。さらに一九三〇年代には農民自治協議会による農村救済請願運動の中心地の一つとなった。小県郡も一九三〇年代の左翼農民運動から右翼農民運動への転換という意味では山梨県と同じ社会運動の展開を見せているのである。だが満洲移民には積極的ではないのは同じである。同じ養蚕型でもその型の地域がそのまま満洲移民に直結するわけではないのだ。そこで同じ養蚕型でも内部構造の差を考える必要がある。

下伊那と小県の満洲移民の差は養蚕だけではなく水田農耕と経営耕地に広さであると思われる。佐久平に接する小県地方と甲府盆地では比較的平坦な耕地が広がり水田が養蚕に並ぶほど発達していた。水田と養蚕の複合経営の展開である。だが伊那谷のような狭隘な平地と高低差のある傾斜地では水田農耕の展開の余地が少なく養蚕主業とならざるを得なかった。伊那谷の住民に生存の将来を移民にかけさせたのは伊那谷の地形という生存条件であると考えるからである。そのことを説明しておこう。

伊那谷は天に聳える南アルプスと中央アルプスを深く刻んだ天竜川が作った渓谷である。その二つのアルプスの間に巨大な河岸段丘が広がる。日本でも最大級の長大な渓谷であろう。もちろん単に長い渓谷なら他にもあるが、資本主義の発達に応じた養蚕業による人口の急激な人口増加は伊那谷に顕著であった。また伊那谷は渓谷であるから傾斜地が多く耕地狭小で大規模な水田には向かない。養蚕主業となりやすい。さらに製糸業の発達による養蚕＝桑作拡大の要請は河岸段丘の低地から高地へと徐々に這い上がっていく。最後には養蚕山村を形成する。平地農村から山地農村へと高度を上げて経営拡大が続いた。このため農業経営規模は零細で養蚕業による収入なくしては暮らしていけなかった。諏訪の片倉製糸などの営業製糸と上伊那と下伊那の組合製糸の隆盛は伊那谷全域に養蚕業の発達をもたらした。しかし養蚕業の展開には地形的制約があった。狭い耕地に人口が密集し過剰となった人口が養蚕業＝桑作を天竜川の河川敷から河岸段丘を駆け上り高地山岳斜面に展開するのは伊那谷に特徴的である。最上部の農地＝果樹や桑作は下部との高低差が八〇〇メートル近くに達する。たとえば泰阜村、清内路村など山地に隣接する耕地狭小で養蚕主業の土地で満洲移民が盛んな村がある。養蚕危機はこのような山地と高地の養蚕専業で養蚕経営の最も脆弱な地域を直撃したのである。その結果が満洲移民を引き起こしたのではないだろうか。

伊那谷では同じ養蚕経営立地の条件であっても長野県の他の三地域、北信の善光寺平、中信の松本平、東信の佐久平などとは異なる。すなわち伊那谷は谷であり、あとの三地域は平（たいら）であり平野である。これら三地域は水田経営が可能な平野である。

また長野県で満洲移民の多い郡は西筑摩、下水内、下高井であることに注目したい。これら三郡は下伊那と同じで耕地狭小、山間地（農山村）の養蚕経営であり、さらにいっそう耕地条件が悪い所である。西筑摩郡の木曽谷の読書村がその典型である。養蚕業展開の山村である。農村更生における山地の難しさを満洲移民は示しているのではないか。

以上のように昭和恐慌の打撃の大きさは農村の全般的な危機を招き農村だけでなく山村を巻き込み、日本のすべての農山村の危機と矛盾を対外転嫁すべく満洲移民が開始された。従来の出稼ぎ農民により生計費を稼ぐというレベルの経済的危機ではなかった。それゆえ平地農民だけではなく中核水田地帯ではなく日本農村の最も弱い環である周辺農山村の村民に矛盾が集中したのである。その弱い位置にいた人たちが真っ先に満洲に送られた。そこで大地主になる夢を持ったのである。

このことから伊那谷という地形的条件が広い耕地を海外に求めざるを得なかった原因であった。満洲移民の五つの先進県である福島県の養蚕地伊達郡でも同じことが起きていたのではないか。福島県は満洲移民送出では長野県、山形県、熊本県に続く第四位となっている。満洲移民では福島県は山梨県と比較すると長野県と似ている。経済的地形的条件の同質性があるのではないだろうか。第五位の新潟県が満洲移民に積極的であったのは地理的条件が考えられる。新潟港から対岸の朝鮮、満洲、ロシアへの渡航は便利な地域である。経済的条件としても信越国境、上越国境というように長野、群馬の養蚕県に接し山岳部に近い傾斜地では養蚕が盛んであった。平野部は越後平野を有し日本有数の米の生産地である。そのことが恐慌での米価低落と繭価下落によって新潟経済に大きな影響を与えた。また新潟の平野部は冬雪に閉ざされるので水稲単作地帯となり冬場には出稼ぎは普通のことであった。

東京に近く文化情報も早く、明治期から出稼ぎで東京に出かける人も多かった。さらにアメリカ移民も多い。出稼ぎ文化とアメリカ移民の時代から新潟県は長野県を超える移民県であった。長野県より移民先進県であった。このことが拓務省から高く評価されていたのであろう。

これまで満洲移民において長野県が全国一の理由を地理的経済的側面から考えてきた。とくに長野県では伊那谷を典型として文化・情報の伝搬の速さという地理的条件、製糸業の発達と農山村養蚕経営の危機という経済条件を中心に、農山村の矛盾と移民の関係を考えてきた。しかしこれだけでは海外移民は地理的経済的決定論になってしまう。長野県でも伊那谷でも満洲移民が活発でない村とそうでない地域はある。経済的条件では移民は決まらない。社会的政治的条件を考えたい。

第四節　満洲移民の社会的条件

移民を規定する第二の要因は社会的条件である。すなわち社会団体と社会運動の問題である。近代では歴史を動かす動因として国政レベルでの統治階級である軍部・政党政派の争いである内閣や議会の動きより、彼らを支える社会的諸集団であり彼らの主体的行動としての社会運動に注目することが必要である。

本書は経済変動による経済的条件の変化に規定された地域社会がどのような社会集団を生み出して政治を動かしていったのかを海外協会と海外移民の関係を通して考えてきた。地域において在地と中央を結ぶ中間団体に注目することである。

近代社会は権力と相対的に自立して集団、組織、団体として労働組合、農民組合、協同組合、青年団、婦人会、部落会・町内会、学校、教会、現在では市民団体、ＮＰＯアソシエーションなどが、権力とは独自の活動を展開する。これを国家権力と民間の間をつなぐ中間団体ともいう。近代社会ではこれら民衆を基盤にした社会的諸集団、中間団体の役割が決定的に重要である。この中間団体を権力と民衆のどちらが掌握するかが政党政派のヘゲモニーの争いである。これが社会運動である。

イタリアの理論家グラムシはこれを市民社会の自立として捉えた[10]。彼は二〇世紀の政治は従来の国家権力の掌握は政党政派による中央統治階級の間の機動戦から市民社会を構成する社会集団＝中間団体をめぐる支配と抵抗の陣地戦に転換するという。すなわちグラムシは市民社会を構成する社会的諸集団、中間団体に対する権力をめぐるヘゲモニーの争いが現代政治の焦点になると予言したのである。日常生活に下りて民衆の心をつかむためには中間団体の掌握が決定的に重要となるのである。これは陣取り合戦のようなものでそれを陣地戦という。この中間団体の自立性、すなわち社会運動の独自性が完全否定されることをファシズム、全体主義という。

私は満洲移民では経済と政治を結ぶ中間団体として信濃海外協会を対象として満洲移民の社会的条件を探ってきた。焦点は経済ではなくそれに規定されて展開する社会である。社会の変動を中心にして政治を理解することであった。

本論では一九二〇年代に立ち上がった民間団体である信濃海外協会がブラジル移民と満洲移民の展開にどのような関係を持ち、民衆レベルの経済変動と社会的要求をどのように政治に反映させ、それに対して政治はこの社会団体を自らの支配の道具としてどのように利用したかを考えたのである。信濃海外協会をめぐるヘゲモニーの争いである。

信濃海外協会の社会的性格を考える際に一番重要な社会集団は信濃教育会である。長野県の教師である。とりわけ海外移民で果たした信濃教育会傘下の教師たちの活動と海外協会を通して県庁と連携した移民運動での役割は大きい。信濃教育会を中心とした信濃海外協会の活動の県知事と県官僚への影響、そして民間主導の移民運動と官僚行政との連携である。さらに移民を日本人の海外発展として推進する信濃海外協会と結んで民間から日本力行会永田稠、西沢太一郎のような民間の移民社会運動家が長野県から生まれたことである。

また満洲移民における社会的条件としては、一九二〇年代の下からの左翼運動に対抗して国家権力のヘゲモニーに期待する社会運動が展開する。これが左翼から転向した右翼農民運動であり自治農民協議会のような農本主義者たちであり、彼らは軍部と満洲移民に農村問題の解決を求める社会運動であった。満洲移民はこのような新たな社会運動に対応する形で生まれていった。農村の貧困の解決を朝鮮と満洲移民に求めたのが農本主義者加藤完治であり、これを拾い上げたのが軍部の石原莞爾であり東宮鉄男たちであった。

さらに昭和恐慌の農村危機の克服を課題とする農林官僚がこの下からの民衆エネルギーを利用して自力更生運動とも呼ばれる官製国民運動、農村経済更生運動を展開する。この農村経済更生運動で進められた村落の「農村中心人物」の調査と動員、また「農村中堅人物」の養成、とくに地方では各府県の農民道場、中央では加藤完治による満蒙開拓のための内原訓練所による国家的養成・訓練に注目したい。この「農村中心人物・農村中堅人物」の存在は平坦部農村か中山間地か、水田か養蚕か果樹か、という地理的経済的条件による農業危機の鋭さによって異なる。また大地主地帯（寄生地主支配）か中小地主地帯（耕作地主支配）か、という村落の支配構造によって異なる。しかし、いずれの地域においても地域の社会的リーダーの存在なくして農村経済更生運動や満洲移民運動の展開はありえなかった。とくに農村経済更生運動が二・二六事件を転換点として満洲移民と結合することにより満洲移民は本格化する。これが満洲一〇〇万戸移民である。ここでは適正規模農家論によって下層農家を満洲に送り出し満洲分村を作り上げて、彼らの残された土地及び経営耕地を上層農民が引き受けることで母村の農村更生を図ることが目指された。下層民は満洲で二〇町歩の土地所有の自作農に再生し、母村では彼の土地経営を譲渡されて規模を拡大する。一石二鳥の名案であるが机上の空論である。満洲の土地収奪が前提であった。これは現地で土地を所有し経営する中国農民を度外視した完全な自民族中心主義であった。「五族協和」とは欺瞞でしかなかった。

満洲移民はこのような下からの民衆エネルギーを軍部・関東軍が利用する上からの社会運動であった。単なる官製移民ではない。このためには国家と社会を結ぶ中間団体の組織化が不可欠であった。下からの民衆エネルギーが左翼に流れないように社会運動を上から統制することである。これが一九三〇年代の昭和恐慌をめぐる移民運動をめぐる国家権力と民衆の陣地戦である。

中間団体の上からの組織化は長野県の移民運動では一九二二年信濃海外協会の結成に代表される。長野県ではブラジル移民と満洲移民はこの組織なくしては盛んに展開しなかったと思われる。

本書の信濃海外協会の分析で明らかになったことは一九一〇年代から下からの移民運動を小規模に展開していた信濃教育会の役割の大きさである。信濃教育会の中村国穂らが始めた海外発展教育の社会運動を長野県庁が取り込んだのが信濃海外協会であるとも言えよう。その際には長野県の小川平吉と津崎尚武ら有力政治家と今井五介、片倉兼太郎などの県有力財界人が県庁を動かし、従来下から海外移民運動を展開してきた信濃教育会の教師たちを傘下において、県知事を代表として上から移民運動を組織化したことである。そのために日露戦後の苦学生の海外移民を進める社会運動家であった永田稠が利用されたのである。

とくに府県別の海外移民運動として始まった海外協会は信濃海外協会の活躍によって全国統一組織として海外協会中央会を組織し会長に長野県の今井五介が就任する。さらに中央会の活動によって一九二九年拓務省が設置される。下からの海外協会の活動が功を奏したのである。この拓務省が昭和恐慌の襲来に対応して関東軍と呼応して満洲移民に突っ走るのである。長野県でもブラジル移民から満洲移民への転換が進められる。

信濃海外協会は満洲移民で大きな転換点を迎える。関東軍は従来の信濃海外協会幹事の永田稠が推進したブラジル・アリアンサ移民は経済主義でありこれを満洲移民の持ち込むことはできないと批判した。それにより永田幹事たち信濃海外協会指導部が満洲事変とともに素早く展開した満洲愛国信濃村建設は頓挫する。ここから満洲移民は関東軍と拓務省に主導権が移動する。さらに二・二六事件以降農林省も加わる。こうして満洲移民は下からの社会運動を排除して上からの官製移民運動に展開する。農村経済更生運動は満洲移民を取り込むことによって排外的性格を鮮明にする。

信濃海外協会という県主導の移民運動には拓務省とともに農林省の農村経済更生運動と結合することでそれまでの既成の社会集団、中間団体として産業組合、青年団、婦人会、部落会・町内会、そして在郷軍人会が移民運動に協力している。さらに信濃教育会と県庁学務部を通して小学校、中学校、青年学校が動員されている。そして思想教化団体として仏教、キリスト教までが動員利用されている。宗教と海外布教は相性が良いのである。こうして長野県の移民運動はあらゆる社会集団、中間団体を網羅的に動員して進められていくのである。この移民の社会的広がりを理解することが長野県の移民問題の枢要点である。移民運動は満洲移民によって民から官にへゲモニーが転換するのである。信濃海外協会は関東軍・拓務省の主導のもとに従属的に編成される。ここに移民社会運動としての独自性は失われていく。

アジア・太平洋戦争の開戦は信濃海外協会の改組を引き起こし政府・軍部の大東亜共栄圏建設の一環と位置づけられる。信濃海外協会は海南島移民から南方移民に重点を移していく。政府は信濃海外協の幹事である永田稠、西沢太一郎を追放する。一九四三年には信濃海外協会は活動を休止する。ここでは信濃海外協会の移民運動としての独自の活動はあり得なかった。直接軍事占領が先行するからである。社会運動の終焉である。拓務省も大東亜省に再編され移民運動を進める主体さえ曖昧になる。

一九四四年信濃海外協会は長野県開拓協会として完全に上意下達の官僚組織に再編される。開拓協会長は従来の長野県知事であるが実際は農林省の新官僚から革新官僚に転化した小平権一が協会理事長として長野県知事を補佐する。それは社会運動が独自性を失って市民社会の自立性が完全に否定されたファシズム体制であり全体主義であった。アジア・太平洋戦争期には信濃海外協会・長野県開拓協会はまさに大東亜共栄圏の侵略と土地開拓の先兵となるのである。

以上のように満洲移民の成否は、上からの農村更生と下からの海外協会のヘゲモニー争奪戦にあった。農民救済の右派社会運動としてスタートした信濃海外協会は満洲移民で完全にその自立性を否定されて官製移民に換骨奪胎される。ファシズムというのはすべての市民社会の自立性を奪い去ることで完成する。中間団体は消滅する。アジア・太平洋戦争開戦後の信濃海外協会改組と解体はその事を端的に表現していた。

第五節　満洲移民の政治的条件

満洲移民を規定した第三の要因は政治的条件である。政治とは軍部であり政治家・高級官僚である。
軍部とは関東軍であり陸軍参謀本部、海軍軍令部である。満洲移民とブラジル移民の違いはここにある。これについては説明するまでもない。満洲移民は東亜新秩序と大東亜共栄圏建設のための軍部の東アジア地政学的支配の帰結である。

もう一つの政治とは海外移民に熱心な政治家、移民に熱心な官僚の存在である。まずは政治家では第一に長野県出身の代議士小川平吉が挙げられる。県政から国政に進出した津崎尚武の役割も大きい。この二人がいなければ全国一を誇る長野県のブラジル移民と満洲移民はなかったであろう。また昭和恐慌から戦時農政をリードした農政官僚のエリートで諏訪出身の小平権一の役割も大きい。彼は経済更生部長として農村経済更生運動を農林省トップとして推進した責任者である。満洲移住協会の理事、信濃海外協会の顧問、戦時末期に長野県開拓協会の理事長となっている。

また長野県庁の果たした役割である。とくに知事と中堅官僚の役割である。それは一九四〇年に長野県が全国で五つしかない県庁拓務課を設置するまでになったのは県庁拓務官僚の活躍であった。ブラジルでも満洲でも長野県の歴代知事は移民に積極的であった。

一九二二年の本間利雄知事の南米信濃村建設の大宣言、一九二四年梅谷光貞知事のブラジル・アリアンサ移住地購入がその典型である。とくに梅谷は台湾の知事から長野県知事となり植民地行政のプロとしてブラジル移民で辣腕を振るう。みずから県庁の外郭団体となった信濃海外協会のリーダーとなりブラジル移民でアリアンサ建設の旗を振ったことが長野県知事をリーダーとする県庁主導の海外植民運動の始まりである。その後梅谷は関東軍移民部で満洲移民一〇〇万戸移民の政府ブレインとして活躍する。さらに県知事主導の信濃海外協会はブラジル移民運動を引き継いで満洲移民を下から積極的に推進した。

長野県庁も二・四事件以後国策への協力姿勢を顕著にして満洲移民に前のめりになる。満洲事件後の一九三二年の信濃海外協会の愛国信濃村建設を提唱し、それを受けて一九三一年就任の石垣倉治知事が国策満洲武装移民に積極的に乗り出していく。石垣は山形県出身の内務官僚で警視庁警部が出発点である。一九四一年には長野市長となっている。

一九三六年から一九三八年には近藤俊介知事が警視庁警部出身の内務官僚として満洲一〇〇万戸移民をリードする。その後南洋庁長官となる。一九三八年から一九四〇年の一〇〇万戸移民の最盛期には富田健治知事となるが、彼はその後近衛内閣の書記官長となり新体制運動をおし進める人物である。彼も典型的な警察部長警保局畑の内務官僚である。そのあとの一九四〇年の鈴木登知事も警察官僚で満洲移民では実績を残したと評価されている。一九四三年には郡山義夫知事も長野県警部となり海南島海軍特務部経済局長から長野県知事を務めた。もちろん任期は一年半と短いので長期に移民政策に関係することはないが知事のもつ権限は大きい。その短い時間に何をしたかである。とくに長野県知事は梅谷光貞をはじめとして移民政策に総じて熱心であった。移民に積極な知事が多いのは内務官僚でも警察畑出身者が多い。これは梅谷のように台湾の統治の経験を持ち国内治安優先の思想で海外移民をその解決の一つと考えていたものと同じである。国内の貧困問題と治安維持のため過剰人口を海外に送り出すという論理である。

満洲移民の地域別差異として知事以下の県行政の中堅官僚の満洲移民にかける熱意が上げられるのである。その現われは一九四〇年全国で五県の県庁拓務課設置である。五県は長野、熊本、山形、宮城、福島である。政府は一九四〇年に停滞する満洲移民を活性化するために満洲移民のモデル県をつくり全国の府県庁に刺激を与えようとした。その一つに長野県が選ばれ、その初代拓務課長に選ばれたのが西沢権一郎である。

西沢権一郎は一九〇六年上水内郡小川村に地域の名望家の長男として生まれた(11)。一九二一年に上水内西部農学校に進学して一九二四年に東京高等蚕糸学校（現在の東京農工大学）養蚕学科に入学し一九二七年に卒業する。関東大震災後から東京で養蚕業を学び卒業後は千葉と群馬で農学校の教師となる。一九三三年高等文官試験（国家公務員試験）に合格して一九三五年長野県庁で経済部蚕糸課に勤務する。まさに西沢が県庁に勤めたときは日本が養蚕危機のなか長野県を先頭に武装移民から一〇〇万戸移民へと満洲移民が拡大する時代であった。高等蚕糸学校の知識を持ち養蚕危機と満洲移民をつなげる最適の人物であった。

西沢権一郎は一九四一年一月三一日に初代長野県学務部拓務課長となり経済部農政課長を兼任となる。その四か月後に西沢は満洲国と関東州に出張している。従来のエリートコースの農政課長とともに拓務課長を兼務し満洲視察に行く。一年後には拓務課長を下りて、その後一年ごとに出世の階段を上り経済統制課長、商工課長、軍需課長となり戦時下の県政中枢を担う。このように西沢が初代拓務課長に選ばれていることに長野県庁の満洲移民にかける意気込みが分かる。

戦後長野県の満洲帰りの人たちが入植した戦後開拓地を歩くと、「拓魂」と記された記念碑の揮毫者に西沢権一郎知事の名前が多く見られる。その意味はここから分かる。満洲移民を送り出した責任を感じて帰国した移民たちの戦後開拓地を回り鎮魂の意味も含めて開拓記念碑に揮毫したものであろう。

西沢権一郎を継いで二代目の長野県拓務課長に就いたのは塩沢治雄である。県知事と県課長クラスの中堅県官僚が満洲移民に熱心であった。塩沢については一九三七年大日向村満洲移民の指導にも実績を上げていた。

塩沢治雄は下伊那郡松尾村出身でその後の長野県の満洲移民指導に深く関係するのでここで少し詳しく紹介しておく。塩沢は一九〇〇年生まれで一九一三年に愛知県立安城農林学校に進学する。ここは農学校として全国的に知られたところで校長は山崎延吉である。東京帝国大学農科大学卒で多くの著作をもつ農本主義者として有名であった。その安城農林学校に同じ大学の後輩として加藤完治が教師として赴任する。これまで見てきたように満洲移民の立役者である。塩沢はその二人の薫陶を受けて育つ。一九二五年に陸軍幹部候補生として志願兵となる。弟も陸軍憲兵少尉となっている軍人一家である。塩沢は一年の軍隊訓練で下伊那郡の松尾小学校教師となり同時に青年訓練所の指導員となる。一九三〇年には松尾村在郷軍人会会長となり一九三四年には歩兵中尉となる。一九三五年には長野県学務部社会教育課に勤務となり一九三七年三月三一日に学務部職業課拓務主事となる。これは長野県が満洲一〇〇万戸移民に対応するための県庁組織の改組である。その初代拓務主事になったのが塩沢である。当然安城農林学校での加藤の影響で満洲移民に関心を持っていた。そこで大日向村の満洲移民の指導に入ることになったのである。

その後塩沢治雄は一九三七年七月に日中戦争開始とともに松本連隊に召集され中国南京戦に動員される[12]。二年後の一九三九年に召集解除となると一一月から県庁に復帰し拓務主事に戻り満洲移民を指導する。そして一九四二年に西沢権一郎に続いて拓務課長となるのである。この時に信濃海外協会の幹事にも選ばれている。さらに塩沢は一九四三年には拓務課長から上伊那郡地方事務所長に下る。下伊那郡で満洲移民を督促するのである。

また下伊那郡上飯田村の座光寺久男も県庁と地域をつなぐ重要人物である。[13]一九三三年に長野県学務部社会課に所属し一九三九年から一九四〇年にかけて内務省警保局局長から長野県知事に赴任してきた富田健治知事の下で知事秘書を務める。一九四〇年から下伊那地方事務所で兵事厚生課長、総務課長となる。これは兵士の送出と満洲移民に関係する仕事である。座光寺は戦後飯田市助役と駒ケ根市長となっている。

このようなかで伊那地方の地方事務所が満洲移民に熱心なのも当然であった。とくに地方事務所の指導下にある各郡町村長会では満洲視察に頻繁に行っている。下伊那の満洲移民はすでに大古洞に満洲下伊那郷が建設されている。県庁の拓務主事から拓務課長、地方事務所長を通して県の満洲移民政策は伊那地方に降りていく。上伊那郡と下伊那郡の地方事務所に県庁で満洲移民の経験を積んだ人物が下りてくる。このような中央と一本をつなぐ行政ルートが伊那地方では築かれていたのである。その結果長野県で一九四二年度の下伊那郡開拓特別指導部に初めて選定される。これは戦時期の皇国農村確立運動で、適正規模論による自作農創設のために余剰農家を満洲に送る方針を徹底する。

戦時期に下伊那郡が満洲移民の特別指導区に選ばれたのに続いて諏訪郡（岡谷・諏訪両市を含む）が特別指導地区に選ばれている。『海の外』で見る限りでは満洲移民の特別指導区に選定されたのは下伊那郡と諏訪郡だけであった。ここにブラジルから満洲移民を推進した人材、海外発展主義を唱えた活動家が諏訪から生まれ、資金も製糸業を基盤として諏訪から生み出されたことを想起できる。また下伊那の満洲移民と県行政の関係の深さも想定される。官製移民であった満洲移民を担った県行政における中堅官僚の果たした役割も注目されるだろう。下伊那が佐久、北信を追い抜いて満洲移民送出のトップとなるのは下伊那地方事務所、下伊那町村会など行政機関の役割が大きい。飯田を中心とする下伊那が満洲移民に積極的になる理由は県庁機構と郡市町村との連携である。さらにそれを支える今井五介、片倉兼太郎などの県財界人、小川平吉、中原謹司など諏訪と下伊那には県有力政治家がいた。

そして最後に長野県満洲移民を決定づけたのは昭和天皇である。一九四三年八月一二日の地方官会議で昭和天皇の長野県の満洲移民への「御下問」と励ましの言葉が長野県民の満洲移民熱の最後の後押しとなった。昭和天皇の満洲移民に対する長野県民への励ましの「お言葉」が戦時下長野県満洲移民推進への最後のダメ押しとなったのである。末端の移民社会運動家、地方郡レベルの役人、県庁の中堅官僚、県知事は最後は天皇までが満洲移民を強力に推進したのである。その結果が一九四四年の長野県開拓協会設置であった。

以上のように満洲移民において長野県がなぜ全国一となったかを考察してきた。結論としては長野県は第一に山国で耕地狭小、製糸業危機、養蚕危機に示される地理地形をふまえた経済的条件、第二に左右の農民運動、信濃教育会、信濃海外協会のような社会運動に集約される社会的条件、そして第三に軍部、中央官僚、地方官僚の活躍という政治的条件という三条件が全国で最も出そろっていたことにあると思われる。

本節の最後に「満洲移民」という用語についてコメントしておきたい。これまでブラジル移民と満洲移民という言葉で二つの移民の違いを述べてきた。そこで二つを同じ「移民」という概念で括ってよいのかという問題である。そもそも「満洲移民」と「満洲開拓」は拓務省と海外協会が使用し始めたものである。それまでのハワイ移民、アメリカ移民、ブラジル移民と同じように使用している。しかし本来移民は国境を越える移住者の自発性、自立性が前提である。現在では国境を超える自由と国籍を変える自由は個人の基本的権利である。しかしブラジル移民までは制約はあるとしても出稼ぎで外貨を稼ぐという意味も含めて国家は移住者の自由を保障していた。

ところが「満洲移民」では国境を超える（日本国から満洲国へ）ことは国家の統制の枠内でしか自由がない。移住の目的は「満洲国」の治安維持であり対ソ戦の前線基地として満洲国を防衛することである。満洲開拓も関東軍のため一部は本国のための食糧増産である。生産力拡充計画の一環である。自分のための移民と開拓は二次的なものである。個人の自由を否定して政府の言うとおりに移住することを移民というのだろうか。移住地選定もソ満国境国境で反日運動が盛んで治安の不安定なところである。満洲でなく内モンゴル移民も対ソ戦の前線に近く大変危険な地域である。満洲移民の費用もほとんど政府の支給である。しかし選定地の移住者の選定の自由もなく、開拓地での思想の自由は無い。教会は建てられない。神社参拝は強制される。戦時下では内地でも同じであるが、「満洲国」への入植として普通の移民とはとても言えない。中国人研究者は「満洲移民」とは認めず「満洲侵略」と述べる。日本人は満洲移民で膨大な人が亡くなったが現地で日本人は慰霊のために墓を建てることは認められない。侵略者を慰霊することを中国政府が認めないからである。ようやく方正県に日本人開拓民の記念碑が一つだけ認められている。

「満洲移民」という用語の使用は慎重であるべきだろう。「満洲農民動員」、「満洲国植民化」という言葉の方がふさわしい。実際に政府も一九四〇年以後は満洲移民を使わない。「満洲開拓」である。しかしあまりに人口に膾炙している言葉「満洲移民」を廃止すると意味が通じないのも問題である。本書では「満洲移民」で通してきたが今後の検討課題である。

第六節　信濃海外協会活動家のその後

ここでもう一つのまとめとして信濃海外協会と『海の外』を牽引してきた主要な移民運動家、移民アクターの敗戦体験とその後の人生と信濃開会協会の戦後への展望を述べたい。これは本書の主要人物（移民運動のアクター）の戦時・戦後である。

信濃海外協会の主要アクターとして信濃海外協会の創立者の一人である小川平吉がいる。小川は海外協会設立の七年後の一九二九年に鉄道大臣を辞任した後に私鉄疑獄事件で起訴され一九三六年に懲役二年の判決で政界を引退する。一九四二年に七四歳で死亡する。葬儀委員長は頭山満である。日本主義、日本精神で一貫した生涯である。信濃海外協会の創立をバックアップした信濃政界のドンであった。移民運動が海外膨張主義という帝国主義と紙一重の危うさを持っていることを象徴している。彼の長野県移民運動家の後継ぎは中原謹司であろう。

同じく創立者の一人今井五介は片倉兼太郎の弟で片倉製糸紡績社長、貴族院議員として信濃海外協会設立に資金面でも協力し一九三二年に貴族院勅撰議員となり戦時中は中小商工業の満洲移民を提案して実現する。戦時期の大日本産業報国会審議員となる。昭和戦前期の長野県の財界を代表し信濃海外協会の移民活動をバックアップした。商工業移民路線を担った移民運動家であった。今井は日本帝国の崩壊とともに戦後早々の一九四六年に死亡する。八七歳の長命である。

なお今井五介の実兄の片倉兼太郎は信濃海外協会設立、ブラジル・アリアンサ移民に巨額の寄付金を提供し、信濃海外協会の移民運動を資金面でバックアップし、自らも片倉財閥として満洲に進出し満洲事変直前には関東州に模範養蚕所と旅順に製糸工場を設置している。一九三四年一月に死去しているがちょうど満洲一〇〇万戸移民が計画立案されるときである。移民運動が民間の寄付金に依存する時代から国家資金の大規模な動員による官製移民に転換するときであり、片倉の死は象徴的であった。

信濃海外協会の主要アクターとして外すことのできない人物は小平権一である。小平は一九二七年の海外移住組合法立案に関係して以来海外移住運動に関心を持ち、昭和不況期に農村立て直しのために一九三二年からの農村経済更生運動の中核を担い一九三八年には農政官僚トップの農林次官となる。一九四二年には衆議院議員に当選し大政翼賛会総務局長となり一九四四年には長野県開拓協会理事長となり中央農業会副会長、長野県農業会会長となる。一九四五年には満洲移住協会理事となる。このように小平は戦時下には中央農業界から降りて長野県農業界の中核を担うと同時に信濃海外移住運動、満洲移民の象徴的存在となっている。

小平権一は一九二〇年代社会問題が激化した大正デモクラシー期に農政官僚石黒忠篤とともに岐阜県小作争議調査復命書、小作法案立案など小作問題解決に尽力する新官僚として登場する。世界恐慌以降内務官僚後藤文夫とともに日本農村の窮乏を救済するため産業組合拡充運動を中心とする農村経済更生運動を推進し農民を総力戦体制に動員する革新官僚へと転回する。[14] さらには満洲国顧問として満洲国の統制経済樹立に協力し、満洲移民へ日本農民を動員するために尽力した。戦前の日本農政の中核を石黒とともに歩んだ代表的農林官僚となった。大正デモクラシーを代表する専門官僚として華々しく登場し、海外移住組合法を通じてブラジル移民に陰で協力する。昭和恐慌期には協同組合主義者として農村経済更生運動を指導する新官僚となり満洲国建国に協力し帰国後長野県の満洲移民を推進する。その終局地点が長野県開拓協会であった。戦時期の総力戦とファシズムを牽引する革新官僚へと転身したのである。一九四六年に大政翼賛会関係者として公職追放となる。一九五一年に追放解除されると一九五二年協同社会主義連盟をみずから結成し会長に就任する。さらに一九五四年に日本海外協会連合会理事長、翌年同会副会長となる。戦後は戦時の大政翼賛会協力者から一転して協同組合社会主義者に変身した。公職追放解除後も海外移住の熱意は変わらずに海外協会連合会の理事長となり、農業協同組合を通じてブラジルのコチア青年派遣活動を援助した。つねに協同組合と海外移住を結び付けて政界官界の第一線で活動した典型的な日本エリートであった。一九七六年九二歳で死亡する。

信濃海外協会で移民運動を牽引した最初の人物は梅谷光貞である。長野県知事を辞任して以後は民間の移民活動家として活躍した。梅谷は一九二七年に海外移住組合連合会専務理事となりブラジルのチエテ、バストス、アリアンサの日本人移住地建設の最適地二五万ヘクタール選定と購入を日本側代表として締結した。さらにパラグアイ国移住地四三万ヘクタールの購入も日本政府に申請した人物である。彼は満洲移民で関東軍特務部初代移民部長として関東軍を背景に一〇〇万ヘクタールの土地の買収を実施し満洲一〇〇万戸移民計画の中心に位置したあと、一九三五年に関東軍によって移民部は廃止され梅谷は補佐役の永田稠とともに追放された。その後も政府軍部と連絡を取って東南アジア、太平洋諸島の移民計画を企画したが在満時代の労苦で重い肝臓病となり一九三六年に死去した。五五歳の若さで失意の死である。梅谷はブラジル、パラグアイ、満洲など日本人移住地の購入を実施したまさに信濃海外移住の父である。戦後もブラジルのチエテ、バストス、アリアンサ、そしてパラグアイは日本人の移住先となり世界最大の日系社会を形成している。彼は戦後発展する南米日系人移住の功労者であった。

また移住地の取得と運営には民間の移民活動家の役割も大きい。まずは永田稠である。永田は信濃海外協会の創立に深く関わりブラジル移民、満洲移民の全過程に深く関与した。信濃海外協会で『海の外』の編集人を創刊から戦前、最後まで担当した。しかし政府・軍部に鬼子のように扱われながらも利用される。永田はブラ拓から追われ満洲では関東軍の移民計画から追放されたが、戦時中も信濃海外協会が解散するまでは最後まで幹事を務め、その移民運動の熱意は凄まじいものがある。みずからも戦時下に満洲自由移民として日本力行会の新京力行村建設を実現する。さらに戦後もブラジル移民への熱意は衰えずブラジル移民の渡航が再開された最初の一九五二年には五男永田久をアリアンサ移住地に送っている。

永田稠は敗戦で衝撃を受けているが満洲移民の失敗を戦時下のアメリカにおける日系人部隊と対比する。「祖国青年に特攻精神を学んで米国の最も忠勇な連隊となり米国人の差別を撤廃し米国の市民権を祖国日本人の為に克ち得ることが出来た」という[15]。つまり日本精神を学んで日本人のためにアメリカ市民として生きよ、と述べてもいる。永田のブラジル移民と満洲移民への敗戦後の思いは以下の通りである[16]。

「南米に建設したアリアンサ移住地では古事記の代わりに旧約聖書を読み、教育勅語の代わりに新約聖書を学び、諏訪神社を排斥してキリスト教会を建てた。満洲に建設された信濃移住団は古事記と教育勅語を本体として神武天皇を征服建国者と信じて移住者にあらずして拓士であり青少年義勇軍であった。そして移住者は先ず在郷軍人から選択した。ここに南米と満洲に同じ長野県人建設の移住地であるが思想的道徳的の根本的相違があった」と回顧する。戦時下の信濃海外協会での軍部への協力のことは一切触れていない。

戦後も永田稠は世界への移住運動の熱意は衰えることなく継続する。戦後海外移民運動は一時途絶するが、アメリカ日系人部隊四四二連隊の評価をすると同時に若い農業経営者の育成のためのＧＨＱの四Ｈクラブ運動を評価してみずからおし進める。また占領末期の一九五〇年には戦後復活した信濃海外協会の理事となって移民運動を続けた。驚くべき海外移住への熱意と時代対応力である。梅谷光貞が官僚として信濃海外移住の父であるとするなら、永田は民間移民活動家として信濃海外移住の母である。しかも黒子であり鬼子であった。神武天皇の移住建国の「肇国精神」を旧約聖書の「約束の地カナン」に読み替えたことからくる倒錯である。そして日本力行会二代会長を終えてもキリスト教精神をもって力行会と共に生き、一九七三年、九二歳の長寿を全うしている。

同じく民間移民活動家の輪湖俊午郎も信濃海外移住では永田稠と並んで重要なアクターである。輪湖は永田と信濃海外協会創立に参画し、永田と北原地価造とともにアリアンサ移住地建設に尽力した。輪湖は海興の営利主義に反対して移住者の自治を目指した運動家で、ブラジルでは海外移住組合連合会のブラ拓に自治経営権を失われることを嫌い、一九三四年アリアンサの理事を辞任してアリアンサを去り別の日本人移住地チエテに移る。同時に信濃海外協会幹事も辞任する。一九四〇年紀元二六〇〇年祭で永田の招きで日本を再訪問し『ブラジルに於ける日本人発展史』(上下巻、一九四一年―一九四二年刊行)を執筆している。そのあとブラジルに戻るが戦時下はブラジルで敵性日本人として収監される。戦後もブラジル奥地のパラナ州にキリスト教の理想郷を作ろうとして失敗している。一九六五年にチエテの自宅にて七五歳で死亡した。政府の移民運動と一定の距離を取りキリスト教精神にもとづき良心的に移民活動を展開した生涯だったと言えよう。

つぎに民間の移民活動家として西沢太一郎を挙げたい。西沢は草創期から敗戦末期まで『海の外』の印刷発行人であった。信濃海外協会専任幹事、信濃海外移住組合理事として最初から最後まで運営の中心を担った。最後は信濃海外協会を追われるように一九四三年に日本軍による海南島開拓村の村長として中国に渡った。敗戦後に帰国するが、その苦労のためか一九五〇年に早々と死亡している。永田稠が日本力行会の『力行世界』で追悼文を書いている。

また信濃海外移住運動の民間活動家として諏訪出身の宮坂国人を挙げたい。一九三一年に平生釟三郎の懐刀として海外移住組合連合会の専務理事に就任した宮坂は連合会の現地法人ブラ拓の専務理事として昭和戦前期にサンパウロ州、パラナ州などの日本人ブラジル移住地経営を担う。さらに一九三六年には梅谷光貞が購入を進めたパラグアイ国コルメナ移住地を創設して南米日本人移住地をブラジルからパラグアイに拡大した。ブラ拓を農業移住地経営から金融・商工業中心の組織に改組する中心人物となる。みずからも一九四〇年にはブラ拓を改組して南米銀行の創設に参加して戦後に社長、会長に就任する。戦後ブラジル実業界の日系人の中心人物となる。ブラジル日本文化協会会長となり一九七七年サンパウロで死亡する。八六歳である。まさに日本人の海外発展を象徴する人物となった。
長野県初代拓務課長となった西沢権一郎は戦後一九五五年長野県副知事となり、社会党党友となり一九五九年には知事となる。社会党の支持で副知事、知事に選出されている。小平権一も同じであるが戦時下の「革新派」は戦後社会党に繋がる流れがある。一九七七年日中友好長野県民団長として訪中している。一九八〇年まで六選で二一年間知事となり歴代最長である。知事在任中に一九七一年にブラジルを訪問しているがアリアンサには行っていない。なおアリアンサを戦後初めて訪問した長野県知事は吉村午良である。西沢は一九八三年七六歳で死亡する。

西沢権一郎のあと拓務課長となった塩沢治雄は戦後一九四六年松尾村の初代公選村長に選出される。同時に下伊那町村長会長となる。一九五〇年死亡する。

以上、信濃海外協会はブラジル移民、満洲移民を通してさまざまな移民活動の担い手が登場する。それぞれの利害と関心が複雑に絡み合いながら長野県の移民運動が展開していく。『海の外』はそれらの人物が躍動する舞台であった。苛烈な長野県のブラジル・満洲移民史を体験したの彼らの個人史はいずれ誰かが明らかにするであろう。

最後に信濃海外協会の戦後の行方を述べて終わりたい。

戦時下一九四四年信濃海外協会は「発展的に解消」し、敗戦後GHQにより後継組織である長野県開拓協会は解散され海外移住組合法は廃案となり信濃海外移住組合は消滅する。しかし一九五〇年には信濃海外協会は再建される。会長は林虎雄長野県知事であり、理事には長野市長ほか長野県町村会長、信濃教育会、信濃毎日新聞社など県内有力団体が入る。その構成においてほぼ戦前の信濃海外協会の復活である。一九五二年に占領が終了すると海外移民は再開されてその後『海の外』は再び刊行される。

戦後、長野県の復員兵、朝鮮、中国、台湾、南洋、南北アメリカなど海外引揚げ者、満洲開拓引揚げ者などは再び戦後開拓として内地辺境への再開拓に向かう。しかし土地を捨てて海を渡った満洲開拓民は帰る故郷を持たずに県外開拓に向かうだけでなくブラジル移民など南米移民に向うものも多かった(17)。この戦後移民は高度成長とともに終焉に向かう。この戦後移民の動きを知るためには戦後『海の外』資料の復刻とその解読を待たなければならない。

以上から信濃海外協会の意義は、一九二〇年代から一九四五年の敗戦まで長野県民の戦前海外移民の運動の主要なアクターであったことである。ブラジル、満洲のみならず北米から朝鮮、台湾、南洋を含む世界のさまざまな地域に長野県民が新天地を求めて移住したことが分かる。その原動力となったのが信濃海外協会であった。

注

（1）一般的に「移民」と規定しているが出稼ぎによる労働力供給が目的の「移民」と農地を買収して定住農業を営む「植民」を移民史では区別すべきだという名村優子「アリアンサ移住地から考える二つの潮流」（『ブラジル特報』二〇一八年五月号）の指摘は正当である。土地所有のもつ移民の政治的意味が決定的に重要であるからだ。とりわけ満洲移民はまさに「植民」であり植民地創出が目的だったからである。ここではとりあえず「移民」（労働）と「植民」（農業）をふくめて移植民または移住と総称する。

（2）岡部牧夫『海を渡った日本人』（山川出版、二〇〇二年）二三頁。

（3）坂口満宏「誰が移民を送り出したのか」『立命館言語文化研究』二一巻四号、二〇一〇年。

（4）永田稠『農村人口問題と移植民』（日本評論社、一九三三年）五九頁、永田の言う「官民協力時代」とは移民史全体の時期区分ではない。北米で一九〇八年の紳士協定から「移民制限時代」になったが一九二五年から政府が国内情勢から移住者の進出を考えるようになり信濃海外協会、海外移住組合法など民間の諸団体と協力して海外移住を積極的に実行するに至って、ここに「官民協力時代」が出現したとした。「移民制限時代」と「官民協力時代」とを対比で述べたものに過ぎない。信濃海外協会の位置づけとして「官民協力」の意義を積極的に評価するための造語である。私の「民」、「官民協力」、「官」の移民の段階性とは異なる。

（5）飯田市歴史研究所編『満州移民―飯田下伊那からのメッセージ』（現代史料出版、二〇〇七年）五頁、図一―二（鬼塚博作成）による。

（6）「養蚕型」を日本農業の地主制展開に地域類型として初めて提起したのは中村政則（『近代日本地主制史経済』東京大学出版会、一九七九年）である。中村は日本の明治期産業革命の時代に近代地主制が確立しその地域類型として従来の東北型と近畿型に加えて「養蚕型」を措定した。中村の地主制論については森武麿「地主制史論」（浅井良夫・大門正克・吉川容・永江雅和・森武麿編『中村政則の歴史学』日本経済評論社、二〇一八年）を参照されたい。

（7）青木隆幸「大正中後期長野県財政の基本構造―満洲移民史研究の前哨として」『長野県立歴史館紀要』第二一号、二〇一五年。

（8）繭価格と繭生産費の比較は大内力『日本農業史』（東洋経済新報社、一九六〇年）の第一二一表、一九〇頁を見てほしい。

（9）石井寛治『日本蚕糸業史再考』（東京大学出版会、一九二三年）一七三頁の「戦前生糸世界市場における日・伊・中の三国の競争」と図7―1を参照されたい。

（10）グラムシの市民社会とヘゲモニー論は一九世紀マルクスの思想を二〇世紀において発展させたもので市民社会と社会運動と国家権力の関係を重層的に捉える理論である。アントニオ・グラムシはイタリアのマルクス主義者で第二次世界大戦前夜イタリアファシズムと闘い一九三七年に弾圧され獄中死した。グラムシの市民社会と陣地戦（社会運動）、そしてヘゲモニー（国家権力）の関係に関する理論は彼の「獄中のノート」の発見などにより再評価され、片桐薫による『グラムシ選集』（全六巻、合同出版、一九六五年）の刊行などとともに、その思想的営為が注目されている。最近のグラムシ研究では黒沢惟昭『現代に生きるグラムシ―市民的ヘゲモニーの思想と現実』（大月書店、二〇〇七年）を参照されたい。

（11）西沢権一郎については西沢権一郎回想録刊行会『清風爾来―西沢権一郎回想録』（第一法規出版、一九八四年）の巻末年譜と『長野県職員録』（一九二七―一九四四年）各年度版による。

（12）「戦後初の村長塩沢治雄」『むらの先覚者』（飯田市松尾公民館、一九九五年）三二四頁。

（13）座光寺久男『病とともに市造り二十年―駒ケ根市助役・市長の思い出』一九七九年。

（14）小平権一の農村経済更生運動とファシズムへの関係は「日本ファシズムの形成と農村経済更生運動」（森武麿『戦時日本農村社会の研究』東京大学出版会、一九九九年）を参照してほしい。

（15）永田稠編『信濃海外移住史』（信濃海外協会、一九五二年）二四四頁。

（16）同前書、二四三頁。

（17）森武麿「戦後開拓と満州移民―那須千振開拓組合を事例として」（『歴史と民俗』第三五号、二〇一九年三月）を参照されたい。

あとがき

本書は長野県の海外移民運動の促進援護団体として一九二二年に設立された信濃海外協会を対象に、機関誌『海の外』の分析を通して、ブラジル移民から満洲移民への転換と敗戦による解体の全過程を明らかにしたものである。

満洲移民やブラジル移民をテーマとしたのは私の問題関心とこれまでの研究活動の結果であるが、同時に現代の世界の動きも動機となっている。本書執筆の間にロシア・ウクライナ戦争とイスラエルのガザ空爆の悲惨な映像が日々流されていた。私には満洲移民と現代の戦争が重なるのである。一九三〇年代の満洲移民は日本の満洲国成立と日中戦争に深く連動している。またアメリカやブラジルへの日本人移民は現地で排日運動を引き起こし、その後の日米戦争と第二次世界大戦に繋がる。移民問題は深刻な民族対立によって戦争と深く関係するのである。日本にとって移民問題は今や外国の問題や過去の問題ではない。現代の問題を考える重要なテーマである。

本書は私の研究人生の一つの到達点でもあるので、本書を念頭にこれまでの私の人生と研究活動を振り返っておきたい。私の父は長野県上田生まれである。祖父は金沢生まれで旧制上田中学校（現在の上田高校）の教師として明治の末に上田に住んでいた。そのため父は上田で生まれ育ったのである。祖父は大正期には長野県から東京目黒に移転したので、父も小学校から東京に移った。その後父は一九三〇年代後半にサラリーマンとなり一九四一年には母と結婚し戦時下の九州に転勤した。父は一九四五年二月に米軍を迎え撃つ本土決戦のために動員され、千葉県の九十九里浜で塹壕を掘っていた。母は戦時下空襲を避けて岡山県笠岡市にある瀬戸内海の神島で一九四五年九月に私を産んだ。父は敗戦後無事除隊となり九州に戻った。そのため私は神島から生まれてすぐ九州に移動したので岡山の島の記憶はない。そのあと幼児期を九州博多近くで過ごし一九五二年に東京に引っ越しとなる。私は小さいころから戦争の苦労話は父と母から聞かされていた。こうした私の家族と長野県との関係、第二次世界大戦での空襲を逃れての出産、敗戦という環境のもとに私が生まれたことがその後の私の研究にも影響している。

さて、本書での私の研究上の方法論は私の五〇年以上におよぶ研究人生が反映していると思っている。そこでこれまでの研究活動を振り返っておきたい。

戦後父が九州から東京へ転勤し私も小学校から東京に移りそのまま大学へと進学した。一九六四年に一橋大学経済学部に入学し、三年ゼミで日本経済史の永原慶二先生の指導を受けた。永原先生は東京大学国史科出身であり史料編纂所を経て一橋大学に移籍した。方法的にはマルクスの思想に学ぶ中世史家であり歴史学者である。近代史では講座派を評価していた。永原ゼミ三年の最初の共同調査では山梨県の地主制調査に参加した。これが私の歴史学研究の手ほどきの第一歩となった。卒論は「ファシズム移行期の農業政策」であった。一九二〇年代、三〇年代農政の研究である。永原先生は中世史だけでなく近世史も近代史も研究された万能歴史家である。一九五〇年代後半には東京大学社会科学研究所では磯田進編『村落構造の研究』（東京大学出版会、一九五五年）と宇野弘蔵編『地租改正の研究』（東京大学出版会、一九五七年）の共同研究で江戸時代から明治の農村研究を担当されていた。私の指導でも先生は近代農政史なら『農林行政史』（全五巻農林省編纂）を読みなさいと言われてその通り実行し卒論を書き始めたのである。

同時に永原先生のもとで専任講師・助教授として私の大学院の研究指導をしていただいたのが中村政則先生であった。中村先生から地主制論を通して地域の経済史から天皇制国家に至る構造的把握と全体史の重要性を勉強させてもらった。

さらに四年の卒論の指導では一九三〇年代の「日本ファシズム」をテーマに選択したので一橋大学社会学部の藤原彰先生の指導を受けた。藤原先生には農業政策の文献として産業組合中央会の機関誌『産業組合』と若手の内務官僚・農林官僚が書いている『斯民』を読むことを薦められ、ファシズム期の政治研究を指導していただいた。農村経済更生運動に関心を持ったのはこの時であった。藤原先生には大学院生の時代に歴史学研究会編『太平洋戦争史』（全六巻、青木書店、一九七二―一九七三年）の研究グループに参加させてもらった。先生は「学問は白兵戦である。最前線で一兵卒として戦うことで成長する」といわれた。そこで藤原編『太平洋戦争史』に拙い農村経済更生運動と経済新体制の部分を書かせていただいた。この時に藤原先生の研究グループに参加して、東京大学大学院生でありながら一橋大学の藤原先生を慕って指導を受けにきた粟屋憲太郎氏と出会った。こうして学生から大学院生を通して一橋大学で永原慶二、中村政則、藤原彰の三先生が私の指導教官となった。

私の大学院時代は、昭和恐慌から五・一五事件、二・二六事件など急進ファッショ化の動きの背景は農村の窮乏にあるとして、ファシズム形成期の農村と農民統合を農村経済更生運動に焦点を当てて研究した。農村経済更生運動は昭和恐慌危機を乗り越えるための国家による新たな農民統合政策であり官制国民運動であった。私はその中で産業組合＝協同組合運動に注目し、産業組合を担う農村中間層の動きに注目し、政府が進める農村更生の指導者となる農村中心人物、農村中堅人物の要請がこの時代の中心問題であると考えた。さらに一九二〇年代の農村中間層から生み出された左翼農民運動指導者が一九三〇年代には政府の政策と中堅人物養成に呼応して転向していくこと、さらに下層民に対しては政府の満洲移民政策が恐慌の排外主義的脱出策であるとした。こうして一九七一年に歴史学研究会現代史部会の大会報告をしたのである。歴研大会報告が私の最初の論文である。

私の研究対象地は群馬県勢多郡芳賀村である。この調査地を設定してくれたのは永原ゼミの先輩であった西田美昭氏である。西田氏はすでに高崎経済大学に勤務しており群馬県の史料の所在はよく知っていた。同時に西田氏は一橋大学で大学闘争のあと自主ゼミを開講し、農業問題担当の講師となり若手の院生が参加していた。その院生の一人が私であった。また西田氏は農林省の農政調査会の農地制度資料集成の編集事業に関係していた。そこでの小作争議関係資料でも西田氏にお世話になった。研究の良し悪しは史料によって決まる。とくに地域研究では史料の所在を知っている人を探すことが大切である。西田氏はその意味で自主ゼミの指導とその研究の恩人である。

対象とした芳賀村は勢多郡で赤城山麓にあり山も近い養蚕地である。また隣村は宮城村であり関東軍満洲移民の立案者である東宮鉄男の出身村である。まさに群馬県も満洲移民の背景にある養蚕危機の現場であった。私の二〇代の研究の出発点は養蚕危機の村でもあった。養蚕危機と日本ファシズムの関係が私の一九三〇年代論の課題であった。

私は世界恐慌という経済危機を背景とした農村更生という官製国民運動を研究対象として、そこでの農村中間層に焦点にして産業組合運動、農村中堅人物養成、農民運動の右傾化、満洲移民送出も含めて広く社会運動として明らかにしてファシズムの政治統合を考えようとしたのである。

同時にこれら政治と社会変化の基底に、経済史としては戦時下の資本主義の変化と地主制の構造変化があるとした。すなわち一九三〇年代から総力戦を通して戦後に定着する現代資本主義の形成（当時の用語では新たな国家独占資本主義段階）と地主制解体過程（農地改革への道）の中に農村経済更生運動を位置づけようとした。これを中部養蚕地帯である群馬県を対象として実証的に論じたのである。その一九三〇年代論の成果はのちに『戦時日本農村社会の研究』（東京大学出版会、一九九九年）として刊行されている。

私が一橋大学・大学院を卒業後に二九歳で最初に就職したのは駒澤大学経済学部であった。その時の同学部教員に浅田喬二先生がおられた。満洲移民の先駆的研究者であり大きな影響を受けた。また渋谷隆一先生も経済史・金融史の研究者で一緒に山形県庄内風間家の共同研究を行った。満洲移民研究と山形県地域調査は駒澤大学の同僚研究者からの刺激が大きかった。

また私は駒沢大学で教職を得てからは、若手の研究者および大学院生とともに地域共同研究を積極的に進めた。当時は大学闘争のあとであり、一橋大学でも院生の発意で自主ゼミを結成してその組織に単位を授与する制度が存在した。私は一橋大学の自主ゼミ指導教官となったのである。参加者は一橋大学の院生を中心に栗原るみ、大門正克、平賀明彦、林博史に明治大学の院生白戸伸一、専修大学の院生青木猛、駒澤大学の院生渡辺新諸氏が加わった。岐阜史料調査の便宜を計ってくれたのは岐阜大学の坂井好郎氏である。この共同研究では一九二〇年代論として岐阜県西濃地方の農村を対象として農民運動を中心に実証研究を行った。官製国民運動から一転してそれに対抗する左翼農民運動を研究したのである。社会主義思想の在地への浸透が小作争議と新たな農民組合運動を生み出した。こうした調査のもとに地主制に対抗する小作争議、農民運動とそれに対する農民統合の動きを森武麿編『近代農民運動と支配体制―一九二〇年代岐阜県西濃地方の農村をめぐって』(柏書房、一九八五年)としてまとめた。

岐阜小作争議は全国でも小作争議発祥地として注目されており農林省調査が行われた。その結果農商務事務官小平権一による「岐阜県県下に於ける小作紛争に関する調査復命書」が出された。私は先の群馬県調査でもお世話になった西田美昭氏と永原ゼミの先輩の楠本雅弘氏の助けを借りてこの小平復命書を手に入れて、若手研究者とともに初めて岐阜県西濃地方に調査に入ったのである。

激化する小作争議の衝撃は小平権一ら農林官僚を通して小作法案構想から小作調停法を生み出している。小平は若手農林官僚として第一次世界大戦後に国際労働機関ＩＬＯに参加して欧米の先進的な労使関係、地主小作関係を学んでいた。そのなかから小作争議、農民運動に対抗する支配の新たな方式として小作法案・小作組合法案と小作調停法、そして産業組合主義を生み出していったのである。

ここで私が注目したのは小平権一が構想した産業組合主義とは協同組合を階級融和組織として位置づけていたことであった。ここで少し長くなるが本書の主題にも関係するので私の産業組合論の真意を述べておく。

元々日本の産業組合は中産者階級の国家的保護、すなわち中堅農民を国家の中核として保護育成する明治の産業組合法(一九〇〇年)設立の思想から生まれる。そのため産業組合は下層農民ではなく農村の支配層である中小地主・耕作地主によって村落の共同体秩序を基盤に設立された。彼らは地方銀行には頼れず、在地の商人高利貸にも頼らずに農民共同で信用組合を組織したのである。さらには一九一〇年代からの小作争議の激化には村落指導層によってその解決の手段としての役割も担った。私はこれを上からの協同主義であると考えた。この上からの協同主義は労働者の生活の協同化、中下層農民の生産・流通の協同化というこれまでヨーロッパ、とりわけイギリスのロッチデール協同組合系で始まった労働者、農民による下からの協同組合系譜とは異なるものであり、ドイツのライファイゼン系協同組合系の国家による上からの協同主義に近いものと考えた。このように日本の農商務官僚の産業組合主義とは農民の経済的組織化を強力に推進し農民の利害とは別に、国家の政治的目的の手段、資本の農村浸透の手段として協同組合は利用されていく。これは戦後の政治権力と農協とのつながりの原型でもある。

こうして一九二〇年代農商務官僚の構想が一九三〇年代の農林省の産業組合拡充運動に繋がる。それに反発したのが常民の思想をもって民衆の立場に立つ民俗学者柳田国男である。協同組合は無条件に労働者・農民の利益団体となり民衆の解放組織になるわけではない。ここから私は農民組合や協同組合などの社会集団、中間団体を国家が上から支配するか、民衆が下から組織するかのヘゲモニーをめぐる争いが最終的に国家社会を動かすのだと考えたのである。

この共同研究で収集した史料は先の小平権一の復命書とともに不二出版から『岐阜県小作争議資料集成』全三巻(解説森武麿、一九八七年)として刊行された。

また一九二〇年代の政府の小作問題対策に関しては社会政策審議会で石黒忠篤や小平権一ら農政官僚を中心に検討されており、それに関する基本資料として『社会政策審議会資料集』全六巻(解説西成田豊・森武麿、柏書房、一九八八年)を刊行している。本書でも長野県ブラジル移民の海外移住組合法や満洲移民で中心人物となる小平への私の関心はこの時からである。

以上私の一九二〇年代論ではタイトルの『近代農民運動と支配体制』に示されるように方法は「運動と支配」である。それは一九三〇年代の農村経済更生運動の「運動と統合」を継承するものであり「抵抗と統合」でもある。経済的条件に規定された社会運動が大正デモクラシーの社会的基盤となり政治支配=統合の新しい段階に引き上げていくという論理である。これらは当時の主流であった農民運動論として西田美昭編著『昭和恐慌下の農村社会運動―養蚕地における展開と帰結』(御茶の水書房、一九七八年)、大石嘉一郎・西田美昭編著『近代日本の行政村―長野県埴科郡五加村の研究』(日本経済評論社、一九九一年)に代表される農村社会運動と行政村分析の影響を受けている。

私は社会運動と政治と関係を重視し、左翼社会運動が政府の新たな国民統合を生み出す社会的背景と同時に新たな支配体制に関心を持っていた。私はとりわけ一九二〇年代の社会運動のなかで産業組合運動に注目していた。一九三〇年代の農村経済更生運動の関係で産業組合運動と農民運動の関係を明らかにしたかったのである。その後二〇年間の私の研究をふまえて一九二〇年代論の成果はのちに私の単著『戦間期の日本農村社会―農民運動と産業組合』（日本経済評論社、二〇〇五年）として刊行されている。

私の次の研究課題は一九四〇年代論として一九四五年の敗戦をはさんで戦時と戦後の連続を明らかにする共同研究を組織した。その成果は森武麿・大門正克編『地域における戦時と戦後―庄内地方の農村・都市・社会運動』（日本経済評論社、一九九六年）である。参加者は宇佐見正史、源川真希、沼尻晃伸、大川裕嗣、岩井サチコの諸氏である。さらに現地で史料に詳しい山形大学の森芳三氏、さらに私の駒沢大学ゼミに卒論指導を求めて参加した山形県出身の法政大学の院生高嶋信氏が共同研究を側面から援助してくれた。

一九四〇年代でも戦時期の地域の社会運動として石原莞爾が指導する東亜連盟、皇道自治会など右翼農民運動の展開と戦時農村社会の変遷、また戦後改革により変貌する戦後地域社会を、戦後再生した日本農民組合による新しい農民運動の台頭と戦後支配体制の再編という視角から明らかにしてきた。戦時と戦後の連続と断絶は共同研究の課題であった。また一九四〇年代では農村だけでなく地方都市に視野を拡大した。一九四〇年代においても経済変動による社会運動の展開を焦点にして政治統合の変化を明らかにすることは我々の一貫した方法であった。この鶴岡共同調査のあと庄内の近代地主制の展開を渋谷隆一氏を中心にしてまとめた。それが渋谷隆一・森武麿・長谷部弘『資本主義の発展と地方財閥―荘内風間家の研究』（現代史料出版、二〇〇〇年）である。これは山形県では酒田の日本一の大地主である一〇〇〇町歩地主本間家に次ぐ鶴岡の五〇〇町歩の大地主風間家の経営分析である。私の担当は昭和期地主制である。ここで庄内の広大な水田地帯における地主小作関係と大地主の行動様式を理解できるようになった。

また山形県鶴岡調査は私にとって満洲移民研究の重要なステップとなった。山形県は長野県に続いて満洲移民送出が多い県であり、特に庄内大和村は満洲移民の全国的な模範県であった。庄内鶴岡を研究するなかで山形県の移民は加藤完治の影響が大きいことがわかった。また満洲事変を引き起こした石原莞爾の戦時下と戦後の思想と行動にも興味をひかれた。さらに満洲移民の旧大和村で満洲移民指導者富樫直太郎と出会ったことは大きな衝撃であった。九〇歳を過ぎた富樫直太郎に対して面と向かって戦争責任を問うたのである。それに対する答えは「酷いことをした」と言うだけである。富樫は逃避行で妻も子も失っている。私の無神経な問いへの答えは絞り出すような声であった。忘れられない。満洲移民を在地の指導者の面からいずれ研究をまとめたいと思った瞬間である。

さらに私の次の研究課題は一九五〇年代として都市近郊農村として高度成長開始で急激に変貌する地域社会を明らかにする共同研究を行った。それが森武麿編著『一九五〇年代と地域社会—神奈川県小田原地域を対象として』（現代史料出版、二〇〇九年）である。当時一橋大学社会学部の大串潤児氏が一九五〇年代の研究会をやりたいとの提案があった。そこで沼尻晃伸、高岡裕之、永江雅和、森脇孝弘、中村一成、小林啓祐、大西公恵の諸氏に呼びかけて一九五〇年代研究会を組織したのである。ここでも現地の資料に詳しい小田原市史編纂事務局の星野和子氏が協力してくれた。

ここでも方法は一九五〇年代に急激な経済変動を経験した首都圏に包摂される小田原市の社会、生活、教育、文化の諸側面から明らかにすることであった。経済と社会と政治面の関係を明らかにしたいと思った。戦後改革から高度成長に至る過渡期にある一九五〇年代の地域社会の固有の時代的特徴を明らかにすることが課題であった。残念ながらここでは政治的総括ができなかったが、経済と社会の多面的な関係から、農村のみならず地方都市の変貌を歴史的に位置づけた。

以上から私の研究活動が一九二〇年代論、一九三〇年代論、一九四〇年代論、一九五〇年代論を通して、地域の社会運動が上からの政治を導き出し、そのことによって新たな支配統合の方式がどのように形成されるかを課題としてきたことが分かるであろう。中央政治の変化を地域社会の変化の基底からとらえ直すことであった。すなわち地域における経済と社会運動と政治的支配の重層的関係である。そのため社会運動を媒介にして経済と政治の統一を図ることであった。私は中央政治の変化を見定めながらそれを地域社会の末端の変化としてとらえなおすことを考えたのである。そのためには地域末端に徹底的にこだわることである。

以上の課題は経済史研究者一人で出来ることではなく他分野の人との共同研究でなくてはできないことであっ

た。そのために私は一九二〇年代から一九三〇年代、一九四〇年代、一九五〇年まで一〇年ごとに時期区切って、その時代の特徴を最も表現している日本の地域を選び調査対象を設定した。年齢的には二〇代の一九三〇年代研究は群馬県を対象地として一人で調査研究を行ったが、三〇代は岐阜県西濃地方、四〇代は山形県庄内地方、五〇代は神奈川県小田原市まで、一〇年ごとに対象とする時代と調査対象地を変えながら日本社会の変貌を明らかにするために三つの共同研究を組織してきた。

共同研究を中心に自己の研究を進めてきたなかで通史を書く機会が二回あった。一つは経済史で『現代日本経済史』（有斐閣、一九九三年）と後に述べる『アジア・太平洋戦争』（集英社、一九九三年）である。ともに一九九三年である。ここが私の研究の転換点である。当時の私は一九四〇年代論で戦時と戦後の連続と断絶を考えている時であった。『現代日本経済史』は戦前一九三〇年代からを現代史の始まりとして戦後高度成長につながる日本経済の通史をまとめたものである。共同執筆者は浅井良夫、伊藤正直、春日豊、西成田豊の四人であった。この著書では私は戦後経済史について他の研究者から学ぶことが大きかった。私の担当は一九三〇年代から敗戦までの経済史であり戦後経済の前史として一九三〇年代、一九四〇年代前半を位置づけることを意図した。戦時と戦後の経済の連続と断絶の問題が念頭に置かれていた。これまで地域経済を研究してきたが一九二〇年代から一九五〇年代に至る歴史を全国レベルでの経済史の視点で通観することが目標であった。これがこのあとの満洲移民の研究の前提となったと言えよう。

ここまでの一〇年ごとの地域史研究の方法を次の移民研究という全く違う研究史の分野となる満洲移民・ブラジル移民に入っていった。そこで六〇代での満洲移民研究の経緯を述べていきたい。

これまで述べてきたように一九七〇年代から二〇〇〇年代まで地域社会経済史を専門としており、最初の論文で農村経済更生運動との関係で満洲移民を簡単に論じたことがあるが、本格的な移民研究はしてこなかった。

私の移民研究への転機はさかのぼって一九九三年一月の集英社版『日本の歴史（20）アジア・太平洋戦争』である。集英社版『日本の歴史』第二〇巻は満洲事件から太平洋戦争の時代である。

しかも執筆した時代は一九八九年のベルリンの壁崩壊と社会主義体制の崩壊、一九九一年のソ連邦の解体の激動の時代であった。私にとっても一九八九年ショックは大きく従来の歴史観の再検討が必要であった。マルクス主義の影響のもとに形成された戦後歴史学が批判にさらされるなか、私の通史は山之内靖氏らの「総力戦と現代化」論、すなわちポストモダンによる戦時と戦後の連続論との対決を求められていた。

私は戦後歴史学の日本帝国主義批判を継承し、ポストモダン論には批判的であった。太平洋戦争を論じるにあたってアジアへの加害責任を徹底的に明らかにする必要を感じていた。そのために木坂順一郎氏などが使い始めていた「アジア・太平洋戦争」を集英社版のタイトルに決定した。これまでの太平洋戦争論が日米決戦と国民被害に目が行くことが多かったのをアジアへの加害と戦争責任に力点を置いた。それがこのあとの満洲移民研究に繋がるのである。

また同時に戦後歴史学の戦時と戦後の一面的な断絶論には批判的であった。戦時と戦後の連続論を視野に入れながら断絶論を再検討することが必要であった。そのために戦時下の新たな研究が必要であった。この時に取り組んでいたのは山形県を対象とした一九四〇年代論の共同研究である。

私は通史を書くなかで戦時・戦後断絶論と同時に従来の資本家と労働者関係、地主と小作関係の変化に歴史の展開の原動力を見る階級論だけでは十分ではなく、民族対立、民族差別などナショナリズムの問題を考える必要を痛感していた。とくに日米戦争の背景に日米の民族の感情的対立があった。アメリカのベルサイユ会議で日本が提起したのはアメリカにおける日本人差別の問題であった。さらに一九二四年の排日移民法で日本人移民は事実上禁止された。このような露骨なアメリカの民族差別が日本人の対日感情を逆撫でしており一九二〇年代以降の反米思想の背景となっていた。もちろん当時の日本人は朝鮮人・中国人差別を抱えており、日清戦争から満洲事変と満洲移民はその日本人のアジア人差別の裏返しでもあった。このように移民問題、民族問題が日米戦争、日本のアジア侵略を含むアジア・太平洋戦争の背後にあることは明らかであった。

また一九九二年にはロサンゼルス市街地中心部の黒人居住地区でワッツ暴動が起きていた。そこでは周辺に住む韓国系アメリカ人が黒人暴動に対して銃で対抗していた。黒人とアジア人の複雑な民族対立である。アメリカにおける民族問題は深刻化していたのである。

そこで私は集英社版『日本の歴史』を書き終わってそこで少し触れたアメリカにおける日系人強制収容所から民族差別と対立問題を研究してみたいと思った。こうして一九九三年四月から一年間アメリカのカルフォルニア州立大学ロスアンゼルス校（ＵＣＬＡ）に留学したのである。

アメリカ留学では研究テーマを戦時下のアメリカ日系人移民とした。ＵＣＬＡに日系アメリカ人研究プロジェクト（ＪＡＲＰ）の資料が保存されていた。その研究者である日系二世のユウジ・イチオカ（市岡雄二）先生に留学指導をお願いした。イチオカ先生は『一世─黎明期アメリカ移民の物語』（刀水書房、一九九二年）を刊行しており日系人研究の第一人者であった。

一九九三年カリフォルニア大学留学の時に衝撃を受けた出来事がある。前年のハロウィンのときアメリカ人宅を仮装して訪ねた日本人留学生で高校生であった服部剛丈君一六歳が射殺された。その服部事件の判決は私がロスに到着した四月に下され、無罪となった。陪審員がほとんど白人で射殺された被害者が日本人、アジア人であったことが背景にある。日系人差別である。これはショックであった。さっそくロサンゼルスの日系人新聞『羅府新報』に差別批判の投稿をした。すると同じ新聞投稿で私の文章に並べて射殺した白人を弁護する日系人の文章が掲載されていた。このようなことが起きないように日本人高校生はもっと注意すべきであったという意見である。これは犯人弁護である。日系新聞編集部のバランスであろうが釈然としなかった。日系人差別は一九九〇年代のアメリカでもあるのではないかと思った。移民差別の根深さを知らされた事件であった。

当時ユウジ・イチオカ先生の下には飯野正子、粂井輝子、竹沢泰子、油井大三郎諸、東栄一郎氏など優れた研究者が集まっていた。しかし私の研究期間が短くカリフォルニア大学の日系人移民史料を十分に読みこなすことができなかった。サンフランシスコでの日系人への聞き取りと、日系人強制収容所をめぐる旅で留学期限が終わってしまった。この間私はカリフォルニア州を中心に戦時下のアメリカの五つの日系人強制収容所を訪ね歩いた。真珠湾攻撃のあと一九四二年二月にローズベルト大統領は敵対的であるとして日本人移民に対する強制収容命令を出し、一般日本人向けには一〇の強制収容所が作られた。とくに印象に残っているのはカルフォルニア北部のツールレイク日系人強制収容所跡を訪ねた時である。この収容所は一〇箇所ある日系人収容所のなかで、アメリカ国家に対して最も敵対的な日本人移民を収容していた。つまり一世でアメリカ軍の徴兵を拒否し、天皇への忠誠を捨てない移民者だけを収容した場所であった。このとき強制収容所の建物は残っていた。そのバラックの収容所の壁に「天皇陛下万歳　大日本黒龍会」と鮮やかに黒く日本語で書かれていた。アメリカ人は解らないかもしれないが黒龍会とは頭山満の系譜を引く内田良平が、一九〇一年に設立した大アジア主義を唱える極右団体である。その影響が日本人移民に及んでいることが分かった。私はツールレイク収容所を対象として日本人移民を追いかけるのも面白いと思いながらも一年はあっという間に過ぎてしまった。

だがイチオカ教授の下でのアメリカ日系人移民研究者との交流は刺激的であった。またこの留学期間に一橋大学の加藤哲郎氏と交流が深まったことは成果であった。加藤氏はコミンテルン研究からアメリカ西海岸で活動する日系アメリカ人の共産党活動家を追跡していた。彼らは戦時に日系人の弾圧を逃れてスターリンに憧れてソ連に亡命するもの（「アメリカ亡命」組）もおり加藤氏はそれを徹底的に追跡していた。

日系移民は一九三〇代の日米摩擦の原因だけでなく結果としてソ連スターリン粛清とも連動したのである。私の留学中に加藤哲郎氏から日系移民に関する書籍調査の依頼もあり、その後も多くの著書をもらい日本人移民を広く国際的に政治と社会運動の視点から見ることの大切さを知らされた。

私の次の移民研究の転機は、それから八年後の二〇〇二年に新設された長野県飯田市歴史研究所の近現代の顧問研究員となったことである。ちょうどそのとき長野県飯田市に一九五〇年代史研究会で調査に入り、一橋大学の学生を連れて天龍社の調査をしており、飯田市歴史研究所の設立準備をしていた飯田の齊藤俊江氏にお世話になっていた。その関係で飯田市歴史研究所設立の現代の顧問研究員に推薦されたのである。設立当初の飯田市歴史研究所では齊藤氏らはすでに満洲移民の下伊那からの帰還者の聞き書きをしており、私もその聞き取りに参加した。また研究所の研究として戦後引揚げ者の戦後開拓を調査した。設立から数年経ち下伊那を対象として満洲移民をまとめる仕事を担当することになった。その成果が飯田市歴史研究所編『満州移民―飯田下伊那からのメッセージ』（現代史料出版、二〇〇七年）である。執筆者は序文に中村政則先生、共同執筆者に齊藤俊江、本島和人、鬼塚博の諸氏である。ここでの現地での史料に詳しい人物は齊藤俊江氏であった。このような市民研究者の存在の大切さを飯田歴史研究所の経験で知らされた。こうして二〇〇〇年代の六〇代の一〇年間は飯田市歴史研究所の顧問研究員となって満洲移民に本格的に向き合うことになった。

とくに新たな満洲移民研究の視点として下伊那の満洲引揚げ者の聞き取りを中心にしたことである。引揚げ者の足跡をたどり長野県内のみならず県外の戦後開拓を研究した。その成果は一橋大学定年後に移籍した、森武麿編『戦後開拓―長野県下伊那郡増野原　オーラルヒストリーからのアプローチ』神奈川大学歴史民俗調査報告第一六集（二〇一三年）に纏められた。執筆者は私とともに飯田市歴史研究所の齊藤俊江氏、向山敦子氏に神奈川大学院生の小野桂、松下（加藤）里織、松本和樹諸氏に中国留学生の李暁倩、英萄諸氏である。とりわけ聞き書きでは飯田在住の齊藤俊江、向山敦子諸氏の協力なくしては不可能であり、市民研究者との共同研究に新鮮な刺激を受けた。

また二〇〇四年に安孫子麟氏が満洲開拓地を回るというので同行をお願いした。安孫子麟氏は浅田喬二氏と並んで満洲移民研究を早期に研究された先達である。同時に日本近代地主制研究の開拓者でもある。私は中村政則先生とともに大学院時代から安孫子氏の論文を読んで勉強していた。また安孫子氏は村落社会研究でも近代村落の共同体解体論でも学ぶことが多く、農村経済史・農村社会史でも尊敬すべき先輩研究者であった。そこで安孫子氏の晩年に安孫子地主制論の解題を頼まれ、同時に安孫子麟著作集の編集も担当した。『安孫子麟著作集』全二巻（八朔社、二〇二四年）である。安孫子麟氏とは直接の師弟関係なかったが、安孫子先生からはこれらの著作から満洲移民研究で学んだことは大きい。

さらに私は二〇〇七年一橋大学定年退職後に神川大学歴史民俗資料学研究科に福田アジオ氏と田上肇氏の紹介で

移籍した。そこでは日本常民文化研究所研究員を兼ねることになった。ここで取り組んだのがブラジル移民であった。日本常民文化研究所は渋沢栄一の孫の渋沢敬三が設立した民俗学研究所である。渋沢栄一はブラジルへの日本人定住移民の始まりであるイグアペ植民地建設のスポンサーの役割を果たしていた。イグアペ植民地で最初に建設された桂植民地の現地記念碑に渋沢栄一の名前が記念碑に刻まれている。渋沢栄一はブラジル移民送出の資金源であった。そのために二〇一二年に日本常民文化研究所では佐野賢治氏をリーダーとして、事務局を泉水英計氏が担当してブラジル日系人移民の研究会が組織されたのである。その共同研究のなかに私の神奈川大学大学院ゼミの加藤里織氏が参加した。

このブラジル日本人移民の研究成果が共同研究報告書『ブラジル日本人入植地の常民文化』民俗歴史編（日本常民文化研究所刊行、二〇二一年、非売品）である。そのなかの一論文として私の「ブラジル移民から満洲移民へ―信濃海外協会と日本力行会を対象として」が所収されている。この論文が本書の元原稿である。ブラジル移民研究は私の七〇代の研究となる。

以上のように私は二〇代から一〇年ごとに対象時期と対象地域を変えて研究してきたことになる。二〇代の群馬県農村経済更生運動、三〇代の岐阜県小作争議、四〇代の山形県戦時・戦後論、五〇代の神奈川県一九五〇年代論、六〇代長野県満洲移民、七〇代長野県ブラジル移民である。

本書の分析対象である『海の外』との出会いは満洲移民ではなくこのブラジル移民研究からである。ブラジル移民で長野県人のアリアンサ移住地を調べる中で永田稠の日本力行会、そして信濃海外協会の重要性を初めて知ったからである。ここから本書の対象とした信濃海外協会機関誌『海の外』の二五〇冊の解読が始まるのである。

『海の外』については本論では内容分析に終始して史料としての収集過程についての解説を十分書くことが出来なかったのでここで簡単に述べておきたい。

本書での『海の外』の収集に関しては二〇一二年日本常民文化研究所の共同研究「日本人ブラジル移民入植地の

歴史民俗学的研究」が開始されたことが出発である。しかし日本常民文化研究所の先の研究会の中心は渋沢栄一が資金的に関与したイグアペ植民地レジストロ開拓地を対象としており、長野県移民団が移住したブラジル・アリアンサ移民に関心を持つものは私だけであった。私が飯田市歴史研究所顧問研究員だったためである。そのため『海の外』は私が単独で調査することとなった。

私は最初に信濃海外協会の事務局を担った日本力行会を訪問して『海の外』のバックナンバーを調査した。しかし力行会で所蔵している『海の外』は一九二九年二月号から一九三四年一一月号までの五年間に過ぎない。これでは一九二二年から敗戦の一九四五年まで刊行された『海の外』の全体像はつかめない。そこで私は信濃海外協会の事務局が戦前長野県庁内に置かれたので、その機関誌は長野県立歴史館にあるものと思い現地調査した。二〇一七年調査では長野県立歴史館の青木隆幸さんが対応してくれた。長野県立歴史館では創刊号の一九二二年から一九四〇年まで、日本力行会が保存していない号数がほぼ揃っていた。しかしそこでも欠号が多い。一九三五―一九三六年、一九四〇年以降一九四五年の敗戦までが欠号である。この欠号を探すのが大変であった。

インターネットで全国の図書館のデータベースをくまなく調べた。とくに長野県立図書館、北海道大学などが『海の外』の保存が良好であると分かった。そのため不二出版編集部でそれら図書館に『海の外』撮影に向かった。ここで一九四〇年以降の戦時下の『海の外』の欠号部分を補充したのである。

二〇一七年以降不二出版編集部でも欠号を公的機関で収集してくれたが、どうしても公的機関では見つけられない欠号があった。とくに保存されているだろうと思った信濃教育会でもほとんど見つけることは出来なかった。

そのため二〇二四年一月には最後の手段として不二出版から信濃毎日新聞の広告欄で『海の外』の欠号を探索中であるとして、その蒐集を長野県民に直接に呼び掛けてくれた。その結果一九四〇年の以降一九四三年までの『海の外』の欠号がかなり発見された。これは不二出版のおかげである。

また『海の外』が一九四三年に刊行途絶のあと、一九四四年七月から一九四五年五月まで『海の外』の後継雑誌として『信濃開拓時報』が刊行されていることがわかった。所蔵先は信濃教育会下伊那教育会館などであった。これは飯田市歴史研究所調査員であった齊藤俊江氏からのご教示である。こうして『信濃開拓時報』を一九四五年の敗戦近くまで収録することが出来たのである。

それでも今回収集の『海の外』は一九三五―一九三六年という満洲移民が本格化し一〇〇万戸移民の開始時期の重要な号が欠落している。つまり一九三四年の関東軍主導による満洲移民大会議から一九三六年二・二六事件を経て実施される満洲一〇〇万戸移民の立案過程に当たる重要な時期が欠けている。

以上のようにこれまでの収集活動を通して『海の外』の全体の保存状態は悪く大学研究機関や図書館など公的機関でも所蔵は少ない。このため『海の外』の研究は進まなかったものと思われる。長野県においても『海の外』保存が不十分な原因は『海の外』誌上で日本人海外移民の個々人の行動と発言が記録されており戦争責任にも関係するのでかなり処分されたのではないかと思われる。実際に満洲移民を高級官僚として推進した小平権一は公職追放となっている。そのため『海の外』の収集作業は困難であり時間がかかったのである。本書の総目次で残された欠号は今後の調査で発見され補遺として刊行されることを望みたい。


本書執筆に際して多くの人たちのお世話になりました。すべての人の名前を挙げることは出来ませんが、とくに満洲移民の地元資料探索でお世話になった齊藤俊江氏、本書索引の作成でお世話になった向山敦子氏に厚く御礼を申し上げます。また、『海の外』の資料閲覧でお世話になった長野県立歴史館の青木隆幸氏と鈴木実氏、また大日向調査では大工原千恵氏、そしてブラジル調査では永田翼、木村快、田中直樹、名村優子、松阪健児、深沢正雪の諸氏に感謝いたします。

最後になりましたが本書の刊行に関しては不二出版会長の船橋治氏、前社長の小林淳子氏、そして不二出版編集部で私の間違いの多い文章を丁寧に校正していただいた宮崎智武氏に感謝申し上げます。

二〇二五年二月

森　武麿

肖像写真 出典一覧

30頁　今井五介　　西沢太一郎『創設十年』（信濃毎日新聞、1936年）
31頁　小川平吉　　坂本令太郎『近代を築いたひとびと　3』
（信濃路、1975年）
35頁　永田稠　　　アリアンサ移住地八十年史編纂委員会編著
『アリアンサ移住地創設八十年』
（アリアンサ日伯文化体育協会、2012年）
37頁　輪湖俊午郎　西沢太一郎『創設十年』（信濃毎日新聞、1936年）
38頁　西沢太一郎　アリアンサ移住地史編纂委員会編
『創設二十五年』（信濃海外協会、1952年）310頁。
54頁　本間利雄　　西沢太一郎『創設十年』（信濃毎日新聞、1936年）
55頁　梅谷光貞　　西沢太一郎『創設十年』（信濃毎日新聞、1936年）
80頁　片倉兼太郎　西沢太一郎『創設十年』（信濃毎日新聞、1936年）
105頁　平生釟三郎　西沢太一郎『創設十年』（信濃毎日新聞、1936年）
106頁　宮坂国人　　西沢太一郎『創設十年』（信濃毎日新聞、1936年）
184頁　小平権一　　楠本雅弘編著『農山漁村経済更生運動と小平権一』
（不二出版、1983年）
258頁　浅川武麿団長と堀川清躬開拓団長
『満州·浅間開拓の記―長野県大日向分村開拓団の記録』
（銀河書房、1983年）

本論索引（人名）

【あ】

青柳郁太郎　24, 26, 90
浅川武麿　226, 258-261, 263-271, 277, 291, 326
新井　正　227
荒木貞夫　140, 141
石射猪太郎　87, 120, 121
石垣倉治　139, 148, 168, 342
石川達三　109
石黒忠篤　88, 184-186, 188, 192, 195, 197, 200, 207, 262, 285, 286, 292, 308, 348, 360
石原莞爾　76, 140, 165, 199, 339, 361, 362
井上雅二　26, 32, 90, 104
井野碩哉　185, 186, 197, 285-287, 312
今井五介　27, 29-33, 36, 38-40, 48, 52-56, 65, 67, 80, 81, 83, 86, 87, 90, 95, 99, 101, 103, 104, 130, 131, 136, 137, 139, 140, 141, 207, 208, 214, 215, 280, 289, 295, 302, 303, 313, 325, 340, 346, 348
今井新重　37, 39-42, 58, 65, 129-131, 328
岩波茂雄　302
上塚周平　77, 81
牛島省三　32
内村鑑三　72, 82
梅谷光貞　33, 55, 56, 59, 61, 63, 67, 73, 76, 82, 83, 90, 91, 94, 96, 99-101, 104, 106, 114, 140-143, 148, 157, 162, 169, 172-174, 176, 203-206, 208-210, 213, 272, 275, 296, 315-317, 342, 343, 349-351
大浦兼武　24
大木遠吉　32
大蔵公望　207, 218, 247
岡田忠彦　27, 29, 30, 33, 48, 52, 53
小川平吉　27, 29-33, 40, 42, 48, 52, 54, 55, 67, 86, 94, 218, 303, 325, 340, 342, 346, 347
大日方利雄　300
小里頼永　32, 42

【か】

賀川豊彦　45, 71, 243
河西准一　136, 137
笠原忠造　27, 30, 54, 86
片倉兼太郎　30-32, 42, 44, 55-57, 61, 65, 67, 80, 81, 95, 289, 302, 303, 325, 340, 346, 348
桂　太郎　24, 94, 123
加藤完治　55, 72, 96, 97, 132, 133, 146, 147, 150, 153, 165, 166, 168, 175, 176, 191, 192, 197, 205, 207, 209, 210, 212, 246-251, 253, 263, 339, 344, 362
神山潤次　17
北原地価造　23, 25, 26, 35-37, 48, 54,

56, 59, 60, 67, 73-75, 108, 289, 351
桐生悠々 135, 136, 162
熊谷村司 137, 143, 146
倉沢大発智 234
胡桃澤盛 310, 311, 314
小磯国昭 141, 142, 165, 207, 239, 279, 280, 301
小出佐一 300
郡山義夫 293, 301, 302, 313, 343
小坂順造 44, 45, 49, 130, 131, 289
小平権一 33, 45, 54, 55, 69, 71, 86-88, 103, 162, 166, 184, 185, 186, 188, 191-193, 195, 197, 200, 207, 260, 262, 263, 286, 289, 302, 303, 306, 308, 313, 315, 317, 325, 341, 342, 348, 352, 354, 359, 360, 370
後藤新平 33
後藤文夫 183, 184, 188, 199, 348
近衛文麿 33, 309
近藤俊介 218, 220, 343
権藤成卿 179, 180

【さ】

斎藤　実 183
座光寺久男 292, 345, 354
座光寺与一 26, 60
佐々木忠綱 227, 273
佐藤寅太郎 27, 30, 42, 139, 289
塩沢治雄 262, 263, 289, 292, 300, 344, 352, 354
渋沢栄一 24, 33, 47, 80, 81, 368, 369
昭和天皇 33, 97, 346
白上佑吉 33, 75, 76, 84, 322
杉山直樹 226, 291
鈴木喜三郎 90, 96

【た】

高橋是清 81, 158, 167, 183
橘孝三郎 180
田付七太 90, 96
田中義一 33, 81, 90, 94-97, 104, 161
津崎尚武 32, 33, 40, 42, 87, 130, 207, 340, 342
東宮鉄男 132, 147, 157, 165, 166, 168, 172, 175-177, 198, 203, 209, 210, 211, 247, 339, 358
頭山　満 347, 366
富樫直太郎 249-253, 269, 276, 362
徳富蘇峰 20, 45, 55
富田健治 289, 343, 345

【な】

永井柳太郎 140, 168, 197, 207
中島多鶴 227, 273
永田　稠 5, 8, 11, 15, 22, 23, 25-27, 30, 31, 33, 35-37, 39-42, 44, 47-49, 52-61, 63-76, 78, 82-84, 86-88, 90, 91, 98-103, 104, 106-108, 111, 124, 130-132, 134, 136, 137, 139-160, 162-164, 166, 168, 169, 171-177, 185, 193, 198, 200, 203-207, 209-211, 213, 214, 220, 238, 240-244, 250, 271, 275, 280, 289-291, 297, 298, 300, 311-313, 315, 317, 319, 320, 325, 328, 338, 340, 341, 349-351, 353, 354, 368
仲田　保 242, 275
永田鉄山 134, 140-143, 158, 162, 209, 280
中原謹司 302, 346, 347
中村国穂 24, 25, 33, 37-42, 58, 130,

281, 328, 340
永安百治　10, 289, 298
那須　皓　186, 205, 207, 255
西尾寿造　205
西沢権一郎　282, 343-345, 352, 354
西沢太一郎　35, 37-41, 46, 48, 49, 51, 63, 67, 81-85, 91, 93, 99, 103, 108, 110, 124, 132-134, 136, 137, 139, 143, 146, 157, 162, 214, 282, 287, 289, 297-301, 328, 338, 341, 351
新渡戸稲造　71, 72
野村忠三郎　121

【は】

橋本伝左衛門　186, 205, 207
浜口雄幸　33, 97, 98, 104, 162
林　虎雄　352
バルガス　114, 119, 120, 122, 125
平生釟三郎　69, 80, 82, 99, 100, 102, 104-106, 109, 114, 117, 124, 208, 351
福澤泰江　32, 44
福島安正　65, 129, 131, 161, 229, 243
藤森　克　35, 38, 40, 44, 46, 63
堀川清躬　223, 256, 258, 260, 264, 265, 266, 267, 269, 271, 326
堀切善次郎　207
本間利雄　33, 41, 52, 53-55, 58, 64, 73, 75, 86, 289, 342

【ま】

松川五郎　128, 245-247, 249-252, 268, 269, 275
松島　鑑　143
松島親造　239, 240, 241
松村謙三　185
緑川五右衛門　131
宮尾　厚　71-73
宮坂国人　82, 99, 100, 104, 105, 109, 114, 124, 351
宮下　周　193, 194, 195, 200
宮下琢磨　24, 27, 32, 33, 35, 42, 47, 53-56, 67, 104, 133, 134, 162, 289

【や】

矢内原忠雄　18
山崎延吉　344
弓場　勇　70
吉岡黎明　68, 70, 71, 84
依田源七　33

【わ】

若槻礼次郎　33, 90, 101
和合恒男　180
輪湖俊午郎　23, 25-27, 30, 36, 37, 41, 46, 48, 52, 54-56, 58-61, 64, 67, 71, 73-75, 83, 92, 108, 289, 351
和田　傳　249, 254
渡辺　昭　72, 302

本論索引（事項）

【あ】

愛川村 10, 65, 129-132, 143, 161, 254
アジア・太平洋戦争 8, 11, 20, 119, 120, 122, 123, 140, 160, 172, 179, 196, 279, 285-291, 293, 294, 297, 298, 341, 363-365
アリアンサ 5, 7, 11, 22, 23, 25, 26, 29, 33, 34, 37, 39, 41, 47, 52-64, 66-84, 88, 90-93, 98-101, 103, 104, 106-110, 113, 114, 123-125, 135, 139, 141-143, 145-148, 153-156, 166, 176, 191, 218-221, 236, 242, 247, 298, 302, 315, 318-320, 340, 342, 348-353, 368, 369
　第一アリアンサ 26, 56, 57, 60, 64, 67, 73-76, 109
　第二アリアンサ 74-76, 109
　第三アリアンサ 72, 74-76, 98, 109
　第四アリアンサ 75
一県一村 25, 67, 75, 77, 92, 109, 155, 213, 225, 226, 234, 236, 315-317
一村一部落 222, 234, 316
内原訓練所 72, 223, 281, 306, 339
「海の外社」 44, 46
右翼農民運動 177, 198, 334, 335, 338, 361
ＬＹＬ事件（下伊那自由青年連盟事件） 38
大阪商船 17, 117, 136
大日向村 6, 112, 128, 217, 221-229, 231, 234-236, 240, 244, 245, 249, 253-271, 273, 276, 277, 291, 292, 304, 308, 324-326, 331, 344

【か】

海外移住協会 5, 13, 206, 207, 320
海外移住組合法 11, 26, 41, 51, 61, 63, 83, 85-91, 104, 106, 107, 153, 177, 181, 207, 302, 315, 317, 348, 349, 353, 360
海外協会 →熊本海外協会／→信濃海外協会／→防長海外協会／→和歌山県海外協会
海外移住組合連合会 26, 55, 59, 61, 67, 73, 75, 77, 78, 82, 86, 90, 92, 96, 99, 100, 102, 104-109, 113, 114, 117, 118, 169, 206-208, 214, 297, 315, 318, 319, 349, 351
海外協会中央会 11, 27, 32-34, 39, 41, 48, 55, 61, 90, 91, 95, 101, 133, 136, 140, 141, 206-208, 214, 215, 289, 340
海外興業株式会社（海興） 13, 15, 17, 18, 22, 24-26, 32, 37, 47, 56, 59, 62, 81, 90-92, 104, 106, 107, 113, 117, 135, 136, 209, 318, 351
海外植民学校 118
外国移民二分制限法 4, 115, 116, 117, 157, 318, 319

開拓訓練所 72
片倉財閥 31, 59, 81, 289, 348
片倉農場 81
勝ち組騒動 122, 311
川 路 村 224, 228, 229, 231-233, 235, 273, 274, 284
河 野 村 172, 222, 223, 229, 235, 274, 310, 311
関東大震災 18, 51, 322, 343
桔梗ケ原女子訓練所 52
棄民政策 13, 14, 95, 116, 122, 123
鏡泊学園 45, 237
熊本海外協会 27, 33, 75, 77, 78, 315
五・一五事件 177-180, 182, 183, 184, 199, 357
皇国農村 196, 197, 201, 247, 287, 292, 310, 345
高 社 郷 235, 284, 305
抗日運動 127, 144, 167, 171, 304
神戸移民収容所(神戸移住教養所) 41, 51, 96
黒台信濃村 215, 217-222, 225, 273, 315
国民高等学校 165, 205, 245, 246, 247

【さ】

在郷軍人会 36, 48, 130, 131, 138, 144, 145, 148, 166, 182, 188, 190, 195, 229, 243, 274, 316, 327, 340, 344
左翼農民運動 112, 177, 180, 181, 191, 195, 335, 357, 359
更級農学校 37, 173, 213, 281
残留孤児(残留日本人) 12, 226, 234
試験移民 166, 167, 169, 174, 205, 211, 266
信濃海外移住組合 11, 39, 78, 89, 91, 98, 103, 108, 351, 352
信濃海外協会 3, 5-8, 11-15, 21-25, 27-49, 51-59, 61-68, 73-78, 81, 82, 85-94, 96, 98, 99, 101, 102, 104, 106-113, 116, 117, 123, 124, 129-141, 143-150, 153-156, 160, 162, 165, 166, 168-171, 173, 174, 181, 186, 191, 197, 203, 205-208, 211-215, 218-221, 236-239, 241, 242, 244, 253, 262, 270, 271, 275, 279, 281, 282, 285-291, 293-303, 308, 311, 312, 315-317, 320, 325-328, 338-342, 345-355, 368, 369
信濃教育会 23, 25, 27, 29, 30, 33, 36-43, 46, 47, 49, 51, 52, 59, 66, 67, 73, 82, 93, 111, 112, 129-131, 139, 144, 165, 171, 181, 191, 198, 240, 259, 277, 280-282, 289, 291, 294, 296, 297, 303, 314, 316, 325-328, 335, 338, 340, 346, 352, 369, 370
信濃拓殖練習所 212
信濃土地組合 54, 56, 57, 60-62, 86, 90, 102
信濃毎日新聞 7, 8, 10, 15, 44, 45, 66, 83, 130, 131, 135, 161, 253, 273, 276, 289, 298, 300, 352, 369
信濃村 →愛国信濃村／→黒大信濃村／→中和鎮信濃村／→張家屯信濃村／→南米信濃村(ブラジル信濃村)／→南五道崗信濃村
自由移民 85, 150, 160, 204, 205, 211, 212, 215, 234, 236-244, 274, 275, 309, 319, 350
集合移民 215, 237, 239-242, 244, 245
集団移民 10, 23, 81, 90, 92, 129, 135, 137, 139, 150, 170, 173, 203, 211, 212, 214, 215, 217, 218, 220, 222, 224, 225, 231, 233, 234, 236, 237-239, 240, 242, 244, 245, 254,

274, 275, 282, 285, 289, 291, 293, 294, 298, 303, 309, 319, 326
昭和恐慌　14, 66, 71, 78, 82, 88, 93, 99, 101, 102, 109, 110, 112-114, 124, 132, 135, 148, 165, 167, 169, 177, 179-182, 184, 186, 188, 189, 191, 192, 199, 200, 217, 226, 229, 230, 231, 246, 248-250, 257-259, 261, 265, 270, 322, 323, 327, 328, 331, 332, 334, 336, 339, 340, 342, 349, 357, 360
新京力行村　160, 242-244, 275, 350
諏訪神社　8, 15, 219, 220, 261, 267, 350
世界恐慌　4, 114, 178, 348, 358

【た】

第一次世界大戦　6, 18, 30, 34, 40, 88, 136, 140, 177, 179, 252, 331, 332, 359
大正デモクラシー　70, 181, 183, 348, 360
大東亜共栄圏　10, 11, 20, 45, 160, 179, 285-291, 293, 297, 299, 301, 302, 312, 341, 342,
第二次世界大戦　6, 136, 183, 299, 354-356
大日本婦人会　295, 307
大陸の花嫁　213, 254, 279, 282-285, 294, 303, 307, 308, 312
治安維持法　38, 178, 181, 259
千 振 村　143, 166-168, 172, 204, 209, 266
中堅人物　97, 186, 195-197, 200, 212, 227, 232, 249-252, 258, 264-266, 269, 271, 276, 277, 292, 323, 326, 339, 357, 358
中心人物　11, 27, 30, 38, 40, 46, 47, 55, 66, 130, 141, 186, 193-196, 200, 201, 221, 227, 231, 232, 247, 249-251, 258, 259, 268, 269, 271, 277, 298, 323, 326, 339, 351, 357, 360
中和鎮信濃村　224, 225
張家屯信濃村　225, 273
出稼ぎ移民　13, 52, 69, 70, 72, 92, 122, 154
適正規模論　128, 186, 196, 212, 245, 257, 258, 266, 268, 271, 287, 292, 293, 310, 345
東洋移民会社　17, 106
特別指定村　232, 233, 247
特別助成村　193, 227, 228, 231, 232, 249, 261, 286
富山県海外協会　74-77, 315
土竜山事件　148, 168, 210

【な】

長野県開拓協会　7, 300-303, 306, 307, 313, 341, 342, 346, 348, 349, 352
長野県人会　34, 139, 144, 174
長野県庁　8, 28, 44, 58, 59, 73, 114, 165, 214, 223, 224, 270, 283, 293, 302, 326, 332, 340, 342-344, 369
長野県立青年講習所　96, 97, 133, 170, 212, 213, 250
長野師範学校　39, 40, 43, 73, 129, 131
南 郷 村　127, 128, 161, 222, 244-251, 253, 257, 259, 263, 264, 268-270, 271, 275, 331
南米銀行　95, 114, 118, 124, 351
南米信濃村（ブラジル信濃村）　7, 25, 41, 51, 52, 54, 56-58, 60, 62, 63, 66, 67, 74, 77, 80, 85, 109, 135, 137, 138, 146, 219, 275, 342
南米殖民会社　17
南米拓殖会社　81

南米土地会社 61
南米農業練習所 72, 73
日米紳士協定 4, 17
日南産業株式会社 118, 319
日中戦争 9, 120, 140, 160, 222, 241, 252, 258, 280, 289, 317, 333, 344, 355
日東植民会社 17
二・二六事件 177, 179, 210, 213, 260, 263, 320, 339, 340, 357, 370
日本国民高等学校 172, 246
日本殖民会社 17
日本人移民禁止条項 123
日本農民協会 180
日本力行会(力行会) 5, 11, 23, 25, 31, 35-37, 41, 43, 44, 47, 48, 52, 53, 56, 58, 59, 61, 64, 67-72, 75, 83, 84, 98, 103, 106, 121, 125, 129, 134, 143, 151, 153, 157, 162, 165, 168, 175, 198, 212, 214, 215, 242, 243, 271, 275, 290, 315, 319, 320, 338, 350, 351, 368, 369
二・四事件(教員赤化事件) 114, 171, 181, 198, 259, 262, 277, 342
農工開拓団 295, 305
農事実行組合 186, 192, 194, 259, 264, 265
農村経済更生運動 71, 88, 153, 165, 177, 180-183, 185, 186, 188-201, 229, 231, 232, 248, 249, 251-253, 259, 264, 265, 270, 274, 292, 302, 319, 320, 323, 327, 339, 340, 342, 348, 349, 354, 357, 358, 360, 361, 363, 368
農村更生協会 185, 186, 192, 195, 262

【は】

排日移民法 4, 6, 17, 66, 74, 120, 156, 317, 364
東山農事会社 99
東山農場 73, 99
匪　賊 138, 144, 145, 149, 151, 154, 167, 174, 175, 215, 223, 236
平 根 村 222, 223, 273
富士見村 31, 60, 61, 66, 67, 218, 223, 224, 235, 272, 286, 287, 291, 303, 308, 312
武装移民 8, 10, 11, 115, 116, 134, 135, 138, 139, 143-149, 154, 157, 165-174, 176, 177, 181, 182, 190, 192, 198, 203-205, 209-213, 215, 222, 227, 234, 236-239, 243, 254, 260, 266, 281, 283, 290, 304, 315, 316, 318-320, 342, 343
伯剌西爾拓殖会社 17
ブラジル拓植組合(ブラ拓) 26, 47, 61, 67, 73-75, 79, 80, 83, 86, 90, 92, 95, 100, 102, 104, 106-109, 114, 118, 208, 209, 296, 315, 316, 319, 350, 351
分郷移民 92, 215, 221, 230, 231, 234-237, 274, 284, 316, 319
分散移民 215, 237-239, 242, 244, 318
分村移民 92, 127, 128, 161, 215, 217, 221-231, 234-237, 244, 245, 247, 248, 249, 251-254, 258-264, 266, 268-277, 282, 291, 304, 306, 308, 310, 316, 319, 326
報国農場 233, 300, 308, 314
防長海外協会 15, 21, 27, 78

【ま】

松島開拓団 239, 240
満洲愛国信濃村 51, 52, 127, 137-140, 143-147, 149, 150, 156, 162, 163,

168-170, 174, 197, 205, 208, 211, 213, 214, 220, 238, 298, 340
満洲移住協会　185, 186, 206, 207, 209, 218, 247, 250, 252, 262, 263, 267, 270, 272, 281, 289, 291, 292, 302, 308, 318, 319, 342, 348
満洲事変　7, 10, 14, 34, 76, 81, 93, 102, 110, 114, 118, 120, 131-134, 136, 139-141, 147, 148, 165, 171, 180, 184, 185, 189, 192, 213, 229, 243, 269, 291, 293, 315, 316, 331, 340, 348, 362, 364
満洲拓植会社　205-209, 214, 315, 318
満洲拓植公社（満拓）　207-209, 302, 315, 318
満洲拓殖講習所　139
満洲農業移民訓練所　213
満洲一〇〇万戸移民計画　7, 10, 128, 150, 156, 158, 168, 190, 192, 203, 205, 206, 208, 209, 210, 212-218, 220-222, 226, 228, 236-238, 241, 244, 247, 253, 254, 260, 268, 275, 280, 282, 294, 301, 315, 316, 318-321, 339, 342-344, 348, 349, 370
万宝山事件　169
満蒙開拓青少年義勇軍　4, 5, 12, 51, 64, 171, 198, 231, 245, 277, 279-282, 293, 294, 305, 306, 308-311, 313, 314
瑞 穂 村　166, 168, 172, 234, 266, 304, 313
南 向 村　222
南五道崗信濃村　220, 222, 225
南満州鉄道株式会社（満鉄）　96, 131, 133, 143, 157, 169, 204, 240
御牧ケ原修練農場　195, 214
森岡移民会社　17

【や】

弥 栄 村　143, 146, 166, 167, 168, 170-172, 174, 197, 204, 209, 227, 234, 266
泰 阜 村　217, 218, 222-228, 230-236, 272, 291, 304, 324, 325, 331, 335
八ヶ岳修練所　52
山形県立自治講習所　97, 212, 246
大 和 村　128, 197, 200, 244, 248-254, 257, 259, 263, 264, 269-271, 276, 331, 361, 362
養蚕危機　66, 99, 226, 228, 229, 231, 233, 248, 252, 257, 260-262, 265, 269-271, 321, 323, 327, 331-333, 336, 343, 346, 358
翼賛壮年団　290, 291, 304
読 書 村　224, 229-232, 235, 274, 303, 308, 336

【ら】

力行農園　72, 91, 151
柳条湖事件　132, 133
レイス法案　4, 86, 100, 115
レジストロ植民地　23-26, 34, 36, 37, 46-48, 52, 53, 59, 60, 63, 64, 68, 80, 81, 90, 92, 96, 99, 101, 104, 123, 234, 369

【わ】

和歌山県海外協会　27, 77
渡辺農場　60, 72, 73, 106, 302

附録　『復刻版　海の外』内容一覧・総目次・執筆者索引

凡　例

一、本附録は『復刻版　海の外』全七巻（不二出版、二〇二四―二〇二五年）の「内容一覧」、「総目次」、「執筆者索引」からなる。

一、「総目次」、「執筆者索引」は、信濃海外協会海の外社発行『海の外』第一号～第二五四号（一九二三年四月～一九四三年六月）及び、長野県開拓協会発行『信濃開拓時報』第一号～第一一号（一九四四年七月～一九四五年五月）から作成した。

一、次に示す号については未見のため「総目次」、「執筆者索引」からは割愛した。

　『海の外』第四七号、第四八号、第五〇号、第五一号、第五四号、第五七号、第五九号、第一五七号～第一七九号、第一九二～第一九六号、第一九八号～第二〇三号、第二一六号～第二三一号、第二三六号～第二四二号、第二四七号～第二五〇号

一、漢字は原則として現行の字体に改めた。原則として仮名遣いはそのままとしたが、踊り字は改めた。

一、明らかな誤字・誤植と認められるものはこれを正した。また、判読不明な文字は■で示した。

一、原則として広告頁は割愛した。ただし、重要と見なされる社告等、とくに移民に関係する広告は適宜採録した。

一、［　］内は編集部による補足である。

（不二出版編集部）

『復刻版　海の外』内容一覧

海の外

配本	収録巻	号数	発行日	備考	使用原本
第１回配本	第１巻	第一号	一九二二年　四月二〇日		長野県立歴史館
		第二号	五月一日		長野県立歴史館
		第三号	六月一日		長野県立歴史館
		第四号	七月一日		長野県立歴史館
		第五号	八月一日		長野県立歴史館
		第六号	九月一日		長野県立歴史館
		第七号	一〇月一日		長野県立歴史館
		第八号	一一月一日		長野県立歴史館
		第九号	一二月一日		長野県立歴史館
		第一〇号	一九二三年　一月一日		長野県立歴史館
		第一一号	二月一日		長野県立歴史館
		第一二号	三月一日		長野県立歴史館
		第一三号	四月八日		長野県立歴史館
		第一四号	五月一日		長野県立歴史館
		伯剌西爾移住地建設号	六月一日	※号数ママ	長野県立歴史館
		第一五号	七月一日	※号数ママ	長野県立歴史館
		第一七号	八月三〇日		長野県立歴史館
		第一八号	十月一日		長野県立歴史館
		第一九号	一一月二五日		長野県立歴史館
		第二〇号	一二月二五日		長野県立歴史館
		第二一号	一九二四年　一月一九日		長野県立歴史館
		第二二号	二月二〇日		長野県立歴史館
		第二三号	三月三〇日		長野県立歴史館
		第二四号	四月三〇日		長野県立歴史館
		第二五号	五月三一日		長野県立歴史館
		第二六号	六月三〇日		長野県立歴史館
		第二七号	七月三一日		長野県立歴史館
	第２巻	第二八号	八月二五日		長野県立歴史館
		第二九号	九月三〇日		長野県立歴史館
		第三〇号	一〇月三〇日		長野県立歴史館
		第三一号	一一月三〇日		長野県立歴史館
		第三二号	一二月三一日		長野県立歴史館
		第三三号	一九二五年　二月一一日	南米ブラジル「ありあんさ」移住地建設号	長野県立歴史館

配本	収録巻	号数	発行日	備考	使用原本
第１回配本	第２巻	第三四号	三月三一日		長野県立歴史館
		第三五号	四月二五日		長野県立歴史館
		第三六号	五月二六日		長野県立歴史館
		第三七号	六月二六日		長野県立歴史館
		第三八号	七月二六日		長野県立歴史館
		第三九号	八月二六日		長野県立歴史館
		第四〇号	九月二六日		長野県立歴史館
		第四一号	一〇月二六日		長野県立歴史館
		第四二号	一一月二六日		長野県立歴史館
		第四三号	一二月二五日		長野県立歴史館
		第四四号	一九二六年　一月二五日	南米ブラジルありあんさ移住地一覧	長野県立歴史館
		第四五号	二月二五日		長野県立歴史館
		第四六号	三月二五日		長野県立歴史館
			第四七号　欠		
			第四八号　欠		
		第四九号	六月二五日		長野県立歴史館
			第五〇号　欠		
			第五一号　欠		
		第五二号	九月二五日		長野県立歴史館
		第五三号	一〇月二五日		長野県立歴史館
			第五四号　欠		
第２回配本	第３巻	第五五号	一二月二五日		長野県立歴史館
		第五六号	一九二七年　一月二五日		日本力行会
			第五七号　欠		
		第五八号	三月三一日		日本力行会
			第五九号　欠		
		第六〇号	五月二五日		長野県立歴史館
		第六一号	六月二五日		日本力行会
		第六二号	七月二五日		日本力行会
		第六三号	八月三一日	南米ブラジルありあんさ移住地建設紀念号	日本力行会
		第六四号	九月二五日		日本力行会
		第六五号	一〇月二五日		北海道大学附属図書館
		第六六号	一一月二五日		日本力行会
		第六七号	一二月二五日		長野県立歴史館
		第六八号	一九二八年　一月二五日		日本力行会

(3)『復刻版　海の外』内容一覧

配本	収録巻	号数	発行日	備考	使用原本
第２回配本	第３巻	第六九号	二月二五日		日本力行会
		第七〇号	四月一日		長野県立歴史館
		第七一号	五月一日		長野県立歴史館
		第七二号	六月一日		長野県立歴史館
		第七三号	七月一日		長野県立歴史館
		第七四号	八月一日		長野県立歴史館
		第七五号	九月三〇日		長野県立歴史館
		第七六号	一〇月一〇日		長野県立歴史館
		第七七号	一一月一日		長野県立歴史館
		第七八号	一二月一日		長野県立歴史館
	第４巻	第七九号	一九二九年 一月一日		長野県立歴史館
		第八〇号	二月一日		長野県立歴史館
		第八一号	三月一日		長野県立歴史館
		第八二号	四月一日		日本力行会
		第八三号	五月一日		日本力行会
		第八四号	六月一日		長野県立歴史館
		第八五号	七月一日		日本力行会
		第八六号	八月一日		日本力行会
		第八七号	九月一日		日本力行会
		第八八号	一〇月一日		日本力行会
		第八九号	一一月一日		日本力行会
		第九〇号	一二月一日		日本力行会
		第九一号	一九三〇年 一月一日		日本力行会
		第九二号	二月一日		日本力行会
		第九三号	三月一日		日本力行会
		第九四号	四月一日		日本力行会
		第九五号	五月一日		日本力行会
		第九六号	六月一日		日本力行会
		第九七号	七月一日		日本力行会
		第九八号	八月一日		長野県立歴史館
		第九九号	九月一日		日本力行会
		第一〇〇号	一〇月一日		日本力行会
		第一〇一号	一一月一日		日本力行会
		第一〇二号	一二月一日		日本力行会
第３回配本	第５巻	第一〇三号	一九三一年 一月一日		日本力行会
		第一〇四号	二月一日		日本力行会
		第一〇五号	三月一日		日本力行会
		第一〇六号	四月一日		日本力行会

配本	収録巻	号数	発行日	備考	使用原本
第３回配本	第５巻	第一〇七号	五月一日		日本力行会
		第一〇八号	六月一日		日本力行会
		第一〇九号	七月一日		日本力行会
		第一一〇号	八月一日		日本力行会
		第一一一号	九月一日		日本力行会
		第一一二号	一〇月一日		日本力行会
		第一一三号	一一月一日		日本力行会
		第一一四号	一二月一日		日本力行会
		第一一五号	一九三二年 一月一日		日本力行会
		第一一六号	二月一日		日本力行会
		第一一七号	三月一日		日本力行会
		第一一八号	四月一日		日本力行会
		第一一九号	五月一日		日本力行会
		第一二〇号	六月一日		日本力行会
		第一二一号	七月一日		日本力行会
		第一二二号	八月一日		日本力行会
		第一二三号	九月一日		日本力行会
		第一二四号	一〇月一日		日本力行会
		第一二五号	一一月一日		日本力行会
		第一二六号	一二月一日		日本力行会
	第６巻	第一二七号	一九三三年 一月一日		日本力行会
		第一二八号	二月一日		日本力行会
		第一二九号	三月一日		日本力行会
		第一三〇号	四月一日		日本力行会
		第一三一号	五月一日		日本力行会
		第一三二号	六月一日		日本力行会
		第一三三号	七月一日		日本力行会
		第一三四号	七月一五日	内地版第一輯	日本力行会
		第一三五号	八月一日		日本力行会
		第一三六号	九月一日		日本力行会
		第一三七号	一〇月一日		日本力行会
		第一三八号	一一月一日		日本力行会
		第一三九号	一二月一日		日本力行会
		第一四〇号	一九三四年 一月一日		日本力行会
		第一四一号	一月一〇日	内地版第二輯	長野県立図書館
		第一四二号	二月一日		日本力行会
		第一四三号	三月一日		日本力行会
		第一四四号	四月一日	内地版第三輯	日本力行会

配本	収録巻	号数	発行日	備考	使用原本
第3回配本	第6巻	第一四五号	五月一日		日本力行会
		第一四六号	六月一日		日本力行会
		第一四七号	七月一日	内地版第四輯	日本力行会
		第一四八号	八月一日		日本力行会
		第一四九号	九月一日		日本力行会
		第一五〇号	一〇月一日	内地版第五輯	日本力行会
		第一五一号	一一月一日		日本力行会
		第一五二号	一二月一日		日本力行会
	第7巻	第一五三号	一九三五年 一月一日	内地版第六輯	長野県立図書館
		第一五四号	二月一日		長野県立図書館
		第一五五号	三月一日		長野県立図書館
		第一五六号	四月一日	内地版第七輯	北海道大学附属図書館
			一五七―一七九号 欠		
		第一八〇号	一九三七年 四月一日		長野県立歴史館
		第一八一号	五月一日		長野県立歴史館
		第一八二号	六月一日		長野県立歴史館
		第一八三号	七月一日		長野県立歴史館
		第一八四号	八月一日		長野県立歴史館
		第一八五号	九月三〇日		長野県立歴史館
		第一八六号	一〇月一日		長野県立歴史館
		第一八七号	一一月一日		長野県立歴史館
		第一八八号	一二月一日		長野県立歴史館
		第一八九号	一九三八年 一月一日		長野県立歴史館
		第一九〇号	二月一日		長野県立歴史館
		第一九一号	三月一日		長野県立歴史館
			一九二―一九六号 欠		
		第一九七号	九月一日		佐久穂町図書館
			一九八―二〇三号 欠		
		第二〇四号	一九三九年 四月一日		長野県立歴史館
		第二〇五号	五月一日		長野県立歴史館
		第二〇六号	六月一日		長野県立歴史館
		第二〇七号	七月一日		長野県立歴史館
		第二〇八号	八月一日		長野県立歴史館
		第二〇九号	九月一日		長野県立歴史館
		第二一〇号	一〇月一日		長野県立歴史館
		第二一一号	一一月一日		長野県立歴史館

配本	収録巻	号数	発行日	備考	使用原本
第3回配本	第7巻	第二一二号	一二月一日		長野県立歴史館
		第二一三号	一九四〇年 一月一日		長野県立歴史館
		第二一四号	二月一日		長野県立歴史館
		第二一五号	三月一日		長野県立歴史館
			二一六―二三一号 欠		
		第二三二号	一九四一年 八月一日		長野県立図書館
		第二三三号	九月一日		長野県立図書館
		第二三四号	一〇月一日		長野県立図書館
		第二三五号	一〇月一日		長野県立図書館
			二三六―二四二号 欠		
		第二四三号	一九四二年 七月一日		飯田市歴史研究所
		第二四四号	八月一日		下伊那教育会館
		第二四五号	九月一日		飯田市歴史研究所
		第二四六号	一〇月一日		飯田市歴史研究所
			二四七―二五一号 欠		
		第二五二号	一九四三年 四月一日		飯田市歴史研究所
		第二五三号	五月一日		飯田市歴史研究所
		第二五四号	六月一日		飯田市歴史研究所
				信濃開拓時報	
		創刊号	一九四四年 七月二〇日		下伊那教育会館
		第二号	八月一五日		下伊那教育会館
		第三号	九月一五日		下伊那教育会館
		第四号	一〇月一五日		下伊那教育会館
		第五号	一二月一五日		下伊那教育会館
		第六号	一二月一五日		下伊那教育会館
		第七号	一九四五年 一月一五日		下伊那教育会館
		第八号	三月一五日		下伊那教育会館
		第九号	五月五日		下伊那教育会館
		第一〇号	五月一〇日		下伊那教育会館
		第一一号	五月一五日		下伊那教育会館

（5）『復刻版　海の外』内容一覧

『復刻版　海の外』総目次

『海の外』第一号～第二五四号
一九二二（大正一一）年四月～一九四三（昭和一八）年六月
編集人：永田稠（全号）
印刷兼発行人：藤森克（第一号～第三五号）／西沢太一郎（第三五号～第二五四号）
印刷所：力行会印刷部（第二号～第一〇号）／信濃毎日新聞社（第一一号～第二五四号）
発行：信濃海外協会内海の外社（全号）

第一号　一九二二年四月二〇日発行
〔口絵〕信濃海外協会発起総会記念
長野県人の海外発展　岡田忠彦　1
海外発展の急務　今井五介　5
海外移住者の指導　小川平吉　9
信濃日誌略（一）　11
開拓組合と渡航無尽組合　12
信濃日誌略（二）　17
海外通信
北米合衆国
ワシントンより　柴田生　18
墨西哥
チヤチヤラカ山登山記　玉川音作　19
四千円の事業に着手　片瀬浅次　21
伯剌西爾
レヂストロ読書会より　北原文夫　22
二百五十町歩の経営　河野利実　23
移民から植民へ　浅野春枝　23
植民者の世話をしたし　矢崎節夫　24
通信材料の取捨　西原清東　26
海外発展問答　27
雑報
信濃海外協会設立主唱者会／信濃海外協会創立総会／信濃海外協会規約／海外発展講習会／海外協会支部設立／他県の海外協会視察／輪湖俊午郎氏南米出発／長野海庁の在外者調査／松本商業学校生徒南米視察／移民局設置案　29
〔地図〕〔南米大陸地図〕

第二号　一九二二年五月一日発行
〔口絵〕信濃海外協会指導員講習会
市町村の海外延長　佐藤寅太郎　1
海外発展の障害　米沢武平　9
山田長政と其時代　宮下美柿　14
伯剌西爾に於ける日本人発展私見　17
信州だより
竹井内務部長の渡欧／県立学校網／信州生糸の産額／樺太行人夫の盛況／郡市長の異動／県下各地の借家料調／農村の経済状態／屋代町青年の活動／隧道崩落の惨事／日本アルプス雪中登山に成功　30
雑報
南佐久支部設立／上高井更科諏訪／斉藤幹事辞任　32
〔地図〕サンバウロ州邦人分布図

第三号　一九二二年五月一日発行
〔口絵〕〔組合員一同〕／伯国に於ける砂糖黍の図
社説　長野県民海外発展史　1
海外旅券下附出願注意　田寺俊信　10
二万円にて出来る信濃村　輪湖俊午郎　13
単独で伯剌西爾へ行ける　永田稠　17
亜爾然丁の米作　伊藤信介　21

海外発展問答　兵役と海外渡航　27
信州だより
信濃美術展覧会／浅間山麓濁流出し／県内諸物価表（四月一五日現在）／十九銀行南佐久銀行併合／湖水の利用／日本アルプス渓谷の石灰から酒を造る／信州交通機関の二大計画／耕作地問題／飯田町の大火／支部設立経過
雑報　29
信州実業家の南米視察／伯国観光団組織さる／揮旗農学士の伯国移住／藤原為好氏伯国留学／海外協会支部続々出来る／東京臨時事務取扱所／海外県人会と支部設立／取消　31
〔地図〕〔アルゼンチン地図〕

第四号　一九二二年七月一日発行

〔口絵〕送片倉・黒沢・土橋・揮旗四君
社説　片倉、黒沢、土橋、揮旗四君の南米旅行を送る　1
伯剌西爾開拓組合長の手記　井原恵作　6
信濃日誌略　17
北米植民のはじめ　宮下琢磨　18
海外笑話　21
内外通信
露領樺太の農業　小林巽　22
満州信濃協会趣旨　原韻　23
瑞穂倶楽部会則　24
南洋見聞　田村俊夫　26
信州だより
養蚕の状況／河東鉄道開通／在外同情者／長野市の中央道路／波多学院のトラクター／支部設立経過／本県農家経済の困疲／建築費用木材の欠乏と住宅難／長野市の隣接町村の併合問題　29
〔地図〕〔東南アジア地図〕

第五号　一九二二年八月一日発行

〔口絵〕諏訪中学校出身矢峰節夫君／ラテンアメリカの各地に産する繊維植物エネケン／ブラジル国へ渡航せる日本人植民家族
社説　信濃海外協会東京支部の使命　1
海外通信
ブラジルの初一年　村松生　4
サンパウロ州邦人馬鈴薯栽培状況　藤田　5
伯国南部の小麦栽培状況　藤田　5
日秘貿易概況　森活　6
亜国に於ける外米輸入状況　荒井　6
上海便り　伊藤道儀　6
英領カナダより　林光月　7
シンガポールより　加藤虎男　8
チリー共和国　武知軍蔵　9
メキシコより　片瀬浅次　11
開拓組合の一員　神沢久吉　11
結婚致し候　前姓鈴木　12
新婚者の北米生活　渡辺（旧姓竹内）けさゑ　13
墨国の農業企業　玉川音作　14
北米植民のはじめ（二）　宮下琢磨　20
信濃海外協会支部設立運動経過
松筑支部　小里頼永　25
小県支部　25
南佐久支部　26
下水内郡支部　ＳＴ生　27
信州たより
三樹氏に幹事嘱託／上海東亜同文書院講演／松本市鉄道開通二十週年祝賀会／質屋に現れた景気／県下の麦作状況／木曽踊りの出世／安筑地方蚕種の危機／夏の信州／干魃と洪水／伊那電車延長／浅岡前師範学校長頌徳碑建設／金井富三郎氏の転居／振替貯金口座設定　28
信濃海外協会東京支部設立　31
送迎会　32

東京支部理事会 32
〔地図〕パナマ運河地帯図

第六号　一九二二年九月一日発行

〔口絵〕茅野恒司君の家族
移住者の社会的発達 1
信州海外発展者伝（一）　茅野恒司君 7
雑録
観光団紐育着／ラテンアメリカ協会観光団／揮旗深志氏出発／タコマ丸のツリスタン・ダ・クーニア島訪問／支那労働者放逐 12
海外通信
後進者の為めに――船中及び墨国バイエス迄の汽車について　倉島芳之助 13
ブラジル国土地売物 17
ハルピンだより　滝沢政造 17
大正十年中支那生糸輸出概況 18
ブラジルにおける畜産業 19
大正十年独逸海外移民状況 19
サンパウロ州朝日殖民地事情 19
蒙古地方事情 20
米国に於ける外国人出入状況 20
ブラジルの生産米 21
米国に於ける自動車状況 21
信濃植民地建設案　輪湖俊午郎 22
信州たより
長野県の耕地整理問題／軽井沢の変遷／上水製糸組合の好況／長野市外町村併合成立／社会主義団の暴行実地検証／東洋事情活動写真／木曽谷の景気／南アルプス登山熱／製糸工女の洋服／郡長の更迭／長野県は晩婚で而も死産が多い／長野県内十町歩以上の地主調査／本県郡長会議 27
雑報
下水内支部総会／支部主任会議／小平権一君帰朝／北沢種一君欧米留学／永田力行会長信州出張 32
〔地図〕メキシコ全図

第七号　一九二二年一〇月一日発行

〔口絵〕ブラジル国ピリグイ植民地コーヒー園／ブラジル国首府リオデジヤネイロの夜景
移民問題に就いて　千葉豊治 1
信濃海外協会下水内支部創立総会に臨みて　西川大六 13
穂高町の海外発展に就て　井口喜源治 14
伯剌西爾の日本人の一般情態 16
海外笑話 21
海外近信
一、セーラ、ド、ヴツヴオカ（リイベラ富士）登山記　植木太郎 22
二、ブラジル近信　滝沢宗一 23
三、一農年を過して　高山盛政 23
四、沿海州に於ける米作 24
五、撫順炭坑の現況 25
六、アニユーマス耕地より　矢崎節夫 25
七、キユーバより　芦部猪之吉 27
八、満州撫順通信 29
九、輪湖君の消息 29
十、砂糖の国より　小林武夫 30
十一、事業を拡張して　赤池邦之助 31
〔写真〕松本商業村田君の近信（ブエノスアイレスより） 31
信州だより
松本連隊の軍縮／戸数割の賦課の不均一／異端者だとて住職非難／全村の電気村営問題／下水内郡生産状態の変化／青年の活動／長野県内職業別人口／両妃殿下浅間登山／諏訪湖畔に竜宮城出現／暴風雨襲来／神前結婚年々増加／沈没軍艦新高と本県人／南佐久だより 32
編輯たより　宮下生 36

〔図〕加州重要農産物総額百に対する日本
人に依る生産額の割合

第八号　一九二二年一一月一日発行
〔口絵〕南洋邦人の二大事業
桃太郎と浦島太郎　海外発展生　1
伯剌西爾の歴史　藤森克　9
ジヤパニーズドラマ　12
海外通信
一、ロツキー山の所感　勝野千秋　13
二、メキシコより　林弥兵衛　15
三、ダバオより　伊藤春好　16
四、ヴイラコスチーナ耕地より　宮島文雄　17
五、アルヘンチナより　山崎忠直　18
六、シヤトルより　伊藤栄　19
信州海外発展者列伝（二）　村上真一郎君　23
海外事情
一、世界船舶噸数／二、ロンドンに於ける独逸品／三、ロンドン在住外国人数／四、満蒙の役畜／五、支那卵　27
信州だより
大正十年長野県の生産力／下伊那支部設立／善光寺前立本尊問題解決　30
雑報
東京支部役員会／在京長野県人会名簿／
編輯の後に　32
〔図〕アルヘンチナの紋章

第九号　一九二二年一二月一日発行
加州外人と頭税問題並邦人帰化権問題　茅野恒司　1
海外事情
一、海峡植民地の産業／二、米国に於ける人造絹糸の発達　9
海外通信
渡伯後三箇年　田中正勝　15
在外各位に謹告　24
南米巴西土地購入組合私案（稿）　25
信州海外発展者列伝（三）　神沢久吉君
——十九歳で六十町歩の地主　27
海外協会支部主任幹事会　31
信州だより
折井政之丞氏渡欧　32
〔図〕中米キユーバ共和国の紋章

第一〇号　一九二三年一月一日発行
〔口絵〕南米アルゼンチナ国
海外視察の必要　本間利雄　1
年頭所感——須らく世界的大国民の気風を養　今井五介　3
海外事情
故国を後に　勝田正武　5
酒屋奉公　市原真次　7
雲南を捨てて　郷間正平　10
ノロエステの奥より　高橋生　11
独逸の生活　田村俊夫　12
海外発展とボーイ、スカウト　細野浩三　15
〔書簡〕　溝口男一郎　(20)
投資国としての亜爾然丁　河野通岱　(21)
信州だより
信州の古物相場／信州各所の都市計画／諏訪青年団の壮挙／一級所の富豪続々農村を去らんとす／土地の持寄り競売／食用蛙の飼■／本県■年度予算／野菜の不作／北佐久郡十一月概況／下水内支部通信　(26)
第二回海外事情講習会　30
海外事情宣伝幻灯会　31
海外協会に対する県費補助　31
東京支部活動　31
会告　信濃海外協会　32

第一一号　一九二三年二月一日発行
〔口絵〕現総裁本間利雄氏／前総裁岡田忠

彦氏
伯剌西爾移民の概況　龍江義信講述　1
海外事情
一、伯国サンパウロ州イグアペ郡日本植民地事情　共拓会　8
二、ハルピンに於ける本邦商品状況　山内　18
三、南洋北ボルネオ坂本市之助君の近況——下水内支部通信　21
四、最近北米合衆国移民動静　23
海外近信
一、南洋の近況　小林幾玖雄　24
二、墨国マサトラン鉄道病院より　林弥兵衛　25
大正一一年中海外渡航者調査表　其ノ一／其ノ二（長野県保安課調査）　26
信州だより
一、冬の信州／二、北安曇支部の活動／三、本協会幻灯会／四、上伊那郡の産米／五、農家経済問題／六、野辺山原開発の議／七、本県公設市場状況　28
外国在留の諸君に御依頼　信濃海外協会　32
一般の方へ　信濃海外協会　32

第一二号　一九二三年三月一日発行
〔口絵〕第二回講習会撮影
移住の効果　永井柳太郎　1
南米観察実業団決議　山科礼蔵　12
海外事情
一、南洋麻移民状況書　鳥取県西伯郡教育会　16
二、鴨緑江節全盛を極めつつある此頃安東県に於ける木材状況如何　17
三、ハルピン地方毛皮状況　19
四、印度に於ける未開発富源　20
海外近信
一、ダスフローレス耕地より　黒坂武雄　23
二、南洋より一筆申上候　近藤良和　25
三、ヴイラコスチナ耕地より　高橋久雄　26
四、南洋近信　原山芳雄　28
信州だより
一、農村児童の体格都市の児童よりも劣る／二、雨氷の災害／三、商家の不景気／四、長野市の副業講習会／五、長野師範入学志願者激増／六、池田町合併問題／七、氷の中で六十日間に純益五十万円／八、本県初等教育効績者表彰／九、県下農業界の四大問題／一〇、南佐久通信　29
編輯室より　36

第一三号　一九二三年四月八日発行
〔口絵〕海外協会中央会創立相談会出席者
一、小移住者　久保田俊彦　1
二、海外事情
ハルピンに於ける工業／ダバオに於ける子供展覧会／米国山中部地方日人の活動状況／北ボルネオの租借問題／排日映画差止必要／ヒリツピンに於ける葡萄と蜜柑／ロスアンゼルスに於ける長野県人会総会／米国の南米就航船増配／在米邦人児童の綴方　8
三、海外近信
華州信濃海外協会を代表して（二月七日）　名取三重　18
墨国カラコール近信　矢島璋三　22
レヂストロ長野県人会より　北原地価造　23
墨都より　長淵鐘六　25
四、信州だより
海外協会中央会組織せらる／開田と潰れ地／本会第二回総会／群長警察署長の更迭／南佐久通信　26
編輯室より　(33)

第一四号　一九二三年五月一日発行

〔口絵〕南洋椰子の発芽（長田孝之助氏寄贈）

一、竹井相談役講演概要　1

二、海外事情

加州在留邦人人口動態の一面／支那髪網製作状況／加州の葡萄栽培業／海外在留地別本邦内地人人口表／自大正二年至大正十一年各年六月末現在海外在留本邦内地人人口比較表　8

三、海外近信

珈琲の木陰より　小田切伝　17

第三植民地にて一言申上候　大山幸平　19

四、信州だより

本間長官の信州紹介／養蚕の労銀二百万円／蚕業取締支所廃合発表／中央線旅客列車脱線／信州と肺病／松本市の糞尿問題／洋服の流行／米国絹業視察団の入信／南佐久通信　22

編輯室より　(33)

伯剌西爾移住地建設号

一九二三年六月一日発行

〔口絵〕〔サントス港〕

伯剌西爾移住地建設協議会／本間総裁の挨拶　1

信濃海外協会所属ブラジル移住地開設計画　6

絹業視察帰朝歓迎会　17

サントス港の外国貿易（一九二二年即ち大正十一年）　22

伯国公使館昇格　27

伯国渡航希望者の為に　矢部市郎　27

信州だより

農事相談の繁昌／隧道崩落し二十四名生埋となる／南佐久通信　30

編輯室より　32

第一五号　一九二三年七月一日発行

〔口絵〕ペルー土人インカの旧地クスコ

海外事情

南米ペルー国事情　1

米国自作農の家計状態　7

米国の廃日に関する在留邦人の決議　9

海外近信

華州近信　平林利治　11

華州信濃海外協会会員名簿　12

南加の成功者藤本安三郎君　16

北満より　島田生　18

景気盛返し候　西沢春次　20

渡伯希望の方へ一言申上度候　宮崎富美男　20

少々紙面を拝借して　小松永太郎　21

亜国の首都ボノサイレスの女（亜国日本人紙上より転載）　21

信州事情

郡市長会議／長野市の併合実施／県農会総会／健康児童共進会／摂政宮殿下軽井沢御成／信濃教育会総集会／洪水騒／南佐久通信　24

編輯室より　32

〔第一六号は原本において欠番〕

第一七号　一九二三年八月三〇日発行

椰子栽培事業の利益　1

海外通信

五百五十町歩を手に入れて　加賀野俊三　4

墨国南境の騒乱に就きて　竹内駒雄　7

珈琲植付四ヶ年契約の方法　笹沢新　12

大正十一年中全国移民渡航許可数（外務省通商局調）　13

内国通信

摂政宮殿下軽井沢行啓／各宮殿下の御入信／海外協会中央会の活動／信州の水害／県下養蚕状況／京浜地方大震災　15

編輯室より　(25)

第一八号　一九二三年一〇月一日発行

信濃土地組合の創立
　趣意書／有限責任信濃土地購買利用信用組合定款　1
伯国ミナス州大河沿岸米作地事情　10
内地移住地紹介　栃木県下那須野原（其の一）　18
信濃通信
　震災と長野県　35
県会議員　36
編輯机上より　(37)

第一九号　一九二三年一一月二五日発行

〔口絵〕南洋土人の住宅／南洋に於ける伐木作業
海外事情
　南洋雑話　倉石鶴治郎　1
海外近信
　母国国難と海外発展の要　戸田由美　18
　故国の震災に就て　小池代治郎　19
　伯国より　辺見国雄　21
　ニューヨーク短信　長田武夫　22
信州記事
　長野県民諸税負担一覧表　23
　大正十二年直接市町村税負担額表　24
　長野県会役員の決定／関東震災長野県救援事業／警視庁管内の信州出身警官／武井一郎氏夫妻惨殺／本年の登山者約十二万人／更級農学校の参考室　26
編輯机上より　33

第二〇号　一九二三年一二月二五日発行

内地移住地紹介　栃木県那須野原（其の二）　山崎治太郎　1
海外近信
　成功の緒に就きて　在伯国　宮下良太郎　18
信州記事
　第四回県下町村長会総会／実現せんとしつつある本県下の交通機関／飯田元結職工の賃金値上運動／本県来年度予算総額／長野市の人口／兵士の帰郷　24
編輯机上より　30

第二一号　一九二四年一月二九日発行

内地移住地紹介　栃木県那須野原（其の三）　山崎治太郎　1
福島県より本県農家の移住を希望し来る／福島県西白河郡関平村、吉子川村、滑津村連合耕地整理組合地主会規程／福島県西白河郡関平村、吉子川村、滑津村連合耕地整理組合地主会／福島県西白河郡関平村、吉子川村、滑津村連合耕地整理組合概況　18
海外事情
　ブラジル国珈琲産出状況／新製紙原料バナナの繊維／人造木材の発明／外国人営業制限法　23
海外近信
　信濃土地組合の創立を読みて　小池代治郎　28
信州記事
　本県内製糸工女数／開墾事業と潰れ地／梓村に電話開通／管内の鉄道事故／スケート大会／長野市の製糸場／長野県一戸当生産額　30
移植民渡航費要覧　33
編輯机上より　(34)
〔地図〕栃木県那須郡図

第二二号　一九二四年二月二〇日発行

〔口絵〕ブラジルの森林
県会に於ける本間長官の海外協議に関する説明　1
海外事情

最近の伯国事情　松村栄治　3
オレゴン州外国人土地法　17
海外近信
桑港にて　クリスマスの日　小宮山成己　22
信州記事
大正十二年海外渡航旅券下付調査表（其ノ一、其ノ二）／学校の火災／支部長の更迭／皇太子殿下御成婚当日県下各地の遥拝式と祝賀式／表彰を受けたる県下の功労者／信州から大臣が出た／善光寺の御開帳／信州の副業／諏訪の寒心天／御祝典と贈位者／　24
新刊紹介　30
編輯机上より　(31)

第二三号　一九二四年三月三〇日発行

〔口絵〕伯国首都リオ・デ・ジヤネイロの全景
海外事情
伊太利に於ける国際移民会議　1
南洋雑話（続き）　倉石鶴治郎　3
最近の伯国事情（其の二）　松村栄治　15
海外近信
墨国カラコールより　岩垂貞吉　21
レヂストロ県人会の動静　宮下延太郎　24
信州記事
下伊那郡青年秘密結社事件／善光寺の御開帳始まる／内務省主任の移民奨励講演会／須坂の闘雞会／下水内支部の総会／精神病院建設の議／諏訪の大都市計画　28
雑報　(31)
編輯机上より　(31)

第二四号　一九二四年四月三〇日発行

〔口絵〕南洋のバナナと椰子
海外事情
ノロエステ鉄道沿線概況　藤田敏郎　1
ビリグイ植民地　5
ヒリツピン、ミンダナオ島ダヴアオ州邦人企業状況　ダヴアオ帝国領事館　9
伊太利生糸の世界的地位　在未蘭帝国領事報告　18
日本商品の東アフリカ市場割込　在リヴアプール帝国領事報告　19
シヤム国朱檀材輸出状況　新嘉坡帝国商務官報告　19
諸国汽船及人口比較　通商局　20
支那に於ける自動車数　天津帝国領事館報告　21
人造絹糸の称呼　通商局　22
海外通信
伯国植民地農場経営に就て　松村栄治　23
信州記事
郡長警察署長の異動／堀直虎公の贈位奉告祭／雪解の出水／浅間電車の開通／製糸工男女の賃金調／村山橋の架設計画／青年講習会／長野市に於ける諸会合／農事試験場の落成式　29
編輯机上より　32
〔広告〕渡航者は急いで出発せよ

第二五号　一九二四年五月三一日発行

〔口絵〕ブラジルの綿花採集
寄書
在米同胞に資金提供の途を講ぜよ　坂井辰三郎　1
日本民族発展の為めに百年の大計を樹つべき秋　木下糾　3
海外事情
英領北ボルネオの富源／蘭領東印度と我国との貿易額／合衆国在留邦人間にブラジル研究会生まる／伯国移民成功実歴談　6
会報
海外協会中央会役員会／北米に於ける支

部設置　16
信州記事
代議士選挙の結果／松本市水道竣功／飛行機アルプス号／霜害／師範学校長の更迭／善光寺の開帳終はる／養蚕の所得百三十三円五十銭／長野県中農者減少／長野県米収穫高　20
海外笑話　26
謹告　在外同胞に図書寄贈趣意書　26
編輯机上より　28

第二六号　一九二四年六月三〇日発行
〔口絵〕惜別のテープ／甲板上の永田特使／特使を載せたる大洋丸
永田稠君を送る　宮下琢磨　1
日米問題と我国民の採るべき道　風満楼　4
排日移民法議会通過ノ経路　9
排日移民法三案の要点　外務省公報　11
米国排日運動年紀　13
紳士協約摘要――埴原大使の書翰にて始めて公表さる　14
母国通信
東京市の奉祝会／護憲内閣成る／永田稠君の送別会　15
信州記事
天竜峡谷鉄道／信州の春蚕／避暑地の開発と登山設備／長野市会議員改選／活動写真の普及／上田市の新市長／信州に結核多し　17
机上漫録　20
有限責任信濃土地購買利用信用組合員　24
在外同胞に図書の御寄贈を御願申ます　26
編輯机上より　28

第二七号　一九二四年七月三一日発行
〔口絵〕梅谷知事／細川内務部長／落合警察部長
本間総裁を送る　天籟　1
重任を負ひて　永田稠　4
北米合衆国見聞録　坂井辰三郎　7
ブラジル事情片鱗
大正十三年度ブラジル養蚕補助／大正十二年中サントスより聖州に入りたる移民数／浮腰の日本人は早く消えて失くなれ／ブラジル土地売却広告の一例　18
海外通信
吾人の前途は何処？　湯田維　22
墨なる哉墨なる哉　大沢開之進　24
南洋砂糖の島より　赤津伝　25
信州記事
地方官の更迭／堀江上伊那支部長逝く／大町の腸チブス／豚の丹毒症／信州の暑熱／信越国境の開発／本年五月中広島県の海外渡航者　27
編輯机上より　30

第二八号　一九二四年八月二五日発行
北米合衆国見聞録（其二）　坂井辰三郎　1
渡伯の途上（其の一）（其の二）　永田稠　8
海外事情
伯国産棉花生産の将来／伯国に於ける英国投資状況／聖州工業発達状況／比島に於ける外国人の法律上の地位　11
海外通信
郷里の新聞を見て驚入申候　村松圭二　23
排日問題と其の将来　村上有　25
椰子の葉蔭より　ＴＫ生　26
信州記事
経済界の美事／各宮様の浅間山御登挙／知事のアルプス踏破／松本の飛行機／郡長の更迭／上水内郡金融調／県下の旱魃状況　28
編輯机上より　32
謹告　33

第二九号　一九二四年九月三〇日発行
北米合衆国見聞録（其三）　坂井辰三郎　1
海外事情
布哇の現勢／何ぞ浦島太郎の多きや／蘭領西ボルネオ土人の風俗習慣　10
内国記事
大正十二年中外国貿易額表／主なる国の面積、人口、出産、死亡等比較表／主なる国の耕地面積割合／主なる国の耕地と人口との割合／自大正元年至大正十一年移民渡航地別／自大正元年至大正十一年移民渡航許可府県別　15
信州記事
伊那電車の大椿事／支部長の更迭／嗜眠性脳炎／本県秋蚕の成績／青年の野球競技／海外協会事務所の移動／信濃海外研究会生る　26
雑録　雑誌大南米創刊　29
謹告　30
編輯机上より

第三〇号　一九二四年一〇月三〇日発行
〔口絵〕〔ダバオに於ける依田袈裟三郎氏葬式〕
信濃海外協会選定地付近の図（永田幹事通信参照）
伯国より　永田稠　1
北米合衆国見聞録（其四）　坂井辰三郎　4
海外事情
有望新天地北ボルネオ事情　坂本市之助　10
遼東半島愛川村近況／西山署長が根本調査／愛川村の稲作状況／亜国農業事情／比島マニラ麻事業の現況　13
海外記信
依田袈裟三郎君を偲ぶ　小池釣夫　23
ボルネオとはどんな所でせう　矢島要　25
信州記事
本県画家の帝展入選多し／県下篤農家懇談会／県下青年の体育熱／信濃教育会臨時総集会／平野村の水道計画　28
海外発展小話　32
新刊紹介　32
編輯机上より　(33)

第三一号　一九二四年一一月三〇日発行
北米合衆国見聞録（其五）　坂井辰三郎　1
荒井書記官講演の要旨　9
海外事情
伊国民亜国移殖論　14
北島マニラ麻事業の現況（其の二）　16
海外通信
日本民族の祖先は南洋土人ならん　小池釣夫　18
バンクーバーより　田中広　21
信州記事
摂政宮殿下御通過／加藤首相の墓参／初雪来る／諏訪の醸造界成績佳良／更級郡の義僕節婦表彰／自動車運転手の志願激増／県参事会員改選／熊の出没多し／県内金肥消費高／寒心太前景気／大町に冬期運動場新設／第六回稲作多収共進会成績／大正一四年度長野県歳出入予算／福沢相談役の外遊　22
雑報
米国新大使着任　32
新刊紹介　33
編輯机上より　33

第三二号　一九二四年一二月三一日発行
北米合衆国見聞録（其六）　坂井辰三郎　1
海外事情
蒙古及西比利事情一端　13
比律賓の果物　小池釣夫　16
咸鏡北道の大富源　18

南米諸国の対日好感　21
人造絹糸業　22
露国革命騒乱中銃殺せられたる者の数　23
フランスの養蚕　23
海外通信
故国を顧みて　松村栄治　23
旅立ち朝　27
信州記事
本県耕地の所有及耕作に関する調／信濃海外研究会追善会／弔辞　29
編輯机上より　32

第三三号　南米ブラジル「ありあんさ」移住地建設号　一九二五年二月二一日発行

〔口絵〕南米「アリアンサ」移住地／「ありあんさ」移住地最初の入植者／チエテ河／コトペロ駅将来の市街地／ルッサンビラ駅／同駅将来の市街地／伯国人の移住者／ミランダ氏の事務所／山焼き／仮小屋／新鉄道の予定駅／移住地購入契約／信濃海外協会レジストロ支部
「ありあんさ」移住地の建設　1
一、移住地建設の理想　2
二、我等が移住地の特質　4
三、移住地購入の経過　6
四、土地売買契約書　9
五、入植者心得　16
六、移住者心得　18
七、移住地に就いて　25
八、「ありあんさ」移住地入植規定　30
九、出資者の為めに　36
十、開拓者心得　37
十一、各種作物と売却　44
十二、植民収支予算　49
十三、珈琲の四年契約をさせる場合　52
十四、四年契約請負者の収支　54
十五、入植者の要する諸経費の概算　56
十六、一アルケール当り主要作物の収支概算　57
十七、各種作物栽培年中行事　61
十八、海外協会の希望　64
十九、予算案　66
二十、信濃海外協会直営珈琲園予算案　68

第三四号　一九二五年三月三一日発行

巻頭の辞――新しき信濃村　永田稠　1
旅より帰して　永田稠　2
海外事情
支那孫文王道を旗幟として日本を先達にアジア民族起てよと気を吐く／トルコギリシア両国国交断絶／仏国下院に於てエリオ内閣信任／独国はルーテル氏を首班とする全権内閣成立す／露国トロツキー氏後任フルンゼ氏と決定／墨国駐日公使レオンサリナス氏と決定／チリー国に政憲起る／豪洲連盟平和議定書に対し否認と決定／国際連盟移民小委員会は移民の人種的差別を不可とし正義平等の原則の採用決議となす　6
海外近信
アリアンサ通信
永田幹事宛（一三、一一、一九）　北原地価造氏夫人はるみ　8
永田幹事宛（一三、一一、三〇）　北原地価造　9
永田幹事宛（一三、一二、三一）（第一信）　輪湖俊午郎　9
永田幹事宛（一三、一二、三一）（第二信）　輪湖俊午郎　10
永田幹事宛（一四、一、一）　北原地価造　11
聖州通信
永田幹事宛（一四、一、一八）　浅野利実　12

永田幹事宛（一四、一、一五）　浅野利実氏夫人春枝　13
永田幹事へ（一三、一二、五）　小玉源吉　14
永田幹事宛（一三、一二、五）　小玉源吉氏夫人清子　15
信濃海外協会宛　松村栄治　16
永田幹事宛（一四、一、一五）　伊藤八十二　17
キューバ通信
永田幹事宛（一四、一、三一）　芦部安夫　18
永田幹事宛（一四、一、三一）　芦部猪之吉　18
北加信濃海外協会／北加信濃海外協会会則　19
母国通信
社会の耳目を従動せしめたる水平社事件／横田法相の逝去と新小川法相／列国蔵相会議／海外移住奨励に関する質問と政府の答弁／移住組合法制定に関する建議案／普通選挙制を政府より議会へ提出す／婦人なしに普選はないと女政客鼻息荒し／鹿児島三重両県の海外協会設立／復活した日露外交／南米へ送る女に外務省が思案投げ首／南米への道再開　23
信州記事
農村不景気反映か中学校志望者減少／ブラジルバウル領事多羅間鉄輔氏講演／永田幹事の信州講演及懇談と日程／松本市と松本村との合併／信州の小作人と小作権　27
机上漫録
海外渡航の旅券出願手続一般／ブラジル行希望者にポルトガル通信教授特設　30

第三五号　一九二五年四月二五日発行

〔口絵〕試作唐玉蜀／満一ケ年十ケ月福沢譲二／アリアンサ移住地試作稲作／ブラジルの農具
巻頭の辞――理想の農村信濃村計画完成扉開く　1
信濃一巡　永田稠　2
北米合衆国見聞録（其七）　坂井辰三郎　7
海外事情
智利国大統領／秘露の水害／墨国新内閣員の履歴／孫文氏の逝去／ソヴイエト社会主義共和国連邦面積人口／仏国内閣の総辞職／御知し合の方に／海外発展志望者に充分と御相談　17
海外通信
アリアンサ通信　南米信濃村より　輪湖俊午郎　21
サンポウロ通信　兄上様御一同宛（一三、一〇、九）　神沢久吉　24
紐育通信　信濃海外協会宛　松尾弘　26
内国事情
満洲を中心に移民奨励の計画／廃艦三笠／総裁たるも全然軍籍離脱不可能／東宮妃殿下御着帯式は九月当に御妊娠三ヶ月／日支親善――目的の北京訪問の大飛行／秩父宮殿下御巡覧の後に御渡欧／四千枚の入場券を出して三派の普選祝賀／暴力団増加に徹底的取締をす　27
普選の歌　29
信州通信
アリアンサ移住地信濃村第一回渡航入植者小川氏の上申書／会員名簿（埴科郡の部）／信濃村建設への先発隊／信濃海外協会員の福音二つ／町村議員の改選／千円以上の多額納税者決定／蚕糸図業者の奮闘期／実業学校入者状態調査／千曲の長堤を桜並木たらしむ／南米に関する書物が此の頃非常に沢山出ましたから一束にし御紹介します　30

雑報　新任理事西沢太一郎氏　37
編輯の結び　37

第三六号　一九二五年五月二六日発行

巻頭の辞――日本人の使命　世界的になれ　美矢緒　1
幹事就任の御挨拶を兼ねて　西沢太一郎　2
内外在住諸君の御投稿を歓迎する　4
蜂須賀理事を送る　5
最近の信濃村　永田稠　7
会費至急納入　10
婦人の海外渡航を奨む　日本力行会　11
今後会費納入者は本誌に掲載　14
海外事情
　米国労働長官の亜国訪問　15
有望新天地北ボルネオ事情　坂本市之助　18
海外近信
　短信　島田生　22
百町歩地主となり奮闘　村松栄治　23
メキシコ渡航者のために　勝田正武　26
北加信濃海外協会員名簿（続き）　29
母国事情
　琉球島悲境のドン底へ／雪のアルプスを海外に紹介／三派合同と政局の前途／国民平等に被選挙権を――坊さん連の陳情／本州四国間の郵便飛行開始／在監人は減少したが性質極めて悪化　32
信州記事
　恐しい霜害、襲はれた東筑地方／拓務省新設と海外協会で気を吐く／不衛生な製糸工場／区民一揆押出す――天竜川川上横断問題／西筑の木炭製造事業／県営松本運動場／漁民三千の生命をどうして呉れる／焼岳鳴動――盛んに灰を降らす／お国自慢の踊の手ぎわ／御幣を担いで結婚を急ぐ女達／会員名簿（南佐久郡の部）　34
雑報　(39)
編輯の結び　(39)

第三七号　一九二五年六月二六日発行

巻頭の辞――焔ゆる我が胸　(1)
入植先発者に与ふ　2
駅の涼風　5
米国加州の米作に就いて　6
初夏の賦　8
海外事情
　上海を中心の排外騒動　9
駅の涼風　11
海外通信
渡伯から入植まで　大提篤　12
信濃村から喜びのおとづれ　座光寺与市　15
メキシコ渡航者のために（続き）　勝田正武　17
亜国の平原　山崎忠直　18
母国事情
　山陰地方一帯強震に襲はる／陸軍省で兵卒新聞発行／官治的目的から民政の充実へ――田中政友総裁の抱負／山梨県下に大降雹――農作物全滅／生れ出る銀座街の偉観／日露協定の概項　20
信州記事
　多額議員選挙選――有志者策動す／小県郡町村税滞納多し／山浦田植後良好／東筑の春蚕状況／岩鼻蛍の名所――亡び行く／富士見高原へ――文化施設／小県郡滋野村議改選の珍選挙／天井知らず米価――画き出される生活苦　22
協会だより
　本会役員／新役員／会員調／移住地入植その他につき外務内務両省との交渉事件報告／雑誌発送及海外移住志望状況／県外に現はれた海外志望者／入植渡航状況／来訪／新入会員及新購読者／会費納入　24
雑報

信濃村移住地入植者に対する旅券下付注
意／アリアンサ移住地建設号の姉妹三十
四号／頗る低下した農家経済能力　31
海外発展問答　34
余録　36
編輯の結び　36

第三八号　一九二五年七月二六日発行

〔口絵〕六月十二日入植者諸子を上せたシ
カゴ丸は八月十三日上陸港サントスに着
く予定
巻頭の辞――開拓大明神　永田稠　(1)
宮下幹事の南米行を送る　永田稠　2
海外事情
北米サンタバーバラ強震／日本西班牙間
旅券査証廃止／露国に於ける日本の銀行
業／巴爾幹と英仏伊露各国の政策／北米
邦人二百五十名追放／二万の住民消息全
く不明／新駐日英国大使任命／パラグワ
イ国外務大臣の新任／太平洋に於ける米
国海運業の新発展／丁抹の軍備撤廃問題　5
海外通信
伯国第一の珈琲園で　大提篤　8
一九二五年の春を迎へて　海野助弥　9
比島開拓の為めに　10
渡伯海上より　13
母国事情
山口県岩国付近に白蛇集団棲息／涙の半
生を送つた「露探」の妻――十数年振り
で帰国／女大尉英国へ／世界宗教大会／
大陸開発の日露合併会社／政府米払下げ
――六万石／摂政宮御親ら猿や熊を御飼
養／映画女優は売春婦に同じ／霞ヶ浦か
ら九州へ一気に飛ぶ／高等小学校の実業
家行悩む／益々殖える全国の精神病者／
老顔役の発明／宮城二重櫓の下から人柱
を発掘す／仕事はしたいが金が無い／木
曽の馬市／浅間山の不動滝／本県春蚕豊
作／本年の旅券下附数（自一月至七月）
／海外渡航者数／岡谷に工女紹介所設置
／河東鉄道第三期線開通／村税――不納
同盟／列車目懸けて老爺飛込む／諏訪郡
金沢村の進んだ施設／諏訪壮丁検査／噺
子賑かな長野御祭礼／死産率の多い諏訪
北山浦地方／伊那町の氷屋六十余軒　16
協会だより
新役員／信濃村移住地建設資金出資者／
出資者に対する土地無償分譲／来訪／宮
下琢磨氏の南米視察／新会員及購読者／
金銭納入　25
通信の中より
身は若年と雖へとも　山田靖雄　28
初志一貫万難を排しても　涌井茂　28
雑報
信濃村移住地入植者に対する旅券下附注
意／伯国移民規定／小宮山義佐氏の略歴
／直ちに飛雄し墨国の天地　30
海外発展問答　35
暑中御見舞申上候　信濃海外協会　36
編輯の結び　(37)

第三九号　一九二五年八月二六日発行

巻頭言――何故に進まざる　永田稠　(1)
南米視察者と信濃村　永田稠　2
信濃村近況（六月二十六日発）　輪湖俊午郎　5
移住者の服装と携帯品について　7
海外事情
西蔵に内乱／比律賓事情　12
海外通信
伯国渡航希望者諸君へ　15
有望なる伯国の養蚕業　17
亜国然丁に来る人の為めに――亜国人の
礼儀に就いて　18
もつと海外同胞は親密に　ＹＨ生　19

内国事情
摂政宮殿下の樺太行啓／内閣総辞職／八坂丸登載金貨引上げ成功す　21
信州通信
竹田宮川中島古戦場へ／県下の諸税額負担／埴科の副業／次回改選から県議定員変更／田中阿歌麿の湖沼研究／農事試験分場設置の争奪／上伊那に明治大帝の生祠発見／諏訪湖の蜃気楼／今年の軽井沢案外淋しい／善光寺保存会に現はれた不景気／伊那糸の糸質研究／川西地方の水騒ぎ　23
協会たより
他府県からの移住地入植／移住地の小作契約／役員会員動静／新会員及新購読者／会費納入　27
通信の中より
愈々両親の諒解を得て　高木利治　30
よろしく日本人は世界的に　NS生　31
雑報
信濃村移住地入植者に対する旅券下附注意　32
海外発展問答　34
海外の在住諸君へ　35
編輯の結び　宮本生　(36)

第四〇号　一九二五年九月二六日発行

巻頭言――既に難関を越えた　永田稠　(1)
為さざる也　永田稠　2
南米と日本人（一）　ゼナロ　アルバキガ　6
移住組合法案議会通過について　9
銀行会社員妻子の滞米に就いて　12
海外事情
比律賓事情（続き）　13
海外近信
伯国渡航希望者諸君へ（続き）　17
亜国に到着して　清水三郎　19
邦語教授問題について（一）　田中広　21
更らに精神的糧をも与へられて（一）　田中正勝　24
日本人であるが故に　遠藤照治　26
げにや熱帯の驟雨　宮下琢磨　26
在外諸子の通信を歓迎します　27
母国事情
荒撫地開拓し集団移民奨励／実業学校卒業生の就職口／不均等な教育費生徒一人当りの経費調査／多額議員政派別／多額議員の年齢と職業／各地に大暴風起る／東京の処疫／貴衆両院全焼／バラック建の議院を建築／汽車弁の食い残し年百五十石　28
信州記事
本県の多額納税議員選挙／衆議院補欠選挙／各中等学校の軍事教育経費／済生会の助成で岡谷産院建設／本年の製糸資金一億円を突破／煙火製造資格合格者／光明に輝く盲人救済会／夏蚕の採算有利農村は大元気／県下の桑園小作料高いのは上田小県／託児所補助／長野市の膨張／県下の二百二十日／農家の大豊年小県郡下は大ホクホク／大男六尺二寸一分の記録破り／先生の教へ方に満足せず――可憐な少女の自殺　31
協会便り
内務省から一万円の補助／信濃村土地代第二回払ひ込み／海外渡航者の第一次移住地選定／内務部長の栄転／新会員、新購読者／金銭納入　37
通信の中から
技術者として　池田広志　40
使命を感じて　宮沢一子　40
我が娘も　北原欣平　41
五円の醤油が一円余で出来る　41
海外発展問答　42
編輯余録　(43)
〔広告〕南米信濃村移住者募集

第四一号　一九二五年一〇月二六日発行
巻頭言――膨張的国民の生きる途　(1)
親を思ひ、家を思ふが故に海外へ　西沢太一郎　2
南米と日本人（二）　ゼナロ アルバ井ガ　8
海外事情
馬来半島及英領ボルネオ　12
海外近信
楽しい日曜日　大山幸平　18
邦語教授問題について（二）　田中広　19
亜国ブエノスアイレスの美観　翠生　21
更らに精神的糧を与へられて（二）　田中正勝　25
母国事情
お誕生近き皇孫殿下／人口増加率激増の傾向／東京の人口／公判部新説／徳川議長邸丸焼け／新津町の大火　27
信州記事
臨時県会招集／県下壮丁の成績／県議補欠／下高井生産繭の調査／農倉建設／蚕霊供養塚／焼岳大爆発／御岳登山者／助弥神社／茸出盛る／静寂の木曽谷／長野の夷講／軽井沢のスケート／青年競技大会／須坂水道　28
協会便り
役員／信濃村移住地建設資金出資者／金銭納入　33
通信の中から　妻も大賛成して　佐藤清治　36
海外発展問答　37
編輯の結び
〔広告〕南米信濃村移住者募集　(39)
第四二号　一九二五年一一月二六日発行
巻頭言――我が子の将来　(1)
海外発展の根本精神　西沢太一郎　2
南洋より帰りて（一）　矢島要　5
海外事情
馬来半島及英領ボルネオ（続）　8
ありあんさ通信
輪湖俊午郎君よりの電報／小川林君の通信／篠原秋次君の通信／岩波菊治君よりの通信　13
母国時事
開墾地の補助／議員上棟式／食糧問題の前途／旅券／南米移民／台湾産業金融／地球の何処ともお話が出来る／可憐な真心　22
信州記事
三市の人口膨張率／小川氏の胸像／小作人一戸の耕作地／穀物調製発動機／六百余名の細民／廃娼の請願運動／長商選手凱旋／伊那菊陳列／菅平に雪白く／交通宣伝／菜大根大当り／天竜橋竣成／飯鉄開通式／美事に結ぶ／除隊　25
協会便り
海外思想普及／入植者／移民奨励補助／新会員／購読者／金銭納入　29
募集　印度行青年／伯国行婦人／加奈太行婦人　信濃海外協会　31
新刊紹介　31
海外発展問答　32
会員諸子へ　32
編輯雑記　宮本生
〔広告〕南米信濃村移住者募集　(33)
正誤表　一
第四三号　一九二五年一二月二五日発行
巻頭の辞――海外協会誕生四星霜　西沢太一郎　(1)
信濃海外協会規約（大正十二年三月改正）　2
信濃海外協会役員　4
信濃村移住地建設資金出資者　7
県内各支部会員
南佐久郡支部会員／北佐久郡支部会員／

小県郡支部会員／諏訪郡支部会員／上伊那郡支部会員／下伊那郡支部会員／西筑摩郡支部会員／東筑摩郡支部会員／南安曇郡支部会員／北安曇郡支部会員／更級郡支部会員／埴科郡支部会員／上高井郡支部会員／下高井郡支部会員／上水内郡支部会員／下水内郡支部会員／長野市支部会員／松本支部会員／上田支部会員／県外会員／県内購読者／県外購読者 8
県外各支部会員
東京市支部会員／米国西北部支部会員（大正十四年三月三十一日現在）／米国北加信濃海外協会員／信濃海外協会北米支部会員／伯国レジストロ支部会員／アリアンサ支部会員／布哇在住会員 21
各地在住会員
北米合衆国在住会員／加奈太在住会員／キューバ在住会員／黒西哥在住会員／智利在住会員／ペルー在住会員／亜爾然丁在住会員／伯剌爾西在住会員／ボルネオ在住会員／シンガポール在住会員／ジャバ在住会員／比律賓在住会員／南洋委任統治諸島在住会員／支那在住会員／英吉利在住会員／其の他各国在住会員 35
大正十四年度事業計画及事業ノ内容 48
編輯後記
〔写真〕南米信濃村移住者募集 (51)

第四四号　南米ブラジルありあんさ移住地一覧
一九二六年一月二五日発行

〔口絵〕信濃海外協会歴代の総裁　他
南米ブラジル「ありあんさ」移住地一覧発行に就いて　梅谷光貞 1
一、信濃海外協会の梗概 4
二、南米ブラジル移住地建設の宣言 5
三、移住地経営の一般計画 9
四、移住地経営資金 10
五、信濃・南米両土地組合 11
六、移住候補地の選定 14
七、関東震災の前後 15
八、移住地の決定・購入 16
九、移住地開設準備 22
一〇、資金の補給 28
一一、政府の了解と補助 29
一二、移住者の募集・渡航・入植 30
一三、移住地の現状 32
一四、移住地経営収支概算 34
一五、大正十五年度移住地経営収支概算予算表 38
一六、結論 40
附録、移住組合法 45
編輯雑記　赤イキ生 (49)
〔広告〕南米信濃村移住者募集

第四五号　一九二六年二月二五日発行

〔口絵〕本会相談役竹下豊次氏　他／〔アリアンサ移住地〕日曜の一日
冠頭言――開拓精神《パイオニヤスピリット》 (1)
移住地の建設続出せん　永田稠 2
南洋より帰りて（二）――日本に対する感想　矢島要 7
鮮満豪支視察上の所感（一）　矢田鶴之助 9
海外通信
小川林君の通信（二） 13
イタプラの瀑を見るの記　大山幸平 15
久保田安雄氏の通信 17
同貞江夫人より 18
愚妻安着仕り候　長橋辰三郎 19
未開墾地は健全なる腕と鋤を待ち　井上静雄 20
新刊紹介 21
母国通信
日本文化を紹介／海外からも詠進／加藤首相薨去／内閣総辞職と後継内閣／憲政会総裁／建国祭／民族会議／三浦悟楼子

逝去／豪鮮内地米の生産費／天理教の迷
信 22
県内通信
県庁分合増員／北佐壮丁減少／下伊青年
会研究大会／小県青年気分／優良青年婦
人団／擬国会／恐ろしい寒さ！／鹿の大
群／松本青年事業／移住者も同じ村民／
県下ラヂオ 25
協会便り　新会員 28
百聞不如一見　宮下琢磨 31
海外に関係ある諸団体 32
編輯雑記 34
〔広告〕南米信濃村移住者募集

第四六号　一九二六年三月二五日発行

〔口絵〕本県官房主事山崎喜智家氏　他
冠頭言――「日米」の衝突 (1)
アリアンサ移住地の土地分譲終了・開拓促
進――着々進捗せんとす　永田稠 2
鮮満蒙支視察上の所感（二）　矢田鶴之助 6
植民政策と移住者の根本精神 11
海外通信
小川林君の通信（三） 15
「北加信濃海外協会」より通信
幹事 17
「信州懇親会」を設立して　岩重貞吉 19
墨都にて内地の若き人々へ　長淵生 20
〔無題〕　荒井金太 21
母国通信
昨年の移植民成績／切符一枚で倫敦へ／
長閥覆滅運動／海の中に列車が見える／
何処からでも飛べる／内地総人口／国家
総動員の調査委員会／海外駐剳外交官の
意見を聴く／欧州で芝居 22
信州記事
三千余万石不足／収繭量は増した／雄弁
大会／新人を選ぶ／組合の発達／長野野
球場／木曽谷の読書力／畑八村に劇場／
御柱祭／団参／角間温泉道路／会染組合
慰安／西箕輪校改築／死産率／人口三万
を目標に諏訪の水道進む／諏訪の人口十
四万四千余人／青年会社会奉仕 26
春　一少女 30
アポー登山記　塚田久米治 31
海外発展問答 37
新会員／会費領収／現在の海外協会 38
編輯雑記 39
〔広告〕南米信濃村移住者募集

〔第四七号・第四八号　欠号〕

第四九号　一九二六年六月二五日発行

冠頭言――成功の希望 (1)
墨国低加州エンセナダを中心として日本人
の将来　藤本安三郎 2
オカナガン及ケローナー地方の農事状態　小川幸太郎 6
珈琲の実の成らんことを望むな。むしろ人
の実の成らんことを望め　団長生 8
在外諸子の寄稿を望む 11
海外通信
無事着ア致しました　藤本顕正 12
故国青年男女の自覚を望む　森泉菊三郎 14
「ブラジルやジヤポン飛込み斧の響」　イグアペ生 16
目的を果して　新井庸十郎 16
母国通信
仙石鉄相辞表／改造内閣の親任式／メキ
シコカラ二青年を日本に呼ぶ／さつきを
献上／落合大使突如逝去す／研究会を脱
会／清々した難波一家／六十三時間で飛
ぶ／新政策もまだ要領を得ない／世界巡

りの大学船 18
信州記事
学生避暑地／七ケ師団に相当する全県下青年の総動員／軽井沢開発計画／鈴蘭採りに／埴科町村電話／北安の小学校増築／泰阜村増築認可／新築ぞくぞく／伊那電争議／伊那電争議経過／移植民を中心に女商教育の研究／県へ移管の職員は百二名／佐久に又復大降へう／河西新博士はスワ中学出身／スワ地方蚕況／松筑地方蚕況／更埴地方蚕況／上高井の蚕況／布団むし／松本新繭到着／緑装した野尻湖／田に亀裂を生ず 21
長物吐口 伊藤徳象 27
五年間日記 28
一事一項 29
編輯後記 (30)
〔広告〕南米信濃村移住者募集

［第五〇号・第五一号　欠号］

第五二号　一九二六年九月二五日発行

冠頭言——海外渡航の警察事務簡捷 (1)
墨国低加州の現勢 藤本安三郎 2
鮮満蒙支視察の所感（六） 矢田鶴之助 5
海外視察組合ニ就イテ
海外視察組合設立趣意書／海外視察組合規約 12
海外通信
故国の若人の奮起を促したく候 田中寿治 23
福島海外協会設立を望んで 森代喜一 24
あの日本人達は植民でなく旅行者 香山六郎 24
母国通信
早速蔵相逝去／内閣一部改造／人口食糧問題解決策／南洋貿易会議／昨年度の人口増加八十七万人／十万以上の日本全国の都市／官民共意義ない領事館設置 26
信州記事
本県の入営兵約三千人／大賑ひの松本平／上諏訪町会で志賀氏を推薦／伊那電新線／収繭減少か／明年度の警察予算／県属十名増員／筑北地方へこられたる／数十戸を破壊／涼気襲来／伊那電運休／埴科豚の移出／埴科の孵化蚕種／北宅の茸豊富／「我と来て遊べや親のない雀」／仲秋の無月／東海北陸連路飛行の不時着陸場 29
植民ニュース 34
青年投稿　海の彼方に奮闘を希む 西牧巌 35
協会記事
アリアンサ移住者旅券査証問題／相談役推薦／県下各町村の事務嘱託／会費領収／熊本海外協会移住計画捗る 36
編輯後記 38
〔広告〕南米信濃村小作移住者募集

第五三号　一九二六年一〇月二五日発行

冠頭言——躍進 (1)
海外発展問題雑考 永田稠 2
ブラジル近聞　移民政策の変更／鐘紡の綿花栽培 5
海外支部より
西北部支部通信 小池代治郎 7
海外通信
紐育雑信 長田武夫 9
先づ来たれ、墨国へ！ 勝田正武 10
前途有望の墨国企業 長淵鐘六 10
二十年振りで帰郷 矢崎節夫 12
左記当地方県人御通知申上候／在外帰朝者訪問 12
植民ニュース 13
母国通信
正貨現送／満洲棉花会社／満洲棉花創立

／岡山孤児院解散／ブラジル大使御暇乞参内／伯国大使帰国／貿易会議目出度く幕を閉づ／貿易会議の収穫／秘露政府移民優遇／遭難列車の死者三八名／軍医救護に従事／今井五介氏表彰／ブース大将東宮に拝謁／長慶天皇奉列あらせらる／伊沢市長辞職／ニユーヨークで四十九ドル実現　15

信州記事

一茶翁記念碑／須坂町の水道竣工式／天竜峡の秋／県下所得税調査委員選挙当選者／県参事会員当選／北信一帯小作組合連合会／弥津小諸間乗合自動車開始／松本下諏訪間自動車運転／諏訪の寒心太バタミヤ領事の報告／東海北陸連路飛行の不時着陸場／甦つて信州足袋／木曽のもみぢ／初霜／県営運動／岩村田の収容者保釈さる／篠ノ井線中の新駅設置／須坂の夷比寿講　20

県下各町村吏員一覧（其ノ一）　25

協会記事

渡航入植者の状況　29

新入会員　六月より（其ノ一）／会費領収　30

編輯後記　32

［第五四号　欠号］

第五五号　一九二六年一二月二五日発行

〔口絵〕大行天皇陛下／今上天皇陛下・皇后陛下

冠頭言――本誌を通ずる大正十五年　(1)

資金募集を完了して――信濃海外協会一年有半を顧みる　西沢太一郎　2

ありあんさ移住地建設資金出資者一覧　4

海外支部より

北加信濃海外協会通信　臼井省三　7

海外通信

比島ダバオの長野県人　小林千尋　9

在ダバオ本県人調査徹底す　小林主計　11

支部設立を急ぐ　長淵鐘六　12

落伍者の弁――自由意思は畢竟自然淘汰予　中沢潤二　13

小作希望者へ　15

海外発展短期講習会　15

母国通信

天皇陛下崩御／心臓麻ひを御併発／若槻首相謹話／今上践祚皇后陛下冊立／県民奉悼の意を表す／貿易策確立のため諮問機関設置か／政本提携正式に成る／沼津の大火六時間焼け続く／沼津の大火に御救恤金下賜／あはれ「今様浦島」行倒れて養育院へ／上田博士当選す　16

信州記事

県下各地の御平癒祈願／本県総人口百六十四万三千人／道路改良費を北信は喰ひ過ぎる／警察復活の具体案／諏訪電鉄伊那電へ合併／脚色映画化する「信濃の善光寺」／西天龍耕整紛糾解決す／除雪作業は地元青年団に／青年会だより／上田市のビルディング建設　19

県下各町村吏員一覧（其の三）　24

ありあんさ移住地渡航者の渡航準備補助金追加運動　28

海外在留本県人代表（成功）者投票募集　31

会費領収　33

編輯雑記　34

第五六号　一九二七年一月二五日発行

冠頭言――昭和の御代　(1)

アリアンサ移住者に送る書　永田稠　2

墨国低加洲の漁業利権　藤本安三郎　13

母国通信

御追号は『大正天皇』御陵名は『多摩陵』に／御陵誌は閑院宮御執筆／国民の熱望の中に明治節可決さる／皇后陛下めでた

き御異例と拝す／昭和第一次の政戦へ！
朝野両党の勢ぞろひ――正義吾にあり
与論吾を後援す（若槻総裁の演説）／不
信の内閣に期待する事なし（田中総裁の
演説）／党争的私情を交へずあくまで政
策本位（床次総裁演説）／議会停会の詔
書下る――二十日より三日間／三党首会
見で局面一転――不信任案は撤回に決す　16
信州記事
県下八警察復活／三署を得た伊那谷の歓
び／警察補整につき県民へ告諭す／刑事
課の独立／松本練兵場移転決定／初年兵
満州派遣準備で／一週間にわたる大吹雪
／今夏の北アルプス登山の施設ぶり／月
の姥捨山を日本新七景へ　24
日本郵船会社出帆船　28
信濃海外協会規約（抜粋）　29
入会申込書　30
協会記事
役員異動／会費は直接町村役場に納入し
て下さい／海外視察組合の発展――既に
数十組合の設立／会費領収　31
アリアンサ第三移住地土地分譲　33
編輯雑記　34

［第五七号　欠号］

第五八号　一九二七年三月三一日発行
冠頭言――海外移住組合法案　(1)
南米アマゾン河地方の状況　福原八郎　2
踊る国――アルゼンチン漫話　御厨信一郎　11
海外通信
アリアンサの一ヶ年　小川林　16
船中生活注意の数々　瀬戸喜代松　19
バタビヤ着仕り候　半田積善　20
マニラより　駒津昌虎　21
伯国より　笹沢新　22
母国通信
先帝百日祭／府県会議員選挙／五十二議
会終る／最終日の衆院／新議長任命／朝
鮮総督受諾す／全権に石井大使／郵船司
厨部員争議／貿易通信員六名増置／人口
食糧調査官制／長官会議招集／本年度の
在外研究員／志賀重氏氏気遣はる　23
信州記事
銀行法で小銀行大整理／信連貸付額が物
語る農村の惨闘ぶり／塩尻（東筑）町制
認可／七支所復活／市制三十周年の祝ひ
／東筑連合青年総会／金馬簾交附／松本
市記念博覧会／上田公園春が来た／花き
案外急がう／上伊那郡町村長会　26
協会記事
ハワイ丸乗船アリアンサ渡航者／海外発
展宣伝／会費領収／往来／鳥羽久吾氏逝
く／旅券下付願の記載方注意　29
ありあんさ移住地入植者調（大正一四年よ
り昭和二年四月まで）　31
伯国留学生派遣　32
信濃に来りて　坪内忠治　34
国際教育いろは歌留多――国際連盟協会で　信濃海外協会　35
尋人　35
編輯雑記　赤インク　36

［第五九号　欠号］

第六〇号　一九二七年五月二五日発行
〔口絵〕［総裁千葉了氏／前総裁高橋守雄氏
他］
冠頭言――帰朝者　(1)
日本に似た国々（二）　志賀重昂　2
レヂスト信州人（一）　宮下琢磨　10
海外通信
海外発展の裏面　剣影生　15
県に適材あり――政府移住方針一転を悲
しむ　中沢老生　18
私共の生活――伯国の二ヶ年　丸山福美　19

母国通信
臨時議会の閉院／臨時議会を顧みて／感謝の外なし（高橋蔵相）／無事終了は感謝に堪へぬ（田中首相）／議会後の政界分野／台銀支店全部開業／空前の地方官大更迭／殖へる人口一年に百万／不良外人一掃／勲功の六万八千人　24
寄贈図書ヨリ　28
信州記事
焼却八百余戸哀れ灰燼――木曽福島の大火／県下の大霜害――全桑園の七割　29
協会記事
総会は七月十日前後／会費領収　33
ありあんさ入植一覧　35
義捐金を募ります　38

第六一号　一九二七年六月二五日発行

〔口絵〕列車衝突殉難者／レジストロ訪問
冠頭の辞――通信の連絡　(1)
列車衝突殉難者の霊前に　2
ハワイ丸一行の列車衝突遭難　4
移住日誌（二）　武内三三　9
〔和歌〕農耕のいとまに　岩波生　15
海外通信
自分で感じた事――渡伯準備注意　宮部里治　16
私は当地に来た時十一歳――八年前のレジストロ　植木酉二　18
アリアンサ通信
アリアンサの私共――珈琲の花が開く、籾の百俵、マモンとバナナが食卓へ　小川生　21
在ア一ヶ年の月誌　藤本顕正　22
アリアンサの片々　細川末男　24
〔和歌〕〔農耕のいとまに〕　岩波生　25
サントス丸を見送る――壮なるかな飛雄同胞　宮本生　26
サントス丸第一信――香港より　紫田芳三　28
母国通信
内閣一部改造／立憲民政党生る／政界新分野／支出兵――動員令を下る／移民博物館設立／海外移民組合組織の定款と事業方法／日墨医術協定廃棄／メキシコ物産陳列所設置／移民収容所の官制決る／農林省の内地移民対策／古島一雄氏講演／霜害救済資金／総会。代議員会移住地建設記念会決定　29
信州記事
県政界の分解を促す／明年の代議士戦／小坂塚原両氏の入党／高井村に降電／鳥居村に降電／藤村詩碑の原型／大霜害都市別調査／梓山部落焼く／徴兵検査成績／温村学校粉擾／原法相の墓参／波多敬老会／五百余町歩を焼き／湖畔の大公望／集る同情／赤石登山準備／父の物故も知らぬ／健保医患者　33
協会記事
海外視察組合の活動――続々設立される上、下水内、更埴、小県地方／顧問及相談役推薦／相談役異動／神奈川丸、ラプラタ丸安着／サントス丸乗船アリアンサ渡航者／矢崎節夫氏訪会／新入会員／会費領収　37
編輯後記　40

第六二号　一九二七年七月二五日発行

〔口絵〕矢崎節夫氏一家／独立力行世界踏破――徒歩旅行者秋山利一
冠頭言――賞揚されたる負傷者の忍従的態度　(1)
レヂストロの信州人（二）　宮下琢磨　2
北海道移住計画　関屋延之助　8
開拓精神に燃ゆる若き教育者の信念　11
移住日誌（三）　武田三三　14

海外在留本邦人口表（大正一五年十月一日現在） 17
在伯二十年の奮闘者矢崎節夫氏帰朝――両親を慰問してブラジル事情を語る 19
母国通信
首相の施政演説／正金建直引下げ／無賃乗船で日本を去る――実父の不倫に泣く一青年の哀話／南米土地会社／人口食糧問題調査委員決定す／東拓が計画中の南洋投資熟す／川崎救済行悩む／暴行議員の有罪／太平洋横断飛行に同乗／八丈島飛行場／保険会社の不良／海抜千五百尺の山が消えた／移植民関係来年度予算／人口食料初調査総会 22
信州記事
郡廃一年目の成績はどうか／霜害減少春繭／県議投票用紙／梓川水利起工式／千曲、犀川氾濫／新八景に上高地入選／水騒動／田中総裁を迎て北信八州大会／労農北信支部結党式／アルプス登山隊賑ふ／市長候補の邦人は松平子の従弟――旧上田藩主の令弟の子と判る 25
寄贈図書より 27
比島タバオの出生と死亡（長野県人） 27
ダバオ邦人生死比較（最近七ヶ年統計） 27
処女旅行に成功して朝鮮を経て南満洲に入る――所要 五十余日にして 秋山利一 28
協会記事
移植民問題大講演会／アリアンサ移住地死亡者追悼法会／本県出身名士の臨席／海外視察組合の続設――各地方青年の奮起‼／まくら丸乗船アリアンサ渡航者／日本植民通信社移転／新会員／会費領収／消息 35
編輯雑記 38

第六三号

南米ブラジルありあんさ移住地建設紀念号

一九二七年八月三一日発行

〔口絵〕役員一同／前役員一同／講演会（七月二十日）
アリアンサ建設紀念号発刊について 信濃海外協会 1
信濃海外協会組織
信濃海外協会設立趣意／信濃海外協会規約（昭和二年五月）／現在役員氏名／各郡市選出代議員氏名 1
信濃海外協会の経理
大正十四年度歳入歳出決算／大正十五年度歳入歳出決算／昭和二年度普通会計収支予算 6
大正十五年度事業報告並事業成績
一、年度／二、役員の異動／三、海外発展に関する宣伝及講習／四、其の他海外各地発展希望者の為め指導啓発をなす／五、機関雑誌「海の外」の発行／六、会員の募集及移動／七、海外視察組合の設立／八、本県出身在海外者並に故郷の家族親戚等の状況調査／九、海外帰朝者の懇談会／十、標本蒐集及展覧会／十一、海外支部設立 15
昭和二年度事業計画
一、会員整理並新会員募集／二、海外視察組合の設立増加並海外視察／三、出資特別会員ノ募集／四、役員並組合員ノ海外視察／五、講習会ノ開催／六、海外発展ノ宣伝／七、機関雑誌ノ刊行内容ノ改善並部数増加／八、標本ノ蒐集及展覧会／九、海外発展ニ関スル著書印刷物ノ紹介又ハ配布／十、海外支部設立／十一、海外発展病没者ノ法会執行／十二、出資特別会員提供地ノ開拓
海外支部との連絡と状況 23
信濃海外協会米国西北部支部／北加信濃海外協会／信濃海外協会南加支部／タン

ピコ信州人懇親会／アリアンサ支部／レジストロ支部／其の他 26
南米移住地建設の宣言とその一般計画
移住地経営資金／関東震災の前後 32
〔口絵〕ルツサンビラ駅（アリアンサ移住地入口）／アリアンサ街道入口／アリアンサ街道／移民収容所全景／アリアンサ事務所前／原始林の伐採！／協会直営地開墾／移住者の開墾地と住宅／住宅／井戸／アリアンサ移住地の里芋／ユーカリ並木／アリアンサの力行会連／野球／岩波菊君住宅前の矢崎節夫氏外一同／多羅間鉄輔、北原地価造、輪湖俊午郎
移住地の購入及命名
土地売買契約書（写）／新しき移住地と開設 34
本会歴代の総裁 39
資金調達の回顧
信濃一巡 永田稠 39
為さざる也 永田稠 44
協心努力 永田稠 47
資金募集を完了して 西沢太一郎 48
移住地経営資金寄付者名簿 50
アリアンサ移住地の状況（昭和二年五月末現在）並に昭和二年度後の計画 54
アリアンサ移住地の土地利用 59
農作物栽培年中行事 63
伯国留学生派遣 65
渡航準備補助金交付 66
アリアンサ渡航者一覧（昭和二年八月マデ） 67
アリアンサ移住地入植者（大体渡航順ニヨル） 69
アリアンサ移住地の経理
大正十二年度収支決算 72
大正十三年度収支決算（日本の部） 72
アリアンサ移住地大正十三年度歳入歳出決算（南米の部） 73
大正十四年度収支決算（日本の部） 74
大正十四年（自一月至十二月）収支決算（南米の部） 78
大正十五年移住地会計収支決算（昭和二年三月三十一日現在） 81
大正十五年（自一月至九月）アリアンサ移住地決算（南米の部） 82
昭和二年度アリアンサ移住地収支予算 85
代議員会 91
追悼法会 92
紀念会 94
晩餐会 105
ブラジル事情 田付七太 106
信濃海外移住組合定款（案） 116
海外視察組合設立趣意書 128
編輯雑記 134

第六四号　一九二七年九月二五日発行

〔口絵〕レジストロの訪問
冠頭言――人口食糧問題の国際的研究 (1)
再びアリアンサ入植者に与ふ 永田稠 2
レヂストロの信州人（三） 宮下琢磨 18
玖馬へ安着――所要四十二日 宮坂救治 22
母国通信
拓殖省設置案――北方、南方、移民の三局を置く／新締約国になる南阿連邦／試験地獄を救ふ――入学試験廃止案／内親王殿下御誕生――お慶びに充つ赤坂離宮／文壇芥川氏自殺／世界第一の人口増加／本年一月から三月まで三十八万人増加／極東オリムピックに日本優勝す／熊本県下の大暴風死傷者一千名／義捐金／第二皇女御名 23
信州記事
県議選挙と関係諸事項／現内閣排撃に気勢を揚る――民政北信支部大会／山の宮

様日本アルプス逆縦走／突如岡谷に罷業起る――山一林組製糸の争議／名刹盛伝寺焼失／軍隊慰問の町村長代表団／松本上げ土七戸焼失　27
協会記事
海外視察組合ぞくぞく設立さる　34
釜山長野県人会員追加　35
八、九月のアリアンサ渡航者　36
新会員　36
会費領収　37
在外者訪会　38
編輯雑記　(39)

第六五号　一九二七年一〇月二五日発行

〔口絵〕前駐伯特命全権公使――畑良太郎氏夫妻／エドモンストン市長松平欣次郎氏／実れる珈琲／アリアンサの写真
冠頭言――郷党的親睦　(1)
移住国の通有性を知るが大切　畑良太郎　2
海外雄飛は吾人の使命也　梅谷光貞　5
玖馬事情（一）　太平慶太郎　7
海外通信
コロノ生活は三ヶ年以上辛棒せよ　宮部福松　15
比島日支語廃止　16
私の珈琲四ケ年請負成績　笹沢新　17
北バラナに日本人発展　西沢春次　20
聖市附近で蔬菜栽培　山崎長文　21
路傍のパイネイラよ　唯紅子　22
母国通信
人口食糧救済の応急策／関係諸経費／産児制限を「優生」に変名／蘆花翁遂に逝く／箕浦勝人翁無罪／駐仏石井大使帰朝／伯国大使招宴／比島上院議員招待／県議党派別　26
移植民ニウース
伯国では一度も病気をしなかった／低資融通を受けるアリアンサ移住地／巴奈馬通過船舶／日本品布哇輸入額／役員改選／伯国呼寄渡航者の注意――伯国外務大臣の許可証がなければいかぬ／墨国にも先駆的本県出身の混血第二世がゐる／青島便り／在ダバオ長野県人追記――更に二十余名　26
信州記事
県議当選者／正副議長共政友――新役員選挙の臨時県会／県参事会長は政友六民政四／岡谷林組製糸の争議／県下の労働者十一万を超ゆ／解禁期近づく――本月十五日より／教育より先づパン――松筑校長会議の痛論／県下町村長会議／可愛い長野絹子嬢／本県の人口増加　31
協会記事
海外視察組合――その後の設立／十月のアリアンサ渡航者／列車衝突遭難者へ義捐金／永田稠氏を嘱託に海連から　37
編輯雑記　39

第六六号　一九二七年一一月二五日発行

〔口絵〕郷土の晩秋／レジストロの信州人
冠頭言――在外者の結婚問題　(1)
レジストロの信州人（四）　宮下琢磨　2
玖馬事状（二）　大平慶太郎　8
海外通信
渡伯航海の多趣――各寄港地の思ひ出　神戸からサントスまで　井口吉三郎　14
郵船の南米航路と最近便船　14
此中南三米踏破――崎山比佐衛氏壮挙　16
海外に於ける台鮮人数――亜細亜に多く南米に皆無　17
移民会議と汎米会議――明春玖馬国に開催　17
移住地閑話（一）　武田三三　18
母国通信
明年度予算概算十七億六千百余万円／内外移住方策――人口部会の答申／昭和第

一次の観艦式／専任外相問題／欧米の資本で我国を牽制――満蒙の国際資本化／久原氏ベルリン着／第二回旅商隊神戸出発／米の収穫予想総高六千八十一万石／ドイツ機近く日本入り／日本晴の明治節／貴院改革起る――新団体組織／満蒙五鉄道敷設――満蒙交渉／墨大統領訪問／わが練習艦隊員／露視察団帰国／永田錦心死去／シアム皇帝御寄贈の釈迦如来像奉迎式／米国の招聘で渡米する鶴見氏／故原敬氏七周年法会／薄命の良栄丸――遭難船に同情集る／長江一帯乱る／武漢市中混乱／揚子江戦事終息　25

移植民ニウース
伯国の日本移民調論――集団と寄生虫病で排斥される／比島渡航移民は既に昨年を凌駕して二千人に達せん／一九二六年聖州移入民――日本は第四位／予算で決つた来年の渡伯補助移民一万二千人／比島米輸出解禁と日本／移植民の来年度事業／拓殖省設置――予算百万円計上／各府県に海外協会設立――追加予算に三百万円要求　25

信州記事
一千百二十万円内外――本県来年度の予算／米作実収予想――第一回より四分減／師範は二部本体に／下諏訪塩尻線――松諏電鉄に免許／信濃革新クラブ組織／神宮スキー飯山で開く／阪北駅開通／牟礼豊野間に一駅／松本局昇格／諏訪盆地に死を求める――一月以降三十六人／農講生の盟休問題――二旬にして解決／沢柳博士帰朝／槇原参与官支那政情視察／宮下幹事の南洋視察――企業と移住の二題眼目　33

協会記事
海外視察組合設立（続き）／支部会費領収／十一月のアリアンサ渡航者／新会員／会費領収　37

編輯雑記　40

第六七号　一九二七年一二月二五日発行

〔口絵〕郷土の初冬／レジストロの信州人
冠頭言――本誌を通ずる昭和二年　(1)
本協会回顧三ヶ年　西沢太一郎　2
レジストロの信州人（五）　宮下琢磨　6
余の渡航と加奈太の歴史――建国六十年に際して　小川幸太郎　13
移住地閑話（二）　武田三三　17

母国通信
御大礼予算決定――総額一千六百八十万円／米国議会に大統領教書／山梨大将の就任に疑念を抱く／東京市長辞職――大破乱の市会議／満鉄予算――支出二億百五十万円／米債に満鉄失配か――支那側の反対で／直訴兵判決――懲役一年／休銀預金の支払――漸次整理開業／米墨油田訴訟判決――米国側勝訴／太平洋横断飛行――我領土最終地点決定／外国貿易――入超に転ず／インド方面へ――外米逆輸出／踏破五万マイル――独青年旅行家来る／答礼人形十行安着――盛んな国民的歓迎　24

移植民ニユース
日墨医術協定廃棄――尚今年中有効／無名の一青年が一大植民地の計画／満洲の奥地で日本綿糸排斥／北支の形勢――再び危急／拓殖省設置の準備委員会／領事の二重監督――絶対に反対／移民の膳立――婦人海外協会成る／醜業婦救済に――新嘉坡に婦人ホーム／カ州の邦人土地所有にまた大恐慌／密入国の廉で邦人送還さる／巡回講習会　24

信州記事
全県会に盛返へす――移庁案提出／満鮮

地方視察に青年を選抜派遣／問題の農講所——突如、休業を発表／早くも二十余件——天候不良や霜害から／篠井栄合併進む／東筑の滞納／極貧者に救済金／海軍少将に進級——県出身の岡本郁男氏／北長電鉄敷設認可——西山部一帯発展／山小屋に県から補助金／川中島合戦の跡を葬ふ／善光寺院坊の腐敗を取締れ／殿様議員——長野へ煙花見物／諒闇明けの天長節に——上田市営の開場式／上田市西部の発展策を練る／渡らずの橋開通／大屋真田線完成／医学研究酒井氏渡欧　29
朝鮮と満蒙の概況——満鮮視察の手引　視察旅行の時期と日程　34
協会記事
海中副会長井上氏就任　新陣営樹立で活動／アリアンサ自治会／ア移住地各種全集輸送／十二月アリアンサ渡航者／昭和二年中アリアンサ渡航者家族人員数／海外視察組合設立（続き）　39
編輯雑記　41

第六八号　一九二八年一月二五日発行

（口絵）ブラジル師範学校留学生／日本アルプス（穂高）の霊峰（飛行機上より）
冠頭言——回暦戊辰　(1)
海外の信州人諸賢に——本県関係各位の熱誠にあまる慰安、激励、希望の言葉
海外の同胞諸君　福島繁三　2
海外の皆様へ——思ひ出づるままを　白石喜太郎　4
在外同胞を後援せよ　土屋耕二　6
先駆者の人格が——新社会建設の一要素　原田惟織　7
椰子の葉茂る南洋の思ひ出——敗軍の将は兵を談らず　小笠原幸彦　9
海外渡航の許可と旅券の下付に就て　赤羽九市　11
経済的海外発展——国際経済戦士を表彰せよ　安川雄之助　13
在外者調査は在外公館　半田積善　14
昨年度の国際収支推算——貿易外受取超過を差引き一億七千万円不足　児玉謙次　15
移植民地教育の重大性——第二世をして新文化創造に向はしむ　清水明雄　18
海外通信
学徒の墨国旅行雑感——前途のある未知の国、在墨日本人の将来？　荒井貞雄　20
再渡米の運動講演会——排日移民法撤廃に米国再渡航者奮起　22
北米のアリアンサ組　林誠三郎　23
伯国の姉より故国の妹へ——圧し花が誘ふ春の追想　在アニウマス農場にて　宮部まさ恵　24
住めば都よ!!——気持のよい鉱山町生活　見捨難い養蚕業の前途　堀田金一　25
会員通信
「海」礼讃——波に起臥した追憶　芳水生　27
第一は満蒙、シベリヤ　第二、第三は南洋、南米に研究　村松薫　28
遠洋航海で県人に歓迎される楽しさ——現役海軍士官の県人出身名　田中一　29
在秘露邦人間に生活改善期成同盟会生る　30
先づ我が村から救へ　塩沢守逸　31
月刊雑誌『信州及信州人』（紹介）　32
移転　国際連盟協会　32
母国通信
畏し明治神宮の賑ひ——参拝者六十万突破／恵方の観音様——浅草界隈の賑ひ／秩父宮妃殿下として松平節子嬢御婚約勅許／軍艦春日の新鬼ヶ島征伐／解散！　総選挙の既成無産両党好取組／御大礼日取正式に決る／御大典に帰国する九十六

翁――日本人移民の元祖／矢継早に来る――母国見学団／政府の在外正貨高一億三千万円の減額／東京市長市来氏受諾／米国でのわが活劇俳優／全満鮮人大会／朝鮮人の帰化強要／四勇士の引続き猛練習／昨年の財界史／議会遂に解散――施政演説終了と共に／解散に次ぐ普選――国民試練の二月二十日／言論戦に入りポスター戦開始

移植民ニュース　33
マニラ麻に強敵出現――好評のスマトラ麻／成案を見た移植民奨励策――追加予算三百万円六大事業／植民地開発力説――内地以外の人口対策／着々具体化した満鉄満蒙開発策／漁業問題の転換を――後藤子に依頼／シベリア移民好望――後藤久原両氏の非公式交渉で／日本の投資は石油鉱へ――後藤子強調す／満蒙木材の開発陳情運動／コスタリカ対日貿易関係の展開／邦人の帰化申請却下――カナダ国務省は反対意見／ニカラガ反徒依然優勢――米国増援隊続々到着／カナダから駐日公使任命説伝はる／政府は否認／邦人のカトリック教帰依／日加両国に外交代表――正式に派遣発表／昨年の移植民数一万二千五百名突破／比律賓渡航者数二千名を越へた／昨年度の府県別海外渡航者数　33

信州記事
もはや、解散を待つばかり――逐日緊張の県下政情／分県期成同盟――移庁論よりは分県論／早大山岳部四名惨死――北アルプスでスキー練習中／県下の新聞雑誌――皆で二百二十八種／飯島村揉む――役場位置と村長辞任で／家族三名即死――飼馬一頭と共に／スケート練習中――氷の下に沈んで絶命／初年兵満洲へ――面会人の混雑／諏中同盟休校の先鋒――栄達した丸茂藤平氏／水城大佐の遺骨郷里へ着く／国民学校設立を計画／下伊青年決議／福島高女へ資金御下賜／西筑連合青年研究会／北海道移住／アルプス・スキー場／上伊那大豪雨／各派入乱れ混戦――白熱化した言論戦　43

移住地閑話（三）　武田三三　50

協会記事
海中の発展計画――諸名士を顧問に推薦／昭和二年移植民出版物寄贈／高岡医師ア移住地へ／アリアンサ三週年／海外視察組合設立（続き）／会費領収／昭和三年第一回のアリアンサ渡航者／移住地小学校教員三名伯国渡航　63

編輯雑記　68

第六九号　一九二八年二月二五日発行

〔口絵〕米国西北部支部／米国西北部支部会員一同／北加及布哇／墨国及伯国
冠頭言――郷党的親睦と海外支部　(1)
信濃海外協会米国西北部支部状況（報告）　信濃海外協会米国西北部支部　2
（米国）北加信濃海外協会状況　一記者　15
信濃海外協会米国南加支部状況（報告）　伊藤寛水　22
昭和三年現役員報告　29
海外各地支部設立の機運　29
（布哇）信濃会状況（報告）　永田安雄　30
（墨国）タムピコ信州人懇親会状況　34
信濃海外協会伯国レヂストロ支部状況（報告）　内田登始雄　35
宮下琢磨氏　39
排斥問題と日本人の覚悟――桃太郎噺の禍と出稼根性絶対禁物　宮沢八郎　40
新刊紹介　『満蒙』二月号　41
母国通信

菊池寛氏愈々出馬——若い婦人に人気を湧す／久原氏出馬——山口一区より／候補者全部出揃ふ——九百六十七名定員の二倍余／選挙公正を厳守し法相独り動かず／全国一斉投ぜられた新日本首途の一票／全民衆の総意を判定する各政党の府県別総得票／確定各派別当選者数／弾圧の下に大山氏落つ——悲壮な香川の敗戦／議会開会を待たず倒閣運動に着手す 42
信州記事
候補者出そろふ——届出先づ一段落／全員二十二名——貧乏籤をひくは九名／片や副総理——片や無産派闘士／降積む雪を蹴つて舌戦に駆け巡る／県下一帯に稀な大降雪——選挙運動者大困り／盛に中止を喰ふ——無産派の演説／立会演説はまかりならぬ／晴れの新代議士——当選者氏名／かせいた各派得票——労農は予想の通り／投票成績——県議選挙より棄権少し／新議員の年齢別——四十から六十五まで／供託金没収者——本県下で三人／感激の涙を残し藤森夫妻帰郷す／選挙違反四十件——二十三日から又も大検挙 45
移植民ニュース
智利の製造工業振興と特殊技術者移住歓迎／玖馬対日貿易一九二五年の状況／植民思想講演松岡好一氏を偲び／移民会議全権代表閣議で決定／アマゾナ州に棉花と米——有望視せらるる移住地／八九月頃に大公使の異動／邦人自動車屋営業禁止——桑港市当局の暴挙／日本人側強硬抗弁——カナダ漁業公判続開／ボリビヤの使節来る——始めて派遣のガーデナー氏／我移民の恩人マ女史来朝す／米国製自動車と南米の需要状況 45
移植民問題パンフレット数編 52
常夏の台湾概況——熱帯の景観に接せよ！ 一記者 53
海外通信
県人糾合——在ポートランド信州人 畑実 58
無事、着ア——上陸から入植まで 中条秀夫 59
日本語をローマ字で——日本式のローマ字で世界に広めん日本語 玉川音作 60
陽春賜暇帰国在り候 菱川敬三 61
極楽浄土は何処？——故国を去る三千哩の比島 原山芳保 61
信濃海外協会 御中 佐藤一夫 62
信濃海外協会 御中 三井善吾 62
匪徒大刀会通化来襲事件顛末 62
北沢徳治氏（在ペルー国）訃 63
［賀状御礼］ 信濃海外協会 64
練習艦隊四月出港——高松宮は分隊士御勤務／八雲乗組の信州健児——准士官下士官四十七名 64
協会記事
視察組合設立（続き）／臨時代議員会開催——移住組合設立協議／信濃海外移住組合設立——直ちに認可申請／新会員／会費領収／活動写真映画ブラジル移住（全五巻）——各地公開、満員巡礼 66
編輯雑記 M生 69

第七〇号 一九二八年四月一日発行

冠頭言——移住の他面進出使命 (1)
英国経済界の現況 功力千俊 2
日支共存共栄の立場より我同胞に直剣の覚悟を望む 三井善吾 5
（新刊紹介）ブラジル移住を希望する若き友へ 7
移住地乗替の信濃海外移住組合概要 一記者 8

海外通信
アリアンサのお正月――西瓜を食べる正月初めて　中条秀夫　17
旅行中の遊子と――共に親交を暖む郷党　菱川敬三／入隆夫／松村光磨／宮島清衛　18
北加信濃海外協会記事
理事会開会　片瀬多門　19
古屋氏歓迎会　19
北米加州の米田に肥料を用ゆる　19
アリアンサより　推野源之助　20
在墨二十年、不安はない　寺沢生　20
母国通信
御大礼記念博――桜花にさきがけて開会／太平洋横断飛行の勇士――後藤勇吉氏墜落惨死／マキノキネマの「忠臣蔵」焼失／久宮殿下薨去／外相官邸実業家招待――アマゾン植民計画披露／昨年渡来外人の内地消費五千万円／反政府気勢俄に濃厚――野党の不信任案は通過か／移植民経費を抜きにした昭和三年骨抜き実行予算／拓植省の新設明年七月から／御婚儀日取――多分九月下旬／電灯ともりて五十年――各地の電気記念デー／大阪商船南米就航船――更らに巨船二隻増設　21
移植民ニュース
海外企業九億円――満鉄は第一の大物／カナダで又もや東洋人排斥案／吉林省の日本移民排斥／邦人に参政権付与――コロンビア州労働党支部が／外交官異動／邦人渡伯二十週年記念――日伯新聞社の三大事業／サントス山崩れ――遭難義捐金募集／玖馬昭和会設立――大平慶太郎氏大奔走／第三年度のアリアンサ移住地報告／移民収容所愈三月開始／竣工式をあげた移民収容所　21
信州記事
注目をひいてゐた――警察署増設の場所／県営図書館愈よ建築へ／白馬山麓に来るオツトス博士／結局受験児の此れ丈は――嘆きの地獄道へ／北佐及び東筑県議――補欠選挙に政戦再開／宮下県議の当選無効／蚕糸業調査会いよいよ設置／労働代表で乗出す――米窪満亮氏は本県出身／海外邦人の企業助成に金融機関設立が肝要　26
海の吾等の任務は在留民の保護――長野県出身現役士官の人々（続き）　小林宗之助　30
昭和三年役員改選　31
手筋易断が導く日白人のローマンス　31
移住地閑話（四）　武田三三　32
協会記事
本年第二回のア移住地渡航者／アリアンサ青年会――定期総会役員改選／開植三週年紀年に感謝状がアリアンサ会から贈らる／ブラヂル移住映写――各地公開申込殺到／海興神戸輸送事務所――浪花町柳ビルに移転／宮下琢磨氏帰朝――南洋視察を無事終へて／新会員／会費領収　40
編輯雑記　M生　43

第七一号　一九二八年五月一日発行

〔口絵〕蘭領東印度の甘藷栽培／バタビヤ市のバイテンゾルグ植物園／シヤム王室飼育の象／蘭領東印度の煙草園／シヤム土人の住家／シヤム盤谷の仏骨塔／桜
巻頭言――我等の御大礼記念事業　(1)
一邦人の暹羅監察の一種――なぜ日暹親善を計らないか　天田一閑　2
蘭領東印度概観　村松薫　8
有望なバナナ栽培　神戸久一　13
艦の内より観たる海の外――太平洋上の「極楽島」寄港　松尾太一　15
海外通信
アメーバ赤痢を二度――只今達者で働ら

いて居ります　柴田たつ　19
子を持つて親の恩を知る――忙しい家庭の生活に幸福を見出す　藤本きく子　20
ブラジル料理が好き――アリアンサの物価　中条秀夫　21
移民収容所の陣容――収容日割も出来て大奮闘　23
移住地閑話（五）　武田三三　24
母国通信日誌　30
移植民ニュース
独、英、米の増加に反し日本の対支輸出激減／ブラジル植民計画民間側に難色／四十ヶ国移民会議開かる――殊に我青木代表大持て／海外移住奨励の満期兵救済と海軍の計画／邦人四十名行方不明――カリホルニアの惨事／明るくなつた中米の天地――移民法修正案可決／北満の邦人にまたも退去を迫る／圧迫甚しく鮮人帰国――夥しい直隷山東移民／南洋スマトラ島に養蚕業を経営　30
信州記事
白馬岳一帯を国立公園に請願運動／無産団体と提携して電灯直下げの猛運動／義務教育費交付額――本県が全国第一位／県議補欠選挙迫り候補者出そろふ／北佐東筑両郡共政友大勝に帰す／県下の容疑者数十名――共産党事件の概要／近づいたお花見気分――北信地方の名所／小学校長異動決定――総計百名の大多数／御大典記念事業――何れも県民の誠意を捧げて／米作応急低資貸付――希望者は多いが無資格者／三十年ぶりで解決――伊賀良学校紛擾／娘を殺し妻女自殺――精神病が昂じた末／糸平の顧問となり一生を政治に活躍／満洲守備兵に――愛婦が慰問嚢／春蚕の掃立は約八十万枚／大霜害の一周年／露店の縄張り争ひから――長野の香具師乱闘／解決は困難な青木村／年一回懇話会／公金費消妾に注ぎ込む／屋上の狂人日本刀を振ふ／信州文芸協会創立会／死体発掘は一層困難　33
協会記事
ハワイ丸新嘉坡発後――コレラ発生直ちに引返す／コレラ終息して新嘉坡を無事出港／海外視察組合設立（続き）／ラプタラ丸乗船の第三回ア移住地渡航者／会費領収　40
鮮満旅行団――新緑滴る大陸の野に接吻せよ　海外視察組合鮮満旅行の企図　42
編輯後記　43

第七二号　一九二八年六月一日発行

〔口絵〕満鮮旅行団の訪れる満鮮の各地／ブラジル奥地の土人異風
巻頭言――旅券事務の渋滞、発給の硬化　(1)
アリアンサ移住地問題（一）　芦部猪之吉　2
朝鮮の風習（一）　12
二十四日間満鮮大旅行　新緑滴る大陸の野に進出――海外視察組合の単独決行　17
移住地閑話（六）　武田三三　19
本誌購読申込み――在外各地に分担　22
夏季の海の旅　絵の国詩の郷小笠原島めぐり――中学生諸君のために　一記者　23
船暈時代をすぎて明朝は香港着――力行党の大活動　宮尾厚　25
第一次移住訓練の好適地――樺太移住募集　26
帰朝婦人の日本観――遠藤女史の米国土産話　26
母国通信日誌　27
移植民ニュース
満洲東北部地方開発――吉敦鉄道開通により注目さる／日玖両国経路は米大陸通過が便利／埃及における日本燐寸は前途困難／亜、伯両国の糖業――伯国は積極亜国は消極／レジストロの経済発展――三益会社の創立／帰国者激増――渡航者の約一割／聖州南部在留同胞数六千二百七十二名／里馬市中日会予算――小学校費が二万八千円／故橘谷氏自殺事件に伴ふ遺書問題紛糾／在ダバオ邦人の御大典記念事業／会館落成祝賀――ダバオ日本人会の発展／岐阜県移民協会生る――ブラジル移住を上映／長野県人の在外者――警察の調査で徹底せん　27
会員消息　菱川敬三氏／小池釣夫氏／滝沢計男氏／遠藤忠子女史／小林主計氏／両角喜重氏／中村良相氏　30
信州記事
雨に悩む花かげに産声を挙げた女子青年団／大火災の一周年――復興した木曽福島町／満開の桜に積る雪――数十年ぶりの記録／製糸工場に中等程度の教育／明みへ出された第二怪文書の内容／本人の僕は出した覚えない／霜害応急資金の反済を延期／下伊那約六千町歩――西筑百町歩の霜害／今年は先づ農蚕当りか／一万を越えるらしい八十歳以上の高齢者／無事にした大霜害の記念日／死傷者五百名の外――多数の病兵をだす／従軍を歎願――熱情に燃ゆ信州男子／みなぎる戦時気分と涙ぐましい動員哀話／五千円を寄付――立志伝中の松田氏／飯田町遊楽館外二戸を焼く　31
海の外質疑欄　37
「本誌に対する不平」の声、募集　37
誌上映画
伯国移住宣伝の活動実写映画ブラジル移住の説明（一）　38
協会記事
昭和二年度中のア移住地――信富鳥熊四協会渡航者／サントス丸乗船の第四回ア移住地渡航者／各町村設立の海外視察組合（続き）　41
信濃海外協会規約抄録　43

第七三号　一九二八年七月一日発行

〔口絵〕北加信濃海外協会のピクニック／レジストロ支部会員
巻頭言――人外魔境とは何事ぞ　宮本生　(1)
アリアンサ移住地問題（二）　芦部猪之吉　2
朝鮮の風習（二）　7
北加信海協大運動会　11
両角喜重氏の在外邦人子弟教育視察――南北両米を主として　12
第二回国際移民会議に就いて　荒井金太　13
尋人　14
異彩を放てる国際二大会議――全米、移民両会議の概況　今村広美　15
移植民教育に留意して文部省――全国農学校長会に諮問　18
種々認定議決された代議員会（議事報告）――御大典記念移住地建設具体化さる
昭和二年度事業成績　19
昭和二年度普通会計収支決算表（承認）　31
昭和三年度事業計画　35
昭和三年度普通会計収支予算（可決）　37
ありあんさ移住地の状況並びに昭和三年度後の計画　41
昭和二年度アリアンサ移住地会計収支決算表（承認）　44
アリアンサ移住地第三年度決算説明　54
昭和三年度特別会計収支予算　59
移住地今後ノ方針　69
アリアンサ第一移住地開拓情勢　74
アリアンサ第二第三移住地入地者氏名及伐採面積　76
戸数人口学齢児童数表　78
規約改正　79
御大典記念事業建設――宣言された計画

内容　79
日本児童の慈母来る　84
海外会費領収　84
赤松総領事帰朝　84
母国通信日誌　85
移植民ニュース
伯国の日本移民論調――警戒を要する排日論／写真花嫁禁止――日本とカナダと取極め／来年度予算に現れる移民奨励費／連合会で土地購入――移住組合愈々活動／海移組連会自身で移民輸送事務を行ふ／事業費四割補助に――開墾助成法を改正／死者百余名――伯国で日照りのため／貿易振興の旅商隊――第一班帰朝して語る／南米拓殖株に熱狂的な応募／米国ウルグワイ――仲裁委員に宮岡氏任命／人口食糧問題解決に――官民連合の拓殖協会設立／南米航路延長してアマゾン地方に寄港／船内に銀行出張所――住友が北米航路に／二万円残し移民の死――晴れの帰郷を前に／慶大生の海外視察――一行十五名　85
新刊紹介　ブラジルの実生活　87
信州記事
本県の市町村予算――総額二千百六十九万円／上村中郷分教場――ハシカの為休校／しめやかな戦死者告別式／それぞれ生家へ――見送りを受けて遺骨出発／農家の経済は欠損つづき／県議更級補欠――南沢氏当選／恋しい故郷に帰るやまた窃盗／特高に警部三名――思想検事配当／伴野城址に謎の土室――道路工事で入口へ掘当つ／校舎増築から――政友非政友争ふ／競願となつた野尻発電／麦の収穫予想三十六万石余／山本氏は罰金刑――直ちに控訴模様／養蚕家ホット一息――前年より一千万円位増収か／古城跡の偉観――市営運動場開場式　88
長野県人の在外者調査――近く名簿作製して一目瞭然　93
仏国募債東京市電気事業　外債に関する訴訟の真相及希望　K・H生　93
移転　日墨協会　94
出生三死亡一――寄港名に因んで命名
航海は頗る平安　高橋武　95
ジユネーバ便り　草間弘司　96
青島便り　宮野尾光司　96
満鮮旅行一行――目的を果して帰る無事各地県人会の歓迎　97
アリアンサ移住地七八月の渡航者　98
はわい丸無事入港――一行全部サントス上陸　98
帰郷者訪会　中村良相氏（蘭領ボルネオ）／北山金作氏（ブラジル国）　98
会費領収　99
青年を求む　99
信濃海外協会規約抄録　100

第七四号　一九二八年八月一日発行

〔口絵〕ダバオの写真（一）（二）
巻頭言――只有神武創業志　永田稠　(1)
移植民主義の教育に就て　永田稠　2
感想二ツ三ツ　松尾弘　5
アリアンサに送る依託荷物について　8
帰朝者訪会　松尾弘氏（北米合衆国）　8
樺太開発と炭鉱採掘事業　柴田富陽　9
北海の天地に郷党親睦の集ひ　10
仏国政情断片　KH生　11
本誌購読申込み――在外各地諸氏に分担　14
〔帰朝者訪会〕宮坂国人氏（比島ダバオ）　14
北半球から南半球へ――渡伯船中記　湯田維　15
百台に分乗市内見物　高見明隆　19
北米西沿岸諸港を訪れて――同県人と夜を徹して語る　徳田徳男　19

海外通信
比島又楽園　丸山竹次郎　20
御送金御一報まで　長淵鐘六　20
健康乞御放念　宮下琢磨　21
諏訪中学校長板倉氏の世界一週――教育視察を目的に　21
日本から麻耕地に入るまで――遠くはない比島への航海、ダバオ麻山の状況　I・U生　22
楽園ダバオの邦人就業状態　24
移住地閑話（七）　武田三三　26
伯国パラ州政府から――好意的の督促来る　28
海外邦人六十四万――一ヶ年の増加三万六千人　29
母国時事日誌　30
在外徴兵延期失格者の特赦をハワイ同胞から誓願　32
〔移植民ニュース〕
昨年の英国移民界――九万七千名の移民発展振／自治的化されて行く蘭領東印度の政治改革／亜国邦人の天長節祝賀式／在亜日本人の新役員顔振／古谷公使引退／玖馬移入移民――砂糖耕地労働者が大部分／在ペルー邦人と在ペルー支那人感情／外務予算新規要求費目――九領事館新設費計上／その結婚難を救へ――海外志望の女学校創設も一策／欧亜連絡乗車券――直通切符で一と通しに／厳に過ぎた検疫手続き――打合に二博士来朝／入超二億三千万円――前年同期より増へた上半期　30
信州記事
高田県会議長失格――遠山方景氏が当選／山小屋に――北アルプス荒れ続き／降雨続きから稲の生育遅る／県下各地に蚕の硬化病発生／天杯拝受の高齢者――女が多く百歳以上は四人／昨年より四割七分増――春蚕収繭第二回予想／下伊那の収繭／甲信越野球大会の参加申込み十三チーム／鮮人連を手先に――繭専門の盗賊団／上田市民大学講座／盲学生燕岳へ／諏訪蚕糸の優勝　33
誌上映画
伯国移住宣伝の実写映画『ブラジル移住』（二）　37
新刊紹介　38
海の外質疑欄　39
協会記事
八月便船は五家族――モンテビデオ丸乗船者／評議員を指名――各都市三名づつ／各町村設立の海外視察組合（続）／新会員／会費領収　40
信濃海外協会規約抄録　43

第七五号　一九二八年九月三〇日発行
巻頭言――停滞より移動へ　(1)
農村青年の放浪性を海外雄飛に向はしめる必要　矢ケ崎賢治　2
私の学んだニユーヨークの夜学校　松尾弘　4
理想郷「チユロツプ」――蘭領スマトラは邦人を待つ　宮下琢磨　8
拓殖省官制の政府原案　13
募集にいよいよ着手　御大典記念移住地建設――出資一口に二町五反提供　14
南墨チヤパス州のメキシコ、コーヒー　竹内駒雄　15
味覚をそそる熱帯の果実（一）　重宝なパパヤ――西瓜にもなれば胡瓜にもなる　17
海外通信
神の試練深刻――愛妻の不帰友の死　瀬在藤治　18
伯国はいくらも歓迎――嫁殿を心配願度い　田中鉄之助　18
無事入植　宮原和三郎　19
帰国の人々　小川幸太郎氏（在加奈陀）

／唐木延治氏（在墨国）／北原昌計（在墨国） 19
母国時事重要日誌 20
移植民ニュース
青森県から二百五十戸樺太へ／移民法改正で再渡航者急ぐ／福原氏アマゾンに向ふ／移民組合土地購入完了／日系市民から議員の候補者／移民問題出て日本代表力説／七十家族ブラジルへ／朝鮮に移住を奨励／南米移住来年度補助費／本邦移民の競争者頻出／キユーバ航路に補助金を下付／外交官生活を捨てて南米へ 20
がみ合ふ人間の箱――再び渡南に際して 中村良相 23
信州記事
樋口氏等の一新会組織に地元の民政派驚く／松本見事優勝す――3―1平安の力闘空し／繭価安と秋蚕不作で県下の農家大弱り／お盆で解放される岡谷の女工連／上松鉄道問題は昨今全く立消え／警察官の異動――栄転者の略歴／樺太興業に十万円要求――大桑村民が／種鶏場は長野市に設置／毎年五万個の卵を生ませる／野尻湖畔の大火――二十八戸全焼／金一封の御見舞――外人国から国際的の同情／上田クラブ優勝――県下青年野球大会／諏訪蚕糸優勝――中等学校野球大会 24
ブラジルの国祭祝日 27
移住地閑話（八） 武田三三 29
誌上映画
伯国移住宣伝の実写映画『ブラジル移住』（三） 31
井口瑠璃之助氏（在亜）訃 33
海の外質疑欄 34
「本誌に対する不平の」声
文芸趣味として和歌、俳句欄を設けよ 松木誠 35
海外事情写真と新刊図書を沢山掲出せよ 横山林十 35
編輯同人より 35
協会記事
各町村設立中の海外視察組合（続）／聴衆満堂を圧した海外発展講演／会費領収 36
御注意 信濃海外協会 38
信濃海外協会規約抄録 39

第七六号　ブラジル移住案内号
一九二八年一〇月一〇日発行

請負耕作者をアリアンサ移住地で募集――資金は千円を用意せよ 1
日本からブラジルまで寄港地と航海日数 10
移住組合土地購入 10
アリアンサ移住地と併進する御大典記念移住地開設――一人五百円用意出来れば誰でも移住渡航出来る 11
信濃海外協会規約抄録 16

第七七号　一九二八年一一月一日発行

〔口絵〕収穫／墨国の小学校女生徒春祭踊り　他
巻頭言――珈琲が実を結ぶまで (1)
珈琲園就労契約移民は素質選択を一層厳重にせよ――移民選択粗漏に基づく悲惨の数々 古関富弥 2
海の外消息（一）
武井覚太郎氏宮下幹事帰朝／小宮山成己氏 3
移太利最近の移民政策は制限禁止主義を実行 4
海の外消息（二）
梅谷光貞氏帰朝／松本忠雄氏帰朝 5
南満洲愛川村の近況 R・A生 6
移転　東洋協会 8
信濃海外移住組合創立総会開かる――九月二十七日付正式認可を得て 9

若き経験より――ア移住地同胞に与ふ　小山生　16
海の外消息（三）
両角喜重氏／藤沢美次　17
味覚をそそる熱帯の果実（二）果王と謳はるる滋養美味なドリアン――嗜好者は財嚢を空にする　18
母国通信日誌　19
移植民ニュース
真心こめた海外邦人の奉祝献品／ペルーの同胞見事の馬具を献上す／拓殖省設置――予算三百九十万円／樺太島の開発――移民奨励費二十五万円／南洋発展計画――「移住商人」の方法で／商船が比島へ――月二回の定期船を配置、第一船湖南丸の出帆／ブラジル移民の送金は聖市の正銀取組み銀行で扱ふ／移民泣かせの悪移民会社現出被害甚大／明年の遠洋航海南米一周に内定／カナダ入国か在来の旅券は本月限り／移住組合移民輸送問題――移連海興海協外務間ゴタゴタ　19
信州記事
光栄の県会議長に平野桑四郎氏選任／山本山田両氏は拒絶――平野氏が議長となるまで／遂に絶縁された樋口秀雄代議士／二市十郡にわたり百二十名の拘束者／新記録続出して下伊那遂に優勝す――青年団体育大会／五人以上軍人をだす――本県に百一家の多数／明年の新入兵は一週間目に渡満／細川氏当選――諏訪郡の県議補選／起債八十五万円漸く許可さる／川中島小うた――更科ぶしと川中島音頭／輝く四十余年の育英――生がいを去る中野保翁／東信地方紅葉名所　22
〔募集〕歌壇新設　俳句と和歌　27
移住地閑話（九）　武田三三　28
南洋を巡つて（一）　小山嵩　30
アンデス越え　両角喜重　34
海外通信
香港と信州人会　北沢金蔵　35
サンパウロ市郊外の米人神学校で勉強　両角貫一　36
智利より秘露へ　両角喜重　36
無限の大原始林は開拓の勇者を待つ　太田嘉緑／小泉理覚　37
甘蔗病モザイック菌――発見者に二万五千円の賞金　37
「本誌に対する不平」の声
人生生活の基調たる宗教問題について考慮せよ　川原国一郎　38
疑はれる海外通信――悪戦苦闘悲惨の跡がない　Z・Y生　38
海の外質疑欄　39
協会記事
九、十月便船の渡航者――七家族二十五名に登る／アリアンサ移住地三月以降の渡航者数／船賃減額に決る――移住組合員の特典／北信一帯に設立された海外視察組合――組合員総数は実に一千三百名／各町村設立中の海外視察組合（続）／新会員／会費領収／海外会費　40
編輯同人　42
信濃海外協会規約抄録　43

第七八号　一九二八年一二月一日発行

〔広告〕南米ブラジルへノ捷径
〔口絵〕シャムの田植・シャムの象の隊商・西班牙の宮殿・西班牙の首府マドリッド市街・仲のよい鰐と虎／米国南加の長野県人のピクニック
巻頭言――昭和三年の総決算　(1)
ブラジル移住地の建設宣言より完了迄　西沢太一郎　2
こしをれ一束　9
南洋発展のみち（一）　宮下琢磨　11

第九回国際連盟会議の概観　草間弘司　15
曠古の御大典に――移植民功労者を表彰
光栄に輝く本県出身の人々　18
移植民界の権威者――日本力行会長永田稠氏／営口の恩人――水道電気会社長木下鋭吉氏／隠れた先駆者――在亜の棉作者上条泰三郎　19
各県を抱擁して――開拓途中にある第二アリアンサ　多羅間領事の報告に基づく近況　20
母国通信日誌　24
久米正雄氏夫妻愈々欧米巡遊に　27
移植民ニュース
刮目に価する――明年の移植民計画／旅券事務刷新のため各府県の旅券移民事務主任が集つて外務省で会議をやる／県立の拓殖講習所――菅平高原に計画／知事に意見開陳――福原八郎氏南米パラ市到着／密入国者送還――無資格日本人を一掃の計画／丈夫に育つ移民の子――両角校長帰来談／無資無産の青年を救ふ力行会経済同盟――三分の一の資金を貸与せらる／移民の伊太利国で送金が年々減少する　24
信州記事
明年度予算の総額――千百四十四万三百余円／民派大槻氏当選――依然政友多数の新分野／御大典に昇格する――本県下の各神社／百歳の高齢者が調査漏れとなる／光栄の地方賜饌者は合計四千七百四十一人／聖恩にむせびつつ参列する平野県会議長／社会事業協会――顔合せ四百余名出席して／今年の秋競馬は各地共欠損続き／京都信濃会の出身県人を歓迎奉祝／年貢米の減免要求――養蚕稲作の不作成から争議／米作予想の減収――前年の実収高よりも／信濃代表の「信濃ふじ」――野口雨情氏作歌に依頼して／一年余も校長なく小県蚕糸の校紀乱る　28
笑話
三味線の持たぬ浪花節師義太夫語り――一度弁じ上げて百円也　32
蕃刀に恨み残して斃る――聞くも無惨な比島の惨劇　本会より吊辞を送る　33
吊辞　千葉了　33
味覚をそそる熱帯の果実（三）　珍味、珍味の儀讃を受けるマンゴウ――樹皮からはアラビヤ護謨がでる　34
海外通信
貴君の問に答へてダバオの近況を述ぶ
――常夏の国より　小池釣夫　36
ありあんさ犠牲者　故人追憶記　香露庵老人　38
「海の外」を頂戴して――御礼まで御送金上候　草間志亭／川口秀俊／下平敏　39
船中漫談記――悲壮の寝言　神戸からコロンボ迄　泉駄羅　40
尋人　42
南洋を巡って（二）　小山嵩　43
海の外消息
小山正直氏（比島）　27
澤柳猛雄氏渡伯　32
宮澤次郎氏渡亜　47
両角喜重氏　47
「本誌に対する不平」の声
（一）本誌礼讃、「海の外」のもつ特徴と私の感想／（二）海外にある女性の方にこんな事をおきしたい　会津ＡＳ子　48
協会記事
海外在留の長野県人代表（成功）者当選者発表／各町村設立の海外視察組合（続）／新会員／会費領収／海外会費領収　49
〔募集〕歌壇新設　俳句と和歌　51
編輯同人　Ｔ、Ｍ生／Ｏ、Ｍ生　51

信濃海外協会規約抄録　52

第七九号　一九二九年一月一日発行

〔広告〕南米ブラジルへノ捷径

〔口絵〕メキシコ婦人の勇敢ないでたち他／開拓者のすがた

巻頭言――来たれ昭和四年　(1)

移住組合の活動

本年四月から六百家族二千四百人を伯国へ送る計画――十二移住組合の活動準備成る　2

南洋発展のみち（二）　宮下琢磨　4

連盟会議における国際衛生社会福祉問題　草間弘司　10

撫順信州会消息　15

母国通信日誌　16

移植民ニュース

海外協会中央会で移植民功労表彰者を招待／海外発展者は激増――昭和二年中の旅券渡航許可数／各府県に設立の海外協会一覧／蘭領インドに日本雑貨進展対策／米官憲の無法で又又邦人を送還／加州邦人の恐慌――外人土地法の励行から違反続出／日エ旅券査証廃止／邦人会社組織――米国大審院で確認さる／欧濠南米への生糸の進出が目立つ／両親日家旅立つ――モレラ氏とフエトーザ大使／伯国各地の邦人分布――日本政府補助移民成績は不明　16

信州記事

代議士選挙当時の本県下の怪文書暴露／怪文書民政で調査――材料取り集めに戸田代議士来長／存廃の分路に立つ三校に当局も憂慮／同情週間――歳末に細民救済の企て／一代交雑種――十五周年記念会／農村に黄金の波――製糸工女連の帰郷／怪文書事件は特別調査会で調査／松代ぶし／破壊へと傾く健康――男女工に恵まれぬ労働状態／哀れ貧困から父子の心中／積雪四尺に及びスキーマンの勢揃ひ／公娼廃止建議案――提出に早くも予防案をはる　19

ダバオに暴風襲来――邦人の麻山は被害甚大　将棋倒しになって荒野と化す　25

伯国旅券新規則――伯国入国が面倒になる　26

海外通信

夫婦でポ語を勉強――金よりも精神の準備が大切　清水一郎　28

味覚をそそる熱帯の果実（四）果物の女王マンゴスチン――天下無類の佳味　30

遠洋航海で印象深い布哇の見聞について　宮原正一　31

南洋を巡って（三）　小山嵩　36

海の外歌壇　35

協会記事

昭和三年初頭に鹿島立つア移住地渡航者／昭和二年のアリアンサ渡航者／海外発展宣伝と請負耕作者募集で西沢幹事の県下一巡／各町村設立の海外視察組合(続)／会費領収／坂本清幸氏訃／注目すべきメキシコ／移民地事情出版　43

編輯同人　45

信濃海外協会規約抄録　46

第八〇号　一九二九年二月一日発行

〔口絵〕在外邦人の聖上陛下御大典祝賀会／文化のアマゾン

巻頭の辞――移住地経営の全国的基礎定まりて実行に入る　(1)

両米を巡って（一）　両角喜重　2

移植民児童の教育状況　4

南洋発展のみち（三）　宮下琢磨　5

「ソビエット」対外経済の利権　K・H生　10

アマゾンへ移民を南拓が募集　11

伯国渡航準備と携帯品――在聖州日本総領

事館の調査発表 12
海外夜話
日系米人市長松平氏の令嬢エレンさんの
お目出度 14
伯国渡航者の注意すべき旅券査証の実際 15
移民の船中衛生を改善して移民の幸福を計
れ――先づ移民輸送衛生研究会を設けよ 18
移民の寄生虫を根治せよ――文明国民の恥
辱のみならず健康労働能率増進上からも 19
母国通信日誌 20
移植民ニュース
朝鮮に亜細亜村――具体化して植民者募
集／代行機関設置――其の他を決定した
総会／日刊「秘露日日新聞」生る――週
刊大南米を改題して発行／外交官の異動
／蜂須賀侯の令嗣が南米アポー山を探検
／移民著しく増加――船の不足で臨時配
船が必要／尊き犠牲者のために平野植民
地で鎮魂碑建立／邦語小学校閉鎖――伯
国教育法令によつて／向学心燃えて――
日伯中学校生れる 20
信州記事
例の怪文書全く偽造と判明した／僻地ほ
ど重い教育費の負担／山間僻地へ日赤特
派医師／ここも増える空き家飯田町／出
稼ぎを斡旋せよ――農会活動の諮問案に
／一族子郎をあげて南米ブラジルに雄飛
／米国化仕みの医学者――井出物兵衛氏
も同航する／スキー三選手を――池ノ平
にも案内の計画／結婚に宣誓書と健康診
断書を交換 24
海の外歌壇 28
味覚をそそる熱帯の果実（五） 香味共に
よろしい竜眼とラムブタン――漢法医薬
として賞用される 29
南洋を巡つて（四） 小山嵩 30
自治化されて行く――最近のアリアンサの
移住地状況
八月十二日開会の定期役員会決定議事／
アリアンサ移住地日誌抄 34
海の外往来 多羅間鉄輔氏帰朝 36
海外会費領収 36
新刊紹介 満鮮旅行記（佐藤藤山著） 36
海外支部消息
米国南加支部便り――支部員家族清遊会
宮島清衛 37
タンピコ信州人懇親会便り――聖上陛下
御大典祝賀会 矢島璋三 37
米国西北支部便り――役員改選報告
米国西北部支部 37
大西洋上に新年を迎ふ 板倉操平 38
常夏の地で新年を迎ふ 牛木一郎 38
〔賀状御礼〕 信濃海外協会 38
協会記事
昭和四年初頭に鹿島立つ渡航者（再記）
／移住地建設出資者――会合して開拓そ
の他を打合す／各町村設立の海外視察組
合（続）／新会員／会費領収 39
信濃海外協会規約抄録 41

第八一号 一九二九年三月一日発行

〔口絵〕アリアンサ近況
冠頭言――頭と手と足とを鍛へて海外へ (1)
国民運動としての海外発展 西沢太一郎 2
南米各地を訪問する――我練習艦隊の航路 6
旅商団を――南洋へ四月初め派遣 6
南洋発展のみち（四） 宮下琢磨 7
霊の救済に中田監督――南北両米へ巡回伝
道に旅たつ 12
在米加州邦人農業者の不安 K・H生 13
伯国渡航者の旅券区分と査証附属書類――
再渡航未成年単独婦人渡航の注意 14
岩本六段南米へ 16
南米航路出帆船発着表 16
代行機関設置によって――移住組合の活動

本舞台に入る　17
海外発展に必要ある人材を養成のため希望者を募集　18
びた一文の費用も資金も要らないで南洋で発展する――有為の青年商業実習生を募る　19
力行会長水支部短期講習会長野市に開催／上原寿江氏渡米　19
母国通信日誌　20
移植民ニュース
昨年の移民数一万五千を突破／南米に拓く――邦人の買収済土地／拓殖省新設に関する貴院問答／人口増加は隆盛の基と首相答ふ／移民法案演説――アメリカで好評　20
信州記事
教育功労者を表彰――光栄に輝く九氏に金時計を贈る／本年度の適齢者――合計一万八千九百名／下伊那が一番多く――代用教員を使ふ／民衆支部と共に――進出の農民組合／県税の滞納――滞納者三万三千余名に達す／違蚕対策の宣伝隊蚕糸関係総動員／済南事件解決――戦死者の霊喜ばん／産組法により松本平で発電所を設置／年齢三十歳制限――上水連合青年会決議／卒業後道を選ぶ――就職地獄のなやみ／大部分家庭に入る――松本高女の専攻科生／少女殺し犯人に懲役十年求刑言渡／全信州小唄投票――信毎の催しで当選発表　24
梅谷氏再渡伯　28
海の外歌壇　29
海外通信　30
味覚をそそる熱帯の果実（六）主重食糧品となる麺麭の質――二三本あれば一年中寝て食へる　33
御挨拶　海外の諸賢へ　西沢太一郎　34
協会記事
本年の渡航者――河内丸には十三名／北佐久支部の活動――郡下に講演会十ヶ所／賀状御礼／海外事情紹介展覧会――三月から広島県商品陳列所で／各町村設立の海外視察組合（続き）／会費領収／海外会費領収／移民地事情寄贈　35
信濃海外協会規約抄録　37

第八二号　一九二九年四月一日発行

〔口絵〕異国に眠る紐育同胞の墓／レジストロ植民地写真
巻頭言――求妻受難　(1)
レジストロ植民地の解剖――在伯十ケ年の歳月を顧みて　一植民者　2
政府は移民事業に幾何を支出するか　6
西沢理事を派遣――第二回理事会で決定／海外協会評議員会　7
ブラジル航海日誌――日本郵船の南米航路　新沼岩之助　7
新刊紹介　11
漫筆　珈琲園兎の生活　兎実験生　12
移住地閑話（十）　武田三三　15
アリアンサの人々――滞在二週間に知人友人を訪ねて　清水一郎　18
海外通信
加奈陀便り　平林昇　20
合衆国便り　長田武夫／荒井竹治　20
メキシコ便り　竹内駒雄　21
ブラジル便り　清水一郎／清水明雄　21
アリアンサ便り
新沼岩之助／宮原和三郎／藤岡辰次郎・玉子／降幡秀雄　22
母国通信日誌　25
移植民ニュース
常夏のブラジルに愛の村を建設する／渡航許可に移組員の福音／排日国に於ける邦人の帰国者激増／西語権位村岡氏エス

パニヤ語学校を開設／何阿連邦の邦人待遇改善を要求／菅平の講習所は五月から講師と日課／商船の新船はベノスアイレス号と命名／満洲に日本の農民村建設の準備／邦人が玖馬で米作を大々的に経営／北海道開拓の祖――新津氏の碑を建立　25
信州記事
紛擾の青木村――知事から実行命令／教員の洪水――漸く各赴任地を決す／本郷村から松本市合併お断り／早くも凍霜害――通信費を自弁して／看護婦合格者は揃つて女学校出の盛況／就職大受難――当局は変化の急激に驚く／無産派の進出で――中信地方の町村議戦／海軍異動の本県出身者発表　30
譲渡し　33
伯国移民は激増した――渡航許可数に現はれた本県下の海外発展熱　34
海の外歌壇　35
協会記事
本年の渡航者――三月は二船で八家族の盛況／各町村設立の海外視察組合（続き）／海外発展講演――ブラジル移民映画で盛況／会費領収／寄贈書籍／海外会費領収／移住組合員渡航許可出願の保証書／更らに新移住地建設――西沢幹事を実地調査のため派遣　36
編輯雑記　M生　38
信濃海外協会規約抄録　39

第八三号　一九二九年五月一日発行

巻頭言――世界奉仕　(1)
西沢太一郎君の外遊を送る　永田稠　2
両米一巡旅行日程　5
[御挨拶]　西沢太一郎　6
西沢幹事理事海外派遣について
信濃海外協会／信濃海外移住組合　7
南洋発展のみち（五）　宮下琢磨　8
アリアンサ移住地について　多羅間鉄輔　13
海外通信
海外支部便り　本年度総会開催――北加
信濃海外協会報告　21
ブラジル便り　笹沢新／植木酉二　21
航海便り　井出碩雄／幸村幸　23
母国通信日誌　24
移植民ニュース
加州に於ける日系市民出生数／中南米諸国より昭和三年中に帰つた邦人／商工省通信員任地で営業邦商を圧迫／拓殖省に暗影――枢府頻りに反対す／甘露寺侍従――南洋視察から帰朝／在秘同胞醒めよ――秘露日日の論唱／四十一名の入学生――加港日本人小学校始業式／比島ダバオの在留邦人出身地方別／ノロ線各駅の農産主要産物商／南洋邦人小学校――在外指定学校として認可／伯国渡航のトラホーム患者は注意せよ／入殖案内――渡伯者のために連合会から／荷物の大制限――移住組合員は大迷惑／四十八年で帰る信州の今浦島／珍品の寄贈――在比青柳喜美人氏から／在外徴兵延期者は四百余名に達してゐる　24
信州記事
本県教育是――根本策樹立を答申／棄権も少い――町村会総選挙の跡／志願者減少――県下各学校を通じて／お土産案開く――青年団の研究大会／娼妓解放――委員長報告通全部下院通過／木崎で――松本市外横田遊郭の大英断／地主が牛耳る――県下の市町村制の実権／尼港で全滅の命日に慰霊祭挙行／和田の滞納――先生の給料も払へぬ／お彼岸に長野へおちた金　28
移住地閑話（十）　武田三三　34
協会記事

本年の渡航者――四、五月便船は七家族／各町村設立中の海外視察組合（続き）／新会員紹介／特別会員入会者／会費領収／海外会費領収／新刊紹介／寄贈書籍　37

編輯雑記　39

第八四号　一九二九年六月一日発行

巻頭言――在外信州健児と本協会　(1)

両米を巡つて（二）――在伯邦人子弟教育に直面し　両角喜重　2

在伯邦人子弟教育に携はる教員資格は低級　4

渡欧船中雑感　板倉操平　5

南洋発展の道（六）　宮下琢磨　8

在亜「チヤコ」在留邦人棉作状況　12

連盟会議における阿片取締問題について　草間弘司　13

羅馬法王庁の主権と伊太利の承認　KH生　16

旅券規則改正　願書は直接県へ提出――六月一日から楽になる　17

移植民ニユース

南洋移民の生活を甘露寺侍従より聞召さる／移民事情講話――江越氏皇族懇親会席上で／日本の化学工業をブラジルに扶植は有望／伯国企業移民の制限は無意味の事だつた／何時渡航しても差支へない企業移民／アリアンサへも何時渡航しても困る事はない／拓務省と呼称――六月十日から実施／店開になる拓務省の由来話／加州大学の邦人卒業生新記録／数次往復の旅券有効の特定地　22

海外死亡者は約三百余名以上にのぼる――本協会と県警察部の調査　25

海外支部便り

小川ドクター帰国に際して　北加信濃海外協会幹事　27

小川ドクター送別会／吉池寛氏帰国／会員移動　27

尋人判明　秋山英之助　28

鈴木長治氏行方不明　28

海外通信

紐育で南米党　松尾弘　28

信州記事

百瀬元巡査に懲役一年六ケ月の判決／菅平青年講習所いよいよ十日より開所す／八ヶ岳山麓にも力行会の拓植練習所／溺れる教へ子へ――教師の一念尊き犠牲となる／松本連隊帰着――二ケ年の任務を果して／北信から三名――上野を飾る春陽会の入選／学友の平癒を祈る――木曽中に涙の美談／県下の春蚕掃立――南信は増加北信は減る／養鶏家が増える――小県郡下九万羽に達す／下伊那の大霜害――二千町歩黒焦げ／下伊さらに低資に借入れの霜害対策／無産派の進出――下伊那郡の選挙結果／益々蔓延す――上伊那郡の腸チフス／仕事が楽になる――電化の松本の兵隊さん／新築校舎倒壊――全県下にわたる烈風被害／一度に出生届――愛の結晶六人ぞろりと／北アルプスは漸く春柳は緑花は紅　29

母国通信日誌　29

協会記事

西沢幹事無事鹿島立つ――盛大な壮行会／神戸を無事出帆――サントス丸は一路南米へ／信濃海外協会概況――冊子印行して本会の趣意を宣伝／支那事情講演――後藤清太氏を聘して／ア移住地――本年の渡航者／各町村設立中の海外視察組合（続）／新入会員／会費領収／海外会費／海の外歌壇来月号から継続／新刊紹介／往来　35

編輯雑記　38

第八五号　一九二九年七月一日発行

〔口絵〕アリアンサのマモン／アリアンサの珈琲園／ゴム液の採取 (1)
巻頭言――槿花一朝の栄たる勿れ
創業苦の青年講習所（一）　石川博見　2
西沢幹事の海上通信　第一信（香港より）　西沢太一郎　7
南洋発展の途（七）――小資本企業の護謨栽培　宮下琢磨　8
連盟会議における阿片取締問題について（二）　草間弘司　11
旅券規則改正案内――渡航目的及渡航国別によつて移民非移民に分れる　14
海外で没した本県人――各郡市別の海外死亡者（二）　15
海外の信州人から一年に三十六万円送金される――昨年は前年より十七万円の増加　16
海外通信
メキシコ便り
墨都にて大歓迎　矢島璋三　18
反乱は平定　長淵鐘六　18
墨都安着　渡辺源吉　19
アメリカ便り
住所変更　中曽根孝次　20
宛名を間違なく　荒井松三　20
ブラジル便り
誠心誠意努力　矢崎節夫　20
聖市で家具店を　松橋久弥　20
アリアンサ便り
気楽に呑気に　館石光雄　20
移植民ニウス
拓務省店開き――一部三局官房の分課要綱／植民地は「外地」と呼ぶ小村次官の新造語／拓務省の政策――次官から拓相に報告／拓務協会新設――各植民地協会を統一する／海外に技師派遣――本年度は南米の三国に／拓務省設置の功労者を表彰日下人選中／外国の中等学校――卒業から母国の専校に入れる／企業移民は珈琲園に――「二農年辛棒される」在伯邦人一般の意見／全島邦人を網羅して――在比連合日本人会成る／「桑港週報」に第二世問題が論議さる／在亜日本人会の新会館竣工して落成式を挙ぐ／名実共に日刊となつた秘露日日新聞／日伯新聞社に暴漢――毒筆が禍して此の乱暴沙汰／日系米国人がハワイで将校に任命さる　22
信州記事
未だ復活しない下伊那地方の霜害桑園／長野で倒閣演説――永井代議士等熱弁を振ふ／二十周年を迎へる――上田蚕糸専門校の祝賀準備／春蚕収繭高予想――四百五十一万三千貫／時の記念日に表彰される功労者／樋口代議士逝去――代議士に当選する事五回／差押へ物品が山――県税の滞納六万余円也／松本連隊に温情主義――伝統的私的制裁を絶対禁止／婦人と各団体に軍隊見学を勧誘して思想普及／甲信越野球大会――松本に七月下旬覇を競ふ／天蚕さく蚕に――すずめの被害で追放方申請／母国教育見事に――布哇教育視察団来長／一家全部が隔離――下伊那のチフス哀話　26
母国通信日誌（自五月十日至六月十五日）　26
移住地閑話（十一）　武田三三　32
「船」の話（一）　岩井杏水　34
海の外歌壇　36
協会記事
アリアンサ産の珈琲を尽力者に贈与――創業苦の結果が酬ひられて／白米は神社に献納して御庇護を祈願／請負耕作者は在伯者からも募集／六月便船のマニラ丸乗船者／アリアンサ本年の渡航者／鎌倉モンテ両船――七月便船の渡航予定者／各町村設立中の海外視察組合（続）／会

費領収／海外会費 37
海の外往来　矢田校長外遊／五明忠一郎氏南米視察／永田幹事朝鮮へ／ハワイ教育視察団／松橋久弥氏帰国／田中寿次氏西沢寛氏松永弥市氏 39
定刊紹介 39
編輯雑記　みやもと生 40

第八六号　一九二九年八月一日発行

〔口絵〕新総裁（知事）鈴木信太郎氏／新相談役（内務部長）石垣倉治氏／四谷より見たる白馬連峯
巻頭言――海外に働らく女性のたより (1)
創業苦の青年講習所（二）　石川博見 2
山の日記 4
護謨のボルネオ――宝庫の開発も人の心掛け一つ　高木利兵衛 6
新刊紹介『邦人活躍の南洋』（宮下琢磨著） 8
「船」の話（二）　岩井杏水 9
夏は海＝海の旅へ！――樺太に小笠原島にさては台湾、南洋に　日本郵船 12
海外にある婦女子の生活実相――母国のお友達に答へて　宮原うめ乃 14
信州海外発展者列伝（一）
蝦夷開発の勲功者――塩崎の旗本信濃守松平忠明　日系米人市長の養祖 17
海外通信
玖馬便り
国際的野外ダンス　藤間徳治 19
墨国革命の顛末　竹内駒雄 19
アリアンサ便り
依託荷物頂戴　長縄辰吉 20
秋季野球大会　渋谷政治 21
南洋便り
在外者を勉達　菅沼達雄 21
移住地閑話（十二）　武田三三 22
すばらしい渡航熱――半歳で昨年中の数を突破　長野県の上半期渡航許可数 24
異郷の地に没した本県人――各郡市別の海外死亡者（三） 25
移植民ニュース
新旧拓相事務引継――形式に流れるなと訓示／初代大臣の責任――重大と松田拓相と語る／伯国渡航者の農産物種子携帯注意／地方巡回救療――同仁会衛生保健に活躍／三社合同してリマ日報を発刊する／渡伯虎眼病者――絶対に上陸出来ぬ 27
信州記事
千葉知事の後任に鈴木（山梨）知事任命／運動文学美術――趣味豊かな鈴木知事／千葉知事辞表提出――在職二年余の治績／法相に渡辺千冬子――三代続いて法相に信州人／聖上陛下より恐れ多い御下問に奉答／拓務政務次官に小坂順造氏任命さる／総理大臣秘書官戸田由美代議士任命さる／最初の女督学官――本県出身の堀口女史は語る／春繭相場高騰に――県下の養蚕家活況を呈す／県下製糸家大打撃――新内閣による県下経済界／大霜害に低資――半額は農銀より借替へ 29
母国通信日誌（自六月十六日至七月十六日） 29
海の外歌壇 34
御挨拶　両角雉夫 34
海外発展短期講習会　サンマーキャンプ講習会　日本力行会 35
海の外問答 36
協会記事
鈴木知事を本会総裁に推戴／移住組合でも組合長に鈴木知事を／西沢幹事無事着伯――目下各地視察中／七月便船は五家族の渡航者／アリアンサ移住地――本年一月以降の渡航者数／珈琲実と白米を献納し敬神の赤誠を披瀝す／各町村設立の

海外視察組合（続）／会費領収／海外会費領収／岡村政雄氏逝去／取消 37
海の外往来　小川栄一氏訪会／小笠原幸彦氏満鮮へ／西沢寛氏訪会／山口誠一郎氏帰国／草間弘司氏帰朝／宮下琢磨氏渡南／山本慎平氏欧州へ／菅沼達雄氏帰国 39
定刊紹介 39
編輯後記 39
信濃海外協会規約抄録 40

第八七号　一九二九年九月一日発行
巻頭言――二つの収穫 (1)
内地の開拓に就て　永田稠 2
最近の新嘉坡　西沢太一郎 5
世界一周記――米国旅行視察　片山昇 11
護謨のボルネオ（前承）――宝庫の開発も人の心掛け一つ　高木利兵衛 16
異郷の地に歿した本県人――各郡市別の海外死亡者（四） 19
海外通信
メキシコ便り　米国向野菜栽培　矢島璋三 22
ブラジル便り
精神的富に精進　伊藤八十二 22
味噌醤油なくても暮らせる　清水美代 22
南洋便り　石の上にも三年　高木利兵衛 23
航海通信　航海は至極平穏　渋谷生 23
移植民ニュース
移植民関係予算の各省削減状態／外交の経済化――外務省予算編成方針／拓務審議会を設置して海外拓殖に精進／満鉄の傍系会社拓務省監督を行ふ／植民地銀行監督権――注目される拓務省権限問題／先輩の英霊を弔ふ――在ダバオ信州人有志会で／週刊「南米新報」の家庭向き新聞生る 24
信州記事
三宮殿下、御入信――岩菅山御登山から草津へ／明年度の県予算――百七十二万円の減額／解散を見越した県下各政党の情勢／満悦の民政――早くも準備の第二区／着々進められる下伊那民政の陣容／日本一の物――信州人が威張りたがるもの／とても大がかりな来春を待つ御開帳のお仕度／県下の稲作は上々――秋蚕も結構の農村／現役志願が増す――農村に現はれる不況の現象／長鉄クラブ優勝――信州青年野球大会／甲信越代表諏蚕――惜しくも高松商業に敗らる／長野中学優勝――県下中等野球大会終る 26
母国通信日誌（自七月十七日至八月十六日） 26
「船」の話（三）　岩井杏井 32
海の外歌壇　雉夫選 35
おかぼ会の記　岩波菊治 37
協会記事
役員異動／独身者三人の一組――二十五町歩の請負耕作／アリアンサ移住地本年一月以降の渡航者／各町村設立中の海外視察組合（続き）／新入会者／会費徴収 38
海の外往来　青木重治郎氏迎妻帰国／塚田久米治氏迎妻帰国／勝田正武氏帰国／小川栄一氏再渡米／五明忠一郎氏／宮下琢磨氏 39
編輯後記 39
信濃海外協会規約抄録 40

第八八号　一九二九年一〇月一日発行
〔口絵〕アリアンサの近況（其の一）（其の二）
巻頭言――改造社の海外発展地篇 (1)
論説
アリアンサ入植者に贈る　永田稠 2
最新の新嘉坡（二）　西沢太一郎 7

朝鮮人の移住地間島（一）　藤沢定司　14
南洋行　宮下琢磨　16
紐育でブラジル党――伯国一流新聞の新日記事を見よ　松尾弘　20
ブラジルの師範学校で勉学　両角貫一　19
党管内は益々嘱望せらる　浜口光雄　21
海外通信
海外支部便り　会費送金　秋山英之助　22
メキシコ便り　烏有に帰したけれど旧倍の発展　岩垂貞吉　22
ブラジル便り
アリアンサに向ふ　西沢太一郎　22
モジヤナ地方に転居　上野一平　23
欧州便り　寿府から帰る　草間弘司　23
南洋便り
好評嘖々更らに四版　宮下琢磨　23
益々後進者をよこされよ　小山正直　23
大正八年先生の御講演を拝承して　原山芳保　23
移植民ニユース
夫婦家族に福音――五分制限を緩和されて／海外発展に一生面――拓務懇談会にて方針を定む／拓相と朝鮮総督――権限問題決定す／移民の奨励――映画の筋書きも募集の計画　25
信州出身海外発展者列伝
東洋のコロンブス　小笠原島発見の小笠原貞頼　太平洋に進出した邦人最初の偉勲者　宮本生　27
信州記事
町村の学校建築緊縮方針で認可さる／長野県立図書館――茶褐色の外装も輝し開館／二科展の新入選――本県人は五名の入選／陸軍特別大演習に信州兵の奮闘期待さる／北安のへき村――大糸線の開通で世に出る／登山者は三万人――賑はつた本年の北アルプス／今年の避暑客――秋色深いこの頃の軽井沢　30
母国通信日誌（自八月十七日至九月九日）　30
海の外歌壇　34
協会記事
十月の便船では今川夫妻が乗船す／アリアンサ移住地本年一月以降の渡航者数／市町村設立の海外視察組合（続）／視察組合長異動／新入会者／会費領収　37
海の外往来　土屋三男氏／塚田久治氏／森田三樹氏／田島恒雄氏／宮原九一氏　38
海外会費領収／海外移住奨励――映画宣伝で一馬力　38
編輯雑記　M生　39

第八九号　一九二九年一一月一日発行
〔口絵〕笑ひ!!　珈琲は伸びる人は育つ／成り行くアリアンサ
巻頭言――笛吹けども踊らざるか　(1)
論説
在郷者と在外者との連絡　永田稠　2
朝鮮人の移住地間島（二）　藤沢定司　5
榎本武揚子植民地を語る（一）　竹内駒雄　7
信州出身海外発展者列伝（三）
米人を尻目にかけたエドモンストン市長の松平欽次郎氏――堂々市長に当選した日系米人　苦学力行して万丈の気を吐く　9
海外邦人は七十余万人――一ヶ年の増加は三万三千余人　12
移植民ニユース
移植民地調査――拓務省の移民計画／南洋に大規模の農事計画三菱が乗り出す／高知県拓務協会生る――映画宣伝に本会からフイルム貸与／大阪基督教青年会で――大阪ＹＭＣＡ海外協会を設立　13
本県の在外徴兵延期者――総数四百五十余名で逐年増加　14
海外通信
海外支部便り　会費送金新役員報告　在伯レジストロ支部　15

メキシコ便り　榎本武揚氏植民地報告　竹内駒雄　15
玖馬便り「海の外」未着再送乞ふ　今村広美　15
亜国便り　模範青年小林亀代松氏　小林一郎　16
海上通信　渡伯途上より　渡辺勘吉　16
信州記事
九十万円の節約――一市町村当りの削減二千三百円／菅平青年講習所――見事に完成して盛大な開所式／五百名の入場者――好成績の県立図書館内容益々充実／一糸乱れぬ分列式――下伊那在郷軍人の総集会／わき返へる上田市――十周年祝賀賑々しく／九年振の大噴火――仲秋明月の夜の浅間山／未開こん地の大開発計画に力こぶ／姿をかくすお六ぐし――大貯水池の出現で他へ転業／神宮競技選手――連合青年団体育大会で決定／わが子を送る――藤村氏の三男翁助君渡欧／秋の鮮満の旅――第二回本県青年団一行／臨時県会開会――県参事会員の選挙／新年歌御会勅題／お百姓の借金状態――県農会が調べでビックリ　17
母国通信日誌（自九月十日至十月十四日）　17
「船」の話（四）　岩井杏水　24
移住地閑話（十三）　武田三三　27
海の外歌壇　雉夫選　30
映画感想「ブラジルに飛んで行きたい」――児童の頭に響く映画の力は偉大　32
誌上映画　移民奨励映画劇『行けブラジルへ』全四巻　34
協会記事
十月のサントス丸――今川小坂の二家族四人／十一月の便船にも二家族七人の渡航／アリアンサ移住地――本年一月以降の渡航者数／第二回総会――十月三十一日と決定／市町村設立中の海外視察組合（続）／新入会者／会費領収／海外会費領収　38
海の外往来　永田幹事／宮下幹事　39
編輯雑記　40

第九〇号　一九二九年一二月一日発行

〔口絵〕ブラジルの煙草無肥料にて生育せるもの／南洋の風物
巻頭言――昭和四年の総勘定　(1)
論説
本県人の海外渡航者――進取の気象を示すもの　桐生悠々　2
南洋行（二）――図南の雄吉江民蔵君を憶ふ　宮下琢磨　4
朝鮮人の移住地間島（三）　藤沢定司　9
緊縮は伸びる日本の旗章――緊縮標語の一等当選作決定　8
漫談ノ三――シベリヤお菊さんのこと　11
信濃出身海外発展者列伝（四）
安南ノ傑角屋七郎兵衛（世界地理風俗大系4より摘記す）　13
榎本武揚子植民地を語る（二）　竹内駒雄　15
移植民ニュース
明年度南米航路出帆予定発表／新造船――ベノスアイレス丸一千余名の開拓者を乗せて処女航海／ブラジル事情を御進講――野田書記官の光栄／主要使命を果すため旅費の復活要求――拓務省予算大削減／菅平青年講習所第一回修了式／懐ろほくほく――移民船帰る／日本の人口密度――人口増加率各国との比較　18
信州記事
明年度予算総額千二十八万三千六百余円／昨年の実収に比し二万余石増す――本県第二回米収予想／新装の大屋橋喜びの開通式――二尺玉やマネキンに身動きもならぬ賑ひ／善白電鉄創立総会終る――

資本金二百万円で／教育費減額を三市で
協議――小学校教員の減俸を槍玉に／い
よいよ着工の免囚保護館――有力者の寄
付一万余円長野市にできる／公娼廃止請
願書トラックに満載して開会中の県会に
持込む／犀川線の改修をと猛運動開始
――県当局と県議に向つて 20
母国通信日誌（自十月十五日至十一月） 20
世界の人口 24
「船」の話（五） 岩井杏水 25
横浜神戸間の海の旅 みやもと生 28
誌上映画
移民奨励映画劇『行けブラジルへ』（二）
全四巻 29
新年号を飾る移植民論壇――広く会員諸者
から募集 海の外社 32
海の外歌壇 雉夫選 33
協会記事
アリアンサ移住地本年度の渡航者数／海
外発展思想普及に全県下を映画宣伝行脚
する／ブラジル移住宣伝講演熱弁を振ふ
――最近帰朝者森田三樹氏 35
海の外往来 西沢幹事 36
市町村設立中の海外視察組合（続）／新
入会者／会費領収 36
編輯雑記 みやもと生 37
信濃海外協会規約抄録 38

第九一号 新年倍大号

一九三〇年一月一日発行

〔新年あいさつ〕
〔口絵〕ポポカテペトル火山（墨国）の雄
姿／南洋パリパパン港／澤柳猛雄氏と在
レジストロ信州人の歓迎／帝国練習艦隊
の在玖邦人の歓迎／在ダバオ信州人の先
亡者供養記念
巻頭言――超常識超打算 宮本乙巳 (1)
棄民とせずに金融の途を講ぜよ――第一回
拓務懇談会席上の意見 今井五介 2
論説
足かけ十年 永田稠 4
日本民族の将来とアマゾン文明（上） 森田三樹 7
南洋行（三） 宮下琢磨 13
朝鮮人の移住地間島（四） 藤沢定司 16
漫談の四――満洲米のこと／鮮人移住のこ
と 18
移植民ニュース
昭和五年上半期南米航路の出帆日決定／
東拓の南洋拓殖金融――順調に運べば本
年上期中に具体化して事業開始の予定／
移植民行政統一改善――諮問三事項は各
委員に付託 第二回拓務懇談会／村民四
十名を連れ京大生南米へ／本年皮切りの
アリアンサ渡航者――モンテビデオ丸で
まづ七家族／珈琲園自営者一団三百七十
五万円の低資を請願 在伯邦人旧移民の
金融問題／一九二八年の聖州教育状勢 20
南米へ、南米へ!!――大正八年以来の記録
を示す昨年度の海外発展者数 24
北海道自作農移住の奨励――三百円を用意
すればよい北海道の農業は有望 26
昭和五年の日曜と祭日 29
日鮮融和実現の朝鮮移住地建設案――海外
協会中央会で着々進捗 30
海外通信
海外支部便り 役員改選――西沢氏澤柳
氏来植 久保田安雄 34
ブラジル便り
植民は不完全な文化生活――喰ふに困
らぬ百姓 神沢久吉 35
在伯拾年の気象観測――珈琲とバナナ
のこと 植木酉二 36
アリアンサ便り
全伯国を風靡する強勝アリアンサチー

ム　在アリアンサ生 39
珈琲が見事結実——白い可愛い花盛り　藤本顕正 40
玖馬便り
日玖親善の——帝国練習艦隊を迎ふ　今村広美 41
比島便り　益々御奮闘を乞ふ——書籍御送本煩し度し　滝沢貞雄 42
航海便り　楽しい海の旅——二週間で新嘉坡着　渡辺勘吉 42
信州記事
蚕糸業に対する国策樹立の要望——各地で蚕糸業大会／筑摩連峰横断のケーブルカー計画——松本市大乗気になる／非常な激増——県内各市場における夏秋蚕の取引状況／伊那の乙女達初めて街頭へ——同情週間初日の十余円／ざつと三十万円を抱いて帰る工女——南佐久の商人首を長くして待つ／俸給生活者ははけ口がない——上田の失業者調べ／お母さん係を松本連隊に新設——家庭的温情を取入れる計画／罰金が払へず労役を希望——刑務所から見た不況／突然大音響と共に百五十間の土砂崩壊——岩倉山の崩壊余聞／一文の報酬も受けずに児童の歯四千本を療治——村から表彰される関田歯科医／老の身を村の風呂番——薪の謝礼さえ受けぬ七十爺さん／北アルプスのスキー登山——鉄道省はスキー映画撮影／菅平スキー場ジャムプ台完成／スキー大会の準備打合せ／スキー客五割引——長野電鉄で乗車券発行／昭和四年度の義務教育費国庫負担——各部配当金額は左の通り決定／不況知らずの今春の団体旅行計画——長野運輸はほほ笑む 43
母国通信日誌（自十一月十二日至十二月） 43
商船が自慢の南米航路処女船ベエノスアイレス丸を観る——横浜神戸間の船の旅　みやもと生 50
ぶざまな風態——南米行本邦移民の南阿上陸の注意 50
商船　南米航路世界一周の寄港地航海日程距離 52
植民歌　吾が植民地　森田三樹作 53
南米発展の歌 55
移住地閑話（十四）　武田三三 57
帝国練習艦隊——玖馬在留邦人の熱狂的歓迎／満鮮国境間島で不逞徒の刃に壮烈な殉職——下水秋津村出身の坪井三代治氏功労紀章下附され総領事館葬／プロミソツン駅在住信州人が支部設立せんとす——土屋三男氏帰国報告 60
読者論壇
農村を毒する机上論を去れ　湯田精 62
農村青年は迷ふ　ＯＭ生 63
海外発展短期講習会会員募集　日本力行会 63
県下行脚
若人よ血を湧かせ——海外発展奨励の活動映画宣伝行脚記　宮本生 64
海の外歌壇　雉夫選 70
協会記事
ア移住者渡航者数——大正十四年以降／市町村設立中の海外視察組合（続）／新入会員／会費領収／髙田相談役死去 73
海の外往来　芦部猪之吉氏帰朝／輪湖理事帰朝／藤森成吉氏 74
編輯後記　宮本 75

第九二号　一九三〇年二月一日発行

（口絵）アンデス越え／西沢幹事のレジストロ訪問——昭和四年十月十七日／累々たるマモン
巻頭言——呼寄の倍加運動　宮本乙巳 (1)
日本民族の将来とアマゾン文明（中）　森田三樹 2

南洋行（四）　宮下琢磨　8
びた一文も要らぬ――若き南洋商業実習生
を募る　11
朝鮮人の移住地間島（五）　藤沢定司　12
漫談の五――遠里農法のこと／バイオニヤ
がもてる時代／春陽にめぐまれ出でた一
芽哉――産を棒に振るノラクラ息子のこ
と／噫坪井警部補　14
移植民ニュース
移民の送金は今後減少せん――帰国超過
その他から／満鉄の外交権放棄の新政策
――経済第一主義の経営方針／拓植事業
の振興対策講究――国際貸借改善に計画
／利子補給制度で南洋企業家に金融――
四百万円を動かす台総府／拓殖金融策
――金融機関の根本対策　拓務省の重要
なる使命／南洋ゴム園に東拓が金融を開
始――さしづめ三百万円程度を　16
海外通信
棉作地チヤコに上条泰三郎氏を訪ぬ――
二月十一日横浜着帰国　西沢太一郎　19
海外支部便り　本会定期総会――幹部改
選新幹事報告
信濃海外協会米国西北部支部　19
海外支部便り　単農より復農――珈琲市
価暴落に鑑みて　久保田安雄　20
伯国便り
夫婦きりで七町五反を開墾する――お
産もあつて目の廻る多忙　大沢英三　20
細心な心尽しにただ感謝するばかり
――品々沢山頂戴して　大沢をいと　21
墨国便り　来墨を待ちつつ徴兵延期申請
注意も感謝　長淵鐘六　22
南洋便り　金解禁――海外投資家活躍
半田積善　22
航海便り　面白い赤道祭――文字通りの
平穏の航海　渡辺勘吉　23
渡航便り　比島に安着――心配のない船
の旅　遠藤信次郎　23
南洋便り　再渡南――ダバオ安着
青木重治郎　23
海外から寿ぐ新年の挨拶　24
異郷に眠る雄士果敢なき若きパイオニヤ　25
立志伝中の怪傑滝沢仁三郎氏逝く　28
信州記事
小山代議士民政入党に決す／お金を落さ
ない冬季登山者の傾向／女工年齢調べ
――七十余の婆さんもゐる／婦人団懇談
会――緊縮徹底の第二期宣伝／善光寺御
開帳に早くも血眼の商人連／県下の耕地
は総面積十七万八百余町／日本一の菅平
スキー場／海外雄飛に関する書籍が青少
年に大歓迎　29
母国通信日誌（自十二月二十日至一月二十
二日）　29
県下政局展望　総選挙を前に手に■をかけ
る各派　34
スキー界の楽土　樺太の雪　森武　38
樺太民話　真岡節　41
海の外歌壇　雉夫選　42
海の外問答　44
植民歌『吾が植民地』訂正　44
協会記事
アリアンサ渡航者モンテビデオ丸で四家
族／二三月便船のパイオニヤ渡航予定／
市町村設立中の海外視察組合（続）／新
入会員／会費領収／海外会費領収　45
海の外往来　西沢幹事帰朝／矢田校長帰
朝／倉田国三氏迎妻帰朝／等々力芳治
氏／堀内兼吉氏帰朝／五明忠一郎氏　46
編輯後記　M生　47

第九三号　一九三〇年三月一日発行

巻頭言――ブラジルの不景気　宮本乙巳　(1)
アリアンサ移住地満四年　入植者の希望及

感想一班　芦部猪之吉　2
帰朝御礼　西沢太一郎　34
日本民族の将来とアマゾン文明（下）　森田三樹　36
進まんとする青年諸君に　林月虹　46
朝鮮閑話　藤沢定司　48
濠洲見学の一片　宮原正一　52
信州記事
県下政局展望　国民審判の下に凱歌は民政に揚る——中原に逐鹿競ふた戦跡
われらの選良十三新代議士の面々　57
母国通信日誌（自一月二十三日至二月十日）　57
信州出身海外発展者列伝　五
無願開墾の壮挙——十勝開拓功労者故新津繁松翁　みやもと生　64
海の外歌壇　雉夫選　67
協会記事
アリアンサ渡航者三月までに十家族／市町村設立中の海外視察組合（続）／新入会員／会費領収／海外会費領収　69
海の外往来　中島寛信／大井藤吉／宇都宮督雄氏　70
海外会員の賀状　70
編輯後記　71

第九四号　一九三〇年四月一日発行

〔口絵〕住宅改築の準備（アリアンサ移住地所見）／南洋
巻頭言——ブラジルでも米は出来る　宮本乙巳　(1)
邦人最初の植民地を観る（一）　西沢太一郎　2
南洋行（五）　宮下琢磨　10
移植民ニュース
帰米運動——市民権擁護のため／墨都に邦人青年会生る／森田三樹氏が大日本ブラジル研究会組織／届出は四月十五日限り——改正徴兵法に伴う実際手続／人材を養成——海外協会中央会で／伯国官憲の認証は本邦官憲がやる／拓務協会——交渉成つて発会の運び／ブラジルの邦人自然増加／ブラジルからの日本人帰国者数　13
海外通信
支部便り
西沢幹事を迎へ郷党相集ふて快談　臼井省三　15
米国シヤトル中心の——信州人活動状況（一）　米国西北部支部　17
アリアンサ便り
蒔さへすればよく出来る農作物
丸一年は夢のよう——お産もあつて大　長谷とみゑ　20
忙がし　長谷芳松　21
多角形農法がブラジル国でも必要
林光衛　22
伯国便り　食ふには心配のない生活
安江惣右衛門　23
航海便り　愉快の船旅——初て眼に入る
異国の趣向　土屋雄四郎　24
伯国大統領決定——財政経済は好況を呈せん　25
改暦の賀辞朗吟　宮原和三郎　26
コロンポ及セイロン島　西沢太一郎　27
朝鮮閑話（二）　藤沢定司　33
信州記事
補償法発動による取引の活発糸価の好転／掃立は二割減に——糸価暴落の策対として／満堂わき立つ——青年団研究大会／農会は存続論多数——署長の注意に憤然怒号／第二日目には遂に議長不信任案提出／危く破壊を免れた天下の名勝「寝覚の床」／象山神社の建設計画進む／恐しい試験地獄——看護婦志願者は六倍／逓信講習は十四倍／珍しい子福者——兄弟九人の野球団　36

母国通信日誌（自二月二十四日至三月二十日） 36
海の外人事相談 41
海の外歌壇　雉夫選 42
海の外問答 44
協会記事
第四回臨時総会――輪湖理事が移住地状況を詳細報告／海外協会の評議員会開催／四月便船二船で五家族十九名が渡航／新入会員紹介／会費領収／海外会員費領収 45
海の外往来　矢崎画伯渡伯／ラウル・ボップ氏来朝／元幹事沼越氏渡欧 46
御尋ね　海の外社 46
前号（二月号）訂正 46
編輯後記　宮本 47

第九五号　一九三〇年五月一日発行

〔口絵〕バナナの栽培／南洋
論説
在郷軍人の海外移住に就て　永田稠 1
現在のアリアンサ移住地　輪湖俊午郎 7
南洋行（六）　宮下琢磨 12
南洋に定期航空路開設――バタビヤ、新嘉坡間 15
海外視察記　寄港地の巻――ダーバン港（其二）　西沢太一郎 16
移植民ニュース
昭和四年中の各移住組合渡航者数／ブラジル移民救済――百五十万円を特別議会に提出／妻女の呼寄せ――渡米自由となる／中米玖馬国に本邦領事館再開／スキーを捨てて高田の花形選手南米へ／加奈陀渡航者の査証は在東京同国公使館で 21
海外通信
支部便り　米国シヤトル中心の信州人活動状況（二）　米国西北部支部 23
会費御送金まで　松島鋤人 26
加州の邦人出生率逐年減少の傾向――七分四厘から二分九厘にガタ落ち 26
信州記事
県議補欠――四郡下の当選者／前例なき棄権率――諏訪郡最も甚し 27
南佐久郡　佐久の酒屋悲鳴――遠慮無いのは税金許り 28
下伊那郡　下伊の掃立準備――一週間も早い今年の陽気／掃立は五月十日――霜害は一万三千円／新緑の美観――天竜峡の一大遊覧計画 28
小県郡　雪の菅平へ――スキーホテル建設／中途退学続出――農付不況深刻の結果／評判の良い菅平馬鈴薯 29
諏訪郡　教へ子二人を連れて一週間彷徨歩く 30
東筑摩郡　島々の原始林を人夫百五十七名を増員して伐採 30
西筑摩郡　高等科満員――各校ハチ切れさう／生活を脅す貯水池――西筑四ケ村長上京陳情 30
上水内郡　乗合河中に逆落――死傷者七名を出す 31
長野市　長野市長丸山氏再選／散る花片を浴びて――人出七人の善光寺中回向 31
松本市　練兵場引越してその跡へ松中を四十万円で／下士志願者倍増――不景気の産物連隊では大喜び 32
上田市　勝俣上田市長現職中に逝去／職業紹介の成績――製糸場就職が第一位 33
母国通信日誌（自三月二十一日至四月二十日） 27
在布哇邦人の国際的結婚 32
ローマ字投票 33
朝鮮閑話（三）　藤沢定司 34
済南の近状（一）　松井佐久平 36
海の外歌壇　雉夫選 38

海の外人事相談　40
海の外問答　41
協会記事
移住組合の第四回臨時総会／本年度予算議決――本協会の評議員会／五月便船の本移住地渡航者／本年の渡航者数／西沢幹事の海外事情講演／新入会員紹介／会費領収／海外会費領収　42
海の外往来　矢崎節夫氏／中田義介氏／伯国有吉大使／梅谷光貞氏／石沢此衛氏／伊藤伝兵衛氏／小坂武雄氏　43
信濃海外協会規約抄録　44

第九六号　一九三〇年六月一日発行

冠頭言――海外志望青年者よ　(1)
珈琲園を巡礼して除ろに其の将来に及ぶ　エフ、エ、ノルツ　2
海外視察記　寄港地の巻――ダーバン港（其二）　西沢太一郎　6
新刊『連結式ブラジル語会話』／『二版日伯会話』　9
南洋行（七）　宮下琢磨　10
議会戦論
現内閣は海外発展に冷淡――拓務省予算の六百万円はなぜ消滅したか　東郷実代議士の痛撃　12
朝鮮閑話（四）　藤沢定司　14
信州出身海外発展者列伝（六）
小笠原島から南洋へ――腕一本で押し通した豪傑　隠れた志士日本主義者　松岡好一　16
移植民ニュース
ノロ線の首都――リンス駅邦人調査／いよいよ活気づく北パラナ珈琲地帯／墨都日本学園開校――第二世の教育をめざして／日本観光にペルーの第二世が月掛／邦人漁師を圧迫――飽くなき排日の魔手／南洋濠州行の便利な切符を優先で発行　18
海外通信
支部便り　見よ!!　異郷に在るこの郷党の親睦振りを――米国羅府の信州人活動状況　秋山英之助　20
済南の近状（二）　松井佐久平　24
本県の在外徴集延期者――在留中告書滞りなく届出　26
信州記事
職に殉じた教員――過半数が信州人と判る／農家の借金一戸当り八百八十円／自転車の新鑑札――二万円の税金増収／退職者の年齢――惜まれる若年の退職　30
伊那　飯田地方の被害――損害五割のもの約百町歩／桑の豊作を見込んで下伊は掃立増加せん／欠損明かな此春蚕――かせぐに追つく農家の貧乏／父の焼死に娘発狂――大下条村の火災悲惨事／　31
上小　成沢氏市長に当選――正副議長も夫々決定／骨身にしみる違反――罰金が約二万五千円の痛手／珍らしい春の雷――変圧器に落雷して暗闇／学窓から農民へ――蚕糸の祖国を守れ／上田高女生徒海の旅に南米船に乗る／製糸業不振で丸子町の人口激減／　33
松安筑　折角放たれるカゴの鳥の悩み／松本駅の夏山準備――専任者を置き便宜を計る　35
長水高　仏都の街々を――行列華かに練る落慶養供　35
母国通信日誌　自四月十七日至五月十五日　30
海の外歌壇　雉夫選　36
海の外人事相談　38
海の外問答　39
協会記事
真価を認められて――躍進する第二次視察組合の出現／六月便船渡航者――若狭

丸渡航者の変更／本年の渡航者数／会費領収／山田織太郎氏逝去／宮川良治氏逝去　40
海の外往来　永田稠氏／坂元靖氏／倉島弥太郎氏／沢柳猛雄氏　41
お頒ち　41
編輯雑記　宮本　42

第九七号　一九三〇年七月一日発行

〔口絵〕夏の魅惑（北アルプス西穂高の勇姿）／アリアンサ創業五週年を迎へるまで
巻頭言――千苦一掃　西沢太一郎　(1)
珈琲園を巡礼して除ろに其の将来に及ぶ（二）　エフ、エ、ノルツ　2
海外視察記　寄港地の巻――大西洋上（其四）　西沢太一郎　6
南洋行（八）　宮下琢磨　9
邦人栽培面積地方別表／邦人ゴム園面積地方別　12
専政国シヤムに於けるモダニズムの伸展　一閑生　13
朝鮮閑話（五）　藤沢定司　19
日墨の親善はこれ
『私の両親代りだつた』御親切な鈴木梅四郎さん――墨人留学生感激の謝辞　22
居ながら出来る誌上銷夏植民地巡り
まづ海に憧れて――絵の国詩の郷小笠原島へ　24
四季絶えぬ豊醇――熱帯の果物を求めて「美の島」台湾への旅　25
日本の生きる道――大陸進出の目標鮮満蒙への旅　26
北国の宝島――やがて寒帯文明の北海道樺太への旅　27
在留申告書提出済の在外徴集延期者（二）　28
移植民ニュース
移住組合渡航者府県別及移住地別調／通信網を完備して――「アリアンサ時報」発行／時報がもたらす最近の移住地ニウス／比島で邦人排斥――直ちに在留邦人覚書廻附／青年五割を占む――在比邦人の年齢別調／借款二億円成立――珈琲界は安定して移民を大歓迎　29
信州記事
二三十万円起債し土木工事を起す失業救済／入湯者は信州へ――衛生課の温泉宣伝／頼みの綱切れて惨憺たる県下繭相場　31
諏訪　富士見高原病院不如丘博士犬養氏等援助／雇人賃金協定　32
松安筑　中信地方初取引――昨年の半値に及ばぬ／すばらしい人気――家族天幕生活の試み／上高地局競願　33
伊那　繭価暴落に農家自給自足への叫び　34
上小　屑繭処理に躍起――小県地方農家風景　34
長水高　参詣者の半数は長野市内を素通りした／山家神社県社に昇格　35
母国通信日誌　自五月十六日至六月九日　31
元気な老夫婦アリアンサに立つ　35
海の外歌壇　雉夫選　36
読者論壇　雄飛せんとする同志に（勇ましく戦線へ）　一女性　38
海の外人事相談　39
協会組合記事
海外視察組合北安に進出／七月便船乗船者と本年の渡航者数／アリアンサ珈琲――会員一同に贈呈す／新入会員紹介／会費領収　40
海の外往来　伊藤八十二氏／原勇氏／海外社移転／青年講習所生訪会　41
虚構の悪宣伝――何ら不安のないブラジル　41
信濃海外協会規約抄録　42
〔広告〕珈琲栽培請負耕作者募集

第九八号　一九三〇年八月一日発行
巻頭言――進まん哉　(1)
ブラジルに於ける日本移民と伝染病予防　髙岡専太郎　2
海外視察記　寄港地の巻――伯都リヨデジヤネイロ外観（其五）　西沢太一郎　6
南洋行（九）　宮下琢磨　8
功名成つて夫人を迎へる――移植民功労者上条泰三郎氏の結婚　11
朝鮮閑話（六）　藤沢定司　12
専政国シヤムに於けるモダニズムの伸展（前承）　一閑生　14
邦人の亜国発展を目指して重要使命を帯び帰国――沢山の嫁探しに十七年振りで帰る開拓者　田村一恵　18
在留申告書提出済の在外徴集延期者（三）　21
移植民ニュース
失業者救済に開墾事業を起す／海外企業の合同に便宜を図れ／南米移住増加す――上半期の渡航者数／県下に動く海外投資熱――西沢幹事が町村長会で講演　26
信州記事
臨時県会招集――救済事業輪郭成る／産業助成の低資――本県へは七十五万円　28
佐久　町村長会も動く――教員官史の俸給を削れ／避暑登山者は昨年よりも増加す　29
諏訪　下諏訪の陳情隊――出京を検束さる／直下げせねば――全村消灯と値下げ運動／町で保証せぬ限り無担保貸出しは不可能　30
伊那　お蚕に愛想をつかし桑園を水田に／木綿以外は断じて着るなと厳達／教員給料を一ケ月支払延期――四苦八苦の和田村　30
松安筑　贅川の大火――一意復興に努力　31
上小　これでも相場か――貫で一円九十銭／浦里にも不納同盟成る／村の失業女工で百カマほど操業　32
更埴　借金の返済期を繰延べて下さいと／区民が血判して納税延期を歎願　32
長水高　東京中継の他にも放送する長野放送局　33
夏休に鮮満へ旅――更農職員の意気込み　33
母国通信日誌　自六月十一日至七月十六日　28
海の外歌壇　雉夫選　34
海の外人事相談　36
協会組合記事
移住地の現状と組合要覧を編纂出版／八月便船乗船者と本年の渡航者総数／海外視察組合（続）／新入会員紹介／会費領収／小西理事長辞任／幹事長階川氏就任　37
御挨拶　宮本乙巳　39
海の外往来　田村一恵氏（在亜）／伊藤八十二氏／石沢此衛氏　39
御断り　39
信濃海外協会規約抄録　40
〔広告〕珈琲栽培請負耕作者募集

第九九号　一九三〇年九月一日発行
巻頭言――他力主義を排し自ら運命を開拓せよ　芳水生　(1)
論説
海外発展に就て（上）　羽場金重郎　2
海外視察記　ブラジルの巻――サントス入港（其六）　西沢太一郎　5
南洋行（一〇）　宮下琢磨　9
本県郡市別一戸当借金番附　12
朝鮮閑話（七）　藤沢定司　13
海外邦人七十六万――一ヶ年の増加四万九千人　16
アンデス山の彼方より――故国の青年諸君へ　青木保　17
在留申告書提出済の在外徴集延期者（四）　21
海外通信

支那間島より　藤沢定司　24
秘露より　青木保　24
帰国の途上より　岡村一恵　24
馬尼刺より　駒津昌虎　24
移植民ニュース
海外企業地調査――拓務省新計画／独身渡航者に大福音――船賃全額補助／海外発展館設置――神戸の海港博覧会で／聖州の養蚕業奨励――宣伝費二十五万円支出／拓務省新事業――明年度予算要求／本年上半期貿易――入超二億八千万円／帰鮮者増す――見限られた内地／国営開墾予定地に――野辺山ケ原採択さる　26
信州記事
養蚕偏重を捨て何でも屋に宗旨替へ／県下の銀行は大部分が減配／県下失業者数実に新記録　28
佐久　流石の軽井沢にも不景気侵入　29
上小　桑園を水田に――小県地方で約四百町歩／菅平高原に青訓五百名の野営　29
諏訪　教員費に手をふれず――上諏訪で町予算に大英断　30
伊那　植民地へ就職運動――下伊那の教員に多い／上伊那東部に廃灯申合せ成る　30
松安筑　北安町村長会――時局対策／俸給に指を触れず――松本市の負担軽減策　31
更埴　更級郡町村長会――猛烈に論争／桑園どしどし水田に変る　32
長水高　長野市助役高野忠衛氏に決定／電灯直下運動刻々拡大／湯田中温泉の発展――貸別荘建築　33
母国通信日誌　自七月十七日至八月十六日　28
国産愛用標語――懸賞当選十一句　33
海の外歌壇　雉夫選　34
海の外人事相談　36
協会組合記事
市町村設立の海外視察組合（続）／九月便船乗船者と本年の渡航者数／会費領収　37
海の外往来　玉川音作氏帰国／小泉理覚氏帰国　38
編輯室より　芳水　39
〔広告〕珈琲栽培請負耕作者募集

第一〇〇号　一九三〇年一〇月一日発行

〔口絵〕新副総裁（県会議長）山本荘一郎氏／新幹事長（学務部長）階川良一氏／鹿島立ちたる宮本乙巳氏　夫人静子さん／長閑なアリアンサ
海の外第百号発刊詩　佐藤藤山　(1)
論説
海外発展に就て（下）　羽場金重郎　2
海外視察の回顧（其の一）　矢田鶴之助　5
海外に雄飛せよ　佐藤藤山　11
新刊紹介　『ブラジル事情と渡航法』／『信州之与論』　12
海外視察記　ブラジルの巻――サントス港（其七）　西沢太一郎　13
南洋行（十一）　宮下琢磨　17
朝鮮閑話（八）　藤沢定司　21
海外通信
宮本氏の第一信　宮本乙巳　24
巴里より　川口秀俊　25
渡伯の途上より　伊藤八十二　25
ありあんさ便り　大沢英三　25
写真機受領　渡辺勘吉　26
移植民ニュース
海外移民検査医嘱託さる／ブラジルの金融改善協議／外務省新規要求――目的は貿易振興／外国移民に対し極度の制限をつける／ブラジル産のゴム――軈て随一の国産とならん／ブラジルの輸入自動車数／ニユージーランド定航開始／北海道移住続々申込み　27

信州記事
臨時県会――失業救済予算可決／県会議長副議長選挙／局面打開真剣味――町村長会重要協議／自作農創設に現れた真剣味　30
佐久　浅間山又も大爆発――山麓一帯住民の恐怖　31
上小　失業者救済に国有林開墾／上田の獅子舞愈々東京へ進出　32
伊那　全村窮境打開に躍進――赤穂村の大計画／伊那社再び直輸出――ジャリー商会優良糸に吊らる　33
松安筑　信濃山岳会が国立公園で議会に運動／神坂の農家平坦部移住――村では三十町歩の稲田開墾／養豚、堆肥の製造――南安にも新農村の動き　34
更埴　農産物販売連合会――更級産組の新計画　35
母国通信日誌　自八月十六日至九月十五日　30
海の外よもやま
欧州各国の出産率低下／サハラ砂漠を沃野に開墾／月に飛行機二百台――米国の素晴しい生産能率　36
海の外歌壇　雉夫選　37
海の外人事相談　39
協会組合記事
十月便船乗船者と本年の渡航者数／移住組合新計画――不在地主提供土地拡張／永田、西沢幹事朝鮮視察／役員異動／市町村設立の海外視察組合（続）／会費領収／海外移住奨励活動写真宣伝　40
編輯後記　芳水生　42
信濃海外協会規約抄録　43
〔広告〕珈琲栽培請負耕作者募集

第一〇一号　一九三〇年一一月一日発行

巻頭言――眼を世界の舞台に注げ　芳水生　(1)
海外へ移住せんとする青年へ　檀上謙爾　2
ケープタウンより　村松薫　5
菅平大高原の修道場――長野県青年講習所の生活（其ノ一）　石川博見　6
海外視察の回顧（其の二）　矢田鶴之助　9
米国南太平洋沿岸法人第一のホテル都ホテル十月初旬開業　12
海外視察記　ブラジルの巻――サントス港（其八）　西沢太一郎　13
南洋行（一一）　宮下琢磨　17
新刊紹介　『我等の発展地メキシコ』／『ノロエステ・リロカバナ・パウリスタ三線邦人年鑑』／『農業のブラジル』　20
墨国事情炉辺閑話（一）　ＴＯ生　21
朝鮮閑話（九）　藤沢定司　25
海旅の夢（一）　倉田哲人　28
練習艦隊編成　31
海外通信
海外支部便り　本年度総会開催レヂストロ支部報告　32
ありあんさ便り　賑やかな入植祭　林光衛　32
アニウマス農場より　宮部里治　32
移植民ニュース
ダバオ渡航移民制限撤回運動／南阿移民法解除――我国と紳士協定／不景気の打撃は在留邦人に軽微／朝鮮農夫の満洲開拓／アフリカ蕃地に邦人移住地を開拓／ペルーの排日――遂に移民限定／済州島西帰浦に漁村移住地　34
信州記事
十六万石増収確実――県から稲作予想発表／公民権を与へれば我信州は女の王国／二千万円を突破――農山漁村救済金申込／遂に基本財産へ手をつけた市町村／菅平ホテル愈々完成近づく／財政建直しに学童の労働奉仕／減俸と寄付金で戸数割を一期全免／今度は絹足袋生産――松

本工業試験場が製織を研究／二百万円を投じ愈々犀川線改修／都市の商工業も同じく借金地獄／新日赤病院――長野市の名物となる／村債を転貸し養豚――富士里の考へた計画／スキーの志賀高原に温泉つきの山小屋設置／木曽の鉄道開通――記念共進会 36
母国通信日誌 自九月十六日至十月十五日 36
消息 松島公使帰朝／丹沢氏栄転 41
海の外歌壇 雉夫選 42
海の外人事相談 44
協会組合記事
十一月便船乗船者と本年の渡航者数／朝鮮移住地四十家族移民募集／講演活動写真と海外移住奨励／人事相談と結婚媒介／市町村設立の海外視察組合（続）／新入会員紹介／会費領収 45
信濃海外協会規約抄録 47
〔広告〕珈琲栽培請負耕作者募集

第一〇二号　一九三〇年一二月一日発行

巻頭言――量より質へ　芳水生 (1)
伯国珈琲不況に際して　青木林蔵 2
本県の人口百七十万を突破――国勢調査の結果発表／県会議員二名増員 4
暹羅に於ける華僑（上）　一閑生 5
海外視察の回顧（其の三）　モスコー　矢田鶴之助 8
菅平大高原の修道場――長野県青年講習所の生活（其ノ二）　石川博見 12
海外視察記　ブラジルの巻――都会の概観（其九）　西沢太一郎 16
南洋行（一二）　宮下琢磨 21
布哇県議に日系市民当選 24
墨国事情炉辺閑話（二）　T・O生 25
朝鮮閑話（九）　藤沢定司 27
海旅の夢（二）　倉田哲人 30
航海日誌（一）――四十六日の船中生活　宮本乙巳 34
移植民ニュース
海外移住組合関係伯国渡航者数／伯国行呼寄移民に渡航奨励金下付／ブラジル人口激増――増加率は日本の二倍／問題となつてゐるダバオ邦人所有土地／在神戸メキシコ領事旅券査証開始 37
信州記事
本県二回米作予想――約百五十万石／明年度予算は総額九百七十二万円／農家一戸の収入減――昨年に比し四百円／孝子と教育功労者――勅語発布記念日に表彰さる／純情を青年に捧げた表彰者の略歴と治績／本県米穀貯蔵施設――民間倉庫借受指定収容／正に産業組合時代――今年に入つて以来著しい発展／表彰された南佐久農蚕校――生徒の売上金で近く講堂新築／菊薫る日比谷原頭に優良青年団表彰／御牧ケ原開墾計画――一般農家の標準とする 39
母国通信日誌 自九月十六日至十月十五日 39
海の外人事相談 45
協会組合記事
ありあんさ拡張具体計画成り早くも土地購入申込者殺到／ありあんさ移住地拡張計画／市町村設立の海外視察組合（続）／会費領収 46
会員消息 〔塩沢幸一氏〕／〔土屋弼太郎氏〕／〔玉川音作氏〕 49
編輯室より　芳水生 49
信濃海外協会規約抄録 50

第一〇三号　一九三一年一月一日発行

〔口絵〕新春のブラジル珈琲園／郷土の風色
巻頭言――九千万同胞と困難に立たむ　西沢太一郎 (1)
論説

世界に於ける日本人の三大使命　羽場金重郎　2
海外視察の回顧（其の四）――波蘭、墺太利、瑞西の旅　矢田鶴之助　7
新刊紹介『コロンビヤ国事情』　13
菅平大高原の修道場――長野県青年講習所の生活（其ノ三）　石川博見　14
我が帝国の人口　九千三十九万五千人――五年間に七百万人増　17
暹羅に於ける華僑（下）　一閑生　18
海外視察記　ブラジルの巻――都会の概観（其十）　西沢太一郎　23
南洋行（一三）　宮下琢磨　30
墨国事情炉辺閑話（三）　T・O生　34
海外発展短期講習会会員募集　日本力行会　38
朝鮮閑話（十）　藤沢定司　39
陽光輝く未来の国南洋目指し　小山嵩　44
海旅の夢（三）　倉田哲人　46
航海日誌（二）――四十六日の船中生活　宮本乙巳　50
練習艦隊の巡航日程　53
在外公館長一覧表（一）　54
海外通信
ありあんさ便り
おかほ会と野球試合　岩波菊治　55
ブラジルは暢気なところ　大沢英三　56
子供も元気です　大沢いと　58
サンポウロ市より　清水一郎・美代　58
移植民ニュース
米国移民二年休日案――リード氏上院に提出意向／我が南洋貿易は前途極めて有望／ブラジル入国制限令――欧州方面の下層労働者防遏／海外の邦人労働者――国債償還基金に献金　60
信州記事
農山村の低利資金総額四百八十三万一千余円／米一石の生産費二十一円七十銭／町村予算は教育費削減――町村長会長会の申合／農工銀行勧銀へ合併／雪に賑ふ志賀高原――スキー客に長野電鉄の斡旋／長期実習をして更に効果あらしむる方法／県産の兎毛皮――最優等と米国で大持て／高女地元負担撤廃と決る／仏都の面目一新――十三の大小公園を設置／帰農者一万人突破――半失業者七万四千に上る／スキーの講習会――下高井野沢温泉で／長野女専生徒募集に他府県へまで勧誘／四千尺の高原に水田開こんを計画　62
母国通信日誌　自十一月十六日至十二月十一日　62
海の外歌壇　雉夫選　68
戯曲　赤道祭　宮本乙巳　70
通商局移民情報より
伯国の革命運動に就て　73
伯国南三州に於ける欧州人の植民振　75
協会組合記事
アリアンサ移住地昭和五年度渡航者数と大正十四年以降の累計／十二月便船の渡航者と其略歴／会費領収／永田幹事の消息／本会取次書籍　78
編輯室より　芳水生　79
信濃海外協会規約抄録　80

第一〇四号　一九三一年二月一日発行

巻頭言――精兵を送れ　芳水生　(1)
開拓魂　関庸　2
昭和五年度の国際収支　児玉謙次　5
海外視察の回顧（其の五）――丁抹の旅　矢田鶴之助　7
[高橋顧問栄任]／[蜂須賀善亮氏栄任]　12
菅平大高原の修道場――長野県青年講習所の生活（其ノ四）　石川博見　13
メキシコより　長淵鐘六　16
海外視察記　ブラジルの巻（其十一）――セントラル線一帯（一）

南洋行（完）　西沢太一郎　17
宮下琢磨　21
南米の経済戦線へ——英皇太子殿下御出発　24
蘭領ボルネオに於ける小資本護謨園の経営　高木利兵衛　25
在外公館長一覧表（二）　29
ダバオ移民制限は比島政府の方針でない　中村正直　30
朝鮮閑話（十）　藤沢定司　32
海旅の夢（四）　倉田哲人　34
永田幹事の消息　37
海外通信　中村正直　38
移植民ニュース
移民は分散主義——拓植の根本方針変更／移民で失業救済——国際労働事務局新方針　上井義雄氏の話／「一太郎ヤーイ」の主人公——故郷を後に北海道へ移住／昭和六年移民便船出帆一覧表　40
信州記事
義教費一億円へ——信濃教育会全国的運動／不況の祟り夥しい滞納弱り抜く市町村税徴収状況／収繭収入減五千万円——収穫高は三十三万貫の増加／冠着の煤煙排除——愈よ送風機運転す／十一校のスキー競技——早大優勝す／中等学校の教科書統一——教育会と学務当局調査／文部省主催スキー講習盛況裡に終る／黄金時代も今は夢——養蚕教師にあはれ就職地獄／年賀状減切減る——長野郵便局淋しがる／雪を割つて開田——西天竜耕整組合で二百町歩を　42
母国通信日誌（自十二月十二日至一月十五日）　42
海の外歌壇　雉夫選　48
海の外人事相談　50
協会組合記事
アリアンサ渡航者——らぷらた丸で四家族十八名／移住組合通常総会招集／会費領収　51

第一〇五号　一九三一年三月一日発行

〔口絵〕比島ダバオ日本人会支部長評議員会記念撮影／郷土の風色
巻頭言——視野を拡めよ　芳水　(1)
移植民教育に就て　今雪真一　2
海外視察の回顧（其の六）——北欧三国の旅　矢田鶴之助　4
海外視察記——ブラジルの巻（其十二）——セントラル線一帯（二）　西沢太一郎　11
北門雑感　山下晟　16
南の国から桜の国へ——アルゼンチンから観光団　18
菅平大高原の修道場——長野県青年講習所の生活（其ノ五）　石川博見　19
開拓的精神（大毎より）　賀川豊彦　22
ブラジルの遊猟　輪湖生　23
大阪商船北米航路発着表　26
朝鮮閑話（二）　藤沢定司　27
海旅の夢（五）　倉田哲人　29
移植民ニュース
新運命を開拓に——多数の農民北海道移住／前田光世氏の美挙——アマゾンの一万町歩を講道館に送る／八ヶ岳山麓開拓——九年度から国営で　31
信州記事
建国の佳き日に／昨年の登山者二十万を突破／経費は凡そ七万円で長野市の都市計画／発電水利使用料四万円増収／南牧小海間着工／米の生産費調べ成る——農家は反当り二十七円の損／二五九一年に生れ出るもの——JONK長野放送局／市町村選挙法改正案——実施後の県下有権者二倍半に／織染業を奨励——適地選び県の指導方針確立／発電工事完成すれば天竜下りは出来ぬ／木炭検査の県営七

年度から実施／強制的寄生虫駆除――議
会の通過を待ち小学児童に／生徒募集
――菅平青年講習所　33
母国通信日誌　自一月十六日至二月十五日　33
海の外人事相談　41
海の外歌壇　雉夫選　42
協会組合記事
二、三月便船ありあんさ渡航者／組合通
常総会終る／会費領収　44
信濃海外協会規約抄録　45

第一〇六号　一九三一年四月一日発行
巻頭言――高所より観よ　芳水　(1)
海外視察記　ブラジルの巻（其十三）――
セントラル線一帯（三）　西沢太一郎　2
海外視察の回顧（其の七）――仏蘭西を経
て伊太利へ　矢田鶴之助　10
菅平大高原の修道場――長野県青年講習所
の生活（其ノ六）　石川博見　16
北加信濃海外協会新役員　18
北門雑感（二）　山下晟　19
仙台の高等小学で例のない植民教育　21
内外の経済情勢に就て（上）　児玉謙次　22
朝鮮閑話（三）　藤沢定司　24
海旅の夢（六）　倉田哲人　28
移植民ニュース
伯国政府の新珈琲対策――珈琲新植付に
課税／聖州珈琲局を生産者の手に／血気
の青年五十名――豊庫アマゾンの開拓に
向ふ／開拓を待つアマゾンの宝庫／卒業
生のために海外行商隊を組織／職工村建
設――呉工廠が団体移住計画／学生五十
名樺太移住――群馬の私塾国民学院／模
範農の移住希望――ジャワの日本式水田
経営／内蒙古で珍商売――拓大新卒業生
一行の雄志／ブラジル移民の中堅人材を
養成のためサンパウロ市外に海興の農事
実習所設立　31
大阪商船四月中汽船出帆　34
信州記事
市町村税の滞納――百六十万円を超ゆ／
区裁判所事務停止――飯山、木曽、大町
三ケ所。上田、飯田両支部は権限縮小／
県民一人の税金――十二円九十一銭、一
戸当り七十二円余／上越線の勢力範囲は
直江津あたりまで／産業組合本県支会に
金融審査会設置――信連でも事務取扱所
を増設／町村農会の廃休止――すでに四
十一ヶ町村に及ぶ／諏訪湖畔に日本一の
大鳥居／善光寺の納骨堂――建築工事に
着手さる／水利権の譲渡は認めぬ――県
営電気実現への前提／小学校を出ただけ
で理学博士に／全国平均よりぐんと優秀
――県内の中等学校生徒の体格／在京県
人の発起で大信州の展覧会――七月から
国技館で　35
母国通信日誌　自二月十六日至三月十四日　35
海の外人事相談　41
海の外歌壇　雉夫選　42
協会組合記事
四月便船――ありあんさ渡航者／海外帰
朝者懇談会と海外事情講演会開催／役員
異動／第二次海外視察組合――各地に
続々設立さる／会費領収　44
会員消息　宮坂国人氏／田村一恵氏／
佐々木安五郎氏／大屋義人氏／宮本操
氏　45

第一〇七号　一九三一年五月一日発行
〔口絵〕新相談役松島肇氏／小坂順造氏／
郷土の風色
巻頭言――逆来受順　芳水　(1)
海外発展に就て　永田稠　2
海外視察の回顧（其の八）――独乙から和
蘭へ（上）　矢田鶴之助　7

菅平大高原の修道場――長野県青年講習所の生活（其ノ七）　石川博見　11
海外視察記　ブラジルの巻（其十四）――セントラル線一帯（四）　西沢太一郎　14
海外支部通信　米国西北部支部　19
北門雑感（三）　山下晟　20
青島より（一）　戸谷米保　23
内外の経済情勢に就て（中）　児玉謙次　25
朝鮮閑話（一四）　藤沢定司　27
海旅の夢（完）　倉田哲人　29
海の外歌壇　雉夫選　32
海外通信
珈琲の繁茂頗る優勢――故国の歳晩に同情する　宮原和三郎　34
ブラジルの様なよい処は外にない　宮脇音次郎　35
珈琲は実る家畜は育つ　湯田定子　36
信州記事
小学教員の大異動――校長の退職五十二人／本県民の借金四億――勧銀の貸付表では第四位／犀川線著々と進行／上信国境に大スキー場計画／長野市に職業紹介事務局／合理的経営農家の経済調査／善光寺登山鉄道工事に着手／五十余万尾の小鮎を放養／生産調節の意気挫け収繭五分減と見る――養蚕家の掃立控へ見込なし／青年講習所開所／国営開墾地近く実測に／本県へ一万二千六百円　37
母国通信日誌　自三月十五日至四月十五日　37
日本新名勝当選句　42
協会組合記事
五月便船――ありあんさ渡航者／本年の渡航者数／輪湖幹事帰任／永田幹事渡伯／海外協会評議員会／相談役推薦／真価を認められて躍進する海外視察組合――第三海外視察組合出現／第二次海外視察組合（続）／会費領収／消息　両角喜重氏　43

第一〇八号　一九三一年六月一日発行

〔口絵〕ありあんさ移住地のスナップ／郷土の風色
巻頭言――敬天、親土、愛人の生活　坪内忠治　(1)
地方長官会議における幣原外相　原拓相訓辞演説要旨　2
海外視察記　ブラジルの巻（其十五）――モヂアナ線と邦人発展の基礎　西沢太一郎　4
海外視察の回顧（其の九）――独乙から和蘭へ（下）　矢田鶴之助　9
海外支部通信　北米南加支部　14
菅平大高原の修道場――長野県青年講習所の生活（其ノ八）　石川博見　15
北門雑感（完）　山下晟　19
中華民国漫記（一）　大屋義人　22
新刊紹介　『マラリヤの話』／『海外金儲読本』　25
青島より（二）　戸谷米保　26
内外の経済情勢に就て（下）　児玉謙次　28
朝鮮閑話（一五）　藤沢定司　31
九死一生の途　中沢潤二　34
玖馬より帰りて　今村広美　35
海の外俳壇　雉夫選　36
移植民ニュース
移民政策確立を要望――地方長官会議で各知事の意見／伯国珈琲政策の成行き／南洋ゴム企業融資要求／移植民官会議／キューバの移民制限　38
群馬県拓務協会生る　39
信州記事
養蚕不況と農業の多角経営／信州の誇り山のシーズン近付く――営業者のサービス／山小屋のラヂオ設備／農民美術の飛躍――生産組合連合会が販路開拓の打合

せ／県下市町村の予算千七百五十九万円――前年度より二百二十八万円減　大部分は戸数割減額／水利使用料を愈々課税か／街頭に迷ふ二万余の失業者／都会の虚弱児を夏の信州に――諏訪北山と菅平を候補地に　本県から文部省に回答／県下各スキー場の成績／西天竜開墾移住補助　40
母国通信日誌　自四月十七日至五月十五日　40
協会組合記事
六月便船ありあんさ渡航者／本年の渡航者数／市町村設立の海外視察組合（続）　45

第一〇九号　一九三一年七月一日発行

〔口絵〕北米スナップ／郷土の風色
巻頭言――停頓は退歩なり　芳水　(1)
永田君ブラジル行　宮下琢磨　2
海外視察の回顧（其の十）――白耳義から仏蘭西へ　矢田鶴之助　5
学生の拓殖連盟生る――植民政策の徹底を高唱　9
海外視察記　ブラジルの巻（其十六）――アニウマス農場と矢崎節夫氏　西沢太一郎　10
全国専門学校の学生が海外に行商計画　13
菅平大高原の修道場――長野県青年講習所の生活（其ノ九）　石川博見　14
本年自六月至十二月移民便船出帆一覧表　16
鮮満を旅して　安達益之助　17
雄図を胸にアフリカへ――十九歳のわが国最初の移民　20
中華民国漫記（二）　大屋義人　21
青島より（三）　戸谷米保　26
朝鮮閑話（一六）　藤沢定司　29
海外通信
神戸出帆より移住地入植まで――船中の小遣費　石沢貞人　32
神戸の旅館は親切です　橋本嘉三　34
根気よく親にせがめ――渡航を許可される　宮崎為春　35
移民収容所役員異動　37
海の外歌壇　雉夫選　38
信州記事
県下の農事一般――各郡市農会の調査結果／二大銀行突如合併――第十九と六十三銀行／製糸資金の供給に努力／農村に適した青年学校――補習学校と青訓を統一、明年度から実施／向学心を阻んだ不況――中学高女の応募者昨年よりも大激減／県道十六線の工事認定――国庫補助も決定／県内の温泉大宣伝――協会を創立し設備を向上／野辺山ヶ原に開田計画――海抜二千米の高原に数々の新施設を／ラヂオ聴取一万突破／女工さんも養蚕家も株主――木曽の蘇水社／飯綱高原の開墾――試作品は皆良好　40
母国通信日誌　自四月十七日至五月十五日　40
海の外人事相談　46
協会組合記事
海外発展講習会開催――八月中旬菅平高原に於て／本会の結婚媒介／海外視察組合伊那谷に進出／会費領収　47
消息　村上俊泰氏／吉沢勝氏　48
移住組合新加入者紹介　48
〔広告〕南拓経営ブラジル国パラー州植民地行九月渡航植民百家族募集

第一一〇号　一九三一年八月一日発行

〔口絵〕ブラジル所見／郷土の風色
巻頭言――生きんとする力　芳水　(1)
移植民教育の内容　今雪真一　2
菅平大高原の修道場――長野県青年講習所の生活（其ノ十）　石川博見　5
海外視察の回顧（其の十一）――仏蘭西の再遊から独逸へ（上）　矢田鶴之助　8

海外視察記　ブラジルの巻（其の十七）——モヂアナ線一巡　西沢太一郎　12
宗教　安心　山室軍平　15
鮮満を旅して（二）　安達益之助　16
蘭領東印度入国税増徴　20
中華民国漫記（三）　大屋義人　21
青島より（四）　戸谷米保　25
朝鮮閑話（一七）　藤沢定司　27
海外通信
故国の苦境を遁れ常春の国へ更生した悦び　宮原和三郎　29
菅平講習所出の青年を娘の聟に　須藤正夫　30
同志の声
西班牙語を研究せよ　横山林十　30
未来への道程を見極めよ　矢沢定治　30
信州記事
信州のお国自慢——県下の日本一調べ／お百姓の欠損増す——殊に気の毒なは自作農／桑園整理は約二千町歩——田に八百余町歩／高原に展開して行く大陸的な開墾／本県は日本一の温泉県／農山漁村低資——耕地資金増額／名勝スタンプ　31
展望台
長野　善光寺に更新の叫び　33
松本　婦人委員を採用——松本市方面委員会／松本連隊奉天へ移駐内定／国立公園協会成る　33
上田　［上田市議会選挙］　34
南佐久　野辺山ケ原の国営開墾／惨状極まる大降雹被害　34
北佐久　軽井沢賑はひ初む／農民美術展覧会／小諸町営質屋　34
小県　川西越戸銀行合併／桑の白皮を英国へ輸出／虚空蔵堂の修理　35
諏訪　青訓生キャンプ講習会／各戸へ温泉配給計画／上諏訪本町の舗装　35
上伊那　面目一新の赤穂／高遠町公園プール　35
下伊那　村民全部パン食計画／天竜峡国立公園編入運動／桑園を水田化した反別　35
西筑摩　木曽の関所に記念碑／嫁入道具の改善を決議　36
東筑摩　桔梗ケ原に林檎併作奨励／共同麦出荷　36
南安曇　中房温泉を株式会社に／八百余町の櫟林を水田に　36
北安曇　高瀬川筋の決潰被害　37
更級　篠の井劇場問題解決　37
埴科　桑園整理の成績／松代両校々長土屋氏に　37
上高井　北信に君臨したる新名所龍ヶ池／しぼり立ての生乳供給　38
下高井　中野町役場新築計画／副業品即売展覧会／東山温泉の分湯拒絶さる／延徳排水工事　38
上水内　戸隠鬼無里間県道改修計画／富士里村の養豚採算点を超ゆ　38
下水内　水内社増釜　39
北アルプスの正確な里程表　39
内地月間時事（自六月十六日至七月十五日）　40
海の外歌壇　雉夫選　42
協会組合記事
八月便船——アリアンサ渡航者／本年の渡航者数／海外視察組合の東漸——小諸町名士の賛加／西沢本会幹事青年講習所教授嘱託／関本会嘱託通商局在外子弟教育係に／会費領収　44
会員消息　加藤正治氏／今井五介翁／山本荘一郎氏／松島肇氏／倉科多策氏／小里頼永氏／伊東淳氏／望月国俊氏／倉沢与吉郎氏／辻同次郎氏／上原吉之助氏／塩沢幸一氏／片倉兼太郎氏／塩

沢良造氏／平野桑四郎氏／小林治雄氏
／矢島武氏／浅田乙氏／土屋弼太郎氏 45
編輯後記 高津生 46

第一一一号 一九三一年九月一日発行

〔口絵〕世界三大美港／郷土の風色
巻頭言――土に帰れ 芳水 (1)
拓務省を存置せよ 今井五介 2
拓務省廃止反対に対する陳情 3
フーバー大統領閣下に呈して更に一大勇断
を請ふの書 荒川五郎 4
海外視察記 ブラジルの巻（其十八）――
モヂアナ線一巡 西沢太一郎 9
拓務省を存置せよ 邦人移民決議
レヂストロ、チエテ、バストス、アリア
ンサ各移住地日本人一同 12
菅平大高原の修道場――長野県青年講習所
の生活（其の十一） 石川博見 13
海外視察の回顧（其の十二）――仏蘭西の
再遊から独逸へ（下） 矢田鶴之助 16
鮮満を旅して（三） 安達益之助 20
中華民国漫記（四）――南京金陵春書東に
て 大屋義人 23
青島より（五） 戸谷米保 26
朝鮮閑話（一八） 藤沢定司 28
海外通信
関東州愛川村近況 緑川五右衛門 30
メキシコより 武田勘司 31
海の外歌壇 雉夫選 32
内地月間時事（自六月十六日至七月十三
日） 34
信州記事
八二銀行創立す――頭取は小林暢氏／明
治七年度の予算は一千万円台を割るか／
トラホームと性病増加――不就学と小学
中途退学は減少 県下壮丁検査結果／産
業組合王国信州――六月末進度表は著し
い進展／荒廃桑園二万町歩を整理して水
田に／地主の負担調査――農村不況の実
際資料として／新たに課税して漁業の施
設／山に不景気は無い――昨年よりは三
百名多い／昨年の事業会社状況／上高地
県営ホテル建設の計画を進む 36
展望台
長野 勇士の墓に盆供養／長野伝染病院
赤十字へ委託 39
松本 数百尺の織物塔を松本駅頭に建て
る／松本長者番付／小里市長と今井翁
の銅像 39
上田 上田松本間に自動車運転／浮浪人
救済／上田、空の賑ひ――二十日頃か
ら続々飛来／上田飛行協会 39
南佐久 八ケ嶽山麓野辺山原に学生から
なる開墾団体 40
北佐久 県産薬用人参――シンガポール
から注文来る／佐久経済振興会 40
小県 川西組合製糸／菅平の新施設 41
諏訪 大鳥居著工／北山村温泉プール／
諏訪湖へ鰻放養／諏訪組合製糸の夏蚕 41
上伊那 規格統一殆ど完璧――竜水社の
夏蚕 41
下伊那 下伊那郡農会表彰か／悩みの波
合村、遂に分村決議 41
西筑摩 日本一の霊鳥地は木曽谷地方と
折紙／登山避暑客慰安に木曽踊／大平
スキー場今冬までに改修 42
東筑摩 日本農民協会発会／煙草耕作地
面積三十六町歩 42
南安曇 有明原開墾は明年度着手 43
北安曇 木崎湖の月長石 43
更級 田中穂積博士講演会／猿ケ番場改
修組合成る 43
埴科 松代柏葉移出増加――本年は六千
俵 43
上高井 上高井産組貸付金回収／竜ケ池

の初例祭　43
下高井　スキー選手権大会野沢に決る／高等科を廃止――下高井農校に連絡計画／中野町役場建築問題　44
上水内　飯綱高原開発計画　44
下水内　軍人分会の美挙　44
協会組合記事
ありあんさ移住地　珈琲園の霜害善後策と多角農法への大躍進／九月便船　ありあんさ渡航者／海外視察組合嶺間に出現／拓植政策講習会状況／朝鮮、満州方面視察旅行計画／会費領収　45
会員消息　山口菊十郎氏／山本幸吉氏／中沢潤二氏　47

第一一二号　一九三一年一〇月一日発行

〔口絵〕新総裁　石垣倉治氏／新相談役　金森太郎氏／相談役　中里喜一氏／郷土の風色（月の信濃）
巻頭言――遠き慮なければ近き憂あり　芳水　(1)
海外視察記　ブラジルの巻（其十九）――ソロカバナ線一帯　西沢太一郎　2
菅平大高原の修道場――長野県青年講習所の生活（其の十二）　石川博見　7
海外視察の回顧（其の十三）――独逸を中心に北は嗹国南はチ国（上）　矢田鶴之助　11
新刊紹介　『米国アルプス踏破記』／『海外拓植情報』／『アマゾニア産業研究所月報』　16
通俗南米体験談　中沢潤二　17
中華民国漫記（五）――南京金陵春書束にて　大屋義人　20
最近の満蒙問題に就て　蜷川新　24
青年講習所生の県下農村徒歩視察　26
移植民ニュース
拓務省でブラジル宣伝／ペルー日本移民歓迎／何の就職地獄ぞ――応じきれぬコロノの申込　27
青島より（六）　戸谷米保　28
朝鮮閑話（一八）　藤沢定司　30
内地月間時事（自八月十六日至九月十三日）　32
信州記事
鈴木知事長崎へ栄転、石垣内務部長後を襲ふ、新内務部長は金森氏／豪放磊落な新知事／新内務部長の略歴、金森通倫翁の御曹子／降旗元太郎氏逝去／国立公園指定地確定――第一候補は北アルプス／標札標柱を建て史跡記念物保存　34
展望台
長野　鶏舎点灯で産卵増加計画／産業会館上棟／長野名所案内作成／収入役後任決る　36
松本　連隊の満洲移駐反対／出品一万五千点――織物共進会／観楓の秋へ　36
上田　空の港で航空祭の催し／物々交換計画／戸数割から見た長者番付　37
南佐久　養鯉協会組織／蚕締支所新築／南佐久農林校講堂建築　37
北佐久　沓掛駅起点の自動車道／川西伝染病院建築　37
小県　桑園整理進む／上信国境の開発　38
諏訪　上諏グラウンド／諏訪土産展　38
上伊那　伊那高遠線促進を陳情　38
下伊那　県営木炭検査所／姑射橋架替へ／久原に荒らされた大鹿村　38
西筑摩　能率あがる蘇水社　39
東筑摩　米の出来ぬ村が一躍水田百二十町　39
南安曇　山のキャンプ村成績　39
北安曇　町是製糸設立計画　40
更級　更級の養蚕組合／更埴銀行が支店整理　40

埴科　連合事務所落成　40
上高井　県道渋沢須坂線開通　40
下高井　安源寺馬市――売買は貸取引ばかり　41
上水内　大安寺橋開通／柏原村の更生策　41
下水内　飯鉄のガソリン運転　41
口絵説明　41
海の外歌壇　雉夫選　42
海外通信
「米国アルプス踏破記」出版に就て　木下糾　44
七十九の老母も達者です　石沢貞人　44
協会組合記事
総裁、組合長異動／顧問、相談役推薦／生産資金借入ニ関スル申請書／十月便船アリアンサ渡航者／会費領収／海外会費／移民講演と活動写真会／サントス港に於ける宿泊料其他の預託金徴収　45
会員消息　瀬下清氏／中沢英雄氏／今村廣美氏／林七六氏／依田源七氏／清水与助氏／木下糾氏／小里頼永氏／市川国次郎氏　48
編輯後記　高津生　48

第一一三号　一九三一年一一月一日発行
〔口絵〕満洲所見／郷土の風色　紅葉の名所
巻頭言――島国の殻の中より超脱せよ　芳水　(1)
満蒙問題について　石川博見　2
海外視察記　ブラジルの巻（其二〇）――モジアナ線一帯　西沢太一郎　4
海外視察の回顧（其の十四）――独逸を中心に北は嗹国南はチ国（中）　矢田鶴之助　10
満蒙に於ける日支衝突事件に就いて　大屋義人　16
鮮満を旅して（四）　安達益之助　19
菅平大高原の修道場――長野県青年講習所の生活（其の十三）　石川博見　25
中華民国漫記（六）――杭州西湖聚英旅舎にて　大屋義人　29
青島より（完）　戸谷米保　34
アリアンサ近況　永田幹事　35
朝鮮閑話（二〇）　藤沢定司　36
海の外歌壇　雉夫選　38
メキシコより　長淵鐘六　40
内地月間時事（自九月十四日至十月十四日）　41
信州記事
長野県会議員当選者／中等学校の整理と警察署の廃合／水利の改良と開墾事業を県の明年度新事業／町村の合併促進――可能性ある五十九町村／昨年より一戸で八円減収／農家の負債整理――県農会で成案発表／時期尚早の声にまた行悩み――善光寺の改革問題／県内の失業者／菅平スキー小うた出来上る／南信随一の梓橋完成／山之内温泉の発展策　43
協会組合記事
十一月便船アリアンサ渡航者／活動写真宣伝第一期終了／市町村設立の海外視察組合／会費領収　47
会員消息　今井登志喜氏／木村覚夫氏／小平権一氏／大工原銀太郎氏／清水譲治氏／関口千代松氏／増田珍儀氏／森喜代一氏　48
編輯室より　高津生　48

第一一四号　一九三一年一二月一日発行
〔口絵〕寿府所見／郷土の風色
巻頭言　天剣生　(1)
国民自覚の秋　宮下琢磨　2
海外視察記　ブラジルの巻（其二一）――モジアナ線一帯　西沢太一郎　5
海外視察の回顧（其の十五）――独逸を中

心に北は嗹国南はチ国（下）　矢田鶴之助　10
菅平大高原の修道場——長野県青年講習所の生活（其の十四）　石川博見　15
中華民国漫記（七）——杭州西湖聚英舎にて　大屋義人　18
自一月至十月　海外興業会社扱移民数　22
歌に現はれた海　芥村卓　23
資料　英国の金輸出禁止／一九三一年度末に於ける欧州各国政府の赤字　本会調査部　25
朝鮮閑話（二一）　藤沢定司　27
内地月間時事（自十月十五日至十一月十四日）　29
海の外歌壇　雉夫選　31
海外通信
［保坂進司氏より令兄へ］　保坂進司　33
メキシコより　宮本てい　34
信州記事
六年度に比して十四万七千余円増——県の七年度予算案／本県農家の生活費／冬ごもりの五ケ月は何によつて食ふ！　逼迫の県下農民／県下の養蚕家全戸数の五割強／滞納整理に県から警告／米の収穫減る——平年作に比し二分八厘／養蚕実行組合千八百三十六／県下現役在郷軍人数十一万三千人／農村更新のためＮＫが産業放送に主力／県下のラヂオ聴取者／中部スキー大会——白馬山麓と決定／長野旅行協会生る　36
新刊紹介　法学士商学士今村忠助著『ブラジル物語』　39
展望台
長野　時局講演会と宣言／女子最高学府完成／善光寺の財政難　40
松本　権益擁護の決議——松本在郷軍人分会／年末を控へて通話停止続出　40
上田　在満兵に慰問品／在満邦人の無事を祈る　41
南佐久　雹害地の失救工事復活陳情　41
北佐久　御牧ケ原開墾既に五町歩　41
小県　三ケ年禁酒申合／菅平の大衆的山小屋　41
諏訪　自転車廃止／御柱祭期日内定す／出征兵に御神札　41
上伊那　西駒スキー場　42
下伊那　飯田実女生から詠進／明神橋工事進む／三千尺の高原で稲作見事に成功／農村婦人機業へ躍進／竹製紙ナイフ輸出　42
西筑摩　世伝御料地解除編入　43
東筑摩　桔梗原は陸稲好成績／双子橋の架替工事　43
南安曇　豊科町上水道竣工／小倉開墾組合　43
北安曇　大糸線の促進協議　44
更級　大正橋完工近し／高等科の児童総動員／篠ノ井町劇場問題解決す　44
埴科　藁にほ撤廃／桑皮から障子紙　44
上高井　山田温泉から新コース　45
下高井　平穏村の目覚しい進出／志賀高原に新コース　45
上水内　芋井村有地大開墾　45
下水内　電灯料値下闘争　45
協会組合記事
海外事情講演会／市町村設立の海外視察組合（続）／米国市民権所有者調査　46
会員消息　尾沢福太郎氏／小里頼永氏／山本慎平氏／梅谷光貞氏／中川紀元氏　47
編輯室より　芳水　47

第一一五号　新年号　一九三二年一月一日発行

〔口絵〕県知事　他／信州の誇り／郷土の風色（スキー名所）
巻頭言　西沢太一郎　(1)
海外協会創立拾週年　西沢太一郎　2

海外進展主義と満蒙問題　羽場金重郎　4
仏領印度支那に日仏合弁の紡績工場　9
変化異常連続の去年の支那回顧　大屋義人　10
起てよ国民　13
海外視察の回顧（其の十六）――北米合衆国の東海岸より　矢田鶴之助　14
世界最大の汽船　18
菅平大高原の修道場――長野県青年講習所の生活（其の十五）　石川博見　19
新歳を迎えてアリアンサの同志　坪内忠治　22
海外視察記（其二二）――レヂストロ植民地　西沢太一郎　23
輝く日本　29
中華民国漫記（八）――揚子江に立ちて黄浦雑景の巻　大屋義人　30
「信濃の国」　35
在外公館長一覧表　36
朝鮮閑話（二二）　藤沢定司　38
海の伝説――鼻出の岬　芥村卓　40
アマゾン上流の追憶　山岸新作　42
資料　世界の失業者は何程か／英国の関税墻壁／独逸の経済国家管理／満州事変に対する国際連盟理事会の経過　本会調査部　43
新春余滴　ST生　51
行け海外へ――大阪商船の陣容（一）　52
移植民海外拓植ニュース
ブラジルの日本移民大歓迎／拓務院予算決定――百九十一万余円／わが商品を南阿に大普及／開こん地移住奨励補助額本年度十八万円／黒人帝国に新天地求めて――躍進を図る関大生二人／開墾移住助成費著るしく増加／我が輸出綿製品新市場を増加す――支那で失つたものを十分償ふ　58
内地月間時事（自十一月十五日至十二月十三日）　60
信州記事
悲惨な農村――収入は極端に減る／面目を一新する県内の諸橋梁／中等教員の売込み運動就職戦線に大異状／繭一貫目につき七十六銭の損害／養蚕農家の日雇労銀／英文日本案内編入の行事／県養蚕業組合創立　62
展望台
長野　丹波島橋架替へ／歳入の減少に大弱り　64
松本　市民大会満蒙問題／増加か明年度の予算　64
上田　上田市会招集／上田の歳末同情週間／菅平の山の家完成　65
南佐久　農蚕学校の講堂落成／野沢町の舗装工事完成　65
北佐久　産業会館設立　65
小県　負担軽減に基本財産を流用／郡下の桑園荒廃／徳利や盃を打砕く　65
諏訪　御柱祭期日決る／スキーとスケート宣伝　66
上伊那　横山スキー場新装成る　66
下伊那　紙ナイフ大量注文　66
西筑摩　福場のスキー場開き　66
東筑摩　農村に新会社続出　66
南安曇　頼みの綱の陸稲が凶作　66
北安曇　農村経済樹直しの立直し　66
更級　西寺尾校舎開校　67
埴科　戸倉養鶏資料展覧会　67
上高井　菅平高原にヒユツテ　67
下高井　就職率十割の下高井農校／貧民救済　67
上水内　善白鉄道の工程進む　68
下水内　本県スキー連盟競技／電灯料値下は遂に決裂　68
本会取次書籍　69
若人よ銀盤に跳れ――我が郷土の誇り　県

下スキー場案内 70
海の外歌壇 72
海外通信
アリアンサ連合会成る　永田稠 74
協会組合記事
アリアンサ移住地昭和六年渡航者数と大正十四年以降の累計／海外事情講演宣伝 75
会員消息　柴崎新一氏／清水謹治氏／石川矩坦氏／小平権一氏／千葉了氏／北沢種一氏逝去 75
編輯室より　芳水 76

第一一六号　一九三二年二月一日発行

〔口絵〕本会新役員と関係名士／信州の誇り
巻頭言　坪内忠治 (1)
信濃海外協会創立十週年を迎へて　宮下琢磨 2
満洲事変と我海軍の警備状況　武富邦茂 6
海外視察記（其二三）――レヂストロ植民地　西沢太一郎 12
海外視察の回顧（其の十七）――北米合衆国の横断旅行（一）　矢田鶴之助 16
恭賦　小里頼永 19
菅平大高原の修道場――長野県青年講習所の生活（完）　石川博見 20
立春余滴　S・T生 23
鮮満を旅して（五）　安達益之助 24
中華民国漫記（九）――青島広饒路有賀保氏邸にて　大屋義人 28
日本民族の使命と海外発展者の責務　坪内忠治 33
朝鮮閑話（一三）　藤沢定司 35
資料　寿府に於ける軍縮会議に付て／対独賠償会議と賠償不払に付て　本会調査部 37
行け海外へ――大阪商船の陣容（二） 43
海の外歌壇　雉夫選 48
内地月間時事（自十二月十四日至十一月十五日） 50
信州記事
地方官の大異動で三部長とも更迭／新任三部長の略歴／市町村債総額一千五百万円／天竜川に出来る県下一の大発電所／養鯉事業の奨励／米作反当り欠損一円四十二銭五厘／長野市の光彩――海軍探照灯払下げ／新顧問官の原さん県下成功者の第一人者／山岡万之助氏関東長官に親任／縮めんと真綿献上／仏法僧が天然記念物に／全日本スキー大会――野沢温泉の壮観 52
協会組合記事
副総裁推薦／役員異動／二月便船アリアンサ渡航者／海外移植民問題講習会／永田幹事帰朝／生産資金云々は霜害救済金ではない 55
会員消息　宮島保衛氏／丹沢美助氏／中村礼三氏／宮坂国人氏／原嘉道氏／山岡万之助氏／小林万次郎氏／今井五介氏／宮下友雄氏／塩沢幸一氏 56
年頭の賀詞
矢田鶴之助／羽場金重郎／依田源七／五明忠一郎 56
会費領収 57

第一一七号　一九三二年三月一日発行

〔口絵〕満蒙は招く／信州の誇り
巻頭言　芳水 (1)
海外発展は先づ家庭より　穴田秀男 2
海外視察記（其二四）――ブラジルレヂストロ植民地　西沢太一郎 7
海外視察の回顧（其の十八）――北米合衆国の横断旅行（二）　矢田鶴之助 13
満州には濡れ手で掴む粟がない 16
中華民国漫記（十）　大屋義人 17
人事相談 20
鮮満を旅して（六）　安達益之助 21

練習艦隊遠洋航海行動予定 24
農村青年の動向とその将来に就て 坪内忠治 25
朝鮮閑話（二四） 藤沢定司 27
移植民海外拓殖ニュース
今年の南米移住第一船――ぶえのすあいれす丸出帆／新天地満蒙へ――新国家建設の暁は在郷軍人の集団的移民を計画／財界あげて新国家に期待――対策確立をいそぐ／蘭領印度へ邦品の進出／アルゼンチンに日本品の展覧会計画／本県新開拓地本省へ申請／ニユージーランド親日へ――入国定住を許可／領事館新設――東阿モンバサに／今井新重氏逝いて十三年 海外発展先覚者の追悼法会営まる 29
海の外歌壇 雉夫選 32
行け海外へ――大阪商船の陣容（三） 34
前代未聞の壮烈事――点火した爆弾を身につけ肉弾鉄条網を破る 38
春雨余滴 S・T生 38
内地月間時事（自一月十六日至二月十五日） 39
信州記事
教育自治功労者模範青訓表彰／実業補習教育振興の答申書――信濃教育会で決定／信州人の長短――文部省から参考に遇知／我等の選良決す――凱歌は遂に与党に挙る／栄ある県下当選者／収支のムラが農家を弱らす――県農会調査の統計／善光寺智栄上人台湾に布教／国威宣揚決議――全県在郷将校の総会／第三愛国号は本県で作る――県民一人が五銭づつの負担 42
展望台
長野 長野市予算九十万二千円と決す／一万人収容に長野球場の大改造 45
松本 大成功裡に終始した松本家具の東京進出／公設質屋――松本で計画 45
上田 上田市新予算 45
南佐久 松原湖駅と改称 46
北佐久 学校廃合から西長倉多年の紛争 46
小県 菓子ぐるみ苗木各方面に歓迎／生島社の御柱十六本切出し／小県の桑皮米国へ 46
諏訪 篠遠理学博士海外へ派遣／寒天労銀協定 46
上伊那 伊那町に大野球場 47
下伊那 培つた竹林育つて――上川路青年が祝賀の宴／上郷村が電気村営 47
西筑摩 木曽川渇水――各発電所は大恐慌 47
東筑摩 まだ二十七の有望な新博士／西条浅間線工事続行――地元寄付議決／蟇の皮注文来る 47
南安曇 変態的な物価騰貴に町村予算編成に悩む 48
北安曇 中部日本スキー大会積雪なく延期 49
更級 安川橋の架設来月上旬着工／富田学純師の栄任 49
埴科 教員給を下げて予算を編成――埴科郡町村長会の申合せ 49
上高井 飼料の暴騰に反し鶏卵相場落調続き／新生療養所著工さる 49
下高井 下高井郡農会――中堅青年講習所 50
上水内 松沢忠太氏経営の日本吃音学院へ御下賜金 50
下水内 さすがは飯山高女生――雪の信越国境スキー隊で踏破 50
海外通信 ありあんさ移住地より 橋本嘉三／花尾享 51
協会組合記事
三月便船アリアンサ渡航者／海外発展講演会並活動写真宣伝／市町村設立海外視

察組合／会費領収　53
会員消息　原嘉道氏／大工原銀太郎氏／中川紀元氏／羽田重一郎氏／足立寅蔵氏／義家竜太郎氏／山岡万之助氏／菱川敬三氏　54

第一一八号　一九三二年四月一日発行

〔口絵〕時局に活躍中の本会関係名士／教育王国の誇り
巻頭言　高津生　(1)
新満洲に於ける信濃村の創造　桐生悠々　2
海外視察記（其二五）――ブラジルありあんさ移住地よりビリグイ迄　西沢太一郎　4
海外視察の回顧（其の十九）――北米合衆国の横断旅行（三）　矢田鶴之助　8
広島海外学校設立さる　11
鮮満を旅して（七）　安達益之助　12
中華民国漫記（十一）　大屋義人　17
長野県警察部調査　在本県米国市民権所有者調（昭和七年三月一日現在）　22
朝鮮閑話（二五）　藤沢定司　24
爆弾三勇士の歌　与謝野寛　25
移植民海外拓殖ニユース
凶作地から二千名ブラジルへ移住／長野県人東京連合会満蒙調査会生る／必須科目に日本語――満洲国教育方針／間島特別区の設定運動――満洲国へ陳情／直接貿易商の対満進出計画／台湾より招く――農、漁業移民／海外市場開拓――商工省で追加予算／海外協会中央会総会／新嘉坡に生れた邦人商工会議所／満洲国の農業立国政策成る／満洲は金本位制採用に決定――現存銀行券の回収後／朝鮮移住者募集　26
海の外歌壇　雉夫選　30
行け満洲へ――大阪商船の陣容（四）　32
内地月間時事（自二月十六日至三月十五日）　36
信州記事
四億円の負債をどう整理する――本県農村経済調査会／松本連隊堂々征途へ全県民の歓呼裡に――遠く上海へ出動／国家非常の秋だ――各地の左傾青年一転／小鮎四十万尾各河川へ放流／信州鶏卵愈々海外に新販路／県の産米検査所十三ヶ所に決定／満洲国の建国宣言大要　39
展望台
長野　得難い機会に興深い満鮮の旅――長野運事の試み　42
松本　登山地図をつくる／雄図を抱く在郷将校を満洲各方面へ推薦／士気煥発の為軍旗祭を盛大に　42
上田　産業組合の座談会／信濃号の献金頗る成績良好　43
南佐久　佐久線工事進み南牧までレール敷設　43
北佐久　軽井沢の寒天輸出／佐久鯉がドイツへ嫁入り　43
小県　養蜂熱勃興／倒産防止不況対策会　44
諏訪　回り来た御柱祭――長持担ぎの練習もはじまり諏訪にお祭気分濃厚／教育界の偉材三村氏逝く／永田新軍事課長／果樹の害虫駆除に寄生蜂を研究　44
上伊那　女法学士の皮切――全国ただ一人　45
下伊那　旦開村の火事二十戸を全焼／役場新築に村民の美挙　45
西筑摩　信美をつなぐ弥栄橋／お六櫛を輸出　46
東筑摩　欠損一万三千円――東筑組合の惨／薬草の注文　46
南安曇　上高地行きの道路改修／新淵橋竣工式　47
北安曇　池田狐原開墾計画　47

更級　一市七郡園芸家懇談／篠ノ井町長詮衡難　47
埴科　屋代町長決る／土地熱滅切不振　48
上高井　養鶏飼料統制——加工場設置　48
下高井　下高農校の産組科——卒業者の就職率百％／稲作に力を入れる　48
上水内　時節柄な女消防組　49
下水内　上町の観世音正受庵に遷座式／千古のブナでスキーを　49
撫順長野県人会長前島呉一氏の消息　49
協会組合記事
四月便船ブラジルありあんさ渡航者／信濃海外移住組合総会／信濃海外協会評議員会／永田、西沢幹事満蒙視察　50
会員消息　長田新氏／丸山晩霞氏／伊東淳氏／小笠原平作氏／久保田茂一郎氏／太平忠男氏／藤沢定司氏／木内四郎氏／平林秀吾氏／藤井伊右衛門氏　50
編輯室より　芳水生　51

第一一九号　一九三二年五月一日発行

〔口絵〕本会関係名士／郷土の風色（桜の名所）
巻頭言——満蒙新国家に待望す　永田稠　(1)
満洲愛国信濃村建設趣旨　2
南米移植民根本策　梅谷光貞　5
海外視察記（其二六）——ブラジルのろえすて線の暗の旅路に　西沢太一郎　11
人事相談　14
海外視察の回顧（其の二〇）——北米合衆国の横断旅行（四）　矢田鶴之助　15
支那政界裏のからくりを観る（一）——支那から帰りて　大屋義人　19
移植民海外拓植ニュース
満蒙へ大移民計画——十ケ年に五十万人拓務省の具体案／北鮮開発計画／満蒙課及び移民局新設／満洲側東亜へ農場返還——土地問題解決の第一歩か／満洲の商租は追つて解決——新京政府から回答／鮮農移民へ土地提供／拓務省本年追加予算／長崎に移民収容所設置／御牧ケ原開墾——明年着工を陳情／石川青年講習所長満洲国へ雄飛　23
海外通信
ありあんさ便り　移住地建設は人の力　橋本嘉三　26
長野県人諸賢へ　小沢五郎　26
養蚕に精進　石沢貞人　27
無事入植して　橋本包明　28
ブラジルイグアペ植民地より　大野長一　28
ホノルル便り　宮坂幸高　29
満洲国四平街より　飯島慶蔵　30
仙境八丈島点描　芥村卓　31
内地月間時事（自三月十六日至四月十五日）　33
信州記事
今年中に還す五百六十万円——農家の現状では絶望／生計費を半減してなほ百円の赤字——代表的各級農家の収支／どつち道食へぬ農村の土地放棄／耕地返還急激に増加／国道改修——八十八万円を申請／上小産組部会提唱の満蒙移住具体案／足許に一千戸——移住を待つ県内の開墾地／生れ出づる社会教育委員　35
展望台
長野　仏都らしく大掛りな花祭り／長野都計の先駆鶴賀東部に新天地落成　39
松本　将兵南支より来る／乗降数は松本が第一／中信耕整具体化　39
上田　お嬢さん本位では駄目な女子青年団——上田市が実利的に活用／上田築城記念　40
南佐久　八ケ岳山麓に八十町歩の大池——野辺山原開墾更新　40
北佐久　御牧ケ原で農事青年講習／千ケ

滝で種いも試作　40
小県　金が生る木はくるみ十五本――和村主婦会の名案／国賓堂の修理完成　41
諏訪　岡谷の減かま――一千人の女工さん解雇／繭を安く買ふ――諏訪製糸家の決議　41
上伊那　西天竜耕地へ移住者殺到／伊那町営運動場　41
下伊那　農業薬局を新設　42
西筑摩　福島の上水道／伊那橋竣工　42
東筑摩　中央線洗馬駅附近二百余戸を焼く／洗馬救済資金の割当　42
南安曇　合同埋葬案や農産物補償案　43
北安曇　懸命な夏の準備　43
更級　千曲橋位置紛糾　43
埴科　償還延期運動　43
上高井　河東線の国営促進／菅平開発策に学園建設の計画　44
下高井　下高井忠魂祭／如法寺桜樹問反射灯装置　44
上水内　戸隠中心の諸山開発　44
下水内　飯山の十万円組合へは貸さぬ／飯山の観桜　44
海の外歌壇　雉夫選　45
大阪商船台湾航路案内　47
健康いろはかるた　47
口絵説明　49
新刊紹介　『長野歌人集』　49
協会組合記事
幹事長異動／満洲愛国信濃村建設運動／ブラジル自作農移住案内／会費領収　50
会員消息　須藤正夫氏／広沢俊文氏／今村広美氏／柳沢貞雄氏／山崎三弥治氏　51

第一二〇号　一九三二年六月一日発行

〔口絵〕文化のラテンアメリカ／郷土の風色
巻頭言――幾人か此信仰に生く？　永田稠　(1)
南米移植民根本策　梅谷光貞　2
ブラジルの邦人移民歓迎　8
海外視察記（其二七）――ブラジル奥地及北パラナ州　西沢太一郎　9
移住組合の移住者盛況　11
海外視察の回顧（其の二一）――北米横断から西海岸への縦走　矢田鶴之助　12
支那政界裏のからくりを観る（二）――支那から帰りて　大屋義人　17
移植民海外拓植ニュース
満洲大移民実現に大童の拓務当局／集団移民のトップ――天照園の二百名／東亜勧業の満洲集団移民／一九三一年度亜国入国外国移民数――外務省移民情報／一九三一年度ブラジルサントス港経由移民――外務省移民情報／農村自治の確立へ――満洲農民大会の決議／北海道自作農移住募集／東洋拓殖の満鮮開発方針／御牧ヶ原開墾着手――工費百二十余万円　21
海外通信
生活を平面的より立体的へ　伊藤八十二　25
関東洲愛川村より　緑川五右衛門　25
内地の安定ない生活を逃れてブラジルにお出で　鈴木千代子　26
女護島八丈風俗　芥村卓　27
満蒙移住を志す人々に　29
満蒙に於けるわが投資の現状　30
農村救済の三ケ条請願　31
内地月間時事（自四月十六日至五月十五日）　33
斉藤挙国内閣成立す――五月二十六日親任式挙行　34
信州記事
農村不況の声を農林省に吹込む／三十万町歩の開発――林道開設五ケ年計画／大発電所の建設――電力統制愈々実現／糸価二千六百円から五百六十一円へ／新長者番付――各郡市の納税比べ／ミス長野

の気焔／今井五介氏勅選議員となる／警官と家族にすてきな療養所／赤誠の七万余円近く陸軍へ献納／生糸直輸出に――県生糸業者の決意 35
展望台
長野　営林署の救済事業／県庁前国道改修八万円で施行／箱根伊豆半島めぐり計画 39
松本　今度は果樹園に転業する養蚕家／桑皮製紙繭袋に好適／松本総戸数一万一千戸 39
上田　上田を中心に北上州への活路――鳥井峠の改修工事／飛行機格納庫完成／満蒙常識講座 39
南佐久　心細い春蚕掃立予想 40
北佐久　郡農会自慢の不況突破策／赤沼新牧場 40
小県　小県地方兼業農家激増／菅平に新設備――早大ラグビーのグランド 40
諏訪　富士見の別荘駅モダンにお化粧／熱狂と興奮の大渦に御柱祭終る 41
上伊那　経営主体別耕地面積／駒ヶ嶺キヤンプ場 41
下伊那　養鶏飼料の高粱栽培／天竜峡姑射橋完成 42
西筑摩　豚と竹の子に四苦八苦の嘆き 42
東筑摩　西条浅間線失救工事終る／松筑の鶏卵出荷／養蚕日雇一日二十銭 43
南安曇　穂高山葵が愈よ一本立ち 43
北安曇　高瀬川改修に決す／北アルプスに無電の設備 43
更級　篠ノ井町議改選／更級郡女青春季総会 44
埴科　松代組合製糸の合併案漸く成る 44
上高井　須坂中学で農事作業科新設／世界一の牡丹園 44
下高井　全国稀に見る穂波の森林組合 44
上水内　モダン風に柏原駅改築／黒姫山に山小屋 45
下水内　飯山鉄道買上陳情／畳表の直取引 45
海の外歌壇　雉夫選 46
大阪商船の青島航路案内 48
外務省アジア局調べによる在満内、鮮人数 48
菅平青講所長決る／菅平講習所入所生 48
前島昇氏満洲新国家へ雄飛 50
口絵説明 50
協会組合記事
埴科郡雨宮県村海外視察組合設立さる／会費領収／移住組合新加入紹介／事務所移転 51
会員消息　松嶋肇氏／山口菊十郎氏／藤井伊右衛門氏／壇原薫氏／関重忠氏／関貞英氏／宮崎運平氏／宝臣衛氏／今村広美氏 52
編輯室より　高津生 52

第一二一号　一九三二年七月一日発行

〔口絵〕満洲点景／郷土の風色（名橋三景）
巻頭言――満洲柘植講習所生る　芳水生 (1)
南米移植民根本策　梅谷光貞 2
海外視察の回顧（其の二二）――北米西海岸を縫うて北上す　矢田鶴之助 10
海外視察記（其二八）――ブラジルありあんさ移住地　西沢太一郎 15
拓務大臣永井柳太郎閣下作　新日本建設の歌 18
支那政界裏のからくりを観る（三）――支那から帰りて　大屋義人 19
一町村より一家族を送り出せ　坪内忠治 23
本年の我移民界 24
此の事実を見よ――腕一本から四百町歩の大地主 25
移植民海外拓植ニュース
満洲の新天地へ集団移民漸く殺到／在郷

軍人の植民郷――まづ屯墾義勇団七百名／実業局を開設し満洲国の国営産業計画／移民の国旗携行に関する注意／満洲拓植講習所入所生出発す／発展振り眼覚しきありあんさ移住地／凶作農民七万のブラジル行計画――拓務省の救済案／台湾の移植民招致／満蒙乃木村　27
内地月間時事（自五月十六日至六月十五日）　31
信州記事
年度末でも絶えぬ教員泣かせの町村／市町村税滞納額百万円を突破／長野支局の貯金総額いよいよ一億円を突破／銃後の美談――県関係だけで八十七件／愛国信濃号命名式七月十七日／数字になつて現れた県民収入の激減／佐藤教育会長頌徳碑除幕式／町村税課税率調べ　33
展望台
長野　長野市会議員改選　36
松本　遠慮なしに殖える食へない人々一躍四倍　36
上田　経済改善委員会の陳情　36
南佐久　佐久鉄延長十一月から両駅開業／松原湖畔の林そう記念物に指定希望　37
北佐久　軽井沢　37
小県　珍しい和村の更生策／薬草を作れ――小県産組の新着眼　37
諏訪　生糸輸送にトラック／小平農務局長農学博士に　38
上伊那　部落単位で純然たる共産村／西天竜開墾地　38
下伊那　ランプは愚かローソクの家／一円の保証金さへなく貧農、払下米を傍観　39
西筑摩　御山人参の密生地一町歩／仏法僧保護に三岳村の両社を記念物に指定　39
東筑摩　為政者よ農村を救へ／山林原野差押へ／農村窮迫を語る貯金の減額　39
南安曇　有明原開墾の大計画の速進／一大溜池で小倉開墾を救ふ／仙境上高地へ不夜城の天幕村　40
北安曇　白馬巡回の大登山路を計画　41
更級　茶臼山の砂防工事愈よ決行ときまる／米と肥料を国営に更級改善委員会決議　41
埴科　桑園の改植が意外に激増す　42
上高井　三団体で組織――経済更新委員会　42
下高井　新緑の志賀高原で県下青年の野営生活／高水木炭同業組合　42
上水内　犀川線改修　43
下水内　依然継続する飯鉄の国営運動　43
昭和日本国民歌として土居晩翠氏作の光は東方より　43
海の外歌壇　雉夫選　44
日本アルプス案内／今年の山の物価等々／大正池まで自動車横づけ　46
大テント村／三都からの日帰り登山／山の郵便局完成／上高地に鱒を放流／私設山の天気予報／日本アルプスを洋画に　46
協会組合記事
本組合に於てはアリアンサ移住地入植者の便宜を計るべく今回次の如き組合資金貸付規定を制定した／七月便船ブラジルありあんさ渡航者／愛国信濃村建設調査員帰庁／満洲愛国信濃村建設委員推薦／本会相談役推薦／本会役員、評議員嘱託／長野市第二次海外視察組合　49
会員消息　塩沢幸一氏／林七六氏／矢沢頼道氏／福沢泰江氏／丸山弁三郎氏　51
編輯室より　高津生　51

第一二二号　一九三二年八月一日発行

〔口絵〕本会関係名士／郷土の風色
巻頭言――満洲愛国信濃村の建設　高津生　(1)

論説
満洲愛国信濃村の話　永田稠　2
海外視察記（其二九）――ブラジルありあんさ移住地　西沢太一郎　9
満洲を婦人に語る　半田清春　16
海外視察の回顧（其の二三）――北米から加奈陀へ　矢田鶴之助　21
ありあんさ養蚕収益高十八コントス突破　26
支那政界裏のからくりを観る（四）――支那から帰りて　大屋義人　27
夏秋蚕一齢一回給桑新飼育法　竹元言　30
昭和六年中に於ける外国旅券下付者数　33
昭和六年中並昭和元年以降帰国本邦移民数　34
海の外歌壇　雉夫選　35
サンパウロ日本病院建設期成同盟会　内山岩太郎　37
信濃海外移住組合寄附者芳名　38
外交官異動　38
移植民海外拓植ニュース
本年上半期の貿易――全領土では入超三億円突破／南洋ゴム救済に拓務省が乗出す／生糸需要増進の大調査会案成る――蚕糸業に新天地開拓／間島に大規模な屯墾義勇団――七百名二十一日に出発／対外為替相場の安定策を講ぜよ――貿易振興懇談会の意見／満洲国の砂金採取に民間の投資歓迎／約四万町歩の国営大開墾――農林省の救済計画　39
内地月間時事（自六月十六日至七月十五日）　43
信州記事
多額納税議員資格者／再度の出水被害――合せて三百万円を超ゆ／市町村財政救済へ県当局いよいよ乗出す／家中働いて月収二十六七円／記念物や史跡指定まき直し――改めて記録を集める／全信濃の熱望を提げ県議団三相に陳情す／こんなに困つてゐる農家収支の実態／愛国信濃号――盛大なる命名式と世界に誇る偉力／軽井沢の名士がＮＫ講演放送　45
協会組合記事
役員異動／海外発展夏期講習会開催／海外発展講演宣伝／八月便船ありあんさ渡航者／日米問題講演会　51
消息　伊沢多喜男氏／唐沢俊樹氏／山本荘一郎氏／千葉了氏／福島繁三氏／階川良一氏／山本与九郎氏／石川博見氏／塩沢幸一氏　52
編輯後記　芳水生　52

第一二三号　一九三二年九月一日発行

〔口絵〕ありあんさ所見／初秋の湖
巻頭言――満洲愛国信濃村建設資金募集　(1)
満洲愛国信濃村建設に就て　石垣倉治　2
開拓精神を喚起せよ　永井柳太郎　3
海外視察記（其三〇）――ブラジルありあんさ移住地　西沢太一郎　4
在郷軍人五百名を北満沃地へ移民――本県から四十一名　10
海外視察の回顧（其の二四）――加奈陀から南下して桑港へ　矢田鶴之助　11
満洲を婦人に語る　半田清春　16
ありあんさ植民の唄（波浮の港の節）　21
支那に非ざる満蒙に就て（一）　大屋義人　22
大陸植民講習所入所生父兄各位に謹告　成沢伍一郎　26
海外通信
アリアンサ入植一ケ年一意開拓に精進　工藤信平　28
満洲国に入りて　柴崎章雄　30
関東州愛川村より　緑川五右衛門　30
本邦移民累計と本国送金　31
移植民海外拓植ニュース
ダバオ邦人土地問題に対する土地局長の意見／ブラジル移民に支度金補助／日満

の交通線が北日本へ移る／北満洲の奥地
にユートピア発見さる　32
渡満志望者に与ふる注意事項（信毎より）　32
海の外歌壇　雉夫選　35
内地月間時事（自七月十六日至八月十五
日）　37
信州記事
農村時局対策協議の県町村長臨時総会／
上田市中心の交通網／農商課の更生新計
画／県下の十四校長高等官で待遇さる／
小里さんの銅像――多年の功に市民の感
謝／中信四郡連合農村改善協議会／教育
会の満蒙視察　39
移住助成開墾助成等五ヶ条請願運動　43
富民協会募集一等当選歌　農村婦人の歌　45
協会組合記事
満洲愛国信濃村建設各郡市委員長並委員
嘱託／九月便船ありあんさ渡航者／比律
賓渡航／サンパウロ市日本病院建設寄附
者芳名／会費領収　46
編輯余滴　高津生　48
満鮮概念図　満鮮概念図刊行会発行　本会
取次　48

第一二四号　一九三二年一〇月一日発行
〔口絵〕満洲点景／郷土の風色（高原の秋）
巻頭言　高津生　(1)
新日本建設の闘士市川五郎兵衛翁に就て
依田泰　2
海外視察記（其三一）――ブラジルありあ
んさ移住地　西沢太一郎　8
葛生桂雨作　琵琶　満洲国の春　13
海外視察の回顧（其の二五）――太平洋の
航海（布哇経由）上　矢田鶴之助　14
支那に非ざる満蒙に就て（二）
大屋義人　19
満鮮概念図　満鮮概念図刊行会発行　本会
取次　22
南洋十五年　高木利兵衛　23
移植民海外拓植ニュース
玖瑪行渡航者の携帯すべき供託金／南洋
航路の新協定成る／濠州大学教授が提唱
した日濠貿易発展策／第一回武装移民の
陣容いよいよ決る／日本全土大の大水田
計画――満洲国の開発案／ヒ島に起つた
日本移民排斥／満鉄事業の新設拡張　27
満洲国承認に関する帝国政府の声明　27
満洲国近く国籍法制定――外人入国取締／
タコマ汽船太平洋航路新設／臨時移民輸
送船就航／昭和七年自十月至十二月渡航
斡旋事務執行順序一覧表　27
海の外歌壇　雉夫選　33
内地月間時事（自八月十六日至九月十五
日）　35
信州記事
新貴族院議員／食糧自給自足の五ケ年計
画成る／新規事業を計画――意気込む県
衛生課／盛沢山の催物で賑ふ上田築城祭
／非常時県会開会さる――本年度追加予
算四百八十二万余円可決／石垣知事の議
案説明／菅平高原行――須坂口道路改良
／今夏一万五千人登山者総勘定／御牧原
耕整発会式――千二百町歩を開墾／善光
寺全山を挙げて戦没者の英霊を供養／鉄
相を迎へ飯鉄買収を陳情　37
協会組合記事
海外発展夏期講習会終了／菅平講習会状
況／諏訪夏期講習会の記／海外移住の理
想／ブラジルは移住最適地／アリアンサ
移住地の建設／下高井郡倭村第二次海外
視察組合設立さる／満洲愛国信濃村建設
運動進展／十月便船ブラジルアリアンサ
渡航者／講演映画巡回宣伝／土橋源蔵氏

逝去／サンパウロ市日本病院建設寄付者芳名／会費領収　41
編輯余滴　芳水生　47

第一二五号　一九三二年一一月一日発行

〔口絵〕ブラジルの珈琲園と雄大な其乾燥場／郷土の風色
巻頭言――日本正気歌　佐藤藤山　(1)
論説
自力更生と青年の海外発展　関庸　2
海外植民者としての信州人　木下糾　5
自本年一月至同九月海外移民数　7
海外視察記（其三二）――ブラジルありあんさ移住地　西沢太一郎　8
海外視察の回顧（其の二六）――太平洋の航海（布哇経由）下　矢田鶴之助　20
西条八十作詞　非常時行進曲　23
支那に非ざる満蒙に就て（三）　大屋義人　24
南洋十五年（承前）　高木利兵衛　27
移植民海外拓植ニュース
秘露行渡航者の入国提示金／移民の送金激増――今年度は一億円にも届かう／満洲移民に拓務省対策／在満鮮農問題解決案成る／満洲特産物の輸出増加／北満への投資英国が首位／明年度新設の駐満領事館有力候補地きまる／日満連絡命令航路――内地起点……伏木敦賀、北鮮起点……羅津　32
海峡植民地外国人入国法案　32
拓務審議会設置――植民地との産業統制　36
内地月間時事（自九月十六日至十月十五日）　37
信州記事
新事業は一切認めず補助、奨励費は削減／正式指定に決した日本アルプス国立公園／信州の林檎を南阿へ輸出／税収入減の埋合せに新税として女給税小鳥税／共同販売で七万円――最近の薬用人参界／今度の内務部長小早川貞登氏／五十二勇士の荘厳な慰霊祭／文永寺の庭と門――近く国宝とならん／公益質屋補助申請／日本アルプス観光協会を設立――松本市の飛躍計画／名産信濃胡桃米大陸へ洋行／上田内務部長逝去／長野市発展策近代的な遊覧都市とする／上高地ホテル建築計画内容　39
〔昭和七年九月末現在伯国渡航者表〕　43
協会組合記事
新相談役推薦／更級郡塩崎村第二次海外視察組合／十一月便船ありあんさ渡航者／伯国留学生派遣／海外発展講演会／正誤　44
編輯余滴　芳水　45

第一二六号　一九三二年一二月一日発行

巻頭言　芳水生　(1)
海外視察の回顧（完）　矢田鶴之助　2
アメリカ瞥見記　今村軍司　7
南洋十五年（承前）　高木利兵衛　11
満洲国財政の状況　陸軍省発表　16
昭和七年中本県海外渡航許可せらるたる人々　20
楽土のブラジル――一頭の豚は四年目から千円の収益　喜多繁蔵　24
海外通信　沖野喜資　27
海の外歌壇　雉夫選　28
移植民海外拓植ニュース
明年度伯国移民二万五千余人を認可／玖瑪国入国者供託金既定の実施中止／樺太の資源開発十五年拓殖計画／比島における日本品優勢／スマトラ日本商品歓迎／海外子弟教育――教育協会設立さる／羅津に東洋一の築港を建設／アリアンサ移住地入植者の実績――六年契約完了の

皮切り　結局八コント内外残る　30
明春歌会始め勅題は「朝海」　33
内地月間時事（自十月十六日至十一月十五日）　34
信州記事
県債百二十七万円――苦心の明年度予算／義務教育費配当県へ七十九万五千円／上田と北上州を結ぶ鳥居峠完工す／東南信の最短路――岡谷丸子間のバス／霧ケ峰に山の安息所／完工せる杖突峠／再び表面化した菅平発電所計画／本県出身最初の特命全権大使／中野塾出身の風間海軍少将／白馬登山口に新駅――登山家にうれしい便り／シーズン控へ忙しい菅平の昨今／五年に三十八万人――県の産組拡張計画／「相許し候事の木曽踊」千号は石垣知事に――近く伊東氏が祝賀の宴／本年度平均戸数割／飯山スキー場大改造／南部北部設備を競ふ――今冬の山アルプス　36
協会組合記事
十月便船ブラジルアリアンサ渡航者／会費領収　41
編輯余滴　芳水生　42

第一二七号　一九三三年一月一日発行

〔口絵〕浅間山／本会派遣伯国留学生送別会（上）と日伯中央協会創立総会記念撮影（下）
信濃海外協会設立の趣意　(1)
日満経済提携の根本策　永井柳太郎　2
アメリカ瞥見記　今村軍司　4
海外発展と宗教　坪内忠治　8
満洲移住地建設と其目標　寺沢俊雄　10
北米、メキシコ、布哇沿岸巡航の練習艦隊　16
信州男児　17
ブラジル渡航所感　丸山憲綱　18
ありあんさ移住地戸数及人口調査表　20
南洋十五年（承前）　高木利兵衛　21
高木氏は語る　23
海外通信
北加支部より　臼井省三　25
南加支部より　木下糾　25
レヂストロより啓上　松村栄治　26
布哇より　中村令治　27
移植民海外拓植ニュース
珈琲植付制限令は何等懸念すべきでない／開け行くブラジル、チエテ移住地／徴兵適齢者の海外渡航に就て／日伯中央協会創設さる／南米渡航者激増し毎船満腹の盛況／郵船商船両社の大合同案成立す／南洋進出の瑞兆――門松五百本の注文／満蒙移民の父として――梅谷本会顧問赴任　28
内地月間時事（自十一月十六日至十二月十日）　31
海の外歌壇　雉夫選　34
信州記事
県下の山々へ躍進的に登山者激増す――興味深い本年の統計／共同作業奨励金――発展性のある六組合へ／郵便貯金激減／東信農業会議――肥料昂騰の対策協議／菅平高原体育研究所／自給自足で七町歩を開墾――御牧ケ原の農事講習生帰る／満蒙野蚕を上田蚕糸で加工／昨年度の養蜂成績／軍需品に真価発揮――信州の氷餅／更級産組の五ケ年計画／稲熱で収穫皆無の百余町歩免税決す――松本税務署二十年来の新記録、管内の被害意外に甚大／霧ケ峰グライダー／未踏の後立山指してスキーヤー群る――大糸南線延長の余沢／警官共済会が上林へ望五荘／小里松本市長の銅像原型成る／大平峠省営バス予定線に編入の快報／南朝時代の石塔を発見／県民一人に金七円也――激

増する県債／伊那町の農家が借りた金の費途／マニラ出荷鶏卵意外の好評 36
協会組合記事
一月便船ブラジルありあんさ渡航者／海外発展講演会／海外渡航の結婚媒介／本会事業ノ明細 43
〔広告〕ありあんさ移住地入植者募集

第一二八号 一九三三年二月一日発行

〔口絵〕南洋北米所見／銀板に描く（信州飯山スキー場）
巻頭言――真の自力更生 高津生 (1)
昭和七年の国際貸借――貿易外の収支極めて好調 児玉謙次 2
恭賦勅題朝海／時局所感 小里頼永 4
アメリカ瞥見記（其三） 今村軍司 5
墨都同胞統計表 8
本県昭和八年度の新規事業概観 大屋義人 9
満洲移住に就いて 寺沢俊雄 13
昨年の我移民界 16
内地月間時事（自十二月十一日至一月十五日） 17
四月以降の神戸移住教養所入退所日決る 20
移植民海外拓植ニュース
長崎移住教養所生る／バストス移住地に中等教育機関生る／武装移民団ははち切れるほど元気／高松宮殿下を日伯中央協会総裁に奉戴／植民地新規事業 21
満洲学生寮と満洲会館建設――日満中央協会の計画 26
北海道の旅（一） 嘉部安平 27
海の外歌壇 雉夫選 30
北満雪野の第一線に立つ信州健児の意気天を衝く 32
海外通信
ありあんさより啓上 林光衛 33
渡伯船中第一報 柳沢秋夫／坂田忠夫 33
ラプラタ丸より 横沢環 34
信州記事
県下農村の経済僅かに小康状態／上田飛行場の採納／乗込んだスキー客――各駅元日からの降客／県下の養蚕収入／上高地ホテル四月に着工／陸軍療養所は戸倉温泉に設立／岡崎と飯田間へ鉄道を敷設せよ／銀盤に展く大絵巻――菅平スキー場の発展大祭／NKの新計画――越後と提携放送／河川の改修――国庫補助額きまる／師範学校長異動／天晴れ「高登」関脇に昇進／理想的副業に養兎を奨励／温泉効能調査／諏訪産業会館建設／臥竜山公園の工事開始／郷軍分会の三大事業／全日本学生スキー大会飯山で挙行 35
協会組合記事
南米行は三回出帆――ありあんさ渡航者は二〇名／三組の結婚成立／会費領収／依田豊氏逝去 40
〔広告〕ありあんさ移住地入植者募集
〔広告〕満洲愛国信濃村建設資金募集

第一二九号 一九三三年三月一日発行

〔口絵〕北米と満洲点景／新装なれる丹波島橋
巻頭言――要は満洲国の発達 芳水 (1)
この決心が先決問題 桐生悠々 2
アメリカ瞥見記（其四） 今村軍司 4
サンパウロ州より珈琲を除外すれば 青木林蔵 8
日本国民歌 9
非常時下に於ける長野県の財政ニュース 大屋義人 10
満洲旅行記 神戸頼良 14
内地月間時事（自八年一月十六日至八年二月十五日） 18
朝海 21

移植民海外拓植ニュース
関東軍特務部の移民部事務開始／北満奥地に農事研究所拡充／我満洲商租権を拡大再確認す／満洲国の林業開発――先づ年六百万石伐採／上田購販の鶏卵ロンドンで好評／寒天の海外雄飛――直輸出を断行 22
ブラジル十大都市／ブラジル各州の人口 24
海の外歌壇　雉夫選 25
信州記事
主眼を販路拡張に――県の副業奨励案成る／上田飛行場中心の空陸攻防演習――集る新兵器の精鋭三千／小作料の滞納遂に三百万円突破／またも失業地獄――匡救事業の進行と糸価安で六万突破の失業群／県下五裁判所復活その陣容と管轄／国防後援会は三月松本で発会式――熱誠な愛国男女を糾合／米作つて此の赤字――県農会の調査に現はれたみじめな収支計算／県下の金融界下向き／県下三市の経済事情／「西南」以来の出征兵――県下で二万を数ふ／小野、筑摩地の合併説再燃／日本アルプスの新施設――信濃山岳会実現を期す／鐘紡二百二十四カマ申請／史跡指定小県に二ケ所 27
琵琶新曲　壮烈、田沢分隊長 32
北海道の旅（二）　嘉部安平 33
農事講習所　所歌 35
［書簡］　北村善次郎 35
郷土民謡（一） 36
協会組合記事
海外移住組合総会／海外協会評議員会／三月便船ありあんさ渡航者／海外発展講演会／会費領収 38
信濃海外協会事業ノ明細 40
〔広告〕ありあんさ移住地入植者募集
〔広告〕南米拓殖株式会社経営ブラジル国パラー州植民地行 自作農請負農植民募集
〔広告〕満洲愛国信濃村建設資金募集

第一三〇号　一九三三年四月一日発行

〔口絵〕北米所見――南加に於ける同胞経営のオレンジ園／郷土の風景
巻頭言――女性パイオニアの進出を望む　寺沢俊雄 (1)
郷土愛から海外発展へ　関庸 2
アメリカ瞥見記（其五）　今村軍司 5
一九三三年を迎へた本県政の情政二、三　大屋義人 9
本年一月より三月迄海興扱ブラジル移民 13
満洲旅行記（二）　神戸頼良 14
海外発展に齎す女性の力（一）　寺沢俊雄 18
ありあんさ便り　加藤俊也 21
満洲国の経済建設綱要（上） 23
満洲国国歌 24
移植民海外拓植ニュース
ブラジルサンパウロ州の養蚕界現況／伯国に於ける珈琲新植禁止と新聞論調／日本の産業投資を満洲国満腔の期待／満洲国産業開発五ケ年計画／委任経営を受けた元満鉄の包囲幹線／第二武装移民五百名募集／最短の日満連絡敦賀清津間の準備進む 25
伯国聖州に於ける邦人と小地主に関する新聞記事 29
満洲愛国信濃村資金寄附に添へて　水上忠吾 30
資金寄附に添へて　宮村清次郎 30
犀川少年団趣意書／犀川少年団の組織 31
工業方面に進みたい　井口寛二 31
内地月間時事（自二月十六日至三月十五日） 32
マニラ丸出航遅る 34
信州記事
諏訪神社の大拡張計画成る――総工費は

百三十七万円／農村青年教育に関する信
濃教育会の報告／上高地ホテル五月初旬
から着工／軽井沢ゴルフ場避暑地の一目
面新／大峰山大天然公園——本郷博士の
設計完成／三峰川の改修救農事業で実施
／お花見は何処へ——長野運輸の桜の名
所調べ／長野商工新役員——会頭は田中
氏当選／霧ケ峰高原開発——グライダー
練習や高原ゴルフ場／工業都市へ躍進す
る松本市／赤穂の家政相談所——経済更
生の新方法／三陸の大地震で温泉湧出量
が激増／更にロンドンへ鶏卵四百五十箱
／松本長野間三十分短縮 35
海の外歌壇　雉夫選 40
郷土民謡（二） 42
協会組合記事
四月便船ありあんさ渡航者／上諏訪海外
視察組合／会費領収／移住組合国庫補助 44
編輯室より 45
〔広告〕南米ブラジル行家族移民大募集
〔広告〕満洲愛国信濃村建設資金募集

第一三一号　一九三三年五月一日発行

〔口絵〕先駆の人々／郷土の風色
巻頭言——新日本建設と教育者の覚悟
青年講習所の設立趣意　寺沢俊雄 (1)
海外移住組合連合会扱の昭和七年度ブラジ　郷原保 2
ル移住者家族人員 6
アメリカ瞥見記（其六）　今村軍司 7
日本民族の世界的使命　坪内忠治 11
満洲旅行記（三）　神戸頼良 14
海外発展に齎す女性の力（二）　寺沢俊雄 17
本県出身在満将兵慰問使一行決定 20
東アフリカ一般事情（上） 21
満洲国の経済建設綱要（下） 25
海外通信
多角形農業に進みたい　花尾亭 27
全体の人が親類の様である　中曽根益雄 28
豊かな天恵に感謝してゐる　山川巌 30
植民問題に就いて　蘆岸紫舟 33
千曲川旅情の歌 34
移植民海外拓植ニュース
移民の教育に新機関開設／海外教育協会
設立方を協議／北日本汽船敦賀北鮮航路
受命決定／商船の大連航路新内容／自衛
移民今年も五百名募集／満洲自衛移民に
一般青年の入植陳情 35
内地月間時事（自三月十六日至四月十五
日） 37
信州記事
本県の道路網本年度内に完成せん／上田
飛行場陸軍へ献納さる／マイクを通じ農
野更生の呼びかけ／海の護りに活躍する
県人——横鎮志願兵と少年航空兵断然、
本県が優秀／長野消防組表彰さる／碓氷
峠の難所に見事なアスファルト道路／実
を結ぶ岡田村有林／防空献金二十万円片
倉製糸から陸軍へ／赤石山御料林二十万
円見当で払下／燃ゆる更生の意気に黎明
は近づく——涙ぐましき其努力／村井、
塩尻間に新駅／長野大町間省営バス運転
方陳情／自衛移民募集——県下の割当三
十名／夏の霧ケ峰は…　グライダーに賑
ふ 40
海の外歌壇　雉夫選 44
郷土民謡（三） 46
協会組合記事
五月便船ありあんさ渡航者／職員異動／
会費領収／お願ひ 48
〔広告〕満洲愛国信濃村建設資金募集

第一三二号　一九三三年六月一日発行

〔口絵〕海外ところどころ／小里氏の寿像
と初夏の高原

巻頭言――郷党的親睦　高津生　(1)
移植民と海外拓植事業に就て　永井柳太郎　2
中央会事務所移転　5
アメリカ瞥見記（其七）　今村軍司　6
満洲国旅券令六月初旬発表の見込　10
時局匡救事業と移庁問題　大屋義人　11
海外発展に齎す女性の力（三）　寺沢俊雄　15
東アフリカ一般事情（下）　20
海外通信
　日本へ帰るのはいやになる　宮脇伝衛　24
　メキシコ便り　玉川梅乃　25
会費に添へて　松尾弘　26
内地月間時事（自四月十六日至五月十五日）　27
菅平講習所新入生　29
信州記事
　国防講演会創立――二百余団体を統制し非常時に備ふ／県下女子青年総会――自力更生の固き誓ひ／小里市長寿像晴かな除幕式／精神の作興につき全県民への訓示／上高地ホテル着工――開業式は十月一日　30
郷土雑報
　南佐久　トツプを切つた産組女子青年団／世に出る五稜郭　33
北佐久　軽井沢の前景気／浅間山麓にも溶岩樹形　33
小県　桑園百八十町歩水田に変換／冬の衣を脱ぎ捨て新緑の菅平高原／生島足島神社新籠殿落成／丸子町長に金子氏就任　34
諏訪　杖突峠に試掘願／虚弱児童の保養所設置　35
上伊那　西天龍開田業進捗事／多角経営指導――上伊那農校の新試み　35
下伊那　四十町歩の大開墾／下条実科中等学校／飯田名産水引が満洲進出の計画／下伊那の大山火事焼失面積五千町歩に及ぶ　35
西筑摩　名古屋、福島間で一時間短縮／吾妻村の大火二十七戸を全焼　36
東筑摩　早づけ沢あん出荷協会／蚕糞を利用緬羊を飼ふ話　37
南安曇　生糸荷造所豊科町に設置竣工　37
北安曇　愈よ登山列車実現　38
更級　桑原出身の関完君戦死／成田不動の御分体／上山田に陸軍療養所　38
埴科　象山神社建立運動　39
上高井／北信の新名勝龍ヶ池／強引な交渉で田中氏遂に町長受諾／鴻山五十年祭　39
下高井　夜間瀬の堤防を浴客の散歩道に／岳南日赤総会新社員三百五十名を迎へ　39
上水内　天下の絶景は意外お膝元に／高岡村農会の妙案／野尻湖畔の貸別荘――ドライヴ道路も完成　40
下水内　ぜんまい大量出荷計画／常盤村長異動　41
長野　女学生に御製講座／転向の長野市――飛躍的発展方針成る　41
松本　大松本市建設へ隣接村合併を協議／天嶮の地・松本へ――離宮設置を請願す　42
上田　上田名産の胡桃羊羹――陸軍への売込み実現　42
海の外歌壇　雉夫選　43
郷土民謡　伊那節　45
健康児童十則　46
協会組合記事
　六月便船ありあんさ渡航者／富士見高原に拓植講習所設置／支部設立運動／上伊那郡飯島支部設立／会費領収　47
編輯室より　48
〔広告〕満洲愛国信濃村建設資金募集

第一三三号　一九三三年七月一日発行

〔口絵〕郷土の風色／日本アルプス大観／日本アルプス行進曲
巻頭言――拓人諸賢へ　高津生　(1)
海外市場開拓の大要素　桐生悠々　2
アメリカ瞥見記（其八）　今村軍司　4
満洲旅行記（四）　神戸頼良　8
故郷を語る
欠点を三省せよ――団結心の欠乏が最なるもの　原嘉道　12
信州魂の衰頽――天嶮を越え文化の侵入　堀内信水　13
長野県下中等学校生徒一人当り学費調　14
正しい国旗　15
内地月間時事（自五月十六日至六月十五日）　16
奮闘の女性――竹内茂代女史　20
内外ニュース
南米並に満洲へ新移民方針――拓務省新予算編成へ／アマゾンの秘境を空から探る／農漁村更生の答申成る――農村経済更生主任会議終る／フォードに劣らぬ成功を収めたアマゾンの父福原氏の土産話／満洲博への出品二千点に達す――県産物進出の使命を帯びて二十五日県から発送／華僑が主唱で東洋モンロー主義提唱　21
ブラジル留学生通信　坂田忠夫　24
信州記事
取れど、しぼれど減らぬ滞納の洪水――県民の納税思想疑はしと県庶務課が悲鳴／信濃教育会に満洲国の研究室――植民教育に躍進／長野運事で大童の大サービス――大掛かりな各種臨時列車／県債総額は遂に二千万円突破――一人当り十二円三十一銭／県産リンゴに耳寄りな報告／菅平高原に観測所――衛生気象の観測に当る／地方自治行政の更新――県の答申案成る／この上の増税計画農村にその力なし――町村長会と県農会が政府の猛省促す／大義を闡明し教員赤化を掃蕩――非常時教員会総集会／少年団結盟式――連盟長に倉島少々を推戴す　26
郷土雑報
南佐久　高原トマト至るところで大好評を博し栽培者も急に激増／木内翁の天日蚕――思ひ切つた飼育法／招くよ八ツ岳連峰　30
北佐久　佐久鯉に新販路／一足お先きに国際公園――軽井沢と草津が協力　大浅間一帯の交通網の完備　31
小県　生島足島社厳かに新装／汗の結晶続々集まる　31
諏訪　制服の村長様――一村揃つてカーキー服着用／諏訪高女のモダーン校舎破天荒のシイク振り／新な希望に燃えて／新スポーツグライダー飛行　32
上伊那　南アルプス夏山のコース／飼ひよい緬羊――中沢村組合事業　33
下伊那　グロ人種の生活――伊那郡遠山からNKが全国へ銷夏放送　34
西筑摩　田沢分隊長の記念碑建設／福島町に高山植物園　34
東筑摩　信州沢庵にも独占者現る――神戸漬物会社が乗出す／大松本市建設も一向に熱がない／広丘駅と命名――塩尻村井間に新設　34
南安曇　安曇農校街頭へ進出――生産物を直接消費者へ／共同稚蚕所前で毎朝国旗の掲揚　35
北安曇　信濃木崎夏季大会／登山直通列車の試運転頗る好績　36
更級　古戦場川中島史蹟として保存／陸軍療養所来月起工式　36
埴科　象山神社建設資金寄附募集／涙ぐましい更生への躍出――豊栄村女子青

年団 37
上高井　龍ヶ池々畔へ万座温泉より引湯／龍ヶ池畔の新装 37
下高井　繭景気で浮ぶか――湯田中の頓挫大仏／秋山開発計画――逆巻迄自動車道延長／農救の一年にも苦境は募る 38
上水内　飯綱新コース 39
下水内　晴の経済会議へ――飯中二人男／正受庵再建計画 39
長野　大峰展望道路完成／大勧進山規大要――もつれもつれた善光寺問題／日よけトンネル参詣客を喜ばす計画 40
松本　松本観光協会生る／類節と糸量相対的に向上――長野工試で新煮繭器 生糸の生産費を引下げる 41
上田　新避暑地菅平の売出し――温電の割引も決る／上田の大国旗縫ひ上る／十銭預金済の通帳を配布――児童の貯金思想涵養 41
移住者待望の福音――移住支度品供給場設置 42
春から秋への志賀高原 43
海の外歌壇　雉夫選 46
郷土民謡　木曽節 48
協会組合記事
七月便船ブラジルありあんさ渡航者／塩尻村支部設置／会費に添へて／菅平青年講習所長異動 50

第一三四号臨時増刊　内地版

一九三三年七月一五日発行

〔口絵〕米国南加州の邦人経営アスパラガス園／世界の美都ブラジル国首府リオ・デ・ジャネイロ市の海岸通／ブラジルアリアンサ移住地の山焼き／南満洲の苹果園剤撒布／関東州愛川村の桑園／南洋スマトラの避暑地　ブラスタギー／フイリツピンの椰子園
海外事情
ブラジルの移民問題と日本人　マノエル・ヅトラ 1
ブラジルサンパウロ州の養蚕界 7
日系米国市民子女の素質 11
カリビアン海沿岸諸国と本邦貿易 14
マニラ麻栽培概要 22
東アフリカと云ふところ　森勝衛 28
満洲国旅券査証開始 6
佳木斯自衛移民便り 32
満蒙事情
満洲に於ける水稲作と気象 33
吉林省佳木斯概況並に同地に於ける移民団状況 39
統計　世界各国の珈琲輸出／墨都在留邦人動静 47
満洲国公使館職員決定着任 49
長野県の海外発展
一、アリアンサ移住地　第一小学校の建設／六月便船ありあんさ渡航者／七月便船ありあんさ渡航者／野球／入植者に日伯国旗一対を贈呈 50
二、満洲移住地の建設　満洲愛国信濃村移住地建設の経過 52
三、其の他　伯国留学生帰朝／飯島支部設立／塩尻支部の設立／富士見高原及蓼科山麓に拓植講習所設置／満洲移民三十名鹿島立ち 59
中央会事務所移転 61
海外通信
日本へ帰るのはいやになる　宮脇伝衛 62
メキシコ便り　玉川梅乃 63
食費に添へて　松尾弘 64
日本とは不景気が違ふ　真野鹿次郎 64
満蒙開拓者よ利権屋に堕する勿れ　町田厚 65
信州魂をもつて　中村信 67

愛川村から　緑川五右衛門 67
移植民展望
砂金は招く／満洲に二千五百万頭の緬羊増殖／ブラジル移民祭／白耳義国から棉花の栽培地貸与を申出――白領コンゴー地方を／天台宗が満洲国に布教／対満移植民事業に満鉄が乗り出す／珈琲樹数四十億本／蒙古の各代表が日満の文化見学――ラマ教のお経を口ずさみ飛行機で新京着／移民輸送の新記録／土地分譲代の支払は生産物で 68
編輯室にて　寺沢生 72

第一三五号　一九三三年八月一日発行
〔口絵〕郷土の風色
巻頭言――咄出稼根性　富田貴 (1)
最後の憂ひ　弥富元三郎 2
アメリカ瞥見記（其九）　今村軍司 4
満洲旅行記（五）　神戸頼良 8
信濃建築学校設立の趣旨　北原盛忠 10
拓務・外務省の明年新規事業計画 11
通商局移民情報より
人口稀薄なる蘭領「ニユー・ギニア」島／日比の通商及移民に関する比島新聞記事 12
信濃教育会の満蒙視察団 15
故郷を語る
わが国の中原――はぐくまれた長所と短所　小川平吉 16
象山先生のこと――その偉さを想はする逸話　横田秀雄 17
先走り過ぎる――進んだ教育が却て悪影響　大工原銀太郎 18
スポーツ青年の美しい巡礼地　渡辺千冬 19
内外ニユース
海外日本人局新設案成る――経費十万円を要求／労働者の醵金で社長の寿像建設――南洋群島の慈父松江氏／南洋拓殖練習生全国から三十名選抜／邦品防止問題で濠洲矛盾に陥る／アマゾンに領事館／満洲の再建設へ――産業建設研究団 20
海外通信
楽土建設の為精進　柴崎章雄 22
世界徒歩旅行家岡田芳太郎氏の末期の水をとりて　小松敬一郎 22
渡比生活十年を回顧して　原山芳保 23
内地月間時事（自六月十六日至七月十五日） 25
満洲愛国信濃村建設委員長信濃海外協会総裁石垣倉治閣下　小平誠 28
信州記事
佐久、信濃両私鉄明年度に買収か／運搬加工にまで進出――購販連の拡充計画／県下旱魃被害六千余町歩――代用作物植付奨励／長野運事の黒字増収既に十万円――去年の総増収を突破／深刻化する県下の小作争議――特に目立つ桑園関係／青年天幕野営講習会開催／農村経済更生の実績――三百三十三町村に計画成り産繭の統制目覚し／人力車姿をひそむ――交通量の調査成る／繭景気で躍り込む――二千五百万円は何処へ／養蚕家の利益は三枚で『八十二円也』／県物産への注文　ぶだう・わさび・りんご・卵・木炭――西沢帝農斡旋所主任談 29
郷土雑報
南佐久　世に出る竜岡城――築城史上の偉観五稜郭を発見／佐久の大雷雨養鯉流失す――今秋の収穫番狂はせ 33
北佐久　岩村田大公園計画――一着手にプール建設／軽井沢は軽石沢アイヌが名付親――英人マンロー氏の研究 33
小県　鳥居峠が全通すれば上信地方は大繁盛／国分寺二重塔竣工近し 34
諏訪　更生模範村の四賀村信販購組合／

村から一躍市制へ――平野村実現へ突進／虚弱児童を健康児へ――北山温泉で天幕生活　34
上伊那　白樺材で山岳風景――伊那土産東都進出計画／伊那産組病院　36
下伊那　禁酒の三穂村――首相が揮毫の額を贈る　一躍天下に有名になる／木曽御嶽山開き　36
東筑摩　干あがつた水田八百余町歩に達す――東筑農会対策を研究　37
南安曇　柳の促成林が天柞蚕に好適――南安曇農校の発見／旱魃に悩む南安へ耳寄りな大計画――常念山麓へ一大貯水池築造　37
北安曇　満洲からもはるばる聴講――本年の木崎夏期大学　38
更級　更級農民運動／上山田陸軍療養所全国指折りの完備　39
埴科　象山七十年祭――松代町で祭事や書墨展　39
上高井　秋期発火演習上高井代議員会／井上入りの後藤農相――スピード視察　39
下高井　花園のやうな岩菅山高山植物――今年は一層登山客吸収／高原特急電車――長野電鉄の夏季新計画　40
上水内　大豆島村の繭景気／兎下痢涎病予防法／北部農学校存続――負担率の改訂　41
下水内　農倉網確立へ――下水内産組の計画　42
長野　長野医療組合設立――一万人を目標に組合員の獲得を策す　内、外科はじめ五科設備／反対運動を継続／国際無電受信所完成／失業救済事業きまる／長野各中等学校の夏休プランは決つた　42
松本　市会議員改選／大松本市の核心道路計画案成る――総工費八十余万円　43
上田　水産株式会社生る――東信の海産物販売を統制／大空高く翻る上田の大国旗　44
海の外歌壇　雉夫選　45
郷土民謡　47
協会組合記事
八月ブラジルありあんさ渡航者／会費領収／海外発展夏期講習会　48
〔広告〕満洲愛国信濃村建設資金募集

第一三六号　一九三三年九月一日発行

〔口絵〕新総裁　岡田周造氏／新幹事長内藤寛一氏／ダバオ画報
巻頭言――排日移民法を修正せよ　芳水生　(1)
伯国移住渡航者数から見た信州　関庸　2
満洲旅行記（六）　神戸頼良　7
家の光より　産業組合員五訓　10
比律賓群島ダバオ州概況　小林主計　11
故郷を語る
信州に育つた仕合せ――はぐくまれた私の情操　今井邦子　18
あの美しき空――だが少し議論が多過ぎる　吉江喬松　19
彩管はをどる――故山の自然美に今更驚嘆　菊池契月　20
内外ニュース
アフガニスタン公使館建設／仏海外発展協会が対満投資を斡旋――日仏共同対満投資調査会設立／内地資本の満洲進出援助――関東軍特務部の方針／満洲の呼び物――好評の県物産陳列場／ブラジル国産展覧／農業移民と経営に積極的活動開始す――東亜勧業本腰となる　22
海外通信
メキシコ便り　長淵鐘六　25
ありあんさ便り　河野寛　25

ダバオ便り　原山芳保　26
内地月間時事（自七月十六日至八月十五日）　27
アルゼンチンへ感謝の軍艦絵姿――我が武人の床しき厚誼　29
信州記事
本県知事異動／本県学務部長異動／一年に千町歩づつ五千町歩の拡張と改良――主要食糧の自給を目指す県の耕地五年計画／日本一の記録更新――小里松本市長再選／税外収入増加に恒久策樹立――県財政調査会の動向／七年度農作被害三百四十三万円――農民の重荷は増す／農民の没落を語るカード階級の激増ぶり――七年度新たに三七一世帯底なしの泥沼へ／澄宮殿下御入信御日程決る／松本行在所を塩尻峠へ奉還――公園計画着々進む／「ぐみ」の葉代用――蚕立派に上簇／農村の負債返済しばらく休養せしめよ――上小経済更正連盟が陳情／諏訪郡農民大会――農民二百が決議四項／各府県に呼びかけ共同戦線を張る――医療組合の設置は不合理と医師会きのふ決議／消費都市から生産都市へ――貨物発着数に現はれた長野の躍進ぶり／藤原博士のグライダー学校――霧ヶ峰で開校式挙行／希望の明日へ十万石の太鼓は響く――着実な松代青年会の歩み／赤石八ヶ岳御料林払下げ再燃か――財政調査委員研究に着手す／青年代表の満鮮旅行三週間の強行軍――来月十二日晴れの勢ぞろひ団員十名決定す／馬にも温泉上諏訪の計画――競馬場の設計進出／珍しい千手観音――国宝調査員荻野博士一行が八坂村での掘出物／小鳥や蓄音機の新税は望みうす――一応調査を進めるが／県下の干害三千町歩を突破――代用作で被害は緩和／四賀の早起運動――全村民の労働時間一日に三千二百時間延長　30
満洲各都市の日本人激増す――生命線たる生きた証拠　39
海の外歌壇　雉夫選　40
郷土民謡　41
協会組合記事
総裁組合長異動／幹事長異動／九月便船ありあんさ渡航者／海外視察組合更級農学校組合／下高井農学校組合／西沢幹事再渡来　43
〔広告〕満洲愛国信濃村建設資金募集

第一三七号　一九三三年一〇月一日発行

〔口絵〕郷土の風色
巻頭言――海外市場の開拓　寺沢生　(1)
日米問題と日本民族の世界的使命（上）　小林政助　2
聖市近郊の農業　青木林蔵　11
［事務所移転案内］　信濃海外協会南加支部　13
満洲旅行記（七）　神戸頼良　14
羅津港の話　赤尾新一　18
再渡航の思ひ出（上）　高木利兵衛　20
内外ニュース
国際文化局の新設――外交は文化からと我国固有の文明を宣揚／満洲国農民は安居楽業を喜ぶ――治安とみに良好／拓殖訓練所の充実――南洋方面への移民も養成／我新市場開拓着々実現――加工綿布の輸出激増／山桑で養蚕に成功――四十二町歩の耕作も順調屯墾隊長野小隊　24
内地月間時事（自八月十六日至九月十五日）　28
信州記事　31
満洲移民の前提とし先づ県内の移住計画／九年度の予算編成鉄壁に直面す／森林副産物増殖計画決定す――松たけ・しひ

たけ・わさび・漆　四種類を実施／負担を公平に農民苦を除け——県下十三万農民連署の負担均衡陳情書／ジヤガイモ高原種素晴しい好成績——更に五ヶ所に採取畑／さびれ行く全農——若林常任委員も脱退／早くも五、六十名外人客の滞在予約——上高地ホテルの建築進む／遊覧コース指定——新たに県下十二ケ所／県下十八銀行の営業漸く好転す——県調査が物語る数字／幹部候補生も満洲で教育——入営前の銃剣術練習を県下郷軍へ要望／産組王国の陣容——先進地福岡、兵庫を凌ぐ県下の産業組合況／教育王国の自負正にペシヤンコ——県下壮丁の学力考査／懸案の大貯水池愈々設置に決る——やつと干害から救はれる川西地方十ケ村／赤穂の昭和病院正式に認可さる——田村博士後援を声明／女房名義にして亭主には手の出ぬ貯金——三栄社の新試み／彼岸の善光寺参り早や七千名の申込み——後から後から千客万来／出征兵の家族から田畑を取り上げる——凱旋の日までの哀願も地主頑として一蹴／珍しく平穏の夏山——松本市観光係の総決算／飯山全町の祝ひ——飯中創立三十周年記念／養鶏組合の典型——埴科連合会選ばる／精力主義の小作農——こつこつと百姓を楽しむ　信州浦里村の若者水出君／中郷の絶勝丹霞郷——愈よ遊覧宣伝を開始／馬越ケ原飛行場けふ工事に着手——超スピードで実現／本県土木課昇格土木部新設さる

［書簡］　高山利政　39

海の外歌壇　雉夫選　40

郷土民謡　42

協会組合記事

十月便船ありあんさ渡航者／会費領収／海外視察組合上水内郡古間村第三次組合　44

〔広告〕満洲愛国信濃村建設資金募集

第一三八号　一九三三年一一月一日発行

〔口絵〕高原の秋／本会北米南加支部役員とロスアンゼルス市の一部

巻頭言——アリアンサ処女地を開拓するもの　富田貴　(1)

地理的に観たる太平洋問題の一考察　武富邦茂　2

畏し、御仁慈海外にも輝く——邦人社会事業に御下賜金　5

日米問題と日本民族の世界的使命（中）　小林政助　6

アメリカ瞥見記（其十）　今村軍司　15

グアム島に邦人排斥起る　18

南カリフオルニヤ州に活躍する長野県人　19

在ブラジル同胞府県別人口表　23

希望と光明に輝く満洲第一弥栄村状況——満洲人防寒服送付に添へて　高山利政　24

求妻　27

再渡航の思ひ出（中）　高木利兵衛　28

ブラジルの四季

内地月間時事（自九月十六日至十月十五日）　31

外国貨幣時価一覧表（神戸税関十月一日現在）　33

信州記事

和田嶺も一もたぎ白銀のバス飛ぶ／悲鳴の九年度予算——赤化対策をどうさばくか／反当り収量と品質農林省も舌を巻く——県産小麦の二大特長／町村長会定期総会／収入はふえたが支出もかさむ／県営木炭検査——県下百余ケ所で開始／ナチス張りの赤本封鎖——教員の読書唯心的へ　長野県図書館用心ぶり／五百戸以下の小町村を合併——一千戸を標準に県が奨励の方針／連座教員達を集め精神文

化研究所——二・四事件の恒久対策に／
三年ぶり県と握手——連青非常時の陣容
　自主化の看板かなぐり捨て勘当やつと
解ける／風趣豊かな上高地ホテル開業／
赤尾氏紺綬褒章下賜／一日に八十四人
　——昨年の県人口増加／三吉博士銅像／
二百万円突破——県民の債苦地獄／屯墾
隊員表彰本県出身三氏 34
海の外歌壇　雉夫選 40
郷土民謡 42
協会組合記事
十一月便船ありあんさ渡航者／富士里海
外視察組合／宮坂作衛氏 44

第一三九号　一九三三年一二月一日発行
〔口絵〕明治大帝御巡幸聖蹟／郷土の風色
巻頭言——農道歌 (1)
日米問題と日本民族の世界的使命（下）
　小林政助 2
南米開拓先駆者に　畏し叙勲の御沙汰 11
アメリカ瞥見記（其十一）　今村軍司 12
ブラジル移民——明年度は二万七千人 16
昭和八年の県会を省る　大屋義人 17
満洲旅行記（八）　神戸頼良 21
アルゼンチンの理想郷に入植して
　今村広美 24
非常時日本の歌 26
再渡航の思ひ出（下）　高木利兵衛 27
本年の我移民界 29
内地月間時事（自十月十六日至十一月十五
日） 30
海外各地の本邦人は総数八十二万を突破す 32
〔書簡〕　山岸新作 33
信州記事
　小倉開墾地の更生根本策／県観光係の事
業内容決定——土産品改善・旅館る指定
など／小田切村の大火——二十七戸焼く
／農家の租税負担——地主兼自作が一番
重い／佐久鉄買収決定——明年度に実現
／樹氷美しくその日を待つ——新興美ケ
原に偉容／安田橋他四橋愈々着工の運び
　——起債漸く認可さる／経営変更による
小作地返還ふえる——小作争議によるも
の減少／碓氷峠の完工で鉄道に脅威時代
　——予想されるトラックの活躍／水も漏
さぬ木炭統制——集荷、販売の二陣　八
百万円を東西両市場へ　県購販連の進出
／京浜電力が長丘村に発電所／上田蚕専
校で人造羊毛の研究——井上博士が鋭意
当る／スキーの志賀に新ヒュッテ——気
をきかした夫婦宿　収容力これで千名／
事変の尊き犠牲者——本県は全国二位
合計百七十六名にのぼる／寒天の品質向
上に試験場を新設——経費七千五円を計
上して諏訪宮川村に開く／石当りの欠損
が何と一円九銭——豊作飢饉の暗影を裏
書する会染、相沢氏の計算／完納実に四
十五年——川路村を表彰せよ　規定がな
くて飯田財務も残念がる／思ひ切つた節
約——更生の諏訪郡四賀村 34
海の外歌壇　雉夫選 40
郷土民謡 42
協会組合記事
十二月便船ありあんさ渡航者／書籍寄贈
／屯墾隊慰問／活動写真宣伝／役員異動 44
〔広告〕満洲愛国信濃村建設資金募集

第一四〇号　一九三四年一月一日発行
〔広告〕満洲愛国信濃村建設資金募集
〔口絵〕郷土の新春／銀盤に躍る／菅平ス
キー小唄
昭和九（戊甲）年略暦
時局と海外発展　岡田周造 1
都市集中人口現象と海外発展　関庸 3
外国貨幣時価一覧表（神戸税関十二月一日

現在） 6
アメリカ瞥見記（其十二） 今村軍司 7
非常時長野県政二三に就いて 大屋義人 11
新民謡 日本音頭 西条八十 15
満洲旅行記（完） 神戸頼良 16
昭和八年四月以降十二月迄の海興扱渡航者 18
海外に於ける体験雑記 山岸新作 19
内地月間時事（自十一月十六日至十二月十五日） 24
拓植ニュース
在伯国邦人所有土地――二百六十五万町歩突破／蘭領印度への我移民有利――新法令公布の結果／昭和九年度拓務、外務予算／海外壮丁に福音――その居住地で徴兵検査本年度から実施／二十五周年記念祭に表彰された功労者／ブラジル移植民功労者表彰さる 27
信州記事
信濃教育会館内に満蒙事情の研究室――就職斡旋の労もとる／県下農民大会の叫び――銃後の農村閑却は国家を危機に導く／恐慌下にあへぐ火の車の農家経営――反当一円十二銭の損　県下生産費調べ／反産運動に不関――産組は助長する　岡田知事の注目すべき明答／興味を唆る百万長者の番附／木曽大原高原開発愈々着手に決定――帝室林野局へ助成を請願／特産の寒天直輸出／富士見高原で銀黒狐を飼育／史蹟天然記念物に小諸の腰掛石外数種申請／信州りんごが南洋へ進出／信州胡桃の米国輸出有望／上海の外人団二十名大挙霧ヶ峰へ／関山国師の敬讃会組織／今井翁寿像 31
琵琶 俳人一茶 36
海の外歌壇 雉夫選 37
郷土民謡 39
本会次行ノ明細 42

第一四一号　内地版第二輯
一九三四年一月一〇日発行

昭和九（甲戌）年略暦
〔口絵〕冬期に於ける北米加州のオレンヂ園／バナナの積出／ダバオの麻畑／北米ロスアンゼルス市日本人街より見たる市庁／蒙古の放牧／哈爾浜の伝家甸／ボルネオの胡椒畑／ダバオの開墾地巨木の伐倒し作業／美味しいマモン／コーヒー園の憩ひ
巻頭言――拓人の歌 寺沢生 (1)
時局と海外発展 岡田周造 2
評論
満洲国に対する日本移民に就きて 梅谷光貞 4
中北米に於ける無名の邦人開拓者 小林政助 13
ブラジルに於ける日本移民論 ブルーノ・バルボーザ 20
海外事情
棉作に好況来る 島田嘉春 23
ポルトリコの話 加藤実 26
蘭領東印度に於ける邦人商業の調査 外務省通商局 30
日本移民歩合割当制採否に関する在桑港「コンモンウエルス」倶楽部の討論採決 若林総領事報告 31
満洲最初の機械水田生る――鳳凰城附近に二百町歩 29
海外へ移住せんとする婦人へ 33
満蒙事情
満洲に於ける日本人の助成農業経営に関する調査 編輯子 34
満洲移民問題を基準として観た満洲農業 池田正五郎 43
満洲に於ける小作様式と其性質 寺沢生 47

ブラジル移民明年度は二万七千人　42
在ブラジル職業別本邦内地人数（昭和七年十月一日現在）　46
昨年の我移民界　52
長野県の海外発展
一、ありあんさ移住地　第一アリアンサ移住地創設十周年となる／八周年を迎へる第二移住地／頗る異色に富む第三アリアンサ移住地——六周年を経て益々順調に発展　53
二、満洲移住地の建設　満洲愛国信濃村移住地建設経過／本県人によつて計画実行される満洲農業開発　57
三、其他　海外発展夏期講習会／在満洲長野県出身者の動静／海興扱ブラジル渡航者／海外視察組合の設立／チチハル長野県人会の誕生／屯墾団の慰問／在外本県人に書籍寄贈／映画巡宣回伝／東春近村移植民同志会　61
統計
伯国サンパウロ州産米状況に関する統計　三　65
列国出移民表　67
列国入移民表　67
海外各地在留本邦内地人数　68
旅券下付官庁別本邦海外移住者員数表　69
海外通信
メキシコ便り
メキシコより　長淵鐘六　70
タムピコ市の風害につき　タンピコ日本人会　70
ダバオ便り
労働者及小資本家に発展の道あり　小林主計　70
麻価好況に向ふ　原山芳保　71
ブラジル便り
力行会員の元気な便り　河野寛　72
アルゼンチン便り
理想郷に入植して　今村広美　73
満洲便り
希望に輝く弥栄村　高山利政　75
ロシア移民のブラジル移住説　76
編輯後記　寺沢　77
満州在留長野県出身者住所録　78
〔広告〕満洲愛国信濃村建設資金募集

第一四二号　一九三四年二月一日発行

〔口絵〕郷土の名刹／新春を迎へて
奉祝歌　両角雉夫　(1)
満洲移住地に就て　永田稠　2
昭和八年度の国際収支　児玉謙次　6
青年の活きた教訓——南洋の成功者岡野君のこと　田沢義鋪　7
小唄　海の生命線　武冨邦茂　7
満洲視察日誌と感想　飯島徹　8
内山サンパウロ総領事の南ブラジル三州出張報告　14
海外通信
キユーバ便り
在外久しくして愈々皇国の隆昌を欣ぶ　大平慶太郎　15
満洲屯墾団便り
農作物と養蚕の成績　松沢佐市　15
永田幹事の来訪を多謝　高山利政　17
あるぜんちん便り　今村広美　18
比律賓群島ダバオ便り
県人懇親会の設立　原山芳保　18
ブラジル便り
信州人たるの誇りを以て業務に精進　保坂進司　20
ブラジルは楽天地です　宮崎為春　20
ありあんさ移住地状勢一覧（昭和八年十月調）　22
謹賀新年　勝田正通　22
昭和八年（一九三三年）九月末に於けるあ

りあんさ移住地近郊の県別家族分布状勢 23
内地月間時事（自十二月十六日至一月十五日） 24
東宮奉祝歌 25
謹賀新年乞倍旧之御厚誼 小里頼永 27
信州記事
県下カード階級四千四十一世帯――十年に二倍半の増加／昨年の苦悩を清算――信州教育の再建へ 三つの新プランを手始めに学務部の新スタート／三四年の初頭に躍る――一万のスキーヤー／赤字蹴飛ばし朗かなお正月――長野運輸のえびす顔／米と生糸の低落が農村窮乏の原因――生活はかさむ一方で相場は四十年前に逆戻り／諏訪湖を挟んで両市の出現可能――岡谷市と上諏訪市／国分寺の三重塔完成――八日堂の賑ひを予想／鯉の甘煮缶詰製造試験に着手――鮮魚販売以上の利益を得る県農商課の新事業／贅沢ではない兵隊さんの絹帽――滞貨生糸消化に本年から配給計画／波合村平谷の分村愈よ許可――実に明治二十年以来の係争四月一日より施行／糸繰唄も高らかに岡谷春挽き開始――四月一部工場就業／記念武徳殿の設計進む――純日本式のヒノキ造り 上田市の一偉観／名誉の家庭に殉国相伝杯寄贈／松岡氏入信講演――三月上旬県下四ヶ所で／小菅神社昇格を機に温泉遊覧地建設へ――瑞穂、豊郷両村協力／開所以来の記録破り長野地方の大雪――さすがの測候所驚ろく 28
神の御祝福 永田稠 33
海の外歌壇 雉夫選 34
郷土民謡 36
謹賀新年併祈各位御健勝 信濃海外協会飯島支部 37
片倉兼太郎翁の逝去を悼む 38
協会組合記事
本会評議員会と移住組合の総会／永田幹事帰朝／満洲基幹移民募集／年賀状拝受／本会取次販売書籍／在満県人住所録 39

第一四三号 一九三四年三月一日発行

〔口絵〕郷土の風色
巻頭言――二宮翁報徳訓 (1)
聖旨を奉体し東洋平和を確保せよ 広田弘毅 2
世界一の豆陸軍――アンドラ共和国に将校二人と兵士四人 4
アメリカ瞥見記（其十三） 今村軍司 5
満洲視察日誌と感想 飯島徹 9
故郷を語る
忘れ得ぬ味噌と漬物――情感を唆らぬ故郷の山河 中川紀元 15
海へのあこがれ 若山喜志子 16
内地月間時事（自一月十六日至二月十九日） 17
外国貨幣時価一覧表（神戸税関二月一日現在） 19
信州記事
国宝編入指定――新たに県下の十二点／花開く功績幾春秋――紀元節に表彰せられ非常時の世に栄光一入の人々／お正月の餅取粉意外や石の粉――吃驚り県衛生試験所／県道全線に道路標識設置／都計を急ぐ町と村――諏訪の総合都市を筆頭に選ばれた十二候補／滞納整理の第一線に波合郷軍の活躍／金肥に見る農村苦――メッキリ減つた消費高 かけ売が激増／文理大の高原研究所菅平に本極り――主任教授は八木博士／行き詰つた農民美術――長野商品陳列館が乗出して組合と個人を統制／連絡幹線路の整備県の三大方針決る――千五百万円・十ヶ年継続で臨時県会までに成案／小諸の市制

計画——いよいよ表面化／軍用犬飼育計画——長野県軍用犬協会が素晴らしい意気込／陸軍療養所竣工——上山田温泉に誇る楽園／一ヶ月以上の失業者——紹介所へ日に二千人／ラヂオ列車で熊祭見物——長野運輸夏の計画／交通調査の成績——自転車は履物同様　20
郷土の伝説　姥捨山　27
海の外歌壇　雉夫選　32
郷土民謡　34
満洲移住者募集要項　信濃海外協会　36
協会組合記事
移住組合理事補欠——選挙並に監事改選／本年度予算と昭和七年度決算／三月便船ありあんさ渡航者　39
三月の主なる行事　40

第一四四号　内地版第三輯
一九三四年四月一日発行

〔口絵〕先駆の人々／ブラジル所見
巻頭言——内を固めて外に伸びよ　(1)
評論
商業移民に就て　永田稠　2
祖国朝野に愬ふ　小林政助　7
移植民雑感——海外発展常識の巻　寺沢俊雄　15
伯国移民呼寄は従前通り許可（サンパウロ総領事館談）　6
昭和九年度南米行汽船発着表　24
海外事情
サンポウロ視察談（於拓務大臣官邸移住組合連合会総会）　一番ケ瀬佳雄　25
馬来半島のキヤメロンハイランド　富士辰夫　34
華僑商と比島人の小売商営業振　38
満洲事情
北満の馬政　鈴木定治郎　40
満洲の国際関係　46
満洲に於ける欧米人の経済的活動　50
資本二千万円で大土地会社を設立——満洲移民第一期工作　52
長野県の海外発展
一、ありあんさ移住地　昭和八年度移住地状勢一覧／一月以降渡航者／教育問題懇談会／西沢理事歓迎会／結婚媒介　53
二、満洲移住地の建設　満洲移住地の建設経過／満洲移住地に就て／満洲移住者募集要項／基幹移民の養成／入植希望者郡別調　59
三、其の他　海外出移民調／信濃海外協会評議員会、信濃海外移住組合総会／塩崎村第二海外視察組合の設立／海外移民事情紹介講演行脚　65
統計
繰り行く第二世——最近五ケ年の記録を破る／サンパウロ州の農村地主数——日本人は第五番目／輸出珈琲好転す——十年来の好転記録再現／満洲に於ける苹果園——五町歩当収入一覧表／農家の資産程度調表／列国出移民表／南洋方面在留本邦内地人職業別人口表　70
海外通信
ブラジルの生活は楽しい　山田覚善光　75
米作に好景気　尾沼仂　75
最近移住地の事情　高野政春　76
写真に添へて
サントス丸乗船長野県人一同　80

第一四五号　一九三四年五月一日発行

〔口絵〕龍ケ池／片倉会館／神代桜／松本司令部の桜／女法寺の桜
巻頭言——伯国排日運動を解消せしめよ　(1)
在外邦人との連繫に就ひて　関庸　2
〔書簡〕　荒井金太　5

県政記者室より　大屋義人　6
故郷を語る
つひ憎まれ口も――戒めよ、賢明すぎる過ち　今村力三郎　10
桜花と象山先生――世に出た高遠公園の花　池上秀畝　10
国号の呼称「ニツポン」に統一　11
海外通信
北米に帰りて　小林政助　12
メキシコより　竹内駒雄　12
〔無題〕　辺見国雄　14
楽園ハワイより　大島兼三郎　15
飯島支部便り　昭和九年度通常総会報告　芦部猪之吉　17
内地月間時事（自二月十六日至四月十九日）　19
個人消息
山田宗之助氏／今村軍司氏／矢田鶴之助氏／福嶋幸重氏／西沢梅雄氏／青木潤氏／守屋喜七氏／芦部猪之吉氏／内藤茂三郎氏／竹内八郎氏　22
信州記事
本県財政立直し案大綱愈よ決定す／青年は郷土に立つその高揚が任務――代表者大会決議／農村更生運動に婦人が参加／御料林不要存地千二百町歩払下げ／新興の霧ケ峰――門戸愈よ開設／上高地に県営の講堂――鱒釣り場も建設の計画／さすが農民美術国入賞点数も全国一――わしが国さの貫禄を示す／凱旋兵の歓迎方法――記念品に絹地の国旗／維新の黎明を象徴し象山神社設計成る――建設用材は阿里山檜／余剰労力を活用――副業を奨励　九年度の計画決る／難治村・波合――波合、平谷両村に分れ更生の第一歩を踏み出す／ボラ十万尾生きた儘諏訪へ／村塾五ケ所開く――講師に隣の群馬県から篤農家二名を招聘／女子青年総会　23
家庭欄　童話ほととぎす　29
外国貨幣時価一覧表（神戸税関四月一日現在）　33
海の外歌壇　雉夫選　34
郷土民謡　36
協会組合記事
五月船渡航者／満洲基幹移民助成／五月の主なる行事　38

第一四六号　一九三四年六月一日発行

〔口絵〕郷土の風色
巻頭言――海外発展は祖国愛より　(1)
海外移住の最大急務を論ず　芦部猪之吉　2
ブラジル渡航の妻子呼寄容易となる　6
米国西北部支部便り
役員異動通知　木村憲司　7
会費送金に添へて　長谷川英人　7
シヤトルの概観　8
パラオ島より　大久保静夫　13
ブラジルへ送る――リオデジヤネイロ丸出帆情況を放送して　島浦精二　14
海外通信
写真に添へて　宮本乙巳　17
蘭領ボルネオより　中村良相　17
故国を後に――アマゾンへの船上より　内藤茂三郎　18
ダバオより　小宮山貞夫／滝沢勝　18
内地月間時事（自四月二十日至五月十五日）　19
信州記事
かしこし大御心――県下の産業状況奏上
岡田知事謹みて語る／長野市長改選／満場一致の推薦で成沢上田市長再選／非常時を背負ふ県出身の武人――大佐以上四十二名／各種団体統制に産業支庁設置の案――ともかく三万数千の団体を縦横に系統づける／教育研究所の立案進む

――講習会は七月下旬に／遂に五百円台割れ――製糸家楽観養蚕家悲観／日支事変記念大忠霊塔――寄付金六万四千円と労力奉仕で建設／養鶏の飛躍――自給飼料の確立　蚕業の不利を補ふ／閑院宮殿下――軍人会有功賞を御親授　本県の光栄者五名／県内にも農民道場――御牧原の県立実験農場に併置六月早々開所の予定／岡谷の誇り――自動電話の開通近づく／百八畳の大国旗諏訪神社へ奉納／県下全警察署の特高網完備す――巡査二十名の増員成って／軍事予算の均霑――海軍の農産物買上　本県は乾そば以下十五件／新温泉街を山ノ内に築く――湯田中安代間の遊園地／納税成績優良町村――推奨される三十八ケ町村／県立癩検疫所――草津への関門軽井沢駅に／全山河歓呼に震へて我等の松本連隊凱旋　21
家庭欄　袈裟と常磐　29
婦人教訓道歌　32
郷土の伝説――西行の戻り橋　33
郷土民謡　35
海の外歌壇　雉夫選　36
校歌紹介（其一）　38
協会組合記事
六月船アリアンサ渡航者／菅平青年講習所入所生四十名に上る／六月の主なる行事　40

第一四七号　内地版第四輯

一九三四年七月一日発行

〔口絵〕ハワイ・コナ主産物たるコーヒー樹の盛花／邦人の結集するアルゼンチンコルドヴア市附近の避暑地カピラデ・モンテの清流／ハワイ・ヒロ市海岸より日本人砂糖耕地を控へて見たる／ブラジル・チエテ移住地に於ける西沢理事
巻頭言――移植民箴言　富田貴　(1)
評論
満洲移民の一考察――合理的移住地の建設　永田稠　2
在亜日本人園芸業の将来　賀集九平　6
伯国の移民制限に対する一考察　寺沢俊雄　11
海の外情報
最近のブラジル――主としてサンパウロ州見聞記　原梅三郎　17
南方の商線を守れ　編輯子　26
南洋事情梗概　拓務省拓務局　34
ケープ・タウンの話　田島正雄　43
渡伯日々録　丘南原暹　47
満洲視察に護照　33
北海道拓植実習生募集　54
満洲事情
奉天地方に於ける昭和八年末邦商概況（昭和九年一月十六日附、在奉天蜂谷総領事報告）　55
海外在留者各位へ　信濃海外協会　57
海外通信
楽園ハワイより　大島兼三郎　58
公主嶺より　小沢正元　60
理想郷チエテから　武田竜太　60
満洲弥栄村便り　松沢佐市　61
七月半に帰朝　西沢太一郎　62
長野県の海外発展
ありあんさ移住地　入植者／産業更新計画／移住地の位置決定公認す／過去十ケ年の経常費総額／移住史刊行に就て　63
満洲移住地の建設――基幹移民に学資助成金交附す　67
其他　在伯本県出身者職業別人口表／伯剌西爾各地在住長野県出身職業別人口表／本県人海外発展年度別調／海外在留本県人職業別戸数調　68
日満連絡定期表　73

移植民科状況　長野県更級農学校　73
大工職二十五名大挙渡満／自衛移民二十二名決る　75
編後余禄　寺沢　76
結婚媒介　76

第一四八号　一九三四年八月一日発行

〔口絵〕夏の志賀高原／ダバオ信州人有志の今村忠助氏歓迎会
排日の時局に直面して　内山岩太郎　1
独立近き比律賓を見る　今村忠助　6
墨都便り　荒井金太　9
大地に見出した新生命　梅村登　12
本年上半期の海興扱伯国渡航者　27
内地月間時事（自五月十六日至七月十五日）　28
外国貨幣換算表　昭和九年七月一日現在　31
信州記事
県下の各起債総額三千二百万円に達す――前年度より五百四十万円の増加／八ケ岳山麓に理想的農村の建設――移民に関し県は研究／栄転の三氏――線の太い唐沢氏、将来刮目の塩野氏、大蔵畑の逸材青木氏／上伊那郡の出世男新勅選有賀光豊氏／貫当収入五十六銭――惨たり！
春蚕決算／平野代議士逝く――一生を政治と産業に捧げた稀なる才人／志賀高原開発の観光道路を開く地元の計画着々進む／北安の水田流失百六十町歩に達す／別所温泉常楽寺境内の珍しい石造多宝塔国宝に編入／先づ上田市に国防婦人会の産声／毎年十万匹のヒキガヘル注文／検事正更迭――徳永氏東京控訴院次席検事に栄転、後任は宮重氏　32
家庭欄　かながき四書――黒井信蔵の母繁乃　37
海の外歌壇　雉夫選　40
校歌紹介（其二）　42
協会組合記事
八月十九日神戸出帆ラプラタ丸渡航者／西沢幹事帰朝／八月の主なる行事　44

第一四九号　一九三四年九月一日発行

〔口絵〕海外の風色／初秋の菅平高原
巻頭言――天理に反するもの　芳水　(1)
佳木斯移民に学ぶ　永田稠　2
ブラジル移民制限と海外学校卒業生　日本力行会海外学校　6
敢然満洲帝国を承認したエル・サルヴァドルに就て　加藤実　7
長崎の仇を？　一誌友　8
満洲閑話　藤沢定司　10
海外通信
母国訪問に際して　豊吉真水路　14
日布新聞に添へて　大島兼三郎　15
写真に添へて　横山恵二　15
御健闘を祈る　武田勘司　15
内地月間時事（自七月十六日至八月十五日）　16
信州記事
農村救済追加予算総額九十三万五千円／四県にまたがり面積十七万余町歩――日本アルプス国立公園の区域、委員会総会に提案／仏閣そのまま新長野駅の姿――愈々十月に着工／松本連隊長と司令官更迭／松本地方の副業／昔の様に繊維工業を農家に取り戻せ――針塚上田蚕専校長力説／菅平の新名物高原生物研究所／懸案の町村技術員優遇案ここに実現――転職・建武・恩給者を除き愈々農林技手に任命／本県青年代表満鮮視察の旅――九月十二日出発／製糸業更生に機械兼営の指導――工業試験場の新方針／第三次満洲特別農業移民／今度は実現か――湯福神社往生寺間のケーブルカー／密接に結

ばれる本県と岐阜――取持つ自動車道路　18
太陽灯　23
郷土の誇り　真田幸弘公と恩田木工（一）　24
家庭欄
医者の来るまで（一）　30
童話　あはれな男の話　32
所謂二位一体制　33
海の外歌壇　雉夫選　34
校歌紹介（其三）　36
協会組合記事
九月十九日出帆ブエノスアイレス丸渡航者／海外発展講習会／結婚媒介／九月の主なる行事　38

第一五〇号　内地版第五輯
一九三四年一〇月一日発行

〔口絵〕セイロン島の茶摘み／馬来半島に住むダヤク族の娘／ブラジル、第一アリアンサ移住地製材所／ブラジル、第一アリアンサ移住地中沢養鶏場
巻頭言――人と物との移動　寺沢　(1)
評論
ペルー名士の日本観――ミロ・ケサーダ氏の日本通信　山脇正旗　2
結婚媒介　7
海外事情
借地農より独立農への記録　中林義一　8
最近英領馬来の日本商品輸入概況　南洋協会新嘉坡商品陳列所　11
外国貨幣換算表（昭和九年九月一日現在）　12
満洲事情
満洲移民の栄養　安部浅吉　13
満洲に於ける労力　奉天商工会議所　19
内地会員へ　18
海外通信
新植民地への入植を楽みつつ――果物の収穫は上々　白鳥幸人／同婦久子　24
住宅の新築を了へて新婚生活へ　宮島為春　26
信州健児の来泊を望む　松倉好弥　28
対伯呼寄渡航者のために　緑川高広／日本代理人　緑川績　28
ラングスタのなくなるも近いうちに　上条ハナ子　29
比律賓を具に視察して日本の識者に訴ふ　今村忠助　29
鉄路局へ転ず　飯島慶蔵　31
本県の海外発展
ありあんさ移住地　小作農入植第一年度収支計算表／入植者　33
満洲移住地の建設　哈爾浜地方に於ける日満露度量衡比較／満洲在留本県人間に趣旨の普及を計る／ブラジルよりの寄付金　34
雑録　布哇在留本県出身者調／移民の送金／長野県出身海外在留者送金調／長野県出身海外在留者郡市別送金調／西沢幹事帰朝す／移植民講習会／青年代表一行満洲視察の途に上る／武装移民の求妻／第三次満洲特別農業移民団の入植地決定す／在伯二世の教育に／ヒリッピン渡航者も漸く成功の域に／信濃教育会の移植民教育研究に就て／満蒙研究室　35
編後余録　寺沢　44

第一五一号　一九三四年一一月一日発行

〔口絵〕郷土の風色／高原の秋
巻頭言――国際的騎手の健闘を祈る　芳水生　(1)
渡伯移民輸送船布哇丸に乗りて　関庸　2
養蚕信州から農村工業化へ　大屋義人　4
われらの力　小林一郎　8
十一月の主なる行事　10

満洲閑話　藤沢定司　11
海外通信
渡伯の途上より――アリアンサを目指して　西沢並三郎　15
加奈陀より　小林伝兵衛　16
渡伯船中より　両角春子　16
ブラジル便り　田中鉄之助　17
ブラジル目指して　行方健作　18
月間時事（自八月十六日至十月十五日）　19
信州記事
産業五ケ年計画明年度から実施――風水害救済に一万円／県費補助大削減――産業方面は総花式を廃し一部団体には暫く中止／事業一切見合せよ――起債許可も与へぬ　敢然、町村財政建直し／栄養の摂れぬ児童――今冬は恐らく激増　国費補助申請の準備／修養と労働体験の長野師範校の道場――生徒の労力奉仕で着工／現金欲しさに壮年者離村――冬の農村憂慮さる／農閑期に要る飯米三十八万余石――三百万円ぜひ欲しい／今年の産繭総価格は昨年の六割一分減／梓川渡渉の四兵士激流に呑まれ溺死――斥候演習中の惨事／「日本アルプス公園」――適当の名称を発見まではと県も諒解運動を起す／絹染織利用組合――更級全郡一致で創立／無格社から一躍して県社に――上飯田町白山神社昇格／武装移民の花嫁二十名渡満――知事司令官の激辞に送られ／精農の誉れ――功労者、農会、農家組合、農家懇談会で表彰／長野市会補欠選挙――政四、民三、中二／全員絹法被／象山神社建立運動　23
外国貨幣換算表（昭和九年十月一日現在）　29
郷土の誇り　真田幸弘公と恩田木工（二）　30
錦心流琵琶　川中島（吉水経和作詞、永田錦心作曲）　33
家庭欄
腹痛とその応急手当／頭痛とその応急手当／下痢とその応急手当／吐血とその応急手当／喀血とその応急手当　34
海の外歌壇　雉夫選　36
校歌紹介（其四）　38
協会組合記事
十一月二十九日出帆ありあんさ渡航者／満洲移住斡旋／第三次自衛移民に母郷より日満国旗を贈る／満洲自衛移民殉職浅沼亀寿君村葬　40

第一五二号　一九三四年一二月一日発行

巻頭言――救世済民の途は海外発展に在り　芳水生　(1)
海外に出て日本を守れ　豊吉真水路　2
満洲移民問題について　石川英夫　4
満洲閑話（三）　藤沢定司　7
ユーゴースラヴイア国情　9
ブラジルに於ける長野県人地主調　10
海外通信
ありあんさに入植して　小川寅吉　11
ありあんさにて　小山茂雄　13
布哇より　大島兼三郎　13
北満開拓の途に一意精進の覚悟　高山利政　14
大和撫子を伴ひて　降旗伝　14
月間時事（自十月十六日至十一月十五日）　15
信州記事
主なる新規事業――産業建替関係は六十万円明年度予算査定終る／非常手段も辞せず一刻も早く救済――冷害地対策成る／若き力を盛つて先づ精神的更生へ――一千の男女青年を動員　各郡市で懇談会／学務部長更迭――内藤部長和歌山に栄転　後任長船克己氏／繭資金に見る中小製糸没落の姿――意外に少い貸出額／払

下げ濡米の配給――各郡市割当決まる／凶作対策も加味――農村振興計画成る／一戸六十九円余の支出超過――今年の養蚕の決算／観菊御宴お召の功労者／県下の貯金預入れ五十七万円を減ず――逆に払戻しは一万二千円増　長野貯金支局十月中の情況／鉄道救農工事で直接潤ふ三十余万円――総工費の三割強を労賃へ　枕木、砂利も地元から購入／輝く新艦長――南佐桜井村出身細萱大佐／新春へかけて菅平へ予約八百人／信州鶏卵移出状況／二万反を増加　価格は逆に減少――県内の絹織物製造高　17
琵琶　戸隠山　大坪草二郎作詞／豊田静芭作曲　22
郷土の誇り　真田幸弘公と恩田木工（承前）　23
家庭欄　救急の処置（承前）　28
脳充血の応急手当／脳貧血の応急手当／血止法／打身の療法／その他いろいろの療法
校歌紹介（其五）　30
協会組合記事
十二月十七日出帆ありあんさ渡航者／幹事長更迭／十二月の主なる行事　32

第一五三号　内地版第六輯
アリアンサ移住地紹介号
一九三五年一月一日発行

〔口絵〕アリアンサ移住地
巻頭言――昭和維新への首都　寺沢　(1)
評論
移植民事業更新の機　永田稠　2
海外事情
南米ブラジル・アリアンサ移住地概況
移住地の沿革　8
移住地の地理的概要　11
人口の動静　13
産業と其施設　15
公共施設と其情況　25
各移住地の現況　30
将来のアリアンサ　35
移住者の申込より入植まで　37
附、アリアンサ移住地入植規定　38
海外に於ける失敗と縮尻雑記　山岸新作　42
満洲農業実習生募集　41
満洲農村行婦人募集　41
海外通信
日曜毎に海岸へ　村松薫　48
会費に添へて　長田武夫　48
新興国気分は北満に　飯島慶蔵　49
店員を御世話願ひます　田中八千代　50
未だ見ぬ夫のもとへ　村沢小いな　51
野菜の生育は好調　滋野信　52
奮闘の賜物　百瀬作之進　53
パラナ洲へ転住　笹沢新　55
珈琲山渡し二十ミル　清水謙治　56
昭和九年中南亜南米航路神戸発予定表　56
本県の海外発展
ありあんさ移住地
今後十年間は茶の黄金時代　57
入植者　58
満洲移住地の建設
満洲愛国信濃村建設事業経過　59
昭和九年度中本県海外出移民調　62
編輯余録　T・T生　68

第一五四号　一九三五年二月一日発行

宮中歌会始
満鮮を旅して――思ひ起す同胞流血の跡
いまや若き開拓者を待つ　宮崎文雄　1
非常時長野県の昭和十年度予算早わかり　大屋義人　4
満洲閑話（四）　藤沢定司　8
月刊時事　10
信州記事

知事部長大異動　大村新知事の横顔／新
　総務部長伊手さん／新設の経済部長は
　定評ある財政家／新警察部長荒木氏　13
農耕を捨て救済工事へ――百姓道頽廃の
危機！／農村から兵営へすばらしい初荷
――副業の進軍ラッパ勇ましく／二年間
に千二百町歩銀行所有土地激増――農民
の担保が転身／川上まで汽車開通――残
る区間は九月頃開通　甲信の両州結ばる
／赤字公債許されず県当局も悩み抜く
――町村今や破産状態／平年作に比し二
十一万石減――米作実収高／観楓季節ま
でに自動車路を完成――拓けゆく志賀高
原　15
郷土の誇り　真田幸弘公と恩田木工　18
海の外歌壇　雑夫選　20
協会組合記事
　総裁組合長異動／顧問相談役推薦／本会
　評議員会と移住組合の総会／年賀状拝受　(21)

第一五五号　一九三五年三月一日発行

陸軍の歌――日露戦争三十年記念に配布
　各連隊、小学校に
〔口絵〕新総裁　大村清一氏　他／霧ケ峰
　スキー場／志賀高原スキー場
所感　大村清一　1
対外思想の向上　須藤正夫　3
〔新年はお目出度う存じます〕　東福寺四郎　6
月間時事（自一月十六日至二月十五日）　7
〔遠くより新年の御挨拶申上げます〕
ふるさと便り　依田善次　8
　南佐久郡／北佐久郡／小県郡／諏訪郡／
　上伊那郡／下伊那郡／西筑摩郡／東筑摩
　郡／南安曇郡／北安曇郡／更級郡／埴科
　郡／上高井郡／下高井郡／上水内郡／下
　水内郡／長野市／松本市／上田市　9
郷土の誇り　真田幸弘公と恩田木工（五）　14
校歌紹介（其五）　18
評議員嘱託　(19)
決算と予算　(19)

第一五六号　内地版第七輯
一九三五年四月一日発行

〔口絵〕南洋委任統治ポナペ市庁及びポナ
　ペ郵便局／ブラヂル・サントス港より各
　耕地に向ふ移住者／比律賓ダバオに於け
　る原山芳保氏の家族及び使用人／馬来半
　島に於ける邦人栽培の椰子の実
評論
国策移民論　永田稠　1
海外通信
日本国民たるの誇り　大平慶太郎　7
満洲移住地建設資金として
　緑川五右衛門　9
会費に添へて　辺見国雄　9
会費に添へて　矢島幸男　10
太平洋上の布哇より　大島兼三郎　10
第二の本国として永住の覚悟　原山芳保　11
航海だより　田中茂一　11
会費に添へて　山本鳴人　12
本県の海外発展
ありあんさ移住地
　入植者への特典　13
満洲移住地の建設
　府県移植民関係団体代表者臨時大会　14
　移住地建設事業経過　15
昭和九年中海外在留者送金調　19
伯剌西爾在留長野県出身者調　20
会費領収　33
編輯余録　寺沢　(35)

〔第一五七号～第一七九号　欠号〕

第一八〇号　一九三七年四月一日発行

〔広告〕ありあんさ移住地入植者募集

満洲移民計画指示事項　拓務省拓務局　1
蘭領ニューギニア概況　6
建設計画進捗の海外拓殖奨励館　7
新たに出現する躍進飯田市の点描　8
緩急栓　9
月間時事（自二月十六日至三月十五日）　10
外国貨幣換算表　三月一日現在　11
ふるさと便り
糸価漸く一息――既往十ケ年の調査／市町村歳出入歴年比較――税負担も極度に重荷／信濃教育会長に針塚蚕専校長／本県推定常住人口――百七十一万千九百人／亜欧連絡大飛行――神風の声援高まる／「航空信州」誉れ高し――近藤知事欣然語る／増加する聴取者　12
長野市　飛行場問題進展／商工会議所新議員／布哇の第二世先づ善光寺詣り――四月九日長野着　15
松本市　ストック自転車　松本購販連廉売――農村の業者悲鳴／松本高山鉄道――建議案採択さる／松本駅前拡張――都計委員会で可決／松本の国用系――数年ぶりの活況　近年にない好採算／椎茸の販売統制　海外へ販路開拓松本購販連の計画　16
上田市　鐘紡上田工場――愈々七月には竣工／飛行機場拡張／上田温電後任社長／毛に似た蚕糸製法――井上博士の発明　17
岡谷市　糸屋さん大儲け――生産量が減つたのに　売上は猛烈に殖える／高橋訓導渡仏――絵画研究に　18
佐久地方　軽井沢町長に土屋氏当選す／小山画伯がまた仏蘭西へ　18
小県地方　王子製紙が山林――三百町歩買占め／着々整備する菅平大学村／養狸五ケ年計画――長野県下の更生策　19
諏訪地方　霧ケ峯修練農場――丸く納った三百町歩／永明村に町制か／片倉氏渡米／赤彦歌碑建設　20
伊那地方　一戸平均千二百円――下伊の農家借金調べ／経済更生の根本は満洲の新天地開拓――泰阜で移民五ケ年計画／炭焼きで得た金で校庭に尊徳像建立　20
筑摩地方　流した途端に債権大當り五千円／経済更生調べ／農村工業助長／移民用の馬買上げ――木曽谷ホクホク　21
安曇地方　信鉄の政府買上げでバラ撒かれる百万円　22
更埴地方　象山神社の威容成る――来月創立の祝典／小林司令官の渡英に――郷里清野村の喜び／満蒙へ巣立つ――更級農校の五少年　22
高井地方　上高井郡町村予算／戸数割増徴――下高井の町村一様に平均二円五十銭も／井上校講堂竣成／高橋氏当選す――下高井郡県議補選／須坂が湯街計画――製糸に代へる繁栄策　23
水内地方　飯山商工会議所　副業授産所設く――先づ麻裏表に着手／政民連合の高野氏　金的を射とめる――上水内県議補選結果／洞ケ峠は困難――政民双方をどっ裁く／上水内郡会館――今春着工準備　24
信濃便り　芳水生　26
協会組合記事
ありあんさ渡航斡旋／海外渡航者斡旋／渡満就職斡旋／奉天白十字堂店員斡旋　(27)

第一八一号　一九三七年五月一日発行

〔広告〕ありあんさ移住地入植者募集
〔口絵〕本会新役員／海外会員の集ひ
満洲大量移民国策　芦部猪之吉　1
海外通信

南加支部便り　矢沢義雄　3
ハルピン信濃青年会結成　内堀鉄弥　3
ブラジルには失業者なし　土井吉助　5
前途に光明を認めて――棉成金簇出　森山達二　5
ダバオより　遠山健吉　7
配偶者斡旋方お願ひ　三井豊吉　7
第四次移住地へ来りて　溝口峰雄　8
信濃青年会役員氏名　4
颯爽たり！「神風号」日英空の一線を画して――世界的壮挙茲に完成す　10
遂げたり神風　北原白秋　10
蒼穹の金字塔　西條八十　11
神風　土井晩翠　11
月間時事（自三月十六日至四月十五日）　12
ふるさと展望
オリムピックに備へて――三ケ年継続で観光道舗装／躍進する副業品――十一年度二千五百万円／躍進銀盤信州――襲来のスキーヤー八万　物凄い温泉地の殷賑／信越中央両線に快速列車を――九月から長運申請／靖国神社へ護国の鬼合祀――余栄に輝く人々／神風の心臓　これも信州産――発動機用の鉄材は木曾新開村から採掘　14
松本地方　産組の自転車修理はお断り――冠曲げた松本輸送組合／美し・銃後愛の精神　国防献金新記録――殊に多い少国民の赤誠／大資本に対抗して街の商店共同戦線――松本で共通通帳発行／松本の区画整理工費約三十万円――国府町拡張も包含か／松本放送局四月着工　17
上田地方　針塚蚕専校長勲一等の栄――創立以来の功労者／物凄い景気振り補缺入学もない――上田蚕専春・謳歌／上田市役所の大奮発　春明朗・増俸便り――新進抜擢・総花の昇給／信濃同仁会――本県へ移管さる／上田会議所――正副会頭決る　18
岡谷地方　岡谷の社会館――一万五千円で建設／世界に誇れ吾等の糸街を――市制一年・躍進岡谷　20
佐久地方　煙嶺に胸も燃えて鍜へらる「鉄の少女」――女子移民・訓練愈々始まる　20
小県地方　生島足島神社――十八万円で愈々改築／機械工場を設け上田縞普及――川辺村の新計画／五十町歩の花園――浅間山麓に出現　21
諏訪地方　巣立つ村の児七割　群れ飛んで都会へ――これも土地飢饉故／満洲富士見村――二百三十戸を五年間に移民す　諏訪富士見の計画樹つ　22
伊那地方　全半焼五十三戸――赤穂村に稀有の大火／錦繍の秋・市制祭　22
筑摩地方　畑作指導所――予算八千円を投じて農事試験場で新設／県下一の大溜池――農林省へ国補申請　23
安曇地方　高瀬川沿岸に三百家族収容――四百町歩の林野開墾／白馬の山麓に東洋一の大牧場――冬はスキー場に開放　24
更埴地方　城山をめぐって展望道路を開鑿――上田山温泉で観光施設／花火工場爆発し十九名死傷す　24
高井地方　春から秋へかけて観光客誘致――志賀高原温泉ホテル／平穏温泉郷に町制――村会で決議か　25
海外会員諸賢に花嫁と物産斡旋　25
躍進ダバオの信州人会総会　26
書籍新刊紹介　山岸晋斉著　南米雑録発刊　26
協会組合記事
副総裁推薦／ありあんさ渡航斡旋／比律賓渡航斡旋／海外発展講演宣伝　(27)

第一八二号　一九三七年六月一日発行

南米その他の旅より帰りて　島崎藤村　1

訪亜経済使節団――日商が派遣方を斡旋　3

新しき生　秋嶺　4

移民の運賃全免――満鉄で八月から実施　7

海外通信

木の香新らしい新家庭に移りて　高木実　8

イタプーラ瀧を探る　芳川英三　9

満洲自警村便り　下平隆徳　10

メキシコ便り　小松準　10

日南産業株式会社設立　11

月間時事（自四月十六日至五月十五日）　12

ふるさと展望

社大党の躍進新興勢力進出著し――規制陣営も亦鞏固／県民生活図――県勢一覧の基礎／連日の糸価低下は春繭増産気配ゆゑ――当分上る見込みなし　15

長野地方　大糸線長野連絡　国鉄の実現へ――長野市で猛運動／躍進長野の立姿――鐘紡今年一杯に竣立／長野市五校の増改築成る／長野市の社会会館――地均し完了す　15

松本地方　松本市十五戸全焼――連隊消火隊も大活動／業別を単位とし青年学校編成――松本の職業別教育　17

上田地方　桑園経済の上から画期的な発明――伐採桑条の「再生発芽法」／国婦上田支部創立／所澤飛行学校――上田分教場開始　17

岡谷地方　岡谷市制一周年――全国物産土産展／岡谷は銅像の都――又二つ、廿三日除幕式／岡谷からケーブカ――塩尻へ敷設計画　18

飯田地方　飯田市歌と飯田祭の作歌成る／飯田放送局設置――場所は大体公園附近　19

佐久地方　夏の結婚式場――紫外線の軽井沢に／肥料天井知らず――佐久地方のこの頃／千曲川大堰堤竣工――出現する一大名所／長窪古町の大火／菅平に電灯が来ます／古き磯城神籬そのまま保存して――生島足島神社造営準備　19

諏訪地方　北満警備の将兵へ十万人の赤心――上諏訪愛婦が千人針／御柱伐採式執行／―五味君に余栄――A・V・S・O名誉会員に　21

伊那地方　名勝城ヶ池――七久保村で大宣伝／椎茸の大量生産／伊那新町長就任　22

筑摩地方　一銭貯金励行で――婚礼支度備付け／木曽に御用邸を――全郡が宮内省に稟請／米窪氏当選――兵庫から社大で　23

安曇地方　日本一の忠魂碑――南安有明村で建設／上高地県営ホテル――愈よ六月中旬に開業／信鉄買収に伴ふ――明暗の二重奏／大町の工業躍進――各工場建設／今年や豊年三割増　しかも値段も上々――更級地方の大小麦／指導部落を設定――更級の食改善運動／明徳寺へ桜二千本／煙火犠牲者を供養　23

高井地方　上高甫村の火事／志賀高原へバス運転／志賀にゴルフ場――地元平穏村で設置要望　25

水内地方　常磐村の火災／新国宝山千寺観音／軍人の家表彰／高岡の火事――十戸二十棟を焼く／野尻湖ホテル完成　26

協会組合記事

海外発展結婚斡旋／印刷物刊行斡旋／アリアンサ移住地渡航者名簿と入植者経済調査表／ブラジルから二留学生　(27)

第一八三号　一九三七年七月一日発行

近衛内閣の陣容

伯国の入移民割当数に就いて　永岩弥生　1

布哇在留邦人の母国訪問者に就て
大島兼三郎 4
満洲信濃村状況 渡辺栄雄 6
松島移民団便り 12
満洲信濃村建設協議会 13
理想郷パラグワイ移住地より 柿沢国平 14
英領加奈陀通信 田中広
新西院の日本人祝賀祭に山車――在留の
全同胞が祝意 15
新西院日本人の山車が一等賞――昨日の
祝賀盛大 15
アルバニー邦人の山車も一等賞――賞金
五十弗を獲得 16
満洲入植記念祭 九月四日全県的に挙行 16
ブラジル第二世 日本に帰りて 土井博 17
本会桑港支部事務所変更 17
月間時事（自五月十六日至六月十五日） 18
[住所変更] 安原吉次郎 19
ふるさと便り
更に十二の信濃村――十六年までに北満
に／農村栄養不良児童二万四千余名――
要給食者益々増加／県営療養所――医師
なき村へ設置／村に現金涸渇し教員給不
払ひ激増――五月末現在で二十三校／全
県下を挙げて――空襲の難に就く／肺結
核志望者激増――しかも半数は農家／わ
が信州の銀盤でスキー世界争覇 20
長野県 後任長野市長問題――両派肚の
探りあひ／危く赤字を免れる――長野
市の決算状況／川端小学校竣工近し
――七月末までに引渡し 22
松本市 信飛線促進に――色よい返事／
松本駅新築費――第一次五万円配付／
公認を目指して――県営運動場拡張 22
上田市 躍進上田の社会事業――目覚し
きその業績／上田紬――復活のために
／南米へ移住 23
岡谷市 台所から陸軍機献納――岡谷国
婦軍の五ヶ年計画／繭は割高でも糸都
は活況――浜表先高人気で／岡谷駅着
繭激増――県内割高で関東物大もで 24
飯田市 市民大会を開き――市長就任を
懇請 25
佐久地方 五年間に九十戸 満洲に分村
計画――五郎兵衛新田村が／さすが国
際観光地／浅間山麓にパルプ工場建設
／北満に平根村――壮丁の移民熱鬱勃
／大日向村移民計画すすむ 25
小県地方 依田窪の徴兵検査成績／県下
へ更に増設――農村工業協会の農村工
業／結球白菜試験地菅平に設置――高
原作物として有望 26
諏訪地方 海抜五千尺の頂上 自動車の
直線道路――世界的グライダーの練習
地へ／移民地分祀の諏訪神社奉持――
明年は盛大な祭典 27
伊那地方 インテリ失業者伊那で百七十
名――失業者調査の結果／素朴にかへ
る信濃浮彫人形――外人向も日本式に
／増産五ヶ年計画――上伊の成績頗る
良好／男子はなるべく坊主頭とす――
喬木村国防婦人会申合せ 27
筑摩地方 桔梗ヶ原の試験場――実現す
れば全国最大／教育会館設立／木曽谷
の徴検 合格率好成績――純朴な気風
は破壊されてゐる 29
安曇地方 登山経路報知票――北アルプ
スの防止施設／犀川に発電所――日本
電工への供給のため犀川電力が実測着
手／大町校講堂上棟式／物価高何のそ
の――必ずお山繁昌 29
更埴地方 埴科麦一割増収――販売統制
の徹底へ／戸倉村（埴科）町制へ――
内申に決る／内川源志の蛍――天然記
念物に申請 30

高井地方　国際スキー場に君臨の志賀高原ホテル竣工／徴兵検査合格率三割六分に及ばず――ひどい下高井の成績　31
水内地方　乗客は恵まれる――飯鉄バス運転／飯縄高原公園／日里村の天然痘漸く終熄す――防疫成績頗るよし　32
協会組合記事
パラグアイ移民斡旋／移植民後援施設調査／ボルネオ移民斡旋／新入会員紹介　(33)

第一八四号　一九三七年八月一日発行

信濃海外協会北米西北部支部役員
在外日本人の結婚問題　山岸新作　1
満洲農業移住者員数表　3
青島に活躍中の信州健児　小林昭隆　4
満洲信濃村衛生状況　増田三喜　6
信濃村建設状況　渡辺栄雄　7
母国印象記　土井博　9
月間時事（自六月十六日至七月十五日）　10
外国貨幣換算表（七月一日現在）　11
海外通信
第六次移民団便り　平沢千秋　12
無事入植して　丸山安蔵　12
布哇より　大島兼三郎　13
ふるさと便り
桑園改植により四百万円の生産増／長野甲府間電化――沿線の調査を開始す／衛生施設の改善に保健所一ケ所設置――保険社会省解説に先立て県が来年一月から／春繭仕入高二割も増える――岡谷地方の糸景気／国有林開放　地元町村熱望――早くも利用方法研究／診療所設置村決定す／この機会を逃さず結核療養所設置へ――届出制度実施迫つて／飛騨通ひの観光路愈々明年度に全通――松本船津線最後工事／12ヶ年の砂防工事で上高地の絶景保護――東京営林局の快ヒット／惜しまるる名村長――福澤泰江氏逝去／長野電気が二十万円／空前の激戦終へて――松本市議当選の人々／県下の電力開発――時局反映し激増　14
協会組合記事
理事長新任／福澤泰江逝去／内藤幹事渡満／西沢幹事渡伯／事務所移転／職員退任／海外渡航斡旋　(19)

第一八五号　一九三七年九月三〇日発行

〔広告〕ありあんさ移住地入植者募集
パラグワイ移住地便り　藤沢正三郎　1
満洲移民の概況　12
海外通信
ありあんさ便り　高木辰雄　13
満洲信濃村便り　渡辺栄雄　13
満洲弥栄村便り　小倉幸男　14
アルゼンチン便り　牧野種臣　15
長崎移住教養所　十月以降入所退所日予定表　16
ふるさと便り
今や国家非常時の秋　郷軍精神に邁進せよ――斉藤支部長五項の指令発す／時局に掲げた十ケ條　生活改善の大旆――全県下に大運動／思想の動員――教員一円献金や授業料免除　教育界も時局に起つ／平均四円七十五銭――県下夏繭の総決算／県道犀川線竣工／教育能力低下に鑑み男女師範の定員増加――一部生四十命宛を募集／近年稀な好成績　春蚕収繭高発表――前年に比し五分五厘増／松本放送局――事変で開局十一月か／辛苦に花咲く自農創設模範村――日本一の御代田村／事変と登山――長野運事集計／国婦軍三千が会合――県本部創立総会　17
国婦軍三千が会合――県本部創立総会　20
バラグアイ移住者募集　(21)

兵役関係を有する移住者に対する注意　(21)

第一八六号　一九三七年一〇月一日発行

満洲黒台信濃村建設記念日行事
海外移住組合関東地方協議会記録　1
拓務省東亜課の分課　4
比島ダバオ便り　小池釣夫　5
満洲信濃村地区荘稼（作柄）
渡辺栄雄　6
北支五省に眠る厖大資源――わが投資総額
十一億円　10
第六次満洲農業移民本隊募集要綱　12
ふるさと便り
本県の昭和十二年度徴兵検査の成績／国
用糸蘇る――支那沿岸航行遮断以来支那
糸市場を奪取／事変最中に預金増――去
年より五百余万円／高井三ヶ村連合で大
配水路計画――延徳五百町歩を早田に化
す／女子義勇隊を編成――五万の女子青
年団立つ／武道県代表決る――晴れの神
宮大会へ／目標は公園都市――軽井沢の
都市計画／将兵の奮戦に呼応　銃後の堅
陣強化――国民精神総動員告諭／稲作平
年より良好／繭の生産費――現金支出と
自給費会計　四円五十六銭二厘　15
協会組合記事
移住組合協議会／農村更生と満洲――移
民の標語募集／海外渡航斡旋　(19)

第一八七号　一九三七年一一月一日発行

告諭　近藤駿介
満洲信濃村建設記念日に際して　近藤駿介　1
参議官制全文／内閣参議官　4
海外通信
メキシコ便り――布施常松氏の追憶
玉川音作　5
低き生活高き思念（故布施常松氏の追
憶）　松田英二　6
故布施常松氏の逸話　玉川生　10
パラグワイ国便り――悲壮の決意を以て
移住地教育に精進　藤沢正三郎　11
家族呼寄せ希望　柿沢国平　13
満洲信濃村便り――歴史的行事も無事終
了　青木虎若　14
個人家屋も殆んど完成　西沢寛　14
ブラジル　バストス移住地――養蚕植民募
集　15
信州雑報
銃後の護り固め迅速解決を期す――戦時
下の県町村長会／頼もしき銃後施設――
司令部当局も感激／生糸一俵について五
十円内外の儲け／遠山部隊の殊勲絶賛
――銃後へ宜敷く／国婦十二万突破――
県本部發回式は延期さる／諏訪湖岸整備
――片倉側で着工／非常時財政経済へ全
県民の決意強調　16
ブラジル珈琲――輸入制限から除外　19
海外協会移住組合報
本会事務嘱託／農村更生と満洲移民の標
語当選／満洲信濃村――諏訪神社鳥居建
設／海外発展講演会／海外渡航斡旋／会
告　20
会告　(21)

第一八八号　一九三七年一二月一日発行

〔広告〕満洲農業移民幹部員募集
時局と満洲移民　安井誠一郎　1
海外通信
拓務省第一次満洲移民地便り
弥栄村役場　6
黒台信濃村便り　渡辺栄雄　6
第七次信濃村先遣隊として訓練中です
森知保　7
僅か一ヶ年で早くも自作農へ　宮下正三　8
花嫁の斡旋を頼む　塩川良蔵　9

薩摩義士の殉節　10
満洲農業移民の貨客運賃割引制　12
昭和十二年十月調査在外本邦人国別人口表　13
行け海外へ　各地移民募集要綱
第六次満洲移民と第八次先遣隊募集／南洋商業実習生募集／行け！　現世の楽土――南米パラグワイ国へ／北海道移住の特典　14
信州雑報
南北信を結ぶ幹線　犀川線漸く完成――長野明科間の自動車運転可能／女子義勇隊結成――女青理事会で具体的方針決定／蓼科高原に陸軍の療養所／農業の臨時体制樹立――計画の研究に着手／事変下第六次移民――先発八十四名渡満／非常時の覚悟宣言――女青連時局協議／稲作減収――去年より十二万石余／当選上田市歌／輝く新少将三星　久保田、春日、樋口三将軍海軍移動輝く本県人／県下の起債総額四千万円突破――前年に比し二百六十万円増加／小串礦山の大惨事／愛国養蚕号資金――早くも予定額を突破　17
南阿に公使館開設　22
外国貨幣換算表（昭和十二年十一月一日現在）　22
海外協会移住組合報
ありあんさ渡航斡旋／海外渡航斡旋／本会斡旋新刊紹介　南米雑録　(23)

第一八九号　一九三八年一月一日発行

昭和十三年（戊寅）略暦
剣・算盤・鍬・心　永田稠　1
海外通信
常夏のブラジルより
夫婦二人で米五十俵と金三百円余り残る　丸山安蔵　5
恵まれた生活に感謝　木下銀八　7
渡泊の船中より　泉本勝義　8
一望千里の満洲より
第七次信濃村先遣隊便り　上条正　9
黒咀子に入り森森伐採に従事　渡辺栄雄　11
会告――在外会員との斡旋と連絡　11
躍進日本の偉容を見よ　12
昭和十二年中本県海外旅券下付者氏名（本県保安課調）　13
青少年移民三万人――明年中に満洲国へ　17
信州雑報
満支視察団を派遣　学童に対支教育――信濃教育界の新方針／県下年末の金融活発順調ならん――先づ悲観材料無し／遺漏なき銃後運動――県民の赤誠慈よ昂揚／大挙三十名の北支視察団――長野会議所が派遣／盟友の屍を越へて――信濃村補充員渡満／木賊山に地をトし――招魂社建設決る／独逸人も上海から――スキーの志賀大賑ひ／諏訪神社御柱祭　18
海外協会移住組合報
海外渡航斡旋／満洲移民訓練生遭難者弔慰／茅野隆海君戦死　(21)

第一九〇号　一九三八年二月一日発行

近衛内閣総理大臣訓示
事変下の満洲移民　内藤紫楼　1
満蒙開拓青少年義勇軍募集――本県より二千五百名　先遣隊三五〇名　3
謹みて新年を奉賀候
日南産業株式会社／海外移住組合連合会　4
海外通信
ブラジル便り
アリアンサ墓地の慰霊日　石戸義一　5
謹みて諸英霊に捧ぐ　坪内広代　6

慰霊日を迎へて　石戸羊我　7
前途益々有望　山本安頼　7
南洋の楽園ダバオより――皇軍に感謝あるのみ
皇軍に感謝あるのみ　小池釣夫　8
愛国機と報国機献納　菊池為男　9
理想郷アルゼンチンより
六ケ年で一万四千円残る　田村一恵　9
満洲の大陸より
牡丹江県人会誕生　長野県人会事務所　11
拓務省第七次満洲移民先遣隊として活躍　森知保　13
謹奉賀戦捷之新年――併祈民族之海外発展
信濃海外協会飯島支部　14
勅題　神苑朝　15
信州雑報
本県知事に大村氏　厚生省新設から二度の勧め――近藤知事は石川県へ／応召農家の耕地共同経営で又小作――県農会の新計画／時局を反映し小作争議減る――総件数九十三　その七割が土地返還／水田還元と開墾で時局下食料自給へ――飯米不足補給と大麦増産をめざし生産拡充計画樹立／負債整理着々進み総額の約半額清算――組合数は全国第四位／産繭額増加――昨年度八百四十余万貫／最盛期の半数――県下の整理釜一万九千／純益金増加――県下六銀行／上松町の火事／招く白銀の嶺々――信濃路スキー場案内／採算不味を喞ちつ製糸早目に開業――そこに見る堅実な歩み／輸出工芸品組合――松本木工業者が創立／松本に招魂社この際設置を申合――工費七万円・場所は城山／米収穫高――百五十一万石　16
東日余録より　22
海外協会移住組合報
移住地宛名変更／総裁・組合長異動／海外協会評議員会／海外移住組合理事会並に総会開催　(23)

第一九一号　一九三八年三月一日発行

御挨拶　大村清一　1
奉祝憲法発布五十年　2
憲法発布五十年に際して　守屋栄夫　4
国民精神総動員心構　8
海外通信
ダバオ便り――皇軍将士へ慰問袋寄贈
小林主計　9
ブラジル便り
小学校は州公認に昇格
ありあんさ移住地事務所　11
気候のよいのは何より　丸山安蔵　12
墨西哥便り――大統領は親日家
長淵鐘六　12
紐育便り――海の外誌代に添へて
小松勝男　12
満洲国便り
学校組合主事拝命　杵渕弥太郎　13
満洲国国民政部に転じて　小坂隆雄　13
佳木斯に転じて　前田長吉　13
先遣隊の訓練に邁進　小倉幸男　14
一ケ年の経験より地味肥沃なるを確信
渡辺栄雄　14
昭和十三年中伯国行船便表（大阪商船会社南米線）　10
信州雑報
起て百七十万県民市町村長会開く／紀元の佳節に輝く表彰者二一八名／総動員にいふ生活改善とは！――単なる節約でない／更生の旗旆翳して――六次移民愈よ出発／応召農家春肥費に――県から助成金交付／県下畜力増産計画――一ケ年に三千九百頭を／壮丁増加率減少――本年度一万七千四百名／ス・フ愛用猛運動

——小学・中等校生徒から／開拓義勇軍先遣隊——春四月晴れの壮途へ／国防義勇軍生る／長野大発電所店開き／半島出身の少年——海軍兵に合格／志賀高原に国際色 16
海外協会移住組合報
昭和十二年海外協会事業報告／移住組合役員改選／木曽高津書記——満洲移民引率渡満／外国貨幣換算表 22

〔第一九二号～第一九六号　欠号〕

第一九七号　一九三八年九月一日発行

満洲大日向村移民地の概況　依田国祐 1
本邦自作農と伯国自作農移住者家計費の一考察　中田瑞彦 6
海外通信
ブラジルに移住して　大森甚吉 9
ダバオ信州人会便り　小池釣夫 12
満蒙開拓使命に精進　小幅皓 13
米国向け小包の規則が変る 13
信州ニュース
青壮年今後の就労　軍需産業か移民へ——戸別に動員カードを作製／献金献品の洪水に今更驚く銃後熱誠——満洲事変当時と隔世の感　連隊区一年の回顧／専ら戸数割軽減——増額補助金の使途／県営運動場北隣へ——招魂社敷地選定せん／糸の国の名誉担ひ信州蚕種が上海へ——松本・長野から二百箱／志賀高原の山の家竣成／淡水魚試験場——上田の計画決る／軍事郵便の一年——月平均百二十万通　小包は六千余個／悲壮・仇討志願——壮丁の採用願ひ既に百五十／上田の長者番付／御料局出張所伊那へ新設／害虫から収益へ——長野県で栗虫繭活用／高原開発農業に躍進日本の姿——信州八ヶ岳修練農場から／郷土の熱援に応え将兵の意気軒高——遠山部隊長県民に寄す／代用品と輸出向に副業指導を転換——杞柳、あけひ、寒天増産に拍車／信州郷軍雄心勃々大陸へ進出す／積んで八百四十万円——六七両月の県内貯金／さらば絶景木曽川大同電力完成——ダム、清流を断切る／壮丁の教育程度一般に向上——合格率は矢張り青年校 14
商船の二大客船明年五月処女航海に上る 20
〔書簡〕　坪内忠治 20
協会組合記事
南米移住宣伝講演懇談映画会開催／本会事務委嘱／講演映画宣伝／会費領収／海外在留県人名簿／日満国旗実費分譲 (21)

〔第一九八号～第二〇三号　欠号〕

第二〇四号　一九三九年四月一日発行

〔広告〕ありあんさ移住地入植者募集
東亜新建設の方針　平沼騏一郎 1
国際関係より見たる海南島　渡瀬正人 4
北京と長野県人　藤沢隆治郎 8
外国貨幣換算表（昭和十四年三月一日現在） 10
海外通信
堅実なる基礎の上に成功の玉楼を築く　畑中仙次郎 11
満洲農業移民——続々鹿島立ち 13
郷土の新聞に感慨無量 13
信州ニュース
米、繭、大麻等の増産計画実現へ／野球庭球部廃止——新学期から長師断行　国防競技に全力傾注／農繁期の労力按配——移動班で補ふ腹案　県の三大綱近く確立／手持金製品の献納——全面的拡大に拍車　先づ軍人家庭より／八割まで古本——松本の中等校が新本閉出し　新学期書籍商の悲鳴／善光寺の賑はひまるで御開帳の様——一日平均団体先づ三千人

／口先教育の弊を一掃　利を殺して義に就け――知事長師で特別講義／分村移民の目標遼遠――耕地調べ成る　16
協会移住組合記事
南米移民募集講演映画宣伝／満洲移住講演映画宣伝／満洲国官吏消費組合職員実習生募集斡旋／義勇軍銓衡斡旋　(19)

第二〇五号　一九三九年五月一日発行
〔広告〕ありあんさ移住地入植者募集
長期建設と部落常会　山浦国久　1
パラグアイ国概況　拓務省拓務局　8
外国貨幣換算表（昭和十四年四月一日現在）　11
海外通信
国際商人として活躍　関弥広　12
祖国を離れて三〇年　唐木喬　13
海の外誌代に添へて　小岩井今朝松　14
満蒙開拓義勇軍出発　15
信州ニュース
日に約四万通――県内へ着く軍事郵便／百二十代の乗合を――木炭車に改造指令／志賀高原に――さくら三千本／長野県定期空路――七月より就航予定／賞を懸ける繭増収是が非でも千万貫――郡市別の割当額決る／山奥に町が出来る――伊那の「御料林景気」／総親和・増収の源泉　部落に「常会」設置――全県へ実現の方針／馴れ七円は必然――岡谷製糸家の春繭観／間口拡げる社会館――「町村民の家へ」／忽布栽培の拡張――今秋最初の品評会／水魔一瞬にして十九の命、一呑み――論電ケ池決潰／悪条件の征服は共同作業と労力調整――県下六区の興味ある収穫比べ／坂城町の火事――十三戸を全半焼／特殊作物の収入調べ／全部落に託児所――労力動員百三十万人　農繁期来れと待構ふ　20
協会組合記事
ありあんさ渡航者斡旋／南洋渡航者斡旋／松本嘱託栄転／義勇軍並満洲移民病歿者弔慰／満洲移住講演映画宣伝　(25)

第二〇六号　一九三九年六月一日発行
〔広告〕ありあんさ移住地入植者募集
拓務行政の進展を図れ　小磯国昭　1
時局とブラジル移住――外から帝国を守る移住者の任務　竹本武雄　3
農村栄養読本　長野県栄養研究所　5
新しい領土　サンゴの島・新南群島――年中真夏の太陽が輝く　8
在伯二十万同胞の成功者代表が語る恵まれたブラジル生活――人生はマラソン競争焦らず堅実にゴールを目指す　藤森茂里　10
海外雑報
南米に日本病院――堂々ほこるわが医学の大殿堂邦人汗の結晶『聖十字』落成／異国に気を吐く青年建築家――荒井君メキシコで一等当選／海峡殖民地及馬来半島入国規定改正／昨年度残数八百名割宛外で入国許可――移殖民審議会で採訳／ブラジル中学に日本語科の登場　11
純国産づくめの豪華船――あるぜんちな丸来月披露　12
信州ニュース
腕も魂も出来上り愈よ若鷹海を越ゆ――それ前に六月十九日来長、別れを告ぐ信州義勇軍六百の壮行プロ／梓川大貯水池案成る――石三鳥・愈々県調査会へ／送れ暖い慰問袋――連隊区重ねて呼かく／共同炊事のお手本――農繁期に県が六ケ村で実施／東京＝長野＝大阪七月から空の旅――長野空港愈々登場／荷造り用釘代用竹釘で成功――埴科経出大井技手／男子働かば大陸――小平さん農林省を

去る／波多腰さん農博――女で三人目、研究は鯛の栄養／浅間山麓に天然木炭――有史前の大爆発で出来たか　13
日南産業会社中堅社員募集　16
協会組合報
土と文化の映画会／宮崎書記満拓公社へ栄転／青少年義勇軍募集協議懇談会　(17)
[挨拶]　藤原銀次郎　(17)

第二〇七号　一九三九年七月一日発行

[広告] ありあんさ移住地入植者募集
日本農村の現状　石黒忠篤　1
祖国愛の赤誠に感銘　山岸新作　5
北支戦線より――ダバオ信州人会各位へ　大原関喜一　外一同　7
海外通信
第八次満洲信濃村移民地より　遠山元四郎／片桐進／青木基　8
南米雑録の再版――美事な出来栄へを欣ぶ　山岸新作　9
海軍機献納資金八万円と慰問袋一万個――特務艦尻矢託送木下館長に正式に手交す　大島兼三郎　10
渡伯以来十ケ年――土地二十域購入　川原国一郎　10
義勇軍便り（一）　堀川浩伸　11
義勇軍便り（二）　吉村作次　11
比島が六ケ敷なつた――無資格者は出発見合せよ　12
行け！　ブラジルへ――安心して移住せよ躊躇せず起て　13
本邦内地人世界分布一覧　14
太平洋行進曲（横山正徳氏作）　14
信州ニュース
十五歳から二十五歳全青年へ体力検定――今秋市町村毎に実施／事変二周年期し興亜大業の徹底――郷軍松本支部で強調／旅館組合を統一　土産品を統制――郷土博物館を建設／田が増し耕地減る／一家から誉れの二柱――県内に四十四戸／春蚕の豊作確実――発育順調・桑も豊富／缶詰ともさよなら――愈よ売切が近づいた！／長野から満洲国へ電話開通　15
海外協会・移住組合　日誌抄　(17)

第二〇八号　一九三九年八月一日発行

東亜新秩序の建設と青年の覚悟　松本忠雄　1
海外雄飛の同胞を見る――南十字星下の新天地パラグアイ移住地より　長谷部特派員　5
山岸晋斎著「南米雑録」を読む　青柳有美　8
童心にも憎い英国――小中学生怒りの回答集まる　9
豊饒の楽土――パラグアイ移住地より　藤沢正三郎　10
信州ニュース
多額議員互選資格者一覧――県地方課の名簿作成さる／五万町歩に樹を植ゑて全県の禿山退治――二千六百年記念に町村長会議で決議／百七十一万二千人――十三年　本県人口動態／一戸で毎月四十銭――廃品回収百二十万円／長野高女焼く――火気のない図書室から出火　損害十万余円に達す／婦人満洲視察団――県愛婦支部募集開始／自作農創設へ邁進――大日向村の土地処分／志賀高原繞る――新徒歩コースを推薦　12
南洋商業実習生募集　17
海外協会移住組合日誌抄　18

第二〇九号　一九三九年九月一日発行

阿部新内閣閣僚／平沼内閣辞職理由
南洋を再認識せよ　寺田市正　1
正しき故に強し　塩沢幸一　5
観光日本――一躍檜舞台に登場　外人の来

朝急増す 6
本年度本県選出第三次青少年義勇軍 7
大陸の花嫁便り 百瀬たま枝 8
ペルー在住信州人の赤誠 10
満洲は招く
女性満洲視察団／農会満洲視察団／分村関係視察団／教員大陸視察団／青年団の幹部三十人を満洲へ——一ケ月間汗の奉仕 11
信州ニュース
二人以上人柱捧げし名誉の家を表彰——県下で晴れの三十三家／移民信州躍進の秋　力強いぞこの意気——西筑、伊那希望続出／数里の森林鉄道敷設　伐出す赤石原始林——明春から搬出に着手／百六十万石好望——県内の稲作概して順調／半分と見て十万円——春の学徒奉仕総決算／少年を国策の前線へ——義勇軍や軍需労務に総動員／壮丁の士気満点——本年の検査悉く終る／納骨堂の威容／桑園と煙草畑は四十間以上離せ——ニコ問題に　蒲生教授談／農会と産組・提携成る——愈よ飛躍的活動へ 13
「興亜奉公日」設定 16
海外協会移住組合　日誌抄 (17)

第二一〇号　一九三九年一〇月一日発行

阿部新内閣の政綱
満洲治安の確立——満洲事変勃発満八年を迎へて　陸軍省情報部 1
泰国在留邦人の今昔　天田一閑 6
世界の宝庫——ブラジルニュース 10
海外通信
義勇軍便り　岡本四郎 12
大陸の花嫁便り　島世お忠 13
会費に添へて　小林政重 14
布哇より　大島兼三郎 15
アルゼンチンより　竹内要七 15
ブラジルにて　坪内広代 15
信州ニュース
観光産業ルート建設道路網完成に馬力——四線を筆頭に計画／本年内に六百町歩　土地の交換分合——県の指導方針成る／百万円で大忠霊殿——善光寺裏の大峯山に建立／教育会館建設——信濃教育会の記念事業／半数を木炭車へ——乗合自動車急ぎ改造／雇傭委員会を設け——傷痍軍人の優遇策／晩秋の松本平に展く学徒五千の攻防戦——十一月十七日松本で閲兵式／大陸の花嫁速成——十ケ所に訓練所開設／全国の皮切特別更生——指定村の助成／姫川流域の民有林荒廃二千町歩——復旧愈よ具体化せん 16
九月二十七日改選県会議員当選者 19
海外協会移住組合　日誌抄 20

第二一一号　一九三九年一一月一日発行

〔広告〕ありあんさ移住地入植者募集
南米政策と大陸政策　金田近二 1
時局に鑑みブラジル在留邦人及第二世に告ぐ　崎山比佐衛 8
ダバオの近況　小池釣夫 12
海外支部便り
役員改選通知　倉田国蔵 13
信友会結成さる　柿沢国平 14
ブラジルニュース
世界の一所南米——持てる国の活況 16
移植民講座　高津栄 17
公人私人 18
信州ニュース
青少年二千四百名——郡市の割当決る／部落常会軌道に乗る——一戸で二名以上出席　毎月一回以上会合す／新たに三中将——揃つて栄進／拓士四十二名——雄々しく出発／衆智を総動員——高社郷送出に拍車／煙草飢饉深刻化——今後は

一人一個宛／〝大陸の母〟を訓練――県
女青連で講習会／栄の重責を承く――陸
軍信濃の明星山田中将／防ぎ得ぬ吏員の
浮腰――待遇悪くて事務繁劇／七分搗で
も九万石――飯米を節約出来る　白米と
の縁切り近し／三百戸送る――満洲更級
村の建設 19
海外協会移住組合　日誌抄 (23)

第二一二号　一九三九年一二月一日発行

〔広告〕ありあんさ移住地入植者募集
南洋華僑を訪ねて（マニラにて）　小穴武治 1
南米移住の宣伝――講演と映画会 4
時局に鑑みブラジル在留邦人及第二世に告
ぐ（一）　崎山比佐衛 5
アルゼンチンより――コスキン療養所成る
山岸新作 11
実習生北満地方旅行記　征矢野隆 12
移植民講座　高津栄 15
公人私人 16
たばこ値上げ決定――十六日より実施 16
吉林市長野県人会結成 17
信州ニュース
県下人口減著しく　百七十万台割らん
――明年の国勢調査注目／銃後強化に
邁進――県町村長大会決議／三人目の
大将・塩沢さん――他の将星も相駢ん
で栄進／浦里村民自力で水飢饉解消／
適応の種目も内定――七工業地帯建設
促進／荒鷲の卵――志願三百人余／駅
弁に七分搗――中旬から実行／衰へる
郷土芸術に――鉄道が活を入れる／史
蹟と記念物――新たに指定／忠霊安か
れと額く――県護国神社例祭の盛況／
小諸に陸軍療養所――高峰山林の三万
坪と敷地内定／伊那町の大火――六日
二十五棟を焼く／兎さん今や百万頭
――全国最高の隆盛ぶり／四人兄弟が
晴の御奉公――飯島村の自慢／四人が
三十四名――シヤトルに於ける平林一
族 18
海外協会移住組合　日誌抄 (23)

第二一三号　一九四〇年一月一日発行

紀元二千六百年奉祝国民歌
謹賀新年（皇紀二千六百年元旦） 1
迎紀元二千六百年　阪谷芳郎 3
賀正――信濃海外今協会指定旅館 5
南洋華僑を訪ねて（二）　小穴武治 6
時局に鑑みブラジル在留邦人及第二世に告
ぐ（二）　崎山比佐衛 9
長野県の馬産に就て　山本直右衛門 15
賀正 18
国体篇／国体篇（解説） 19
信州ニュース
元旦挙県の行事／大陸の集団開拓民千六
百戸送出――拓務省から本県へ割当／治
山治水期成同盟会――満場一致、会長に
伊沢氏推薦／二千六百年団体参拝――四
千人の切符代　三万二千円也／鬼無里の
原始林に愈々伐採の斧――世に出る木材
三千五百万円／農家の借金一億九千万円
――県庁も調査して驚く／上小地方で女
炭焼き養成／三田村農会の新施設好評／
木曽谷発電所工事進む／産声あげる飯田
銀行――三行の株主合同承認／記念植林
の苗林――信濃山林会で配布／人気の馬
スキー――今シーズン菅平に初登場／炬
火で灯 20
海外協会移住組合　日誌抄 (23)

第二一四号　一九四〇年二月一日発行

新内閣々僚と政務官
躍進満洲国の明日　大蔵公望 1
飯島支部より 3

南洋華僑を訪ねて（二）　小穴武治　4
海外便り
ダバオ支部便り（昭和十四年十一月十六日）　倉田国蔵　7
大連長野県人会報　長野県人会事務所　9
永田先生の来比を望む　原山芳保　11
第八次張家屯信濃村より　川久保芳雄　12
南進基地を確守　菊池為男　12
記念写真に添へて（昭和十五年一月二日）　倉田国蔵　13
黒台信濃村より　渡辺栄雄　14
布哇より　東福寺子四郎　14
送金通知　田中正作　14
信州ニュース
更に移動労働班組織――県企画課労力配給計画／紀元節の奉祝行事――各市町村宛通牒す／学生スキー大会――野沢温泉の銀盤に／五代連続郷土に大臣あり――今度は藤原さん／麦二割の混食必行――県・節米を更に強化／渡満報国勤労隊――夏から秋へ三百人／松本駅の改築――万難排し本年実現か／観光信州のお化粧――二千六百年の記念事業／穀類や甘藷の大増産――米は百七十三万石へ　18
新造船ぶらじる丸――拓士をのせて出発す　18
海外協会報
昭和十五年度事業計画　19
昭和十四年度事業報告　19
海外協会移住組合　日誌抄　(23)

第二一五号　一九四〇年三月一日発行

詔書
紀元の佳節に当り畏くも大詔渙発
挺身臣節を尽して聖旨に副ひ奉らん
紀元二千六百年の紀元節を迎へて　米内光政　1
移民政策の根幹　小磯国昭　2
商工業移民を奨む　今井五介　3
南洋華僑を訪ねて（四）　小穴武治　5
無肥料で生育する理由　会田血涙　7
陸海軍への献金――一億四千万円　8
信州ニュース
県下満洲開拓民送出運動の現況／教育参考館――信濃教育会で建設／修養と蓄財の植林――妙案学校林計画書成る／佳節に映ゆる功労者――十一日県で表彰伝達式／県で貯金調べ――一億陥落も目睫／お弁当や釜も検査――徹底的な仏都の節米／軍馬訓練に重点――遊戯的競馬を廃止／沿岸八百町を開田――併せ水路費の収入　高瀬川紛争解決の妙案／水酒は違反と断定――処罰の方針明示／時局下にふさはしく壮丁・三千名を増やす――徴兵検査に喜びの数字／目標百七十万石――今年の米作郡市割当／小形になる豆腐／四月には開く長野飛行機――格納庫も建つ／画期的増産を期し灌漑水確保の工事――東筑で冬閑期を利用／節米・節電・混食線――松本市内のカフェーも動員／下高井分郷進展――六十名へあと一押し／節米運動深刻――七分搗に二割以上の麦　9
海外協会移住組合報
信濃海外協会昭和十五年度収支予算　15
信濃海外移住組合第十五回通常総会決議録　16
海外協会移住組合　日誌抄　18

［第二一六号～第二二一号　欠号］

第二二二号　一九四一年八月一日発行

第三次近衛内閣閣僚
内閣更迭と国際情勢
新発足の興亜奉公日に当りて　近衛文麿　1
夏の旅行に大制限――乗車券も時により停止　5

開拓運動と科学的営農　浅川武麿　6
大政翼賛会第一回長野県協力会議議題処理概要　7
お魚不足解消へ――鯉の増殖に大ハリキリ　9
海外通信
懐かしの伯国へ帰りて　大谷幸信　10
籾の収穫も終つた　島田晋　10
北京より　菊池為男　11
協力の偉大さを想ふ　正村秀二郎　11
大陸　内山清　13
信州ニュース
凡ての因習を断つ　郷土の清掃に邁進一路――翼賛青年団事業計画決る／第一人者揃ひ海の護りに信州部隊／烈震北信地方を襲ふ――圧死五名重傷十余名／この女性ありてこそ――傷痍軍人の妻に栄えの表彰／元気一杯県政記者団帰る　15
協会組合記事
中川学務部長西沢拓務課長帰る／内原幹訓の講習会／西沢幹事、田中嘱託　奈良、熊本を視察　(18)

第二三三号　一九四一年九月一日発行

九月ノ常会ニ取上ゲル事項
対外根本方策の樹立と振興　1
食糧問題不安なし　井野碩哉　6
世襲農地制度の話　高梨生　9
次代を背負ふ諸君に　清水利一　11
パラグアイ移住地より　藤沢三九四　12
満洲奉仕隊便り
乙女達は明朗です　湯本つな子　13
老石房開拓団より　新海とき子　14
お願ひ！　海の外編輯部　14
信州ニュース
魚を豊富に台所へ――県で集荷配給を統制／県民崇敬の聖地に――信濃宮神社造営計画進む／橋田文相らも出席――今秋松本に興亜大会／増産で応へよ――農家に呼びかく知事／こんな広い利用法――寒天の内需振興に馬力／高らか市制万歳――諏訪市の開庁式、盛大に挙行／実る熊笹の実――天恵だ一粒も残すな／機械力の勝利――農村労力調査の数字／立派な壮丁の態度――青野司令官語る／結婚に大きい浪費――「厚生省調査村」稲里の実例／計画出荷も順調に――青果物は増産の一途／三百五十年目――根曲竹の開花　15
信濃海外協会規約　20
〔広告〕ありあんさ移住地入植者募集

第二三四号　一九四一年一〇月一日発行

十月の興亜奉公日実施要綱――戦争物資動員の日　回収に家庭を挙げ協力
仏印に於ける農業資源と邦人　田中芳助　1
伸びゆく共栄南方線――仏印進駐の一年を顧る　8
ブラジル移住者の頼もしき便り――祖国に感謝しつつ平和郷に活躍　長尾、金井両監督帰朝談　10
義勇軍の郵税を廃せよ　会田血涙　10
理想郷の建設　園原次郎　11
信濃開拓館建設基金申込（昭和十六年九月三日）　小池釣夫　13
信濃開拓館建設資金寄附名簿　13
信州ニュース
高原にも立派な農作物――八ケ岳修錬場斯界へ一大示唆／荘厳な〝流れ造り〟護国神社設計成る／誉れ輝く四遺族――一家から二名の戦死者を出し軍人援護会から表彰／恵れる生産農家――結局は四十九円五十銭／兄弟五人大陸に活躍／信州に誇る望遠鏡――山本博士が建設指導／一丸の奉公へ――今月の銃後強化運動／休閑地に揮ふ鍬――下高井翼賛壮年増産へ邁進／四個中隊千二百名――十七年度

青少年義勇軍／邦人の引揚げ説否定――
新納総領事語る／日本向郵便物は総てマ
ニラ経由／目覚しい邦人進出――比島三
万人に及ぶ　16
躍進する満洲国　20
協会組合記事
海外移住組合執務方針　(21)
そうだ　その意気

第二三五号　一九四一年一一月一日発行
東条新内閣成立す／新内閣閣僚一覧
殉国の精神に徹せよ　小林九十九　1
最近の伯国帰国者（本県関係分）　4
日本科学の粋　鴨緑江水電――世界的発電
所成る　5
御題は「連峰雲」――歌会始めに仰出さる　7
関東州の教育　内山清　8
明治九年以降過去七十年間に於ける邦人海
外発展の趨勢　10
満洲芙蓉郷より　高野さや子　12
満洲高社郷便り　金井行雄　13
満洲更級村便り　小林弘　14
アルゼンチン便り　山本安頼　15
南方の歌　16
信州ニュース
殉国の決意を宣明――郷軍の祈願大会／
新穀への感謝など――十一月常会の課題
事項／素晴しい絹紙石鹸――美しくて軽
便な新製品登場／上田蚕専改称運動――
繊維専門校を希望／夏山の決算――登山
者は去年の半分／防訓終了に知事の要望
／新霊合祀祭――来月県護国神社で／大
陸の花嫁養成に前進――落合を女子興亜
教育村に／興亜教育大会日程／嫁の支度
金五百円――旧体制を示す農村の結婚調
査／長野県翼賛壮年団満洲開拓団及現地
視察　17
飛躍する新開拓政策――第二次五ケ年計画
案　(21)
満蒙開拓関係機関一覧表

[第二三六号～第二四二号　欠号]

第二四三号　一九四二年七月一日
米よし塩よし砂糖よし　どつと送るヨコの
増産ぶり（ジヤバ）
御差遣宮　御帰国を御復命　1
井野拓相信濃路へ！
分村富士見に感嘆／満洲開拓は貫遂　1
「南方特急はがき」軍の親心で近く登場　3
南方へドシドシ来い――原住民は君等を待
つてゐる　3
農業指導者を送れ　4
食糧自給目標に　5
大満洲の建設博に出展　6
小林、斉藤両氏殉職　6
第二期満蒙拓殖に立体的な送出計画　6
いよいよ実行――模範農家の創設　7
開拓団編成専任職員を送出　7
信州ニュース
本年中に百五十戸送出――北安郷の完全
独立進む／拓士へ肉身の援兵――本県か
らは二十名を選出渡満／老勇士に「開拓
の父」賞／送出指導員を更迭――六十四
町村に母村指導員／南五道崗信濃村の新
発足／勿体ない程の生活――満洲特殊開
拓団近況／後続部隊待つ――上高井郷便
り／下水内郷に神社建立計画／花嫁さが
し県民運動――満拓女子指導者懇談会／
開拓団編成促進委員――小県郷本部で／
六市から帰農者――県で愈よ積極化／高
杜社分霊を高社郷へ／帰農開拓民の爾後
対策に／下水内分郷応援奉仕隊／今年も
また義勇軍慰問品の無賃輸送／安居楽業
便り――中川学務部長／小諸郷に農学校
／父兄の激励に勇躍――中信の義勇軍壮

途へ／「兄の身代り」と渡満／北信中隊
壮行式——六月七日長野で挙行／建国十
周年祭出席の感激——県代表大久保君帰
県談／満洲長野村の建設——商議所、組
織的に送出計画／農耕開拓民本県から五
十名 8
満洲移住協会後任理事長——石黒忠篤氏 12
信濃海外協会役員（イロハ順） 14
協会記事　会議／出張 (15)

第二四四号　一九四二年八月一日発行

満蒙開拓青少年義勇軍府県別送出番附 1
信濃海外協会改組要旨 1
信濃海外協会規約 1
信濃海外協会役員 3
昭和十七年度信濃海外協会事業計画書 5
昭和十七年度信濃海外協会経常部予算 7
信濃海外協会百万円資金運営案 9
長野県満蒙開拓一覧　昭和十七年四月末現
在 11
本会拓植年表 17
満蒙開拓青少年義勇軍郡市別送出番附表

第二四五号　一九四二年九月一日発行

女子拓民へ主力集中
大東亜共栄圏の教育　永田稠 1
蒙疆に薫る信濃の花——満洲建国十周年
河原操子女史の功績顕彰 4
本県第二期五ヶ年計画　母村整備に交付金 6
再建の人物を養成　ジャワ 7
転業に実る沃野——佐久郷の建設目覚し 8
南安曇郷だより　塚田六枝 10
信州ニュース
分村計画指定村／満洲北安郷新発足／
雄々し埴科郷現況／拓地二万五千町歩／
南へ農業の指導員／大陸の花嫁さん／大
陸開拓に上高が啓蒙／満洲開拓第二期計
画決る／満洲へ特設農場／本年度分を実
行へ／花嫁手形の女工さん／上水に転業
開拓団／拓務会館も建設／山羊二百三十
八頭嫁入り／大陸の花嫁さんに／慰霊祭
や父兄大会／穫れ過きて悩まし／大陸に
進出せよ／義勇軍父兄挙つて入植／「満
洲上高井」建設／義勇軍女子指導員募集
／台湾へ五家族／功労者遺児参列／義勇
軍物故者は準村葬に／人馬一体の美風／
北安義勇軍送出に拍車／力強い開拓民の
姿 11
本会協議員会 18
昭和十七年度信濃海外協会臨時部予算 19
昭和十七年度信濃海外協会東京支部臨時予
算 20
資金募集に関する件 20
信濃海外協会郡市支部規約準則 22

第二四六号　一九四二年一〇月一日発行

関係深き本県また喜びに堪へず　永安知事談
満洲建国十年を讃ふ
功労者表彰式 1
挨拶　永安百治 1
祝詞　青野重雄 2
祝辞　松橋久左衛門 3
被表彰者及団体の略歴　浅川武麿氏／吉
川亮夫氏／松島薫氏／杉山直樹氏／川
手正重氏／細川玖琅氏／小松喜作氏／
信濃教育会／信濃海外協会 3
開拓地視察　会田貢 4
壮年層に希む　海外発展と中核　永田稠 5
開拓の先駆更級村 7
パラグワイより皆様へ！ 8
信州ニュース
相談相手に六女子近く渡満／義勇軍にな
らふ／満洲に報国農場建設／移住の跡地
農林省研究／義勇隊教学奉仕長野班帰る

／大日向神社鎮座祭／第二の小県郷建設／映画になる富士見村／満洲長野郷本部／満支郷土部隊へ慰問隊／北安郷新開拓地へ／あんまり穫れ過ぎます／画は角力夜は盆踊り／東筑郷拓士家族招致に／満洲開拓現地視察／翼壮大陸視察団出発／南安郷拡充／満洲工業移民の重要さ／南方の農林指導者八名推薦／開拓記念日を設定／下水内郷建設に分村移民／みんな元気で出発／造林に主力／本県代表二青年出発／小諸郷五百戸送出　9
利己を蹴散らせ一念奉公
　南安曇開拓協会小倉村支部／小倉村翼賛壮年団　15
御挨拶　信濃海外協会　16
郡市支部長会議　16

［第二四七号～第二五一号　欠号］

第二五二号　一九四三年四月一日発行
義勇隊開拓団と花嫁問題　宮崎袈裟義　1
前進する下伊那特別指導部　3
現地状況報告所感　山田勉　12
未婚女性に拓植講習　14
十八年度義勇軍七百五十名進発　14
南方進出者の指針　14
小林中隊表彰さる　17
信州教育が浸透――逞しき脱皮・南洋群島　17
拓士へ贈る花嫁御　18
信州ニュース
　岡谷市二大方針決定／小諸郷建設に沸る熱情／合同結婚式／拓士送出を村是に／小諸郷に川辺区／上高小布施の拓士／教壇生活捨て入植／あとはお断り／高社郷第二次建設計画／花嫁斡旋に最後切札／大陸の花嫁さん／松本郷本格化／婦女子の勇飛を／転業者目標に／高社郷の拓士出発／児童教育に挺身／現地軍から表彰／崇し〝征く〟決意／商業よさらば／上高井の開拓熱昂る／北安郷からお答へ／勤奉隊を送出／母村から五百名派遣／行かう満洲へ／若旦那やお嬢さん／転廃拓士へ餞別金／渡満者へ扶助金／子宝部隊長大陸へ出征／石黒氏下伊那へ　19

第二五三号　一九四三年五月一日発行
畏し本県拓植事業に御下問――郡山知事恐懼奉答申上ぐ　1
健全戦時生活の確立期す　知事訓示　3
大御心に応へ奉らん――開拓団、義勇軍へ謹んで伝達　4
西沢幹事を南方に送る　宮崎袈裟義　5
西沢さんを送る　若林俊平　6
下高井郡満洲高社神社　会田血涙　7
開拓文学を創成――文学四氏を満洲へ派遣　8
抑留同胞の家族を扶助――但し送金で生活維持の人達へ　8
拓士よ航路に我海軍の護りあり　8
南洋ボケの予防や太陽第四線の確認　9
招く大陸
　目覚し女性の進出　〝ハナシキマッタ〟――出雲神は快速がお好き／下水内郷へ市川さん／大陸の建設めざして／更級郷へも／小諸青校から女性勤奉班／高社郷の姉妹出発／埴科郷の花嫁／面影慕つて花嫁御寮／堅い決意で／若き乙女の情熱／満蒙開拓の保健婦／花嫁の候補生近く渡満／花嫁連れて池田さん／餞けと証文も巻く　拓士を繞る佳話二つ　10
信州ニュース
　嬉し涙の八岳開拓団／女性も交り続々出発／小県郷増産班／隣組が揃つて入植／松代町から埴科郷へ／上条校長錬成院入り／南方へ二人男／建設本部が更生資金／三家族の組制で／長野郷へ征く勤奉隊

員／一校一名を／満洲勤奉隊供出協議／松本勤奉隊出発／南佐郷へ／木曽郷へ三十名／六十歳の老父母征く／義勇軍は必ず充足／上高郷へ勤奉隊／開拓会館落成す／分村を推進――下伊海協支部予算決る／長野郷先発隊ら壮途へ／満洲から感謝の大豆／開拓指定部へ／義勇軍が田植奉仕　14
本会総会／本会理事会　(19)
西沢幹事渡南　(19)

第二五四号　一九四三年六月一日発行

大御心に副ひ奉らん――知事告諭を発す　郡山義夫　1
躍進する黒台信濃村――現地調査報告より（一）　3
火事　平田今朝恵　11
標準農村設定要綱　長野県経済部　14
全国特別指導郡第二回綜合研究会――五月十三、十四日於下伊那地方事務所　16
開拓特別指導郡第二回綜合研究会開催要領　17
満洲開拓特別指導郡綜合研究会出席者名　20
新比島の夜明け――現地人記者感激の述懐　23
固む〝南の第一線〟　24
信州ニュース
第二千曲郷を建設／松本と長野郷合併／南へ行く『慰問団扇』／長野郷の報告／南安郷の建設へ／糸姫拓士志願　二十六名／拓民で浮いた米／長野郷勤奉隊進発／一人残して皆拓士／千曲郷壮途へのぼる／女子増産隊現地通信／内原から援軍／移植馬の配分も終つた　生気溌剌高社郷の建設譜／拓士に開拓章／拓士の妻に十四人　25

『信濃開拓時報』創刊号～第一一号

一九四四（昭和一九）年七月～一九四五（昭和二〇）年五月
編集兼発行人：小出佐一（創刊号～第九号）／萩原駒人（第一〇号・第一一号）
印刷人：大日方利雄（創刊号・第二号）／南沢幸男（第三号～第一一号）
印刷所：信濃毎日新聞（全号）
発行：長野県開拓協会（全号）

創刊号　一九四四年七月二〇日発行

発刊之辞　郡山義夫　1
長野県開拓協会新発足す　2
信濃海外協会理事会及協議員会　2
長野県開拓協会設立趣意書　3
長野県開拓協会会則　3
長野県開拓協会役職員名簿　5
長野県開拓協会支部会則準則　6
長野県開拓協会支部役員名簿　7
長野県開拓協会十年計画予算案　7
昭和十九年度長野県開拓協会経常部歳入歳出予算　10
昭和十九年度長野県開拓協会臨時部歳入歳出予算　13
日誌抄　15
開拓だより
交替渡満で開拓／供出にも戦ふ／二十年度義勇軍三個中隊確保――郡市別編成割当決る／拓士の縁結び十三組／征け土の戦士の伴侶／老村長の熱意に続く／学士の拓士／開拓団入植進む／分村を創る義勇軍／拓け行く南信濃郷／八十翁大陸へ／団長の死に蹶起／満洲へ拓士集団／背丈以上の燕麦にびっくり　16
編輯後記　(23)

第二号　一九四四年八月一五日発行

義勇軍送出本部の設置　1
長野県満蒙開拓青少年義勇軍本部規程　1
長野県満蒙開拓青少年義勇軍本部役職員　2
長野県満蒙開拓青少年義勇軍何々支部規程（案）　3
躍進する結婚斡旋――開拓協会に結婚斡旋部設置　3
長野県中央結婚斡旋所満蒙開拓民結婚斡旋部規程　3
長野県中央結婚斡旋所満蒙開〇民結婚斡旋支部規程（案）　4
開拓事業促進期して開拓会館補助規程其他制定す　5
開拓民引率渡満　15
女子拓植指導者協議会　16
県下女子拓植運動　17
［書簡］　成沢常雄　18
カザックも報恩増産　19
開拓だより
子供が釣る銀鱒／松本市義勇軍へ慰問／松本日婦で開拓講演と映画会　20
日誌抄　(21)

第三号　一九四四年九月一五日発行

青少年義勇軍ポスター案募集
挨拶　大坪保雄　1
義勇軍帰郷旅費補給規定制定す　2
特別指導郡連絡協議会未完成開拓団充足を重点とす――「戦時開拓方針」も決定　3
幹部編成を中心に義勇軍編成協議会　4
全国国民青校教員拓務講習会――八月十五日――十九日内原で　5

受講者名 7
内原観察記　出席も全国第一位　内原魂学ぶ県下教員 9
春の満洲紀行　盤山に意気高し南佐久郷　小出佐一 11
物故団長及義勇軍　新盆弔問を実施す 14
開拓功労者十氏に感謝状贈呈 15
郡山前会長の退職 15
開拓民結婚斡旋部理事会開催 16
東満総省関係開拓団充足協議会 16
現地だより
明朗農村『水曲柳』／仲良し自動車競走──大門村／西瓜やトマトに舌鼓／学校、病院も出来ました 16
開拓だより
北満一の肥沃田／農作柄良好／麦平年作は大丈夫／物資も豊富 20
日誌抄 (21)

第四号　一九四四年一〇月一五日発行

日誌抄
人事異動
大陸帰農　一挙に充足が肝腎──前橋郷建設本部視察記　滝沢温一 1
南洋群島疎開者慰問懇談会 3
映画会 4
義勇軍ポスター図案審査決定 5
物故義勇軍の慰霊祭 7
［書簡］　両角昌助 7
満洲開拓保健団 7
開拓読書協会の設立 8
大陸帰農開拓団連絡協議会の開催 8
日婦幹部拓務訓練講習会 9
開拓だより
強硬勧誘で／満洲の秋は豊稔／大陸勤労を正課程に／二百五十戸の区整／富貴原郷八十戸送出へ／町内会で一名推薦／西筑の義勇軍／送つて欲しい拓士／読書村分村／第一木曽郷／第二木曽郷／楢川村単独分村／老軀に沸る拓魂／宝城の秋岡谷分郷／熊公が家畜の番／下伊那の開拓戦時編成／阿知郷へ建設促進勤報隊／満洲更級村で豊作感謝祭／小県郷満三年の成果 10

第五号　一九四四年一二月一五日発行

日婦幹部に拓植訓練──桔梗原女子訓練所で三五八名受講 1
興亜室設置奨励金　一九校一訓練所へ指令 10
義勇軍徽章配布 10
義勇軍拓務訓練状況（十一月二十五日現在） 10
花嫁は積極的に送出──日婦視察団座談会 11
物故義勇軍慰霊祭 11
故横川団長の慰霊法要──十一月十二日於諏訪市地蔵寺 12
追悼の辞　小沢毅 12
追悼の辞　小川仙一 14
瀬沢新田区（落合母村）開拓に火の玉 16
［書簡］　松田英夫 16
苦闘十年の瑞穂村 17
満洲農産公社主催　満拓促進座談会 18
［書簡］　両角昌助 19
開拓だより
開拓の華母村へ／収穫素晴らし／東筑郷の現地報告／松筑の越冬隊／下水の拓植訓練／下伊那の義勇軍／大根は毎戸二噸宛／予定以上の穫れ秋／北安郷でも／飯田郷農事指導員／雄々し開拓者の闘魂／第二小県建設／大陸を開く熱魂沸々／稲は豊作魚は豊漁／大陸花嫁斡旋部／来春は男一人で五町歩／一匙づつを節米／住宅にも日本的な工夫を／大豆を母村へ送る／水田二千町歩へ／報農は黄金の波／大陸児が十名／反当り七俵収穫 20

人事異動　26
日記抄　26

第六号　一九四四年一二月一五日発行

増産に凱歌も高し本県開拓団――日婦現地踏査班視察記　降旗富江　1
長野県女子拓植指導員現地踏査班視察日程　2
南満アルカリ地帯に挑む南佐久郷　7
大東亜省地方職員講習会――内原にて一週間　11
小松三郎先生　会田血涙　13
諏訪在京人会（於日比谷陶々亭）　13
既設開拓団充足基礎計画（二十年二月迄）　14
昭和十九年度開拓団充足計画表　14
義勇軍幹部内定（十二月十二日現在）　15
本年渡満者三千九百名――開拓事業創始以来の驚異的数字　15
結婚幹旋連絡協議会の開催　16
開拓民引率渡満（八月―十一月迄）　17
報国農場（二箇所へ補助指令）　17
下伊那地方開拓館へ二万円補助　17
八ケ岳郷雹害に本会より見舞金三千円　18
開拓神社（十三社）に補助金交付　18
開拓協会に図書購入興亜室へも幹旋す　18
拓士の結婚には祝儀を贈る　18
小諸で報国農場増産感謝祭　19
賞金全部国防献金　19
故近藤団長に弔慰金二千円　19
寮母さんの語る物資も豊富な小池中隊近況　19
何よりも団員充足――山浦諏訪地方事務所長視察談　20
［報告］　久保田越三　20
南満開拓にも力注ぐ――都市疎開者も招致　21
開拓だより
伸びゆく大日向村／建設進む南信濃郷／七久保分村建設に邁進／東筑義勇軍拓務訓練／長野郷再び猛運／母村へ大豆、富士見分村／学校は煉瓦作り／大陸に踏止まる　22
日誌抄　24

第七号　一九四五年一月一五日発行

聖戦第四年の新年を迎へて　大坪保雄　1
開拓地を訪ねて　山浦国久　2
開拓団図書館（十九集団）に補助指令　3
開拓協会蔵書一覧　3
興亜室設置奨励金指令（第二回）　5
第十四次集団を編成送出　6
諏訪特別指導地区（郡）協議会　6
結婚幹旋連絡協議会　7
義勇軍本部規程一部改正　9
長野県中央結婚幹旋所満蒙開拓民結婚幹旋部職員異動　9
現地報告其他の団長会議　9
満蒙開拓指導員合格者（本県関係二十一名）　10
北安曇郷団員充足協議会　10
現地だより
開拓出荷も断然優位（本県の開拓団）／故遠山団長に続け　11
絵葉書　大須賀与一　13
開拓だより
今が入植の絶好期／明春迄に四十戸送出／一家で一町村分の供米／豊作に喜び溢る／上高井郷の拡充案／飯田郷へ推進隊／南安郷の充足運動／東筑郷の拓士送出懇談会／結ばれた大陸花嫁二十組／蓼科郷拓士充足協議会／衣料の心配要らぬ／河西郷充実懇談会／満洲大日向村近況／気に入れば永住は自由／拓士に温い援護の手／既設園を充足／松本に拓務会館／富貴原郷へ二百戸を／河野開拓団／木曽谷の義勇軍　14
人事異動　19
日誌抄　19

編輯後記　20

第八号　一九四五年三月一五日発行

三河のカザック村を訪ふ　宮川寿幸　1
開拓地ところどころ　多田あや　3
日満締盟固く建国茲に十三周年　6
一団体十氏に大東亜大臣賞　6
拓士送出飽く迄敢行――山越事務局長議会で闡明　7
満洲国農産物出荷目標達成　7
桔梗原女子拓務訓練所訓練状況実績調査表　8
昭和二十年度本県義勇軍三中隊八百名進発　11
第十四次八集団に承認内定（大東亜省）　12
本県関係満洲開拓団長会議　12
挨拶　大坪保雄　13
各団長現地報告並意見発表要旨　清水千代村団長／山本高社郷団長／傘木北安曇郷団長／永井上高井郷団長／原南信濃郷団長代理／村上富貴原郷団長／勝田長野郷団長／筒井河野村団長／丸山嫩江訓練所郷土中隊長　14
団長会議出席者　15
義勇軍編成委員長会議　16
諏訪特別指導地区運動展開　16
南信開拓事業促進協議会　19
拓士送出に非常措置（飯田郷）　19
丸山中隊父兄会　20
三峰郷開拓会館へ補助指令　20
興亜室設置奨励金指令　20
下伊那の結婚斡旋協議会に臨みて　降旗富江　21
お芽出度き拓士の方々　22
信濃海外移住組合第二十回総会　22
昭和二十年度女子訓練所訓練生募集　23
開拓だより　食糧増産大陸特攻隊／義勇軍中隊長に校長先生／東筑郷へ続々進出／報国農場の大戦果／入植家族へ支度金千円／三月迄に五十戸送出／うんと食ひうんと働ける／赤穂で三月迄に六十名／家屋農具も準備済／花嫁に日婦が乗出す／分村へ建設勤奉隊／上高井郷に報国農場／征け黒姫郷　24
長野県開拓協会事務分担表（昭和二十年二月一日）　26
人事異動　27
日誌抄　27
編輯後記　28

第九号　一九四五年五月五日発行

義勇軍三中隊内原へ進発す――今年も全国一の成績確保　1
告辞　大坪保雄　2
壮行の辞　堀内英雄　2
満蒙開拓青少年義勇軍長野部隊代表　東筑摩郡本城国民学校　坪田幸一　3
義勇軍内原入所状況　3
義勇軍募集　会田血涙　4
現地通信　尾曽武夫　4
日婦幹部拓務訓練講習会　5
南信濃郷員充足協議会　7
一校九人の義勇隊　8
千町の共同収益地　(9)
逞し富貴原郷便り　(9)
日誌抄　(9)

第一〇号　一九四五年五月一〇日発行

満蒙開拓功労者を表彰――受賞者は六団体八学校一〇〇氏　1
告辞　大坪保雄　1
祝詞　板津直剛　2
満洲開拓事業功労表彰者及事績
大東亜大臣表彰功労団体　2
大東亜大臣表彰功労者　3

長野県知事表彰功労者　4
満洲移住協会理事長感謝状　5
長野県開拓協会長感謝状　6
長野県開拓協会長、長野県満蒙開拓青少年義勇軍本部長感謝状　6
拓務課県会議事堂へ移転　(9)
人事異動　(9)
日誌抄　(9)

第一一号　一九四五年五月一五日発行

昭和二十年度事業計画予算議決の理事会——新規予算総額六三、五〇〇円
挨拶　大坪保雄　(1)
協議事項　2
議事概況　2
出席者氏名　2
昭和十八年度長野県開拓協会事業報告　3
昭和十八年度長野県開拓協会経常部臨時部収支決算案　3
昭和二十年度長野県開拓協会事業計画　4
昭和二十年度長野県開拓協会経常部歳入歳出予算案　4
昭和二十年度長野県開拓協会臨時部歳入歳出予算案　7
長野県開拓協会昭和二十年度臨時部募集費予算案　9
県拓務行政一元化実現す（満洲分村事務拓務課へ移管）　(10)
第十四次御嶽郷新発足　(10)
北山村の拓士送出新方策　(11)
日誌抄　(11)

幸村　幸　83-23
湯田　精　91-62
湯田定子　107-36
湯田　維　27-22, 74-15
湯本つな子　233-13

【よ】

横沢　環　128-34
横田秀雄　135-17
横山恵二　149-15
横山林十　75-35, 110-30
与謝野寛　118-25
吉江喬松　136-19
芳川英三　182-9
芳水(芳水生)　68-27, 99-(1), 99-39, 100-42, 101-(1), 102-(1), 102-49, 103-79, 104-(1), 105-(1), 106-(1), 107-(1), 109-(1), 110-(1), 111-(1), 112-(1), 113-(1), 114-17, 115-76, 117-(1), 118-51, 121-(1), 122-52, 124-47, 125-45, 126-(1), 126-42, 129-(1), 136-(1), 149-(1), 151-(1), 152-(1), 180-26
吉村作次　207-11
依田国祐　197-1
依田源七　116-56
依田善次　155-8
依田　泰　124-2
米内光政　215-1
米沢武平　2-9

【り】

陸軍省情報部　210-1

【れ】

レヂストロ、チエテ、バストス、アリアンサ各移住地日本人一同　111-12

【ろ】

蘆岸紫舟　131-33

【わ】

ＹＨ生　39-19
若林総領事　141-31
若林俊平　253-6
若山喜志子　143-16
涌井　茂　38-28
輪湖俊午郎(輪湖生)　3-13, 6-22, 34-9, 34-10, 35-21, 39-5, 95-7, 105-23
渡辺勘吉　89-16, 91-42, 92-23, 100-26
渡辺(旧姓竹内)けさゑ　5-13
渡辺源吉　85-19
渡辺千冬　135-19
渡辺栄雄　183-6, 184-7, 185-13, 186-6, 188-6, 189-11, 191-14, 214-14
渡瀬正人　204-4

【む】

村上　有　28-25
村沢小いな　153-51
村松　薫　68-28, 71-8, 101-5, 153-48
村松圭二　28-23
村 松 生　5-4

【も】

百瀬作之進　153-53
百瀬たま枝　209-8
森　活　5-6
森　勝衛　134-28
森　武　92-38
森　知保　188-7, 190-13
森代喜一　52-24
森泉菊三郎　49-14
森田三樹　91-7, 92-2, 93-36
守屋栄夫　191-4
森山達二　181-5
両角貫一　77-36, 88-19
両角雉夫　86-34, 142-(1)
両角春子　151-16
両角昌助　*4*-7, *5*-19
両角喜重　77-34, 77-36, 80-2, 84-2

【や】

矢ケ崎賢治　75-2
矢崎節夫　1-24, 7-25, 53-12, 85-20
矢沢定治　110-30
矢沢義雄　181-3
矢島　要　30-25, 42-5, 45-7
矢島璋三　13-22, 80-37, 85-18, 87-22
矢島幸男　156-10
安井誠一郎　188-1
安江惣右衛門　94-23
安川雄之助　68-13
安原吉次郎　183-19
矢田鶴之助　45-9, 46-6, 52-5, 100-5, 101-9, 102-8, 103-7, 104-7, 105-4, 106-10, 107-7, 108-9, 109-5, 110-8, 111-16, 112-11, 113-10, 114-10, 115-14, 116-16, 116-56, 117-13, 118-8, 119-15, 120-12, 121-10, 122-21, 123-11, 124-14, 125-20, 126-2
弥富元三郎　135-2
柳沢秋夫　128-33
矢部市郎　伯-27
山　内　11-18
山浦国久　205-1, Ⅶ-2
山川　巌　131-30
山岸新作　115-42, 139-33, 140-19, 153-42, 184-1, 207-5, 207-9, 212-11
山崎忠直　8-18, 37-18
山崎長文　65-21
山崎治太郎　20-1, 21-1
山下　晟　105-16, 106-19, 107-20, 108-19
山科礼蔵　12-12
山田覚善光　144-75
山田　勉　252-12
山田靖雄　38-28
山室軍平　110-15
山本鳴人　156-12
山本直右衛門　213-15
山本安頼　190-7, 235-15
山脇正旗　150-2

【ゆ】

唯　紅子　65-22

松橋久弥 85-20
松村栄治 22-3, 23-15, 127-26, 24-23, 32-23, 34-16, 36-23
松村光磨 70-18
松本忠雄 208-1
マノエル・ヅトラ 134-1
真野鹿次郎 134-64
丸山竹次郎 74-20
丸山憲綱 127-18
丸山福美 60-19
丸山安蔵 184-12, 189-5, 191-12

【み】

御厨信一郎 58-11
水上忠吾 130-30
溝口男一郎 10-(20)
溝口峰雄 181-8
三井善吾 69-62, 70-5
三井豊吉 181-7
翠　　生 41-21
緑川五右衛門 111-30, 120-25, 123-30, 134-67, 156-9
緑川高広 150-28
緑川　績 150-28
南安曇開拓協会小倉村支部 246-15
美 矢 緒 36-1
宮尾　厚 72-25
宮川寿幸 8-1
宮坂救治 64-22
宮坂幸高 119-29
宮崎袈裟義 252-1, 253-5
宮崎為春 109-35, 142-20
宮崎富美男 15-20
宮崎文雄 154-1
宮沢一子 40-40
宮沢八郎 69-40
宮下延太郎 23-24
宮下正三 188-8
宮 下 生 7-36
宮下琢磨 4-18, 5-20, 26-1, 40-26, 45-31, 60-10, 62-2, 64-18, 66-2, 67-6, 74-21, 75-8, 78-11, 79-4, 80-5, 81-7, 83-8, 84-8, 85-8, 88-16, 88-23, 90-4, 91-13, 92-8, 94-10, 95-12, 96-10, 97-9, 98-8, 99-9, 100-17, 101-17, 102-21, 103-30, 104-21, 109-2, 114-2, 116-2
宮下美柿 2-14
宮下良太郎 20-18
宮島清衛 70-18, 80-37
宮島為春 150-26
宮島文雄 8-17
宮野尾光司 73-96
宮原うめ乃 86-14
宮原正一 79-31, 93-52
宮原和三郎 75-19, 82-23, 94-26, 107-34, 110-29
宮部里治 61-16, 101-32
宮部福松 65-15
宮部まさ恵 68-24
宮村清次郎 130-30
宮　　本 91-75, 94-47, 96-42
宮本乙巳 91-(1), 92-(1), 93-(1), 94-(1), 98-39, 100-24, 102-34, 103-50, 103-70, 146-17
宮本生(みやもと生) 39-(36), 42-(33), 61-26, 73-(1), 85-40, 88-27, 90-28, 90-37, 91-50, 91-64, 93-64
宮本てい 114-34
宮脇音次郎 107-35
宮脇伝衛 132-24, 134-62

平林　昇　82-20
広田弘毅　143-2

【ふ】

風 満 楼　26-4
福島繁三　68-2
福原八郎　58-2
藤岡辰次郎　82-24
藤岡玉子　82-24
藤沢三九四　233-12
藤沢正三郎　185-1, 187-11, 208-10
藤沢隆治郎　204-8
藤沢定司　88-14, 89-5, 90-9, 91-16, 92-12, 93-48, 94-33, 95-34, 96-14, 97-19, 98-12, 99-13, 99-24, 100-21, 101-25, 102-27, 103-39, 104-32, 105-27, 106-24, 107-27, 108-31, 109-29, 110-27, 111-28, 112-30, 113-36, 114-27, 115-38, 116-35, 117-27, 118-24, 149-10, 151-11, 152-7, 154-8
富士辰夫　144-34
藤田敏郎　5-5, 5-5, 24-1
藤間徳治　86-19
藤本顕正　49-12, 61-22, 91-40
藤本きく子　71-20
藤本安三郎　49-2, 52-2, 56-13
藤森　克　8-9
藤森茂里　206-10
藤原銀次郎　206-(17)
降旗　伝　152-14
降旗富江　*6*-1, *8*-21
降幡秀雄　82-24
ブルーノ・バルボーザ　141-20

【へ】

編 輯 子　141-34, 147-26
辺見国雄　19-21, 145-14, 156-9

【ほ】

奉天商工会議所　150-19
保坂進司　114-33, 142-20
細川末男　61-24
細野浩三　10-15
堀田金一　68-25
塚田久米治　46-31
堀内信水　133-13
堀内英雄　*9*-2
堀川浩伸　207-11
本会調査部　114-25, 115-43, 116-37
本間利雄　10-1

【ま】

前田長吉　191-13
牧野種臣　185-15
正村秀二郎　232-11
増田三喜　184-6
町田　厚　134-65
松井佐久平　95-36, 96-24
松尾太一　71-15
松尾　弘　35-26, 74-5, 75-4, 84-28, 88-20, 132-26, 134-64
松木　誠　75-35
松倉好弥　150-28
松沢佐市　142-15, 147-61
松島鋤人　95-26
松田英二　187-6
松田英夫　*5*-16
松橋久左衛門　246-3

中村正直 104-30, 104-38
中村良相 75-23, 146-17
中村令治 127-27
永安百治 246-1
名取三重 13-18
行方健作 151-18
成沢伍一郎 123-26
成沢常雄 *2*-18
南洋協会新嘉坡商品陳列所 150-11

【に】

新沼岩之助 82-7, 82-22
西川大六 7-13
西沢太一郎 36-2, 41-2, 42-2, 43-(1), 55-2, 63-48, 67-2, 78-2, 81-2, 81-34, 83-6, 85-7, 87-5, 88-7, 88-22, 92-19, 93-34, 94-2, 94-27, 95-16, 96-6, 97-(1), 97-6, 98-6, 99-5, 100-13, 101-13, 102-16, 103-(1), 103-23, 104-17, 105-11, 106-2, 107-14, 108-4, 109-10, 110-12, 111-9, 112-2, 113-4, 114-5, 115-(1), 115-2, 115-23, 116-12, 117-7, 118-4, 119-11, 120-9, 121-15, 122-9, 123-4, 124-8, 125-8, 147-62
西沢並三郎 151-15
西沢春次 15-20, 65-20
西沢　寛 187-14
西原清東 1-26
西牧　巌 52-35
日南産業株式会社 190-4
蜷川　新 112-24
日本郵船 86-12
日本力行会 36-11, 86-35, 91-63, 103-38
日本力行会海外学校 149-6

【は】

橋本包明 119-28
橋本嘉三 109-34, 117-51, 119-26
長谷とみゑ 94-20
長谷芳松 94-21
長谷川英人 146-7
長谷部特派員 208-5
畑　実 69-58
畑良太郎 65-2
畑中仙次郎 204-11
花尾享(亨) 117-51, 131-27
羽場金重郎 99-2, 100-2, 103-2, 115-4, 116-56
浜口光雄 88-21
林誠三郎 68-23
林　月虹 93-46
林　光月 5-7
林　光衛 94-22, 101-32, 128-33
林弥兵衛 8-15, 11-25
原　韻 4-23
原梅三郎 147-17
原　嘉道 133-12
原田惟織 68-7
原山芳雄 12-28
原山芳保 69-61, 88-23, 135-23, 136-26, 141-71, 142-18, 156-11, 214-11
半田清春 122-16, 123-16
半田積善 58-20, 68-14, 92-22

【ひ】

菱川敬三 69-61, 70-18
平沢千秋 184-12
平田今朝恵 254-11
平沼騏一郎 204-1
平林利治 15-11

坪田幸一 9-3

【て】

T、M生 78-51
T O 生 101-21, 102-25, 103-34
T K 生 28-26
T・T生 153-68
寺沢俊雄(寺沢、寺沢生) 70-20, 127-10, 128-13, 130-(1), 130-18, 131-(1), 131-17, 132-15, 134-72, 137-(1), 141-(1), 141-47, 141-77, 144-15, 147-11, 147-76, 150-(1), 150-44, 153-(1), 156-(35)
寺田市正 209-1
天 剣 生 114-(1)
天津帝国領事館 24-21
天 籟 27-1

【と】

土井晩翠 181-11
土井 博 183-17, 184-9
土井吉助 181-5
東福寺子四郎 214-14
東福寺四郎 155-6
遠山健吉 181-7
遠山元四郎 207-8
徳田徳男 74-19
戸谷米保 107-23, 108-26, 109-26, 110-25, 111-26, 112-28, 113-34
戸田由美 19-18
鳥取県西伯郡教育会 12-16
富田 貴 135-(1), 138-(1), 147-(1)
豊吉真水路 149-14, 152-2

【な】

内藤紫楼 190-1
内藤茂三郎 146-18
永井柳太郎 12-1, 123-3, 127-2, 132-2
永岩弥生 183-1
中川紀元 143-15
中沢潤二 55-13, 108-34, 112-17
中沢老生 60-18
中条秀夫 69-59, 70-17, 71-21
中曽根孝次 85-20
中曽根益雄 131-28
中田瑞彦 197-6
永田 稠(永田幹事) 3-17, 27-4, 28-8, 30-1, 34-1, 34-2, 35-2, 36-7, 38-(1), 38-2, 39-(1), 39-2, 40-(1), 40-2, 45-2, 46-2, 53-2, 56-2, 63-39, 63-44, 63-47, 64-2, 74-(1), 74-2, 83-2, 87-2, 88-2, 89-2, 91-4, 95-1, 107-2, 113-35, 115-74, 119-(1), 120-(1), 122-2, 142-2, 142-33, 144-2, 147-2, 149-2, 153-2, 156-1, 189-1, 245-1, 246-5
永田安雄 69-30
長縄辰吉 86-20
長野県栄養研究所 206-5
長野県経済部 254-14
長野県更級農学校 147-73
長野県人会事務所 190-11, 214-9
長橋辰三郎 45-19
中林義一 150-8
長淵鐘六(長淵生) 13-25, 46-20, 53-10, 55-12, 74-20, 85-18, 92-22, 104-16, 113-40, 136-25, 141-70, 191-12
中村 信 134-67

高 津 生　110-46, 112-48, 113-48, 118-(1), 120-52, 121-51, 122-(1), 123-48, 124-(1), 128-(1), 132-(1), 133-(1)
高 梨 生　233-9
高野さや子　235-12
高野政春　144-76
高 橋 生　10-11
高橋　武　73-95
高橋久雄　12-26
高見明隆　74-19
高山利政　137-39, 138-24, 141-75, 142-17, 152-14
高山盛政　7-23
滝沢温二　Ⅳ-1
滝沢貞雄　91-42
滝沢政造　6-17
滝沢宗一　7-23
滝沢　勝　146-18
拓務省拓務局　180-1, 205-8
竹内駒雄　17-7, 75-15, 82-21, 86-19, 89-7, 89-15, 90-15, 145-12
竹内要七　210-15
武田勘司　111-31, 149-15
武田三三　61-9, 62-14, 66-18, 67-17, 68-50, 70-32, 71-24, 72-19, 74-26, 75-29, 77-28, 82-15, 83-34, 85-32, 86-22, 89-27, 91-57
武田竜太　147-60
武知軍蔵　5-9
武富邦茂　116-6, 138-2, 142-7
竹元　言　122-30
竹本武雄　206-3
田沢義鋪　142-7
田島正雄　147-43
多田あや　8-3
龍江義信　11-1
田付七太　63-106
館石光雄　85-20
田寺俊信　3-10
田中茂一　156-11
田中正作　214-14
田中鉄之助　75-18, 151-17
田中寿治　52-23
田中　一　68-29
田中　広　31-21, 40-21, 41-19, 183-15
田中正勝　9-15, 40-24, 41-25
田中八千代　153-50
田中芳助　234-1
玉川梅乃　132-25, 134-63
玉川音作　1-19, 5-14, 69-60, 187-5
玉 川 生　187-10
拓務省拓務局　147-34
田村一恵　98-18, 190-9
田村俊夫　4-26, 10-12
多羅間鉄輔　83-13
檀上謙爾　101-2
団 長 生　49-8
タンピコ日本人会　141-70

【ち】

茅野恒司　9-1
千葉豊治　7-1
千葉　了　78-33

【つ】

通 商 局　24-20, 24-22
塚田六枝　245-10
土屋耕二　68-6
土屋雄四郎　94-24
坪内忠治　58-34, 108-(1), 115-22, 116-(1), 116-33, 117-25, 121-23, 127-8, 131-11, 197-20
坪内広代　190-6, 210-15

滋野　信　153-52
信濃海外移住組合　83-7
信濃海外協会　10-32, 11-32, 38-36, 42-31, 58-35, 63-1, 69-64, 75-38, 80-38, 83-7, 143-36, 147-57, 246-16
信濃海外協会飯島支部　142-37, 190-14
信濃海外協会米国西北部支部　69-2, 80-37, 92-19, 94-17, 95-23, 107-19
信濃海外協会北米南加支部　108-14, 137-13
柴崎章雄　123-30, 135-22
柴 田 生　1-18
柴田たつ　71-19
柴田冨陽　74-9
紫田芳三　61-28
渋 谷 生　87-23
渋谷政治　86-21
島浦精二　146-14
島崎藤村　182-1
島世お忠　210-13
島田　晋　232-10
島 田 生　15-18, 36-22
島田嘉春　141-23
清水明雄　68-18, 82-21
清水一郎　79-28, 82-18, 82-21, 103-58
清水謙治　153-56
清水三郎　40-19
清水利一　233-11
清水美代　87-22, 103-58
下平隆徳　182-10
下平　敏　78-39
白石喜太郎　68-4
白鳥久子　150-24
白鳥幸人　150-24
新海とき子　233-14
新嘉坡帝国商務官　24-19

【す】

菅沼達雄　86-21
前姓鈴木　5-12
鈴木千代子　120-26
鈴木定治郎　144-40
須藤正夫　110-30, 155-3

【せ】

瀬在藤治　75-18
関　庸　104-2, 125-2, 130-2, 136-2, 140-3, 145-2, 151-2
関　弥広　205-12
関屋延之助　62-8
Ｚ・Ｙ生　77-38
瀬戸喜代松　58-19
ゼナロ　アルバキガ　40-6, 41-8
泉 駄 羅　78-40

【そ】

園原次郎　234-11
征矢野隆　212-12

【た】

大工原銀太郎　135-18
ダヴアオ帝国領事館　24-9
高岡専太郎　98-2
高木辰雄　185-13
高木利治　39-30
高木　実　182-8
高木利兵衛　86-6, 87-16, 87-23, 104-25, 124-23, 125-27, 126-11, 127-21, 137-20, 138-28, 139-27
高津　栄　211-17, 212-15

小出佐一　3-11
小岩井今朝松　205-14
河野利実　1-23
河野　寛　136-25, 141-72
河野通岱　10-(21)
郷原　保　131-2
郷間正平　10-10
香露庵老人　78-38
郡山義夫　254-1, 1-1
小坂隆雄　191-13
古関富弥　77-2
小平　誠　135-28
小玉清子　34-15
小玉源吉　34-14
児玉謙次　68-15, 104-5, 106-22, 107-25, 108-28, 128-2, 142-6
近衛文麿　232-1
小幅　皓　197-13
小林昭隆　184-4
小林一郎　89-16, 151-8
小林幾玖雄　11-24
小林主計　55-11, 136-11, 141-70, 191-9
小林武夫　7-30
小林　巽　4-22
小林千尋　55-9
小林九十九　235-1
小林伝兵衛　151-16
小林　弘　235-14
小林政重　210-14
小林政助　137-2, 138-6, 139-2, 141-13, 144-7, 145-12
小林宗之助　70-30
小松勝男　191-12
小松敬一郎　135-22
小松　準　182-10
小松永太郎　15-21
駒津昌虎　58-21, 99-24
小宮山貞夫　146-18
小宮山成己　22-22
五明忠一郎　116-56
小山茂雄　152-13
小山正直　88-23
小　山　生　77-16
小山　嵩　77-30, 78-43, 79-36, 80-30, 103-44
近藤駿介　187-1
近藤良和　12-25

【さ】

在アリアンサ生　91-39
西条八十　140-15, 181-11
在伯レジストロ支部　89-15
在未蘭帝国領事　24-18
在リヴアプール帝国領事　24-19
坂井辰三郎　25-1, 27-7, 28-1, 29-1, 30-4, 31-1, 32-1, 35-7
坂田忠夫　128-33, 133-24
阪谷芳郎　213-3
坂本市之助　30-10, 36-18
崎山比佐衛　211-8, 212-5, 213-9
座光寺与市　37-15
笹沢　新　17-12, 58-22, 65-17, 83-21, 153-55
佐藤一夫　69-62
佐藤清治　41-36
佐藤藤山　100-(1), 100-11, 125-(1)
佐藤寅太郎　2-1
サントス丸乗船長野県人一同　144-80

【し】

塩沢幸一　209-5
塩沢守逸　68-31
塩川良蔵　188-9
志賀重昂　60-2

勝田正武　10-5, 36-26, 37-17, 53-10
勝田正通　142-22
勝野千秋　8-13
加藤俊也　130-21
加藤虎男　5-8
加藤　実　141-26, 149-7
金井行雄　235-13
金田近二　211-1
嘉部安平　128-27, 129-33
上条　正　189-9
上条ハナ子　150-29
香山六郎　52-24
唐木　喬　205-13
川口秀俊　78-39, 100-25
川久保芳雄　214-12
川原国一郎　77-38, 207-10
神沢久吉　5-11, 91-35, 35-24
幹　事　46-17
神戸久一　71-13
神戸頼良　129-14, 130-14, 131-14, 133-8, 135-8, 136-7, 137-14, 139-21, 140-16

【き】

菊池契月　136-20
菊池為男　190-9, 214-12, 232-11
北加信濃海外協会幹事　84-27
喜多繁蔵　126-24
北沢金蔵　77-35
北原欣平　40-41
北原地価造　13-23, 34-9, 34-11
北原白秋　181-10
北原はるみ　34-8
北原文夫　1-22
北原盛忠　135-10
北村善次郎　129-35
杵淵弥太郎　191-13
木下銀八　189-7
木下　斜　25-3, 112-44, 125-5, 127-25
木村憲司　146-7
共 拓 会　11-8
桐生悠々　90-2, 118-2, 129-2, 133-2

【く】

草間志亭　78-39
草間弘司　73-96, 78-15, 79-10, 84-13, 85-11, 88-23
工藤信平　123-28
功力千俊　70-2
久保田越三　6-20
久保田俊彦　13-1
久保田安雄　91-34, 92-20
倉石鶴治郎　19-1, 23-3
倉島芳之助　6-13
倉田国蔵　211-13, 214-7, 214-13
倉田哲人　101-28, 102-30, 103-46, 104-34, 105-29, 106-28, 107-29
黒坂武雄　12-23

【け】

K・H生　73-93, 74-11, 80-10, 81-13, 84-16
剣 影 生　60-15

【こ】

小穴武治　212-1, 213-6, 214-4, 215-5
小池釣夫　30-23, 31-18, 32-16, 78-36, 186-5, 190-8, 197-12, 211-12, 234-13
小池代治郎　19-19, 21-28, 53-7
小泉理覚　77-37
小磯国昭　206-1, 215-2

エフ、エ、ノルツ　96-2, 97-2
M　生　69-69, 70-43, 82-38, 88-39, 92-47
遠藤照治　40-26
遠藤信次郎　92-23

【お】

O M 生　78-51, 91-63
大久保静夫　146-13
大蔵公望　214-1
大沢いと　103-58
大沢英三　92-20, 100-25, 103-56
大沢開之進　27-24
大沢をいと　92-21
大島兼三郎　145-15, 147-58, 149-15, 152-13, 156-10, 183-4, 184-13, 207-10, 210-15
大須賀与一　*7*-13
太田嘉緑　77-37
大谷幸信　232-10
大提　篤　37-12, 38-8
大坪保雄　*3*-1, *7*-1, *8*-13, *9*-2, *10*-1, *11*-(1)
大野長一　119-28
大原関喜一　外一同　207-7
太平慶太郎　65-7, 66-8, 142-15, 156-7
大村清一　155-1, 191-1
大森甚吉　197-9
大屋義人　108-22, 109-21, 110-21, 111-23, 112-20, 113-16, 113-29, 114-18, 115-10, 115-30, 116-28, 117-17, 118-17, 119-19, 120-17, 121-19, 122-27, 123-22, 124-19, 125-24, 128-9, 129-10, 130-9, 132-11, 139-17, 140-11, 145-6, 151-4, 154-4
大山幸平　14-19, 41-18, 45-15
小笠原幸彦　68-9
岡田周造　140-1, 141-2
岡田忠彦　1-1
丘南原暹　147-47
岡村一恵　99-24
岡本四郎　210-12
小川幸太郎　49-6, 67-13
小 川 生　61-21
小川仙一　*5*-14
小川寅吉　152-11
小川　林　58-16
小川平吉　1-9, 135-16
沖野喜資　126-27
小倉村翼賛壮年団　246-15
小倉幸男　185-14, 191-14
長田武夫　19-22, 53-9, 82-20, 153-48
小沢五郎　119-26
小沢　毅　*5*-12
小沢正元　147-60
推野源之助　70-20
尾曽武夫　*9*-4
小田切伝　14-17
尾沼　仂　144-75
小里頼永　5-25, 116-19, 128-4, 142-27

【か】

海外移住組合連合会　190-4
海外発展生　8-1
外務省通商局　141-30
加賀野俊三　17-4
賀川豊彦　105-22
柿沢国平　183-14, 187-13, 211-14
賀集九平　147-6
片桐　進　207-8
片瀬浅次　1-21, 5-11
片瀬多門　70-19
片山　昇　87-11

石川英夫 152-4
石川博見 85-2, 86-2, 101-6, 102-12, 103-14, 104-13, 105-19, 106-16, 107-11, 108-15, 109-14, 110-5, 111-13, 112-7, 113-2, 113-25, 114-15, 115-19, 116-20
石黒忠篤 207-1
石沢貞人 109-32, 112-44, 119-27
石戸羊我 190-7
石戸義一 190-5
泉本勝義 189-8
板倉操平 80-38, 84-5
板津直剛 *10*-1
一 閑 生 97-13, 98-14, 102-5, 103-18
一 記 者 69-15, 69-53, 70-8, 72-23
一 誌 友 149-8
一 少 女 46-30
一植民者 82-2
一 女 性 97-38
市原真次 10-7
一番ケ瀬佳雄 144-25
井出碩雄 83-23
伊藤寛水 69-22
伊藤　栄 8-19
伊藤信介 3-21
伊藤徳象 49-27
伊藤春好 8-16
伊藤道儀 5-6
伊藤八十二 34-17, 87-22, 100-25, 120-25
井上静雄 45-20
井野碩哉 233-6
井原恵作 4-6
今井邦子 136-18
今井五介 1-5, 10-3, 91-2, 111-2, 215-3
今村軍司 126-7, 127-4, 128-5, 129-4, 130-5, 131-7, 132-6, 133-4, 135-4, 138-15, 139-12, 140-7, 143-5
今村忠助 148-6, 150-29
今村広美 73-15, 89-15, 91-41, 108-35, 139-24, 141-73, 142-18
今村力三郎 145-10
今雪真一 105-2, 110-2
弥栄村役場 188-6
入　隆夫 70-18
岩井杏水 85-34, 86-9, 87-32, 89-24, 90-25
岩垂貞吉 23-21, 46-19, 88-22
岩波菊治(岩波生) 61-15, 61-25, 87-37, 103-55

【う】

植木太郎 7-22
植木酉二 61-18, 83-22, 91-36
上野一平 88-23
兎実験生 82-12
牛木一郎 80-38
臼井省三 55-7, 94-15, 127-25
内田登始雄 69-35
内堀鉄弥 181-3
内山岩太郎 122-37, 148-1
内山　清 232-13, 235-8
海の外社 90-32, 94-46
海の外編輯部 233-14
梅谷光貞 44-1, 65-5, 119-5, 120-2, 121-2, 141-4
梅村　登 148-12
海野助弥 38-9

【え】

S・T生 5-27, 115-51, 116-23, 117-38
N S 生 39-31

『復刻版　海の外』執筆者索引

※号数－頁数の形で表記した。特に号数につき、『海の外』は正体で、『信濃開拓時報』はイタリック体で表記し区別した。

※また、伯剌西爾移住地建設号（一九二三年六月）の号数は「伯」とした。

【あ】

Ｒ・Ａ生　77-6
会田血涙（貢）　215-7, 234-10, 246-4, 253-7, *6*-13, *9*-4
会津AS子　78-48
Ｉ・Ｕ生　74-22
青木重治郎　92-23
青木　保　99-17, 99-24
青木虎若　187-14
青木　基　207-8
青木林蔵　102-2, 129-8, 137-11
青野重雄　246-2
青柳有美　208-8
赤イキ生　44-(49)
赤池邦之助　7-31
赤インク　58-36
赤尾新一　137-18
赤津　伝　27-25
赤羽九市　68-11
秋　嶺　182-4
秋山英之助　84-28, 88-22, 96-20
秋山利一　62-28
芥村　卓　114-23, 115-40, 120-27, 119-31
浅川武麿　232-6
浅野利実　34-12
浅野春枝　1-23, 34-13
芦部猪之吉　7-27, 34-18, 72-2, 73-2, 93-2, 145-17, 146-2, 181-1
芦部安夫　34-18
安達益之助　109-17, 110-16, 111-20, 113-19, 116-24, 117-21, 118-12
穴田秀男　117-2
安部浅吉　150-13
天田一閑　71-2, 210-6
荒　井　5-6
荒井金太　46-21, 73-13, 145-5, 148-9
荒井貞雄　68-20
荒井竹治　82-20
荒井松三　85-20
新井庸十郎　49-16
荒川五郎　111-4
ありあんさ移住地事務所　191-11

【い】

飯島慶蔵　119-30, 150-31, 153-49
飯島　徹　142-8, 143-9
イグアペ生　49-16
井口寛二　130-31
井口喜源治　7-14
井口吉三郎　66-14
池上秀畝　145-10
池田正五郎　141-43
池田広志　40-40
石垣倉治　123-2

執筆者

森　武麿（もり・たけまろ）

一九四五年、疎開先の岡山県笠岡市神島で生まれ、福岡、東京で育つ。一九七五年、一橋大学経済学研究科博士課程単位取得満期退学。駒澤大学名誉教授、一橋大学名誉教授、神奈川大学名誉教授。現在、神奈川大学日本常民文化研究所客員研究員。経済学博士。

主要業績　『近代農民運動と支配体制―一九二〇年代岐阜県西濃地方の農村をめぐって』（編著、柏書房、一九八五年）／『日本の歴史20　アジア・太平洋戦争』（集英社、一九九三年）／『現代日本経済史』（共著、有斐閣、一九九三年）／『五〇年目の証言―アジア・太平洋戦争の傷跡を訪ねて』（集英社、一九九五年）／『地域における戦時と戦後―庄内地方の農村・都市・社会運動』（共編著、日本経済評論社、一九九六年）／『戦時日本農村社会の研究』（東京大学出版会、一九九九年）／『戦間期の日本農村社会―農民運動と産業組合』（日本経済評論社、二〇〇五年）／『満州移民―飯田下伊那からのメッセージ』（編集代表、現代史料出版、二〇〇七年）／『一九五〇年代と地域社会―神奈川県小田原地域を対象として』（編著、現代史料出版、二〇〇九年）ほか

満洲移民とブラジル移民

信濃海外協会『海の外』を対象として

著者　森　武麿

2025年2月25日　初版第一刷発行

発行者　船橋竜祐
発行所　不二出版　株式会社
〒112-0005
東京都文京区水道2-10-10
電話　03（5981）6704
https://www.fujishuppan.co.jp
組版・印刷／昴印刷　製本／青木製本
乱丁・落丁はお取り替えいたします。

ISBN978-4-8350-8844-0　C3021